CB139506

D. Paulo Evaristo Arns

Da Esperança à Utopia

Testemunho de uma vida

D. Paulo Evaristo Arns

Da Esperança à Utopia

TESTEMU DE UMA VIDA

SEXTANTE

preparo de originais
Maria Angela Borsoi
Regina da Veiga Pereira

revisão
Sérgio Bellinello Soares
José Tedin Pinto

projeto gráfico & capa
Victor Burton

fotolitos
Mergulhar Serviços Editoriais Ltda.

impressão e acabamento
Geográfica e Editora Ltda.

Miolo impresso em Chamois Fine Dunas

CIP-BRASIL. CATALOGAÇÃO-NA-FONTE
SINDICATO NACIONAL DOS EDITORES DE LIVROS, RJ.

A784d

Arns, Paulo Evaristo, 1921-
Da esperança à utopia : testemunho de uma vida / Paulo Evaristo Arns. – Rio de Janeiro : Sextante, 2001.

ISBN 85-86796-93-X

1. Arns, Paulo Evaristo, 1921- – Biografia. 2. Cardeais – Brasil – Biografia. I. Título.

01-1099.

CDD 922.281
CDU 92 (ARNS, P.E.)

Editora Sextante (GMT Editores Ltda.)
Av. Nilo Peçanha, 155 – Gr. 301 – Centro
20020-100 – Rio de Janeiro – RJ
Tel.: (21) 2524-6760 – Fax: (21) 2524-6755
Central de Atendimento: 0800-22-6306
E-mail: atendimento@esextante.com.br
www.esextante.com.br

Sumário

Parte II *Arcebispo de São Paulo: construindo a esperança*

Parte III *Igreja em tempos de ditadura*

*N*O DIA 3 DE JULHO DE 1966, *todo ele nublado e sem luz elétrica funcionando, a pequena cidade de Forquilhinha, em Santa Catarina, se enfeitou para receber o primeiro bispo ali nascido. O Cardeal Agnelo Rossi me ordenou bispo da Santa Igreja Católica Apostólica Romana e ali mesmo me confirmou para seu auxiliar na região norte de São Paulo e no trabalho com a imprensa na mesma cidade.*

Mais de cinqüenta confrades e milhares de pessoas vindas da terra dos meus avós, Capivari, como também as autoridades de Criciúma e os moradores de Forquilhinha, trouxeram radinhos de pilha para poder acompanhar a ordenação, pois faltava energia elétrica para os alto-falantes.

Foi certamente um dia de imensa graça, porque eu cultivava, desde os tempos do noviciado franciscano, grande devoção ao Espírito Santo, que é quem dirige de maneira especial o bispo.

Mas foi igualmente o dia de minha maior apreensão, porque iria trabalhar numa cidade gigantesca que eu apenas conhecia por visitas freqüentes e como vice-provincial dos franciscanos, que têm ali a sua sede.

Meu único consolo: nas horas decisivas Deus sempre está mais perto de nós para inspirar-nos, socorrer-nos e reanimar-nos. E foi o que aconteceu.

Introdução

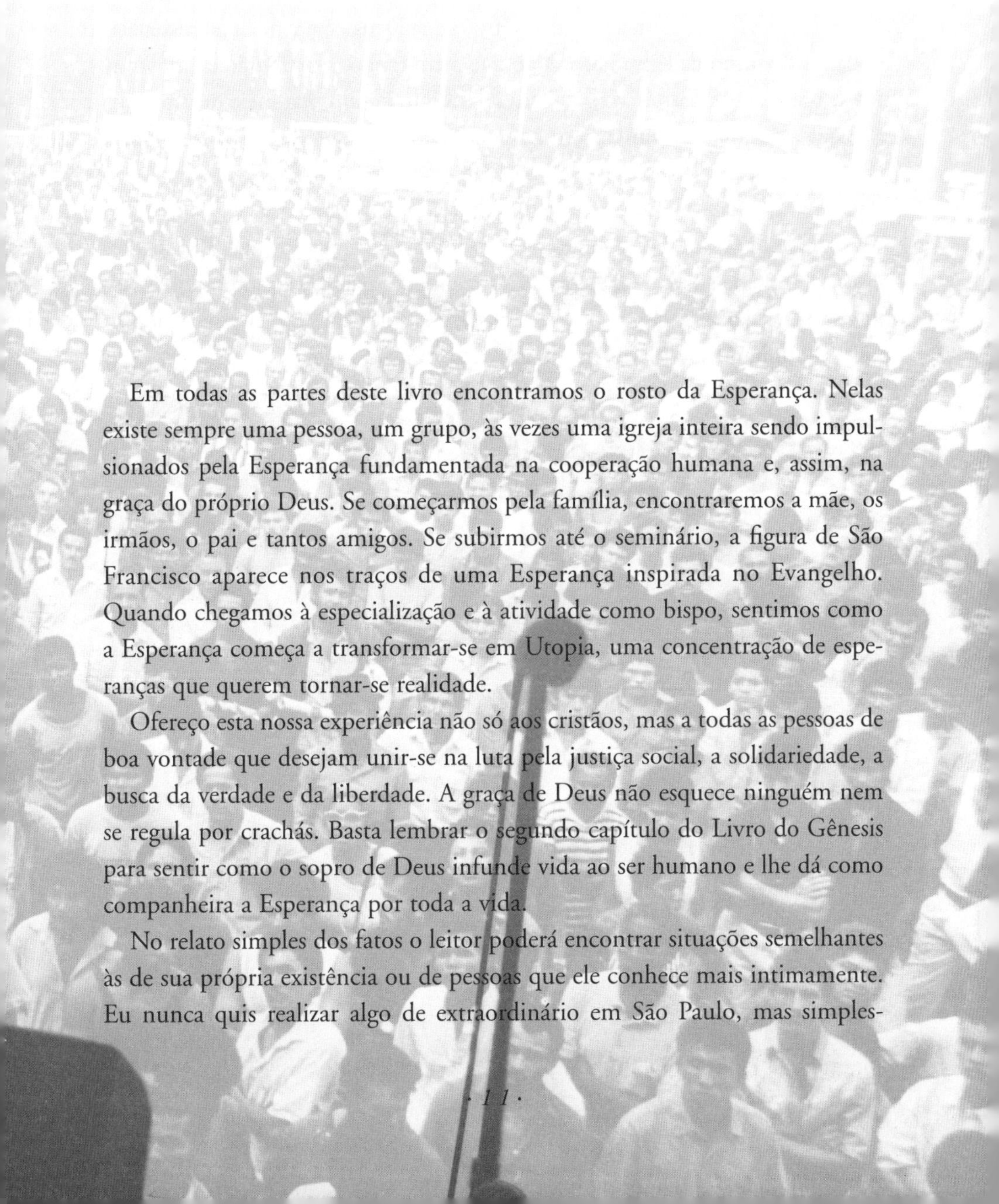

Em todas as partes deste livro encontramos o rosto da Esperança. Nelas existe sempre uma pessoa, um grupo, às vezes uma igreja inteira sendo impulsionados pela Esperança fundamentada na cooperação humana e, assim, na graça do próprio Deus. Se começarmos pela família, encontraremos a mãe, os irmãos, o pai e tantos amigos. Se subirmos até o seminário, a figura de São Francisco aparece nos traços de uma Esperança inspirada no Evangelho. Quando chegamos à especialização e à atividade como bispo, sentimos como a Esperança começa a transformar-se em Utopia, uma concentração de esperanças que querem tornar-se realidade.

Ofereço esta nossa experiência não só aos cristãos, mas a todas as pessoas de boa vontade que desejam unir-se na luta pela justiça social, a solidariedade, a busca da verdade e da liberdade. A graça de Deus não esquece ninguém nem se regula por crachás. Basta lembrar o segundo capítulo do Livro do Gênesis para sentir como o sopro de Deus infunde vida ao ser humano e lhe dá como companheira a Esperança por toda a vida.

No relato simples dos fatos o leitor poderá encontrar situações semelhantes às de sua própria existência ou de pessoas que ele conhece mais intimamente. Eu nunca quis realizar algo de extraordinário em São Paulo, mas simplesmente obedecer ao Evangelho e ao clima novo criado na Igreja pelo Concílio Vaticano II e pela reunião de Medellín, bastante recente. Foi lá que busquei a inspiração, o modelo e a finalidade de todas as atividades das pessoas, dos grupos e da parte da Igreja a mim confiada.

Cabe ao leitor examinar, criticar, avaliar e, quem sabe, completar minhas experiências e levá-las, assim, a produzir o fruto que Deus espera de cada existência ou de cada comunidade humana. Não tive, nem tenho, a pretensão de inovar e sim de obedecer às normas que vinham do mundo inteiro, por meio de um concílio que se chamava ecumênico e de uma assembléia que analisava as grandes falhas nos governos e nas propostas da América Latina de nossos dias.

Confiava, e confio, no povo a que pertenço e a que sirvo em nome de Cristo, o Bom Pastor. Por vezes, o povo se manifesta lento em sua caminhada; outras vezes sabe superar-se e cria novas realidades para o mundo inteiro. Foi por isso que deixei incompleto este relato, porque vivo com o povo, para o povo, caminhando solidário em direção aos ideais evangélicos.

A primeira parte deste livro prepara o que dirá respeito à época seguinte, 1970 até 1998, tempo em que fui destinado ao serviço da Igreja como arcebispo metropolitano de São Paulo e que o leitor encontrará na segunda parte do volume. Com a graça de Deus, completei a trajetória na terceira e última parte, registrando os encontros que julguei mais decisivos para o desempenho da missão.

Somos sempre noviços. Todos os dias aprendemos a conhecer mais uma face da bondade e misericórdia divinas e das possibilidades que Ele confiou às pessoas que vivem conosco um período crucial da História.

Neste momento, chegou a hora de agradecer ao povo de São Paulo, que me recebeu sempre com uma simpatia ainda não merecida.

Tenho que confessar até que o Povo de Deus me precedeu em suas andanças e me ensinou a dar os passos necessários para uma convivência na paz e na fraternidade, sem marginalizações e privilégios.

Que as nossas equipes sintam como são representantes deste povo e como souberam e sempre saberão dar a parte indispensável na missão da Igreja.

A todos os que me incentivaram a escrever estas linhas, minha gratidão e votos de que também se manifestem ao ler o que estou expondo ao público.

À minha secretária Maria Angela Borsoi, que participou de toda a caminhada e me ajudou a lembrar uma série de fatos, os agradecimentos do povo e também dos amigos em São Paulo.

À Editora Sextante, a que confiei a propagação de minhas esperanças e utopia, o grande obrigado pela coragem de lançar um livro que certamente causará surpresa a muitas pessoas, enquanto evoca em outras as lembranças mais agradáveis de um tempo de solidariedade intensa e de amor à Igreja de Cristo, santa e pecadora.

São Paulo, 14 de setembro de 2001, 80º aniversário de minha vida.

Paulo Evaristo, Cardeal Arns
Arcebispo Emérito de São Paulo – Brasil

Parte 1

Pela mão de São Francisco para a Igreja toda: frade e bispo

1 *A vocação, a família, a escola*

Quando cursava pedagogia, à noite, no Instituto Católico de Paris, um dos mais competentes professores costumava repetir uma sentença que ficou gravada na minha memória e marcou minha atitude para o futuro: "Em nós dormem no mínimo doze vocações." Depois, com ironia bem-humorada, mostrando o único dente na boca, dizia: "Levar a sério uma e pôr as outras a serviço da vocação escolhida não é tarefa muito fácil. O importante é não escolher uma décima terceira vocação, para a qual não se tem habilidade, mas fazer com que as onze outras possam enriquecer a décima segunda vocação que nós escolhemos e que deve preencher a nossa vida sempre com novos ideais e realizações."

Ao recordar a influência de minhas irmãs e irmãos, e, sobretudo, de minha mãe e de meu pai, tenho a nítida impressão de que eles me transmitiram não somente a beleza de viver, mas igualmente de escolher uma profissão que enchesse a vida de sentido e me levasse a cumprir missão útil aqui na Terra. Nasci entre quatro irmãs, uma mais velha do que eu, as outras, mais jovens.

Eram extremamente carinhosas comigo e nutriam a afeição que eu desejaria para todas as pessoas que pretendem ajudar os irmãos e irmãs com quem convivem. Na escola, eu as defendia contra o assédio de meus colegas que ensaiavam alguma aproximação ou que, de alguma forma, pudessem prejudicá-las. A minha vocação acabou sendo também a delas. Três se tornaram religiosas e uma, professora de universidade, adotou seis filhos, que criou com afeto de mãe.

Quando lembro a figura de minha mãe, me vem à memória o livro escrito sobre ela por todos os filhos e netos *(Mãe Helena, a Oma* – Curitiba, 1995). Minha mãe, extremamente dedicada a meu pai, sabia também cultivar no coração dos filhos o amor a todas as pessoas e o respeito para com os idosos e as crianças.

A recordação mais antiga que guardo de mamãe é da época em que eu tinha uns três anos de idade: ela me revelou que eu tivera uma irmãzinha chamada Irma que morrera com um ano e meio. Era véspera de Finados. No dia seguinte iríamos todos rezar pelos falecidos. Passei a tarde e a noite pensando como teria sido minha irmãzinha falecida. "Irma não pode mais voltar pra ficar conosco?", perguntei a mamãe. Ela explicou que os mortos estão vivos, mas com Deus, numa grande família em que tudo é só alegria, e que eles nos ajudam. E prometeu: "Amanhã, na capela da colônia", eu iria sentir isso.

Sonho e excitação se misturaram. "Amanhã" seria o dia! Iria ver como Irma, bem viva junto a Deus, nos apareceria. Eu iria vê-la! Sabia que a capela, a maior e mais bela construção da colônia, era a casa de Deus. Não me lembro se a expectativa me deixou dormir aquela noite.

Calça de brim, camisa estampada, procurei meus tamancos. Só cheguei a conhecer sapatos aos oito anos. Arrumado, andava à frente de todos, a caminho da capela.

Ocupamos o terceiro banco. O altar, de madeira esculpida, devia estar encobrindo o reino da alegria onde Deus se encontrava com sua família, minha irmãzinha à nossa espera.

Tudo começou com o canto. Era o povo e o coral, tão presente nas colônias alemãs, que se revezavam com as orações "puxadas" pelo tio Jacó. De vez em quando me levantava do banco para ver se não acontecia o que fora prometido por mamãe. Irma iria aparecer. Talvez em meio aos anjos, perto de Deus Pai. Iria reconhecê-la de imediato e buscá-la para trazer comigo, saltitando morro abaixo, percorrendo os duzentos metros que separavam nossa casa da capela.

Em certo momento houve uma pausa. "É agora", pensei. Olhei para o lado. Todos de cabeça abaixada refletiam. Mas eu queria ver, e iria ver. Disso estava seguro.

A hora e meia de cantos, preces e intenções sempre me parecera comprida demais. Naquele dia, não, porque esperava o principal: ver a família de Deus e os amigos dele, entre os quais Irma, que eu amava sem nunca a ter visto. Devia estar vestida de branco, ou de vestido de chita colorido. Cabelos castanhos ou louros. Alegre, muito alegre, como todos em casa.

Tive um choque quando papai se levantou e me tomou pela mão. Ele, o chefe da colônia, certamente teria o direito de encontrar-se primeiro com Deus, que era chefe maior ainda e pai de família numerosa. Papai foi saindo do banco, fez uma reverência na direção do altar e se dirigiu à porta da saída da capela.

Talvez o encontro fosse à frente da capela, o lugar mais festivo da colônia, onde se faziam as festas, os leilões e as quermesses. Lá é que se cortavam as melancias arrematadas, os bolos comprados e as garrafas de gasosa, o refrigerante mais apreciado no lugar.

Todavia, à frente da capela só restavam o vazio e o verde das pastagens. Papai me segurou mais firme pela mão enquanto eu buscava descobrir onde estava mamãe para perguntar-lhe quando Irma iria aparecer.

Fomos ao cemitério, a cinqüenta passos dali. Paramos à frente de um túmulo cercado de tijolos, enfeitado com muitas flores. Aí chegou mamãe: rosto sereno, quase alegre. Ela era sempre assim quando acabava de rezar. Reclamei: "Mãe, não vi a Irma. Você prometeu que ela voltava hoje." Nem sei como cheguei a falar tanto. O auge da emoção já se misturava com a decepção. Minha mãe acolheu, carinhosa, minha decepção: "Filho, vamos rezar mais um pouco." Foi o tempo do pai-nosso e ave-maria, as únicas orações que eu sabia rezar junto. Quando acabou a prece, ela encostou a cabeça na minha, pôs a mão em meu ombro e disse: "A gente vê Deus quando reza direito e sente que ele está perto de nós para nos ajudar em tudo. Sua irmã Irma vai ser sua companheira durante toda a vida para ajudá-lo. Só que você não pode vê-la como vê a casa, o cachorrinho e a gente. Nós vemos Deus e os amigos dele quando gostamos deles. É o coração que vê."

Não entendi tudo. Mas, na vida, muitas vezes me soou a frase: "É o coração que vê Deus e seus amigos."

A fé se aprende pelo amor.

De meu pai devo dizer que era homem de poucas palavras, mas de uma correção incontestável em todas as situações da vida. Ainda novo infelizmente arruinou a saúde em meio à mata virgem e ao clima úmido da região.

Como já fosse o responsável pela venda dos produtos da colônia incipiente de Forquilhinha, resolveu dedicar-se mais ao comércio, sem abandonar de todo a lavoura. Repetia-nos: "Não há título que tanto me honre quanto o de lavrador." Mas dedicava a maior parte do tempo à "venda", também chamada de "secos e molhados". Lá se reuniam os colonos todos os domingos para tomar sua cerveja, falar do tempo, da família e da política.

As compras eram feitas durante a semana em regime de trocas: o caderno marcava os ovos, a manteiga e os porcos vendidos e registrava igualmente o café, o açúcar e o tecido que compravam. Ninguém sabia o que era adquirir roupa feita. Para ternos de festa, o Ricardo – alfaiate com aprendizado na cidade e com gosto de ver seu cliente exibi-los em algum casamento ou festa da igreja – resolvia.

Não me lembro de discussão em que meu pai não procurasse o diálogo para a solução dos problemas.

As conversas do domingo em torno da cerveja por vezes esquentavam. Reparava que nessas horas papai circulava mais no meio dos grupos e possuía o dom que aprendi mais tarde a chamar de "desdramatizar": o que parecia injúria intolerável acabava sendo piada, e o que soava como ameaça se transformava em "prosa", gabação festeira. Mais de uma vez percebi que algum colono piscava para o lado de papai ou ia buscá-lo despercebidamente para dar jeito em colono forte, bravo e tremendamente voluntarioso, embora respeitador absoluto do líder.

Um dia, no entanto, papai chegou tarde. A discussão crescia em dialeto italiano, com termos que eu mesmo sentia igualarem-se a trovões e raios. Como todo colono vinha a cavalo, conservava o chicote na mão, mesmo enquanto conversava e negociava.

Quando a primeira chicotada cortou os ares, o grupo de espectadores abriu espaço. Em vez de acalmar os dois irmãos Minotti, que preferiram a briga à conversa afiada, a turma começou a gritar: "Dá nele!"

A questão era simples: um deles vendera a arroba de porco a dezoito mil-réis, e o outro, a dezesseis. A diferença era enorme e a honra de ter um porco melhor, de mais gordura e qualidade se transformava facilmente em prestígio que toda família cultivava.

A briga estava feita. A cada chicotada o sangue corria. Um dos irmãos, forte e espadaúdo; o outro, fino e rápido. O gordo perderia, sem dúvida, assim como já havia perdido no preço da venda dos porcos.

Papai vinha chegando quando vi o italiano mais velho, num movimento de recuo, puxar o "38" que trazia escondido na cintura e que acabava por aninhar-se no bolso direito.

Todo mundo arredou. Iria ser fatal. O homem do revólver ia dando passos para trás repetindo: "Se tu dizes mais uma *bestemmia* e dás mais um passo, tua mulher é viúva!" O espaço entre os dois já era de vinte metros e nenhum dos demais colonos se mexia, quando de repente vi meu pai – imaginem, meu pai! – ficar à frente do colono visado pela arma e caminhar, de forma a encobri-lo sempre com o próprio corpo, até achegar-se ao homem armado e lhe dizer: "Compadre, me dá o revólver! Vocês são irmãos e todos têm família."

Tremeram pela primeira vez as mãos do que segurava a arma. Ele a entregou a meu pai.

Mais tarde, os dois irmãos se tornaram compadres e grandes amigos nossos. E eu, pequeno, uma criancinha, comecei a entender que a luta pela paz dá sustos, mas só pode ser levada avante com a não-violência, com empenho pessoal.

Tais cenas devem ter-se repetido muitas vezes, sempre que algum colono vinha confidenciar ao pai que o vizinho soltava os porcos ou o gado por cercas mal-arrumadas. E meu pai me dava a ordem: "Vai pegar o pangaré, papai precisa ir ver umas coisas."

Quando voltava dessas visitas de guerra e paz, eu me sentia ainda mais pequenino diante de um herói anônimo da não-violência nos tempos da colonização agreste e rude, mas conduzida por homens de fé e de invencível esperança.

A morte de papai foi inesperada, como tantos momentos importantes da vida. Ela se deu à meia-noite do dia 15 de junho de 1965, quando ele acabava de dar instruções sobre a viagem que iria empreender na manhã seguinte a Forquilhinha em favor de um bom candidato político em Criciúma. Mamãe chamou Ida, minha irmã que com eles morava, e ambas foram testemunhas do momento em que ele soltou um suspiro e partiu para não mais voltar. De fato, voltou em todas as horas em que dele precisávamos.

A prática participativa e democrática que esteve presente na minha gestão como bispo e arcebispo tem origem no que vivenciei na relação de meu pai com os colonos. Ele era um pioneiro, dotado de uma extraordinária intuição política, apesar de não ter tido um único dia de aula na vida. Leitor incansável, devorava seis livros por semana, dos mais diferentes gêneros literários, o que o deixava informado sobre os mais diversos assuntos. Seu conhecimento das leis lhe permitia discutir, de igual para igual, com os fiscais que vinham inspecionar seu negócio, enquanto lhes servia uma cachaça que, envelhecida na adega, se transformara em conhaque.

O menino que eu era assistia, fascinado, à discussão sobre a construção da igreja, a formação das crianças e dos jovens naquele núcleo colonial e o cuidado com as estradas, única possibilidade de comunicação entre o norte do estado e o Rio Grande do Sul. Semana após semana, eu admirava meu pai falando com os dois professores formados em Blumenau e com os demais colonos que deviam prestar três dias de serviço por ano às necessidades mais urgentes do lugar, enfrentando as numerosas enchentes do rio Mãe Luzia. Ele sabia transmitir a todos a convicção de que a colônia só se manteria pela religião e pelas amizades.

Todas as pessoas que viviam em Forquilhinha preocupavam-se com o trabalho, feito pela família inteira, e com o estudo das crianças. Para combinar as duas coisas, tínhamos cinco aulas pela manhã. A tarde eu passava junto às pessoas que trabalhavam na roça pequena que papai administrava, e o ajudava na venda.

A escola e a capela eram, portanto, as duas grandes preocupações dos colonos. Os imigrantes que mais progrediram no interior do Brasil adotaram a mesma tática: abrir, logo de início, uma escola. Vinham levas de imigrantes, do final do século dezenove e início do vinte, com a tradição cultural popular e com especialização em diversas áreas. Uns eram carpinteiros, outros ferreiros, mas havia entre eles também escultores e construtores. Importava que os filhos tivessem gosto pela leitura, pelo canto, pelas danças folclóricas, pela cozinha e sobretudo pela religião.

Mal se levantavam as casinhas em alguma colônia e já se decidia que as crianças deviam ter a sua casa comum, onde passariam dos sete aos doze anos, orientadas por algum colono de mais instrução e de sólida formação cultural e religiosa.

Em nossa colônia de Forquilhinha, passada a fase inicial da escola mais ou menos improvisada, resolveram enviar dois moços talentosos, Jacó Arns, irmão de meu pai, e Adolfo Back, seu futuro cunhado – porque se casou com sua irmã Adélia –, para se formarem na Escola Normal em Blumenau, mantida pelos frades franciscanos, que, como missionários, uma vez cada ano visitavam as colônias por alguns dias.

O projeto se realizou com pleno êxito, pois tanto eram bons os candidatos como era boa a escola, orientada por frei Ambrósio Johanning e frei Estanislau Schätte. Este último, um verdadeiro pedagogo e amigo. Meus dois professores, tio Jacó e tio Adolfo, foram, além da família, os maiores incentivadores que tive.

Encontrei a escola em pleno funcionamento, com perto de sessenta alunos, dividida em duas salas. A nós, alunos, empolgava o fato de os dois professores tocarem violino, mas sobretudo de participarem de todos os problemas da vida dos colonos.

Por que digo que os professores nos influenciaram? Até hoje, depois de freqüentar tantas escolas e ocupar-me sempre da formação de nossa gente, admiro três grandes qualidades desses primeiros mestres.

A primeira, a seriedade. Passavam as cinco horas do período matutino junto a crianças pobres e descalças que vinham a pé de suas casas e não perdiam aula, a não ser por doença grave. Além do português, que era ensinado diariamente, também ministravam aulas de alemão, matemática, geografia e história do Brasil. Comecei a amar nossa terra a partir do lugar onde nasci. Os mestres nos infundiam tamanha responsabilidade pela água, pela floresta, pelos animais e, sobretudo, pela distribuição de renda, que essas preocupações iriam dominar toda a minha vida.

A segunda era a maneira extremamente prática com que ensinavam. Por exemplo, a geografia começava por desenhar os contornos da colônia, com o rio Mãe Luzia a percorrê-la toda. Daí partíamos para Criciúma, então sede do município. Subíamos até Tubarão ou São João do Capivari, de onde procedera a imigração atual. Depois íamos atingindo o estado todo de Santa Catarina, os demais estados e o Brasil.

A história do Brasil era contada como um romance, e decorada, assim como também eram memorizadas as capitais, os rios, as serras, as capitanias, os homens do império e os presidentes da República.

O orgulho da garotada era dizer tudo de cor de uma ponta à outra, e ainda hoje, quando preciso situar alguma seqüência de fatos e nomes, recorro ao esquema então decorado.

Mas a escola se estendia sobretudo ao domínio da religião. Aí estava o seu centro e por lá passava a seriedade. Esse ensino de religião era realmente obra de mestre e de prática constante dos professores e de toda a colônia.

Depois de construída a capela, os mesmos professores, que nos ministravam três aulas de bíblia e duas de catecismo por semana, ainda nos convenciam a comparecer com a família, todos os domingos, para o culto que eles mesmos dirigiam e a que chamávamos de "devoção". Dia de verdadeira festa. Não representava apenas o dia do Senhor, mas sobretudo o encontro do Povo de Deus. Aí é que se concretizavam as lições que aprendíamos nas horas semanais de bíblia e de catecismo.

Os dois mestres esperavam os colonos com as suas famílias. Todos vinham, de carroça ou a cavalo. Pelas oito e meia ou nove horas, já estávamos nos campinhos e lugares abertos em torno da capela. Enquanto os homens fumavam seus cigarros de palha e as mães mostravam seus bebês umas às outras, os rapazes e as moças andavam se cercando e olhando. Nós tínhamos as nossas bolas feitas de pano e meias usadas. Era o futebol organizado, que levava os meninos a correr, enquanto as meninas faziam suas rodas.

O sino soava uma, duas, três vezes. Na terceira, todos se aprumavam para a entrada na casa de Deus. Era gente apagando os cigarros, recolhendo agasalhos e paletós. Hora do silêncio e da solenidade. Os professores "puxavam" a oração e os cantos. Dois violinos – dos tios Back e Arns –, o coral e os cantos populares. Crianças, jovens e adultos sentiam-se atraídos para o culto, tão bem elaborado e interessante, que ninguém ousava faltar, para começar bem a semana com as bênçãos de Deus. Não me lembro de um dia sequer em que nos cansássemos com esse longo período de oração, tão bem dosado e sincero. Sinal de que o povo estava unido e era forte. Quanto me lembro, essa prática religiosa imitava com perfeição o esquema da missa – que era celebrada uma única vez por mês, na primeira sexta-feira, pelo vigário italiano de Nova Veneza, com devoção e sotaque italiano – , incluindo o ato penitencial, a oração, as leituras da epístola e do Evangelho, a consagração de nossos trabalhos, súplicas em favor dos doentes e promessa de praticar a solidariedade nas mais diversas circunstâncias.

Para casamentos, batizados e primeiras comunhões na colônia, o padre aparecia somente uma vez por ano. Aí, tudo era novidade. Que padres populares! Faziam rir, chorar. Mas também falavam grosso contra brigas de colono.

O padre para nós era como a revelação de Deus no Sinai. A idéia de um dia ser como aqueles Moisés e Elias nos parecia um sonho distante, mas também era a maior de todas as aspirações.

Depois da celebração dominical vinha invariavelmente o leilão. Bezerro, porquinho, galinha e melancia, tudo num pequeno cercado.

Havia os lances. A oferta dos colonos não era alta, o dinheiro sempre escasso. Eram mais trocas de mercadorias. O dinheiro ficava para a escola, a capela e as arrumações das coisas comunitárias.

Segurar a melancia ou o porquinho arrematado, a maior honra! Papai não falhava em atribuir-nos tarefa tão responsável. O que era arrematado trazia as bênçãos da oferta a Deus e da distribuição nova de bens.

À mesa sempre farta do meio-dia se fazia menção ao que viera da capela.

A tarde do domingo se passava em receber visitas ou em retribuí-las. Novidades em todos os cantos, junto com o futebol e os jogos. O maior sonho era de um dia podermos jogar futebol com bola de couro e balizas de gol. Estaríamos realizados.

Quando penso no meu time, o Corinthians, sempre me ocorre esta idéia: um campinho para todas as crianças das periferias. Duas balizas, uma bola e um líder organizador. O sonho da criança feliz.

Mas a noite de domingo era a única da semana em que ocorria dormirmos na hora da ladainha e do terço. Já estávamos tão contentes e tão repletos de Deus e das amizades, que era bom dormir e, quem sabe, sonhar, sonhar...

O professor, assim, se tornava, com a religião, elo necessário entre os homens, o Deus da História e as pessoas que Ele nos dera como companheiras de caminhada.

O esquema de nossas celebrações ficou de tal forma gravado na minha memória, que dele fiz uso, mais tarde, quando iniciamos as comunidades de base em São Paulo.

A religião, certamente, foi o motivo da amizade, solidariedade e também da justiça social em que fomos educados naquela colônia nascente. Impressionava-nos demais a maneira como tio Jacó e tio Adolfo, nossos professores, transmitiam esse gosto pela religião e por sua presença nas manifestações de culto e no trabalho conjunto dos colonos. Aproveitavam, os mestres, os momentos mais oportunos para nos dizer como São Francisco punha em prática a imitação de Jesus e como é possível viver também, numa colônia de famílias, os ideais do amor fraterno e da convivência pacífica. Comecei a gostar de tal maneira de São Francisco, que a primeira visita do frade franciscano à nossa terra me encheu de entusiasmo pelo hábito marrom que ele trajava com tanto respeito e pela preparação que ele providenciou para a minha primeira comunhão. Esse padre franciscano – que me fez saborear pela primeira vez, aos nove anos de idade, em 1º de janeiro de 1931, o pão eucarístico e a união com Cristo – se chamava Alberto Preis e, como dizia mamãe, era nosso "parente distante". Que bondade, que jeito de lidar conosco! Durante a missa de minha primeira comunhão, meu irmão mais velho, Heriberto, estava conosco de férias e tocou violino. Eu não sabia nem mesmo como andar e me comportar, tão feliz estava.

Nossos professores também ensaiavam o coral pelo menos uma vez por semana. E aos domingos a polifonia fascinante se misturava aos cantos uníssonos. O tempo, em vez de parecer longo para a criançada, era uma espécie de sonho celeste dentro de uma vida toda centralizada no projeto de Deus. Após a celebração das dez horas, animavam a reunião dos pais de família para resolver problemas urgentes ou arquitetar novos planos. A vida encontrava sua unidade indestrutível através desses dois homens que para nós, até hoje, são considerados como figuras bíblicas, mensageiros a recordar deveres e direitos, o respeito à condição de cada um e dentro da realidade rústica.

Tio Jacó e tio Adolfo brilhavam sobretudo em dias festivos, como Natal, Páscoa e a solenidade do Patrono, o Coração de Jesus. Eram três dias de festa, sempre. Um quase só para Deus, o segundo, dedicado a torneios e danças, com jogos para as crianças, e o terceiro, para as visitas e o descanso.

Qual era a base de tamanha dedicação dos dois professores?

Quando recordo, hoje, a sua atividade, sempre me parece que eles nos consideravam como verdadeiros filhos e não apenas como alunos. Também queriam que mantivéssemos os bons costumes aprendidos em casa e fundamentados na religião.

Inesquecíveis os dias de visita dos padres. Eles se hospedavam ou na casa dos professores ou na nossa, com papai. Tio Jacó e tio Adolfo acompanhavam os missionários em tudo. Nas repetições dos catecismos e da Bíblia, na preparação da primeira comunhão e de todas as cerimônias religiosas.

Sabíamos também que nossos mestres eram os confidentes dos padres, os únicos capazes de conversar mais longamente com eles, pois haviam vivido por anos em internato de padres e lhes conservavam a fidelidade e o afeto mais que filial.

Que gosto, quando algum de nós conseguia ficar sentado no cantinho da sala ouvindo as narrações, anedotas e até as risadas sonoras dos padres, dos professores e de mais algum colono desembaraçado!

Mas ainda não cheguei ao ponto alto de nossa vida escolar.

Os adultos tinham os seus livros de oração com que todos os domingos treinavam nas leituras. Havia outra fonte de leitura, os almanaques, conhecidos por "calendários", distribuídos todos os anos por jesuítas ou enviados de outras partes. Entre eles figurava *Stadt Gottes* (A cidade de Deus) recheado de ilustrações e de novelas em linguagem popular.

Todo o povo participava anualmente de um exame de três dias. Quanto me lembro, em geral de 19 a 22 de dezembro, pais, jovens, crianças de colo e idosos em carroças e carros de boi vinham à escola. Todo o espaço em torno aos poucos se enchia.

Pelas oito da manhã começavam as provas. Primeiro, os cantos ao som dos dois violinos. Classe por classe se exibia, por vezes ilustrando as velhas canções com movimentos e gestos. Mas todos, sem exceção, queriam brilhar nas provas de catecismo e religião. Os professores, verdadeiros pais da colônia, repassavam os pontos para que todos os moradores pudessem atualizar seus conhecimentos. Uma espécie de retiro ou encontro marcado tanto pela participação quanto pelo espetáculo dos filhos.

Importante era também mostrar o progresso das crianças na aritmética e na geometria. Somavam-se ovos com bananas, multiplicavam-se arrobas de porco por preços mais ou menos flutuantes. E se percebia, nos movimentos dos lábios dos colonos e das mães, que também eles conferiam os números e apoiavam os resultados certos.

A geografia ocupava os imensos quadros-negros. O professor Adolfo Back, artista no desenho, ia colocando o Atlas parcial ou total do mundo em cores e traços, e toda a família colonial viajava com ele, recordando ou descobrindo lugares de importância.

Em meio a tudo, o almoço. Cada família se retirava para a carroça onde estavam guardados os frangos recheados, o torresmo, a gasosa ou a cerveja. Um acampamento organizado e movimentado em que se dividiam os resultados da escola com os produtos mais escolhidos da colheita.

Depois vinham as corridas, os esportes e jogos assistidos por uma grande platéia: mães amamentando crianças ao peito e pais fazendo trocas de porco ou cabeça de gado, em meio aos gritos da torcida e a disputa de pequeninos troféus.

Três dias de banho de cultura e de fraternidade, onde Deus era onipresente e cada colono esforçado, seu aliado. Nós olhávamos de soslaio, sempre que dava jeito, para flagrar o sorriso de papai e os gestos escondidos da nossa mãe. Os "grandes" – e em particular nossos genitores – eram de fato nossos heróis e modelos.

A escola não foi nunca um pesadelo para mim e, enquanto recordo os fatos, quer me parecer que em toda a existência tive as maiores alegrias aprendendo e ensinando. Essa aprendizagem e esse ensino sempre tiveram como finalidade tocar o coração, formar a consciência e construir as grandes motivações para a vida. Estudar e ensinar tornou-se assim uma necessidade vital para a intercomunhão e a participação na pequena história do grande mundo.

Outra impressão que se aprofundou em minha existência de criança foi o fato de dois de meus irmãos, Heriberto e Osvaldo, haverem partido, poucos anos antes de mim, para o seminário franciscano de Rio Negro e de lá enviarem notícias que guardávamos como experiências para todas as circunstâncias da vida. Quantas vezes eu imaginava poder estar ao lado deles e um dia reproduzir o que frei Alberto fizera conosco: amar as crianças a ponto de lhes dar Jesus como companheiro para toda a caminhada da vida. Esses meus dois irmãos, embora distantes, eram o incentivo maior para, um dia, eu seguir o mesmo caminho. Todas as noites, eles e seus colegas candidatos ao sacerdócio eram lembrados com três ave-marias especiais rezadas por minha mãe.

Quero mencionar a influência que nessa época exerceram sobre mim o padre secular Giacomo Giacca e o padre Linnartz, meu xará, Paulo. Padre Giacomo me batizou – 17 de setembro de 1921 –, me ajudou a vestir pela primeira vez a batina de coroinha e me deixava ficar a seu lado durante a celebração das primeiras sextas-feiras de cada mês. Era bondoso, entendia as crianças e as pessoas idosas que não sabiam exprimir-se bem por qualquer circunstância. Um dia me deu um "quatrocentão" (quatrocentos réis) quando o acompanhei a uma capela vizinha, ao sul de nossa colônia. Quando depois contei à minha mãe que com a metade do dinheiro eu havia comprado pãezinhos para repartir com outros meninos, ouvi dela a recomendação: "Paulo, não se acostume a gastar logo o dinheiro que você ganha."

Minhas relações com padre Paulo Linnartz eram mais próximas, embora ele fosse extremamente reservado e, assim mesmo, venerado pelas crianças. Cuidava sobretudo que, durante a missa, os quatro coroinhas não olhassem para trás, não ficassem coçando a cabeça, nem deixassem de lavar bem as orelhas e as mãos. Havia passado mais da metade de sua vida na Polônia e, aos sessenta anos, foi o amigo e talvez o maior protetor dessa colônia em crise, durante a recessão do ano 1929 em diante. Nunca me animou a ir para o seminário, e em determinado momento, como conto depois, chegou a me visitar no seminário, estimulando-me a voltar para casa. Mais tarde pude visitar tanto o padre Giacca como o padre Linnartz e agradecer a ambos o belíssimo exemplo de dedicação e de delicadeza para com as crianças, as famílias pobres e a colônia de Forquilhinha. O padre Linnartz também se ocupava das colônias polonesas, e o padre Giacca, de umas trinta "capelas" naquela região.

Quando prestei os exames do quarto ano primário, eu me sentia tão disposto a ingressar no seminário, que aproveitei uma viagem a cavalo que fiz com meu pai para lhe dizer que eu gostaria de partir, quanto antes, para o mesmo seminário de onde recebia as mais belas notícias de meus dois irmãos, Heriberto e Osvaldo. Papai, ou, como o chamavam os colonos, "senhor Gabriel", ficou pensativo durante muitos quilômetros da cavalgada, para então me dizer: "Paulo, não é possível. Papai não tem os meios. Você pode estudar de manhã com tio Adolfo e à tarde trabalhar ajudando a família." Assim, passei mais dois anos, a quinta e a sexta séries, como único aluno da escola primária, que então ministrava apenas quatro anos de ensino comunitário. Nunca aprendi tanto quanto nesse contato direto com o professor Adolfo, que, como guarda-livros de meu pai, à tarde me chamava para ajudá-lo a fazer as contas e a examinar os livros, garantindo a correta manutenção de tudo o que era exigido pelas leis do país.

As alegrias enchiam a vida. Tenho hoje a impressão de que meus irmãos, meus pais e meus amigos nos ligavam de tal forma à natureza e aos homens, que tudo se transformava em expectativa constante e em realizações mais ou menos felizes.

De um lado, o rio Mãe Luzia, cuja água tão pura nos permitia divisar a moeda que estivesse a dois ou três metros de profundidade. Divertia-nos a hora de nadar nas pequeninas enseadas ou a travessia da cachoeira, a pesca de cascudo debaixo das pedras ou do cará e da traíra nos momentos mais calmos. Aliás, nunca apreciei demais essa pesca. Contrariava a minha natureza tirar da água um bichinho tão elegante, buliçoso e ágil. Água sem peixe era como casa sem filho. Coisa que nem imaginar se podia nessa colônia nova, onde tudo servia à vida. Por isso, pesquei pouco na infância e nunca mais nos outros anos. Hoje, é verdade, defendo a tese de que cada lago e cada rio devem transformar-se em fontes de proteínas que pertençam ao pobre e ao rico, indistintamente. Mas isso aprendi muito mais tarde, na França, na Espanha e, sobretudo, na Suécia. Neste último país não existe propriedade particular para pesca e caça, embora vigorem as leis mais estritas de proteção e defesa da natureza.

O rio Mãe Luzia fez parte de tantas alegrias e aventuras, de tanta camaradagem e festa, que até hoje a água é para mim um dos maiores encantos da vida e um dos meios mais seguros de garantirmos o futuro de nosso país, o mais rico do mundo em águas.

As margens do rio também eram exploradas. Um dia, meus pais haviam saído. Quem mandava nessas horas era Olívia, a irmã mais velha, porque os dois irmãos já estavam no seminário de Rio Negro. Eu pedia: "Olívia, o ingá está maduro! Dá pra apanhar." Mas a vara não alcançava as frutas. "Tens coragem de subir?" Eu respondia, valente: "Tenho."

O rio estava cheio. Subira uns quatro metros, quase transbordava. Lá de cima, sentado no galho, eu percebia os redemoinhos da água e a própria árvore balançando. Mal havia atirado os primeiros galhos com os "charutos" carregados dos grãos e da polpa do ingá no chapéu de minha irmã à beira do rio, quando ela avisou, baixinho: "Desce, Paulo, a mãe está chegando." Em dois tempos estávamos os cinco enfileirados: Olívia na frente, eu do lado, Otília, Felippe e Max José, atrás.

Tudo acabou como de costume: uma lição sobre a obediência e o perigo. A mãe falou firme: "Isso não deve acontecer mais. Caso contrário, terei que contar ao vosso pai."

De tardinha, de um canto da sala, percebi que ela contava o fato a meu pai. Este, sempre econômico em palavras e generoso na compreensão, alisou o bigode e sorriu. Devia lembrar-se de que tivera aventuras semelhantes no rio de Capivari, sua terra natal, e que fora assim que a natureza o forjara para ser pioneiro, capaz de correr riscos a vida toda.

A natureza nos oferecia a maior atração durante as quatro semanas de espera do Natal. Não era só a festa que nos levava para os pastos e as proximidades da mata virgem, mas também a preparação dos exames públicos que se realizavam naqueles dias. Saíamos de manhã e só voltávamos à noite. Os primos vinham juntar-se a nós. Inventávamos de tudo.

Uma parte do dia era consagrada religiosamente a decorar o catecismo, a Bíblia, a história do Brasil e um pouco de geografia. Ainda hoje recito de cor o que então aprendi. Depois, as corridas, os jogos e as pequenas aventuras.

Uma delas era rolar da montanha de cascas de arroz. Papai possuía um descascador que por um tubo lançava as cascas do cereal ao ar livre. Acumulava-se tanto, que formava pirâmide. Quando dezenas de anos mais tarde vi as pirâmides do México, bem mais altas, ainda me parecia presenciar um bando de crianças segurando os pés com as mãos e rolando, feito bola, de alto a baixo. Quem rolava mais longe vencia a corrida.

Pela tardinha, papai vinha buscar-nos. Sempre com a mesma serenidade e orgulho do colono que apreciava a vitalidade e as aventuras dos filhos. Tomava os menores pelas mãos e voltávamos cantando as ingênuas melodias de Natal. Quanto mais nos aproximávamos de casa, mais cochichávamos uns para os outros: "Que cheiro gostoso!" O Menino Deus estava preparando nossos doces para o dia de sua chegada, o Natal.

Saint-Exupéry tem razão ao afirmar que a expectativa é que faz a festa e esta consagra o mundo que sonhamos.

Em fins de 1933 e começos de 1934 chegou à nossa colônia o franciscano frei João Crisóstomo Adams. Não sei como ele convenceu o senhor Gabriel, meu pai, mas o certo é que, em 20 de janeiro de 1934, festa de São Sebastião, muito venerado por minha mãe, eu partia, junto com meus três primos e colegas coroinhas, para o seminário. Dois deles seriam alunos dos padres dehonianos: Ervino e Armino. Eurico, filho do professor Adolfo, e eu iríamos para Rio Negro, no Paraná, onde tentaríamos a formação como franciscanos. Foi o grande dia de nossa vida.

2 *O chamado da vocação*

"Como você chegou a ser padre?", me perguntam com freqüência jornalistas e amigos íntimos.

Qualquer coisa que tenha feito em minha vida ou ainda chegue a realizar explica o fato de eu ser padre. Fui por longos anos professor, mas sempre padre-professor, ao ensinar literatura, teologia ou didática. Escrevi livros e milhares de artigos mesmo antes da ordenação sacerdotal. Trazem a marca de padre. Amei muito na vida e passei por situações humilhantes, por calúnias graves e muito difundidas, mas sempre como padre ou porque desejei cumprir a missão que Cristo me confiou. Meu lema de bispo, arcebispo e cardeal – "De esperança em esperança" – foi escolhido na época em que eu era simples padre.

Nem me custa acrescentar: gostaria de ver as angústias e promessas do mundo com o coração de padre. E quando, um dia, o coração deixar de bater, que o amor encontre na vida eterna a mesma forma de ser padre, assim como Cristo, o eterno sacerdote, o dispuser.

Certo dia, já trabalhando como bispo em São Paulo, me dizia um colega de boa experiência no campo da formação sacerdotal: "Nós insistimos em dizer que ninguém pode ser padre sem ser chamado ou vocacionado. No entanto, todos os candidatos, em vez de serem chamados ou escolhidos por suas comunidades, se apresentam, lutam pela ordenação, reclamam quando não são admitidos como se fora um direito."

E é assim mesmo.

Desde criança, na colônia, nós que queríamos ser padres nos unimos em grupo: diocesanos, dehonianos (do Coração de Jesus) ou franciscanos.

Até no futebol formávamos um time contra os outros. E infalivelmente os "padres" ganhavam, até quando emprestavam jogadores – não dos melhores – para o outro lado.

Na hora em que chegou o padre Linnartz, que iria pastorear por algum tempo as colônias alemã e polonesa, nós éramos os coroinhas natos.

Havia até uma certa hegemonia dos candidatos a padre. Não gozavam do direito de apresentar algum mau trabalho, de cometer blefes ou de ficar de castigo. Afinal, ser padre os levaria para longe e quem sabe os levaria longe. Daí a admiração e as exigências.

Da parte de mamãe e dos irmãos, só incentivos. Sobretudo à noite, quando rezávamos as três ave-marias pelos padres e seminaristas. A oração ainda não era em meu favor, mas certamente o seria.

Mais tarde soube o quanto minha mãe rezava pelas vocações. No retiro que fizemos juntos e sós para minha ordenação de bispo, numa chácara próxima a Curitiba, pude tirar a prova.

Mamãe sempre rezando: quatro ladainhas, alguns terços e outras longas orações. Foi por meio dessa atitude de oração que ela pregou o meu retiro. E também cozinhando, com os condimentos que ela tão bem sabia acrescentar ao feijão, ao arroz e aos outros alimentos colocados na mesa.

O maior impacto do retiro, o maior choque emocional ocorreu quando entrei bem de mansinho no quarto e cheguei por detrás da cadeira para descobrir que o que ela rezava era a "Oração pelo Bispo". Ela me olhou surpresa e um tanto compadecida. "Paulo, até hoje eu sempre mencionava o nome de dom Anselmo (dom Anselmo Pietrulla, bispo de Tubarão, a diocese a que pertencia Forquilhinha) e dom Manuel (dom Manuel Delboux, arcebispo de Curitiba). Hoje posso também colocar aqui o teu nome?"

Nunca soube como minha mãe adquiriu tanto senso eclesial. Ela conhecia tudo sobre a Igreja, num tempo e naquela colônia recém-fundada onde não existiam recursos de formação. Hoje atribuo seu conhecimento aos excelentes almanaques ou "calendários" alemães que recebíamos dos jesuítas do Rio Grande do Sul, de padres franciscanos e, indiretamente, dos padres do Verbo Divino (a revista *Stadt Gottes*).

Mamãe sabia de cor, em latim, todas as respostas que cabiam ao coroinha, e as ensinou a mim. Também me orientou no comportamento litúrgico dos coroinhas no altar durante as celebrações religiosas.

Ela certamente trouxe os seus dois filhos padres e suas três filhas religiosas desde o ventre até o altar de Deus.

Papai, amigo, conselheiro dos padres e por eles aconselhado, jamais me disse uma palavra de incentivo nem de desaprovação. Retardou por dois anos minha ida para o seminário. No dia em que lhe disse de novo, aberta e claramente, que desejava "estudar para padre", estávamos indo para a roça. Ele, já doente, para inspecionar, e eu para ajudá-lo no que fosse necessário.

Ao ouvir meu pedido, meu pai parou. E eu o vejo ainda hoje, na sua estatura robusta, com os olhos sempre pensativos e a palavra escassa bem medida e irrevogável: "Filho, você pode ir. Estude e se esforce. Mas nunca me dê o desgosto de não se considerar ou comportar como filho de colono. Papai é colono, e você, mesmo depois de estudar muito, sempre será filho de colono e de seu povo."

Lembrei-me disso quando ele morreu, um ano antes de minha ordenação episcopal. Mas também foi essa a minha impressão mais forte quando, solenemente, num dos anfiteatros de Paris, diante de grande assembléia, fui declarado Doutor da Universidade de Paris.

Hoje, quando os doutorados e outros títulos incomodam em vez de empolgar, lembro-me de que tenho um, guardado como numa espécie de juramento a meu pai: sou padre, mas tirado dentre o povo. Um filho dos colonos Helena e Gabriel Arns.

Na minha formação para sacerdote houve dois momentos cruciais em que reafirmei meu desejo.

O primeiro se deu em Rio Negro, em 1936, e eu devia estar na quarta série ginasial, com a idade de quinze anos.

Veio visitar-me o padre Linnartz, que, como já contei, passara uns cinco anos em minha colônia de origem e lá cuidava dos descendentes de alemães e poloneses. Embora fosse alemão, falava com perfeição o polonês e amava aquele povo com um amor muito entranhado, porque passara anos a fio servindo como sacerdote na Polônia. Se ele soubesse que um dia seria eleito um papa polonês, teria morrido ainda mais feliz.

Mas naquele ano estava preocupado com o futuro das colônias de imigrantes na região sul-catarinense. A que mais cuidados lhe inspirava era a nossa, de Forquilhinha. Motivo principal: a saúde precária de meu pai, líder da colônia.

Padre Linnartz foi ao seminário em que eu estudava. Para ele, que ultrapassara os sessenta anos, foi uma viagem longa e penosa. Viajou só. Levou-me a passear. Visitou um colega luterano que nos recebeu com extrema cordialidade. Ainda hoje me lembro dos doces e do refresco servidos.

Após horas e talvez dias de conversa, trancou-se comigo numa das salas bem-arrumadas da portaria do seminário para em resumo me dizer: "Você já tem os dois irmãos mais velhos estudando para serem padres. O irmão seguinte está ainda muito novo. Seu pai e a colônia precisam de você."

Ele me arrumaria algum outro curso mais prático e eu assumiria com papai, aprendendo com ele a direção dos negócios: venda, oficinas, descascador de arroz, serrarias e outras atividades, tudo ainda abalado pela recessão dos anos 1929 e seguintes.

Lembro-me até hoje, com extrema nitidez, do quanto a descrição da derrocada socioeconômica me ia pesando sobre o coração. Quando chegou a hora de eu responder às suas considerações, ele teve o cuidado de acrescentar: "É uma proposta séria. Você pensa e depois me responde. Já conversei com um de seus padres amigos, com seu professor, e ele não discordou."

Por horas eu revia minha mãe e irmãs se esgotando, papai com úlcera no estômago, e toda aquela terra que me encheu tantas vezes a fantasia e o coração.

Não sei se rezei para dar a resposta. Só posso dizer que ela foi tão definitiva e firme, que o próprio padre, que me tivera dois anos como coroinha diário, acabou dizendo: "Seja padre! Deus providenciará outra solução."

Após a Segunda Grande Guerra, enquanto, como padre, eu estudava em Paris, redescobri esse santo sacerdote numa pequena aldeia, e ele fazia questão absoluta de me ajudar na missa ao lado dos coroinhas, repetindo sempre: "Ele é fruto da minha gente no Brasil."

A outra investida foi mais sutil. Após quase cinco anos de vida de internato, voltava a ver, pela primeira vez, a família toda. Haviam nascido diversos irmãos, minhas irmãs estavam crescidas e me cercavam de extremo carinho, como o fazem até hoje. Meu irmão mais velho celebrava a primeira missa.

Assim mesmo, o rigor franciscano só me reservava quinze dias de férias, aos dezessete anos. Depois viria a separação até os vinte e quatro, quando fui ordenado. Mesmo naquele tempo não compreendíamos tais disposições, já que a família continuava sendo a verdadeira incentivadora do futuro padre. Em doze anos, somente duas semanas com os pais e irmãos! Mais tarde descobri que os monges do deserto, e mesmo o grande bispo São João Crisóstomo, ensinavam tais métodos. Mas não encontrariam hoje entre psicólogos, pedagogos e na opinião comum como justificá-los.

Nesses quinze dias de férias, passei horas e dias trabalhando na serraria e oficina – então já decadente – de papai. Para o moço de dezessete anos, um desafio sem dúvida e uma vitória: manejar grandes toras, colocar o indicador da serra na largura da tábua, fazer funcionar a serraria, acompanhar tudo como um técnico novo.

Era uma espécie de choque entre o humanismo que ocupava todos esses anos de formação no seminário e o mundo da eficiência que podia crescer sob nosso cálculo e nossos recursos. Meu irmão Oswaldo, que viera de férias comigo, sugeriu-me: "Vamos assumir o negócio do pai. Você se ocupa da parte técnica e eu fico com a financeira." Respondi, sem hesitar: "Não há nada que me tire da vocação que escolhi." Não me senti nem de longe tentado.

O interessante é que, bem mais tarde, quando me submeti ao teste vocacional completo no curso de pedagogia em Paris, o professor me afirmou:

"Sua vocação é para matemática e as ciências exatas." Ao que eu respondi: "E, no entanto, estou a três semanas da defesa de tese em literatura, na própria Sorbonne."

O fato é que sou padre em todas as horas e situações.

Antes de descrever a caminhada ao sacerdócio, devo a mim mesmo, aos leitores amigos e sobretudo aos padres que me educaram, o relato sobre alguns encontros com padres. Tenho repetido ao longo da vida: a vocação religiosa e sacerdotal nasce do testemunho dos que entram em contato com esses padres. Salvo exceções, é por aí que se canalizam as torrentes de graça capazes de levar alguém a dar-se todo aos outros, consagrando-se a Cristo.

Quando meu pai nasceu, em 1890, a região de Tubarão e Capivari, em Santa Catarina, fazia parte da Arquidiocese do Rio de Janeiro.

Quatro anos depois nascia minha mãe, na jurisdição eclesiástica de Curitiba, desmembrada pouco antes de São Paulo.

O bispo era figura muito distante e por vezes menos conhecida que a do papa.

Os missionários que paravam por dias nas colônias de descendentes de imigrantes gozavam de privilégios ou de delegações quase ilimitadas: batizavam, absolviam, celebravam a Eucaristia, presidiam a casamentos, crismavam. Eram o símbolo da religião certa e o sinal para o que se podia ou não se podia fazer como católico.

O que se contava deles pertence ao folclore dos heróis e dos santos e, por vezes, aos contos dos homens bravos e autoritários. O povo queria que eles fossem assim mesmo. A natureza selvagem e as distâncias não aconselhavam benevolência que pudesse interpretar-se como fraqueza.

O que comovia era sobretudo sua doação e amizade real com o povo. O "vaquiano", conhecedor dos caminhos, era o seu guia, cozinheiro e defensor nessas constantes arrancadas pelo sertão. Um doente agonizante, distante a quatro ou cinco dias de viagem, esperava a chegada do sacerdote, para só depois morrer e quase sempre morrer ainda na presença dele. Afinal, morrer depois de ser visitado pelo padre era o único passaporte seguro para se abrirem os portais do céu.

A partir do meu tempo, os padres já se haviam aproximado e o bispo, agora residente em Florianópolis, fazia as visitas às comunidades. Sobre ele se falava ao menos uns meses antes e alguns anos depois de sua passagem.

As folhas de palmeira cortadas na mata virgem e as guirlandas se estendiam pelos caminhos e enfeitavam a igreja e o edifício que acolhiam o pastor. A cavalaria numerosa e bem-aparelhada percorria de quatro a doze quilômetros para ir ao encontro do prelado. Dom Joaquim Domingues de Oliveira, do clero paulista, nomeado para Florianópolis, era sabidamente homem de cultura e exigente nas recepções. Recebia os vivas e os rojões com evidentes sinais de satisfação.

Não lembro minha idade quando, pela primeira e única vez, presenciei a cena, para mim celestial, da chegada do bispo.

Papai, como chefe da colônia, ficava próximo a ele, acenava para as pessoas e lhe explicava o que se passava. Os frades franciscanos que precediam o pastor e o acompanhavam – entre eles o vigário-geral de Florianópolis, frei Evaristo, do qual eu acabaria adotando o nome religioso por sugestão de frei Crisóstomo Adams – evitavam que se cometessem gafes e se omitissem as cerimônias do agrado do prelado.

Duas cenas me comoveram, a ponto de poder revivê-las hoje. Uma, quando minha irmã Olívia deu uns passos para a frente e ficou, sozinha, diante do visitante e da multidão, declamando com sua vozinha dos sete anos, em tom sonoro e forte, os pequenos versos que ensaiara. Mães choravam, e o bispo recebeu flores de suas mãozinhas, expressando grande contentamento. Novos foguetes e rojões. Achei tão linda minha irmã, que guardo até hoje o orgulho por sua dedicação e apresentação sempre amável e impecável!

Mas minha vez também chegaria.

O bispo estava alojado na casa do professor Back, meu tio. Eu sabia que papai lá se encontrava com outros convidados da colônia. Não tive dúvida. Abri a porta, para surpresa de meu pai e dos tios professores, e corri para os joelhos de meu pai. Daí, não sei como, estava nos braços do bispo, que me pôs a mão sobre a cabeça e perguntou meu nome.

Bastou esse gesto para me tornar importante meses e anos a fio. Até porque mamãe iria relembrar esse fato sempre que tivesse ocasião.

Quando o bispo acompanhado pela imensa cavalgada se retirou, parecia que Deus ia com ele e nós ficávamos um pouco mais distantes desse Deus.

Os encontros com os padres do Coração de Jesus eram mais freqüentes. Vinham de Tubarão, onde mantinham um colégio ou escola que para nós era o lugar onde se sabia tudo.

Do que eu mais gostava mesmo era dos cantos que eles ensinavam e das conversas que ficava escutando do cantinho da sala. Um deles usava barba e me permitia montar em seu joelho, me fazendo dar pulinhos ao som de algum canto.

O nosso amor por eles quase provocou uma tragédia. Um senhor Francisco se arriscou a comentar alguma coisa desfavorável a respeito dos padres. Quando papai ou o professor foi convidá-los para irem à colônia, eles disseram que não aceitavam o convite por causa da difamação do Francisco, ou Chico.

A notícia se espalhou e foi a guerra. No domingo seguinte, algumas dezenas de mulheres e moças se muniram de ovos podres e de cascas de ovo repletas de excrementos de galinha e esperaram Francisco à saída da reunião, perto da venda de meu pai. Foi batalha sem defesa: o homem se cobriu da cabeça aos pés com sujeira e ovos, montou rápido no cavalo e desapareceu.

Nunca soube se os padres do Coração de Jesus tomaram conhecimento do fato ou o recriminaram. Mas eu, tão pequeno, comecei a sentir que o povo é a família do padre, mesmo quando exagera em sua defesa ou na sua agressão. E o padre, além de pai, tem que ser o irmão ou o sinal de Deus, que é todo amor, mas não é fujão nem frouxo.

Com os franciscanos, a experiência foi muito diversa.

Tio Adolfo e tio Jacó, nossos professores, haviam estudado com os franciscanos em Blumenau e os lembravam em horas decisivas da vida. Eles continuavam sendo seus guias e modelos, mesmo distantes uns cinco dias de viagem.

Mamãe se referia a eles como missionários fortes nos gestos e nas palavras, e cordiais no relacionamento particular.

Quando me dei conta de tudo isso, dois de meus irmãos já estavam no seminário de Rio Negro e escreviam todos os meses cartas sugestivas falando de cerimônias religiosas, passeios, festas, banda de música e orquestra. Um mundo que me atraía.

A lembrança de minha primeira lágrima foi na despedida do frei Alberto Preis – que cuidou da minha primeira comunhão – e sobretudo na partida de meu irmão Heriberto. Enquanto ele montava no cavalo, fui embora esconder-me debaixo de uma escada, para chorar. "Menino não chora, isso é coisa de menina!", repetiam por vezes. Mas eu chorava.

Iria ser como meu irmão Heri e aquele frei Alberto.

Quando um dia o venerável e carinhoso frei Crisóstomo Adams veio buscar-me, senti que a qualidade do frade devia ser mesmo a de fazer dos homens e mulheres amigos e irmãos.

Eu estava marcado.

Por isso era natural que ajudasse os padres nas cerimônias, mesmo sem saber responder as orações da missa.

Assim, o padre Peters do Coração de Jesus me ajudava a vestir a roupa de coroinha e me deixava ficar ajoelhado perto dele.

O padre Giacomo Giacca, pároco de Nova Veneza, à qual pertencíamos, me levava com ele às capelas vizinhas. Quando o cavalo dele despontava no horizonte da estrada empoeirada, quem estivesse por perto corria ao seu encontro para saudá-lo e acompanhá-lo até a casa do professor Back, onde também ficava o bispo.

E quando, enfim, chegou o padre Paulo Linnartz para morar por uns tempos na colônia, a preparação ao seminário já estava na reta final. Sua seriedade e disciplina alemãs, seu espírito jovial, sua amizade com papai e os professores confirmavam a grande resolução: para ser alguém no mundo, tinha que trabalhar pelo povo, como o faziam os padres, e ser correto e bom como eles.

Mas o seminário, ah, o seminário ficava no sul do Paraná e nós morávamos no sul de Santa Catarina! As grandes esperanças moram em horizontes distantes e ainda desconhecidos.

Eu iria perseguir minhas esperanças.

Trocando o cavalo pangaré pelo caminhão à manivela, eis como se iniciou minha viagem até o seminário-menor de Rio Negro.

Nenhuma despedida deixa boa lembrança quando você sabe que só vai voltar dentro de muitos anos e desconhece o que encontrará pela frente.

No meu caso, não deixava apenas mamãe, que era, no sentido mais perfeito e transparente, o coração da casa, além de motor de todas as nossas iniciativas e corridas. Papai, embora tantas vezes em viagem, não tinha rival no seu dom de dar segurança à criançada. Não era possível pensar o mundo sem ele, menos ainda o nosso mundo de filhos.

Das cinco primeiras irmãs só podia dizer o mesmo. Olívia substituía em tudo mamãe, superando-a até na extrema delicadeza comigo, que dura até hoje, quando ela, a religiosa irmã Gabriela, me acompanha nos grandes e pequenos lances da vida.

Otília vinha logo depois de mim. Companheira de todas as aventuras, quase sempre autora intelectual de nossas visitas aos armários das guloseimas, docinhos e frutas. Um tiquinho de gente com energia para governar o Império Britânico!

Laura, também religiosa hoje – irmã Helena –, sabia conversar, a ponto de ser o microfone de uma família quase toda de poucas palavras. Só ela não usava censura prévia nas conversas. Quando à noite o querosene ia acabando nas luminárias de metal ou de vidro decorado, era Laura, com seus oito ou nove anos, que arrematava: "Vamos rezar e depois dormir."

A quarta, Hilda, era a menina das flores, dos cantos, das surpresas e da fidalguia. Eu gostava de estar perto dela só para apreciar-lhe as expressões espontâneas de alegria, as corridas em arranque rápido e as voltas com o olhar em fogo. Quando estava alegre, nos carregava consigo até as nuvens, e quando chorava nos obrigava a assentar-nos, para compartilhar de um ferimento interior ou exterior. Também escolheu, por vocação e feitio divinos, a vida religiosa: irmã Hilda é o seu nome.

A quinta irmã, Ida, só contava três anos. Nela estava todo o meu apego. Falava pouco, e ainda hoje fala mais através do que faz. Nela eu via o meu retrato e, ao mesmo tempo, a reciprocidade entre homem e mulher. É incrível o quanto se pode depender de alguém na fase mais livre da evolução humana, que vai dos cinco aos doze anos. Tinha que vê-la ao voltar da escola e queria sempre levá-la comigo no lombo do cavalo ou nas incursões no mato. O que seria dela quando eu estivesse tão distante e o que seria de mim quando não pudesse contar com sua mãozinha firme na minha e seu olhar reconhecido, na volta de algum trabalho ou passeio?

Meus dois irmãos, Felippe e Max José, eram sete e oito anos e meio mais novos do que eu. Independentes, lutando juntos, e por vezes entre si. Só me dei conta do quanto representavam em minha vida quando o professor de português nos propôs um dia o tema "Meu irmão". Caprichei, escrevendo a verdade sobre um deles. Dias depois, o frei, excelente mestre, me chamou e disse: "Parabéns, seu trabalho passa para o livro de ouro da classe. Seu irmão deve ser especial. Não quer convidá-lo também para o seminário?" Hoje, Felippe é engenheiro e avô, Max José é agricultor, avô e amigo sem defeito para mim.

Fora os irmãos enumerados, ainda havia o irmão caçula, Bertoldo, o Toldi, que recebera o nome por causa do general Bertoldo Klinger da revolução paulista de 1932, à qual papai aderira com fé e emoção. Era esse que me preocupava, porque estava sempre muito doente.

Do outro lado, na direção em que eu iria, estavam os dois irmãos mais velhos. Heriberto, o Heri, já revestido do burel franciscano, era aquele que me atraía para a vida franciscana, o mundo missionário, a vocação de padre. Durante a vida inteira foi um incentivador, não só para mim, mas creio que para toda a família, e os próprios pais.

O segundo irmão, Oswaldo, que também se propunha seguir o sacerdócio, era um propagandista de todas as atrações da vida do seminário, sobretudo dos esportes, da música, do teatro e das festas. Tanto me falava dos encantos de Rio Negro, que toda aquela vida já me parecia familiar e preparada para mim.

As despedidas se transformaram um pouco em festas de herói. Afinal "ser padre" era o máximo para toda a colônia. Os candidatos a padre eram conhecidos e criticados ou adotados por todo esse mundo que vivia da tradição religiosa em cada uma de suas expressões.

A vovó paterna – Ana Hülse, a única avó que eu conhecera de perto –, com mais de setenta anos, deu sua contribuição. Até ali eu mais a temia do que respeitava. Nas vésperas da despedida, ela me chamou. Colocou-me dez mil-réis na mão (quase um salário mínimo) e me disse, com energia e solenidade: "Agüente o que vier e não seja um frouxo." Era o resumo de sua vida e de seus ideais. Depois, acrescentou baixinho: "A vó está orgulhosa de você." Este era o superlativo de todos os louvores da gente austera da colônia.

Dei ainda uma volta pelas estrebarias, pela fábrica, pelos pastos.

Não sei como, de repente, sem bocal, sem freio nem pelego, pulei no meu pangaré, com que ia sempre à estação da estrada de ferro buscar as encomendas. E o cavalo saiu galopando por entre os tocos e pelo banhado até a cerca.

Era a despedida final.

Já estavam no caminhão Chevrolet nossas roupas, os bancos de madeira, o encerado e tudo o que nos acompanharia.

Na manhã seguinte iria iniciar-se a travessia de Santa Catarina, estado que me viu nascer, para a entrada no Paraná, que me iria adotar. A ambos os estados devo momentos indizíveis de realização humana e religiosa.

Antes de sair de casa, mamãe chamou-me à parte, me conduziu ao quarto em que jazia, banhado em suor de febre, o irmão caçula Bertoldo, nosso Toldi. Ele estava muito mal. "Talvez você não o veja mais. Lembre-se de que todo irmão que morre é novo amigo junto a Deus." Foi um consolo ouvir essas palavras da mãe, mas também novo aperto no coração. Bertoldo, no entanto, superou a crise, formou-se engenheiro, casou, experimentou a alegria de ter quatro filhas de insuperável beleza e inteligência e tornou-se em nossa família a expressão mais viva do político autêntico e considerado, vindo a falecer aos sessenta e cinco anos, quando eu já me tornara arcebispo emérito de São Paulo.

Ao lado do velho caminhão vieram as demais despedidas.

A antiga senha da colônia – "Homem não chora" – nessa hora não convencia. Fiquei feliz quando o motorista, sempre buliçoso, o nosso Ivo, foi virar a manivela à frente do radiador para dar partida.

Éramos seis os seminaristas: dois veteranos e quatro novatos. Todos primos-irmãos entre si. Dos seis, só um chegou ao sacerdócio. É o que lhes conta esta história.

Os bancos improvisados e duros, a lona de reserva para o caso de chuva, os sacos e as malas entre as pernas. Nada importava, porque na cabine ia o motorista Ivo, um irmão franciscano e nosso professor e tio Jacó. Os futuros seminaristas acomodavam-se na carroceria. Os molejos do caminhão eram feitos para as estradas esburacadas e a poeira ficava para trás. Nos raríssimos cruzamentos com outros caminhões ou carros perdia-se de cinco a dez minutos, porque, com estradas estreitas, as manobras invadiam as capoeiras ou buscavam entradas fortuitas para um veículo passar pelo outro sem danos ou raspões.

A surpresa veio à noite, na casa de franciscanos em São José, onde paramos para o primeiro pernoite. Os quatro novos seminaristas iriam dormir num quarto iluminado por luz elétrica. Era só torcer o botão e o ambiente se iluminava. Quantas vezes repetimos a operação! Em casa era preciso buscar os fósforos, encontrar o lampião de querosene e ouvir a reclamação de alguém que se incomodava com a manobra. Aqui, só virar um botão à altura dos olhos!

Quando, seis anos mais tarde, experimentávamos a pobreza primitiva dos franciscanos, durante o noviciado e os estudos de filosofia, as movimentações no escuro voltaram a ser familiares: a gente se barbeava cercado do breu da noite, arrumava a cama e ajeitava as coisas só pelo tato e pela regularidade da operação. E tudo dava certo. Conseguia-se assim viver no convento com um terço do salário mínimo por pessoa, incluindo livros, estudos e demais gastos.

Nossa viagem ainda teria momentos dramáticos, como a quebra do eixo do valente Chevrolet. Mas, sobretudo, com a ruptura do grupo. Metade ficaria em Blumenau, para alcançar o seminário de Brusque, e nós, os dois restantes com tio Jacó, em mais dois dias de viagem entre caminhão e trem, iríamos chegar a Rio Negro.

O que mais me confortou foi a visita a Rodeio, onde meu irmão mais velho, o Heri – já então frei João Crisóstomo –, iniciava o seu noviciado como franciscano.

Tudo ali me empolgou: desde o hábito franciscano que dava ao mano um aspecto de elegância e sacralidade e conferia a seu companheiro, frei Ático Eyng, também de nossa terra, uma promessa de poderoso missionário, até o canto na capela e as iguarias sobre a mesa. Que gente diferente, alegre, amiga, essa turma grande de frades!

Rodeio foi motivação de reforço que veio na hora certa para enfrentarmos a última etapa da viagem, de Jaraguá a Rio Negro, de trem. Sete horas intermináveis até pegarmos as charretes que iriam conduzir-nos à montanha sagrada, depois de atravessar o rio Negro, encontrar a cidade do mesmo nome e, três quilômetros adiante, o majestoso edifício com o nome não menos imponente de Seminário Seráfico São Luís de Tolosa. "Adorei" aquele lugar nos seis anos de estudos de primeiro grau e nos dois semestres em que, como professor, dediquei meu primeiro amor de padre recém-ordenado.

Sem aquele casarão, hoje desabitado, eu não seria padre – assim imagino – nem amaria tanto as pessoas, a vida e a natureza. Foi lá também que conheci Francisco de Assis, o encanto de toda a minha vida.

3 *Vida no seminário*

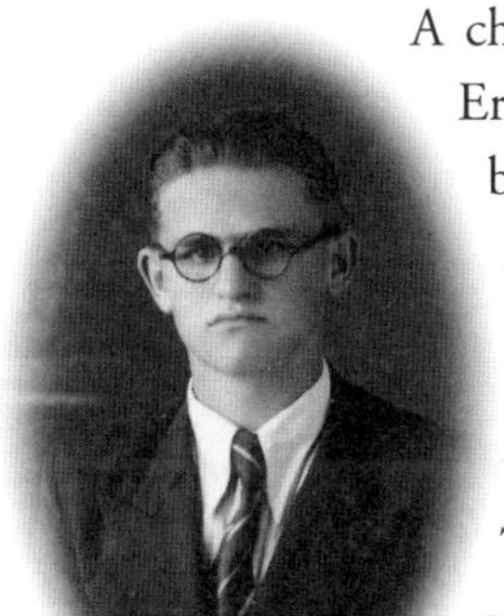

A chegada ao seminário-menor nos parecia uma vitória. Era como, depois de ganhar um grande torneio de futebol, contar aos pais e irmãos tudo o que acontecera durante a peleja.

Entramos pelos fundos e fomos conduzidos diretamente ao refeitório para, junto com algumas pessoas acolhedoras, tomarmos a primeira refeição. Tudo nos parecia grande, mas uma coisa atenuou a estranheza e nos fez sentir em casa: o sorriso e o abraço de um padre recém-ordenado, frei Cipriano Chardong. Depois soubemos que era gaúcho e que seria o nosso vice-prefeito, a pessoa com quem nos deveríamos entender em todos os assuntos da vida diária.

Os encontros iniciais para um garoto de doze a treze anos, arrancado de seu ambiente familiar e simples, costumam marcar-lhe a vida. Para mim foi o encontro com frei Cipriano Chardong. Seu rosto tinha tal transparência, que os alunos costumavam chamá-lo de “São Luís de Tolosa”, o santo cuja imagem encimava o altar-mor de nossa capela.

Iniciou-se uma amizade que duraria os seis anos de seminário-menor.

Frei Cipriano, elegante, magro mesmo, era esportista em várias modalidades. Isso lhe bastaria para granjear nossas simpatias mais duradouras. Também músico. Organista, mas sobretudo cantor, com a voz mais límpida e capaz de arredondar todo o coral festivo. Ouvi-lo uma, duas, dez vezes provocava admiração e esforços por imitá-lo.

Mas o que devo a frei Cipriano vai muito além. Por dois anos foi professor de português em nossa classe. Até hoje não descubro se conhecia literatura ou se era entendido em gramática. Esperávamos ansiosamente por sua aula, quatro a cinco vezes por semana. Amigo e mestre no diálogo. Talvez sem se dar conta, levava à prática o ensinamento de Cícero: "A cultura da alma se assemelha à cultura do campo."

Como filho de colono, eu sentia crescer de várias formas o nosso conhecimento. A cada aula frei Cipriano distribuía uma folha especial para ser entregue na próxima sessão – dia seguinte, tantas vezes – com uma história, descrição, poesia ou análise. Ensinava-nos a dispensar o rascunho e a insistir apenas no esquema da futura composição. Cinqüenta linhas de redação diária onde aparecesse toda vez um ser vivo, se possível, humano. Os assuntos eram triviais: cadeira, mesa, casa, cão, criança, um irmão, o pai, a mãe, um amigo.

Liberdade plena. Mas correção gramatical rigorosa.

No dia seguinte restituía-nos os trabalhos corrigidos. Com notas. A melhor redação tinha o direito de ser transcrita no Livro de Ouro.

Sua sensibilidade era tal, que todos entramos para o Livro de Ouro.

Quando escrevi sobre meus irmãos, chamou-me, perguntando com simplicidade: "Você gostaria de ter seu testemunho sobre seu irmãozinho no Livro de Ouro?" Eu me surpreendi: "Por que não?" E ele respondeu, afetuoso: "Porque você diz coisas tão íntimas e tão pessoais que me deixam na dúvida."

Dei-lhe razão. Mas transcrevi. Sabia que o Livro de Ouro iria parar no coração dele. Hoje deve estar no coração de Deus, porque frei Cipriano, depois de encher o mundo com gestos de nobreza, foi chamado pelo Artista Supremo a continuar sua obra no céu.

O treinamento adquirido com o método de frei Cipriano Chardong certamente nos preparava para as redações maiores em nosso jornal, que lhe entregávamos fielmente aos sábados, para depois lê-las integralmente na reunião da manhã dos domingos.

Pelo que sei hoje, de uma dúzia e pouco de estudantes que éramos, mais de nove continuaram a escrever durante toda a vida. Entre eles figurava frei Paulo Avelino de Assis, biblista e escritor de renome. Essa generosa colaboração de frei Chardong foi para mim o incentivo para escrever uns cinqüenta livros e milhares de artigos e mensagens, além de colaborar, durante mais de vinte anos, diariamente, em rádio e, por vezes, em televisão.

Como são importantes a recepção cordial e as primeiras horas para alguém que chega de uma colônia bem pequenina para uma comunidade numerosa! Digo numerosa porque lá conviviam mais de cem alunos, divididos em três categorias: os pequenos, os médios e os maiores.

A adaptação nos custou muito pouco, talvez por causa da amizade com esse jovem franciscano tão aberto para as dificuldades de entrosamento dos novos alunos.

Quais foram os pontos que mais me impressionaram nesses seis anos que iríamos passar junto a meninos desconhecidos, a padres professores e a irmãos humildes e sempre dispostos a nos favorecer e ajudar?

Certamente a ordem e a disciplina, que não eram impostas, mas aceitas de bom grado tanto pelos pequeninos quanto pelos médios e maiores.

Depois, a boa divisão entre tempo de recreio, de estudo em ambiente comum e de aulas, segundo a formação de cada candidato. Em sua maioria, os novos eram admitidos após passar por uma prova para avaliar os conhecimentos adquiridos nas escolas das colônias e, depois, colocados em geral na "oitava série", segundo o método alemão de contagem, o que equivalia ao que hoje conhecemos como terceira série do primeiro grau. Outros conseguiam ser aceitos na sétima série, e os mais adiantados diretamente na sexta.

Foi o que aconteceu comigo, pois tinha cursado dois anos a mais em Forquilhinha. Colocaram-me na sexta série, apesar de eu não conhecer a nova ortografia da língua portuguesa, que trocava o *ph* por *f* e era quase toda simplificada segundo a pronúncia. Estávamos acostumados a escrever *phosphoro* e agora devíamos aprender *fósforo.* A questão parecia complicada, até o momento em que o professor de português, frei Júlio Janssen, pediu aos novatos que lhe entregassem sempre a primeira redação, feita no borrador, antes de passá-la a limpo no caderno. Em meio ano cheguei a ser dispensado desse cuidado, porque o professor achou que eu conseguira com facilidade habituar-me ao que havia de novo tanto nos ditados quanto nas composições.

Esse gesto de frei Júlio, a quem fui grato a vida inteira, revela igualmente o cuidado dos demais professores para nos facilitar a ambientação e a comunhão com os colegas.

O cultivo da música foi também muito marcante em minha formação. Tínhamos diversos mestres de piano e violino que dirigiam a nossa orquestra, preparando assim os futuros padres, capazes de tocar harmônio e incentivar a música, tão cara ao nosso pai São Francisco. Aliás, foi neste ponto e em tantos outros que São Francisco nos inspirou a ouvir os pássaros do céu, junto com toda a manifestação da natureza em torno do nosso edifício. Creio que nunca rezei com tanto fervor e simplicidade quanto naquele tempo em que podíamos exprimir, diante de Deus, aquilo que agradecíamos aos colegas, aos professores e ao ambiente sadio desse inesquecível seminário.

Quando, quinze anos mais tarde, cheguei a conhecer a cidade do patrono – São Luís de Tolosa – no sul da França, me comovi recordando o coração generoso de frei Cipriano e dos demais padres e professores, como também de colegas fiéis ao longo da vida.

O que mais influenciou a vida futura do pequeno estudante de Rio Negro foi a aprendizagem sistemática das diversas línguas. O latim ocupava o primeiro lugar com oito aulas semanais no início e seis ao longo do curso todo. Logo a seguir vinha o português, tão dependente do latim quanto o alemão, este ensinado com um pouco menos de entusiasmo porque o hitlerismo se anunciava na Alemanha como um grande perigo. O grego teve início na quarta série, e o estudávamos com espírito quase esportivo. Como era interessante repetir os vocábulos e ensaiar as letras que encantaram os clássicos do passado, tanto os cristãos quanto os pagãos! O estudo do francês foi introduzido na quinta série, e o professor mais se empenhava no ensino da gramática do que no uso ativo da língua.

Tudo isso não teria dado o resultado que costumava dar ao longo dos estudos se não houvesse o que chamávamos de Academia Antoniana, em que a quinta e sexta séries faziam sessões, declamando poesias e pronunciando discursos. Era nela que frei Alfredo Setaro nos introduzia na arte de falar em público e de utilizar tudo o que nos tinha sido comunicado nas classes com tanta generosidade. Esse carioca era também mestre na produção de festas, saraus e teatros, momentos altos no seminário.

Grande amigo, durante os seis anos de Rio Negro, além de professor de português nas classes mais adiantadas, chamava a atenção pela apresentação impecável no trajar. Homem extremamente fino, os seminaristas comentavam que ele andava até mesmo perfumado. Quando fazia seus sermões, tínhamos sempre conosco o dicionário, que folheávamos em sua frente, procurando o significado das palavras difíceis que ele falava. Era uma linda pessoa esse homem de cidade, no caso a própria capital do país, chamado e predestinado a desembaraçar os garotos vindos do campo.

Aos treze anos fez-me escrever o primeiro artigo, que, para meu orgulho, saiu – todo reformado – na revista impressa do seminário, *Juventude Seráfica*.

Animou-nos a fundar o jornal da divisão dos menores. Fui nomeado redator-chefe, embora pertencendo à primeira série. Quando parti para o noviciado, ele me chamou, abraçou-me e convidou-me para uma última cerveja antes de tornar-me franciscano. Coisa de carioca!

No ano seguinte, frei Cipriano retomou a idéia e criamos o órgão da classe, o jornal *União*, que por três anos saía todos os domingos. Cada qual publicava um artigo, poesia, divagações. As capas eram sempre pintadas a aquarela por algum companheiro. Não me lembro de uma só edição em que não colaborássemos com nosso entusiasmo e nossa fé. Todos assinávamos com pseudônimos, que indicavam as preferências ou as intuições dos alunos: Leitão, Capistrano, Machado, Alencar, Rui. Eu assinava com este último nome, só por causa de um velho professor, amigo de Rui Barbosa, que o ouvira diversas vezes discursar por horas inteiras. O que me impressionava eram as "horas inteiras", porque então, como hoje, meus assuntos de sermão se esgotam no máximo em sete minutos, ou, quando mal preparados, em dez a doze. As "horas" da eloqüência de Rui me espantam até hoje.

Também tentei a música. Violino e piano. Por três anos, mais para imitar meu irmão quase padre. O dia em que este me escreveu: "Não faça como eu.

Sacrifiquei minha saúde, trocando todo o tempo de recreio pelo esporte e pela música, e hoje estou doente, tuberculoso." Deixei tudo. Foi minha sorte. Também cheguei a experimentar aquela mesma doença, curada no entanto pela natureza, os esportes e a alimentação mais sadia. Em troca, posso ouvir música, só clássica, por horas a fio, e descansar com ela ou nela retemperar as esperanças. O amor e a música ressuscitam sempre de novo a confiança na vida e regam a planta mais tenra do coração, que é mesmo a esperança.

Entre uma festa e outra, decorávamos as poesias ou também poemas que podiam ser apresentados em classe, com simplicidade ou, em ambiente solene, para platéias da cidade de Rio Negro.

O forte era, no entanto, o teatro. Em ocasiões de folga doméstica, comédias. Nos dias históricos do seminário, como no do padroeiro, verdadeiros dramas ou tragédias. Algumas, clássicas, outros, dramalhões. Só aos poucos íamos formando os critérios e apurando o gosto. Na hora, a meta pedagógica superava a meta propriamente artística. Mas esta também era contemplada. Enquanto uns entravam como figuras decorativas ou papéis secundários, outros eram submetidos a verdadeiros testes de voz e expressão corporal. Alguns demonstravam um talento especial, mas todos se desinibiam, e houve até quem no palco perdesse a casca de timidez. Tornava-se comunicativo, autoconfiante, criativo, em vez de passivo, dependente e fechadão. Mais tarde, muito mais tarde, quando consagrei três anos ao estudo do teatro, especialmente da tragédia grega, é que senti como os deuses tomam conta do personagem. Ainda hoje penso que o entusiasmo é dom divino e flúor indispensável para conservar a seiva vital.

Vivi entre os treze e dezoito anos muitas horas psicologicamente importantes para o desenvolvimento, meditando e apresentando textos de grandes autores. O clímax foi sem dúvida a leitura dos clássicos alemães Schiller e Goethe. Do primeiro, li diversas peças de fôlego. Do último, além do *Fausto*, uma série de poesias e poemas, em alemão, a partir do então quinto ano ginasial. Shakespeare e os espanhóis, só em traduções alemãs. Os clássicos franceses ficaram para o último ano e tiveram que esperar o tempo da Sorbonne, quando eu já era padre.

Ninguém deixava o seminário como lá entrara. Passava a pensar e falar diferente, modificando até o gesto, porque o coração dilatara os horizontes. Exatamente como nas horas da descoberta de um grande amor, que provoca novo sabor em tudo o que tocamos, mas também respeito íntimo diante do sagrado, na criatura e nos projetos sempre insondáveis do Criador.

Voltando a frei Setaro – que depois participou como capelão brasileiro na Segunda Guerra –, ninguém melhor do que ele para nos tirar os vícios de linguagem que trazíamos das colônias polonesa, alemã, italiana e tantas outras. Excelente professor de retórica, ele nos incentivou a representar, sempre com maior empenho, as peças teatrais e os *shows* para as numerosas festas franciscanas.

Sobre o seminário de Rio Negro nunca hesito em reafirmar, com a maior convicção: foi um lugar de excelente formação de caráter, de bela introdução para a vida religiosa e de um cultivo de humanidades que até os meus professores da Sorbonne, na França, um dia iriam admirar. Quando lá estudei, sempre me voltava à memória o que aqueles franciscanos, professores e colegas, me transmitiram ao longo de seis preciosíssimos anos da vida e de preparação para a missão futura.

Os anos eram de política bastante quente. Chegamos por isso a convencer um dos professores a deixar-nos ler jornais de São Paulo para debatermos integralismo, comunismo e Estado Novo. Também nos interessavam os preparativos de guerra na Europa e as singularidades do Japão, China e Índia.

Lembro-me do dia em que o padre reitor, recém-formado na Alemanha, crítico inteligente e ferrenho do nazismo, me chamou a seu gabinete e me disse, entre outras coisas: "Vocês devem preparar-se para o pior, talvez para sacrificarem suas vidas numa guerra."

Foi uma lição. Um choque. O drama do interesse intelectual confrontando-se com o realismo no casarão em que tudo parecia realizar-se sem nós. Iríamos ser padres só daí a sete anos. Morrer... na guerra... sem acreditar em tais soluções...

Tornei-me desde essa hora um inimigo da guerra. Por egoísmo, primeiro. Depois, por estudo e convicção. De Gandhi já havia lido coisas vagas. Mas Cristo aí estava pregando a fraternidade universal: "Quem com ferro fere, com ferro será ferido", assim falara o Mestre, preferindo morrer a chamar legiões de anjos para aniquilar os homens que o perseguiam. Na guerra não havia essa disparidade de anjos combatendo homens, mas a estupidez inaceitável de irmãos trucidando irmãos.

Seis anos e meio depois eu seria convocado para a guerra. Como já era diácono – um estágio anterior à ordenação como padre –, pedi o adiamento de incorporação para servir como capelão ou enfermeiro. Isto acabou não ocorrendo, mas ainda hoje, aos oitenta anos, quando revejo as hostilidades, tenho a convicção de que não aceitaria aquela situação.

Com sofreguidão aguardávamos as poucas revistas que tinham acesso ao interior de nosso seminário. Não falhavam nunca. Entre elas figuravam as revistas *Vozes de Petrópolis* e *A Ordem*. As notícias eram debatidas entre colegas, cada um acrescentando sua curta experiência à vasta imaginação. Política, sinônimo de ação e pressão para provocar mudanças em favor do bem-estar público, começou a fazer parte da formação sacerdotal e religiosa.

Apesar disso, eu iria votar pela primeira vez aos vinte e quatro anos, depois de ser padre. A história, porém, começou a interessar-me sempre mais, como fonte de informação sobre problemas sociais com incidências inevitáveis no campo da política e da evangelização.

Nos últimos dois anos de seminário tivemos alguns jovens professores que insistiam em temas até então alheios ao nosso horizonte: o padre brasileiro, que não quer viver distante do povo, é levado, mais cedo ou mais tarde, a tomar partido e a influenciar negativa ou positivamente sua comunidade maior ou menor. A história do Brasil não pode ser assimilada ocultando tais fatos.

Nunca imaginei que um dia me fosse dada a sorte de diplomar-me em história e literatura numa das mais célebres universidades do mundo.

Também não imaginaria que um ex-soldado da última guerra, depois padre, iria ser por muito tempo meu colega. Dele soube o que é o fascismo – pois fora prisioneiro durante anos dos carrascos na Alemanha. Foi ele igualmente quem me chamou a atenção para as semelhanças entre o fascismo e o comunismo. Toda solução totalitária traz em seu bojo a morte da liberdade, e normalmente o aniquilamento dos que lutam por um mundo igualitário, ou seja, pelos direitos fundamentais do homem.

A descoberta mais dolorosa foi a frase ouvida num discurso do colega europeu sempre atento à política. Pio XI dissera a palavra e ela devia ser autêntica: "O maior pecado da Igreja é ter perdido as massas operárias." Assim, parecia confirmar a expressão de Marx: "Religião, ópio do povo", ao menos no juízo de tais operários.

Mais de quarenta anos depois, rodeado por todos os líderes metalúrgicos, situação e oposição, comecei a sentir que o operário não apenas precisa do Cristo-operário, mas o busca, apesar de humilhado e explorado. O meu desejo é que a Igreja com ele se encontre para suas justas reivindicações na fábrica e para os debates junto com as mulheres nas comunidades de base. Se a Igreja voltar às suas origens operárias, o operário formará a parte mais autêntica da Igreja.

Cinco elementos resumem, na perspectiva de hoje, os seis anos de seminário em Rio Negro: Evangelho, liberdade, religiosidade, povo e Igreja.

E cinco elementos pedagógicos marcaram minha existência a partir do mesmo período ali vivido:

1º - Leitura meditada do Evangelho

Desde a escola primária fui acostumado à Bíblia da Editora Vozes, que é uma síntese muito bem feita da caminhada do Povo de Deus. O autor, frei Bruno Heuser, era franciscano alemão.

Minha mãe me explicou a Criação, de que me lembrei em tantas circunstâncias da vida. Foi através dessa e de tantas outras lições que mamãe fez com que Deus se tornasse sinônimo de amor por toda a minha existência.

Algum tempo depois, os franciscanos nos colocaram nas mãos o Evangelho inteiro. Nunca senti na Bíblia a rudeza do linguajar de que se queixa Santo Agostinho jovem. Pelo contrário, na tradução do jesuíta Humberto Rohden, aprendi a declamar certos trechos como se fora poesia ou expressão original da minha própria alma.

A leitura do Evangelho nunca me cansou, nem cansará. Acabou sendo um livro tão querido, que durante anos sonhei poder um dia dedicar-me exclusivamente a ele, sendo exegeta. Dentro do Evangelho fui encontrar o caminho para São João, sua primeira epístola e seu evangelho. Todos os livros da Terra não conseguiram dizer-me o que diz, com tanto vigor, este apóstolo-profeta.

São João diz no capítulo quarto: "Se alguém disser que ama a Deus, que não vê, e não ama seu irmão, que vê, é um mentiroso." Aquela afirmação me impressionou de tal maneira, que me fez pensar: "O amor de Deus tem que se manifestar por alguém concreto, que se vê." A frase de São João me causa impacto até hoje. Quando encontro um bêbado, penso nela: "Se eu não amo esse irmão caído, sou um mentiroso."

Quem hoje passa pelo centro de São Paulo encontra a catedral das pessoas da rua. No subsolo está o lavatório, onde elas se lavam e ganham roupa limpa. No primeiro andar, um salão onde lêem a Bíblia e conversam, procurando formas de colaboração mútua. Foram essas pessoas da rua que me disseram o que fazer com os duzentos e cinqüenta mil dólares que, como arcebispo de São Paulo, eu ganhara no Japão, com o prêmio da paz. Durante a missa de Natal, perguntei ao padre que cuidava dessas pessoas o que deveria fazer com o dinheiro, e ele me respondeu: "Preciso consultá-las." Depois de três semanas, voltou dizendo: "Elas querem uma catedral. Não como a da Praça da Sé, em cujos degraus dormem, mas uma catedral que seja delas." Assim foi construída essa catedral, no final da Avenida Tiradentes.

O caminho para as epístolas de São Paulo foi mais difícil. Começou pela Epístola aos Efésios, a mais profunda que existe na Bíblia. Essa epístola sempre foi para mim uma pedra no sapato. Posso dizer que até hoje não a compreendo totalmente, por mais que o deseje.

Quando um dia me encarregaram de escrever oficialmente uma carta de boas-vindas a colegas que viriam da Bélgica – Garnstock – para estudar conosco nos últimos anos de seminário, transcrevi a epístola de São Paulo aos Efésios. Sei que do lado de lá do oceano os menos jovens do que eu se espantaram por ver tão longas citações. Mas meu coração estava nelas como o coração do namorado se esconde em versos líricos e por eles transmite o intraduzível, ou seja, as primícias do amor.

Afinal, tudo se encontra no Cristo e exige vida nova, luz, muita luz.

Logo depois dos estudos secundários, chegaríamos ao noviciado, onde nos era proposto ler ou rezar a Bíblia inteira. Nós o fizemos, mas naquele momento faltou unção, creio mesmo certa identificação. Só bem mais tarde o sentido da grande caminhada da libertação, a ser refeita, entrou pelo Antigo Testamento em minha vida. Mas isso seria outro capítulo.

2º - Liberdade

O Evangelho teve como resultado imediato despertar o sentido da liberdade. Sem dúvida o maior desafio para o homem, sobretudo o adolescente e o jovem.

O seminário, dirigido em estilo alemão, baseava-se em disciplina bastante severa, embora alguns padres fossem verdadeiras mães para nós. Num religioso alemão, como verifiquei tantas vezes, isso não constitui nenhuma contradição.

Ainda assim, o primeiro colocado na classe em cada trimestre assumia o cargo de vigia da turma toda. Pressupunha-se que o inteligente e o aplicado fosse também reconhecido como líder. Para nos manter na linha, ele devia nos denunciar ao padre prefeito. Coisa que podia custar-nos o sacrifício de um recreio ou de castigo escrito.

Embora criança, percebi que o método constrangia um prefeito como frei Cipriano e revoltava a classe.

Ao fim do primeiro trimestre, a turma toda já reparara na aplicação daquele menininho, o segundo menor da classe. Era eu quem dava a água benta ao professor quando ele entrava na sala de aula. Devo confessar que uma vez eu dei tinta em vez de água benta. O fato é que a turma começou a incentivar-me a tirar o primeiro lugar para assim estabelecer outro regime. Cheguei ao mês de julho com o primeiro lugar e com a política de nos defendermos em comum e de tomarmos as iniciativas também pelo voto de todos.

Mas a liberdade era mais um estado de espírito. O pluralismo e a criatividade, suas asas. Gente de todos os estados e condições organizando sempre algo novo. Quando terminamos o jornal na quarta série, formávamos um pequeno formigueiro onde a ordem se fazia pelo amor e respeito a cada um. Nossas leituras preferidas eram contos, textos teatrais e romances em que a liberdade tocava a consciência orientando-a no campo imenso que Deus deixa à escolha de seus filhos. Aliás, os contornos da liberdade se desenhavam lá onde Deus nos guiava e os companheiros precisavam de nós.

Encontrávamos educadores e mestres limitadíssimos em suas concepções, que nos repetiam, no entanto, que iríamos pertencer à ordem franciscana, em que cada qual seria diferente do outro, porque assim o quisera São Francisco.

3º - Religiosidade

Nossa família, emigrada de uma das regiões mais românticas da Mosela, na Alemanha, entre os anos de 1828 e 1843, trazia na alma as canções e o espírito romântico, mas também a religiosidade, capaz de transformar o mais agreste sertão e a mais pujante mata virgem num hino ou numa epopéia inacabada.

Papai contou-me um dia que, na hora de decidir por uma igreja grande ou pequenina, prevaleceu o seguinte argumento: nós podemos morar em casa de madeira, mas Deus precisa da morada mais caprichada, porque é ele que reúne o povo e manda mesmo.

Uma coisa era certa: Deus mandava na planta que alimenta, na chuva que rega e na criança que nasce. Nossa Senhora era vista como a verdadeira mãe de toda a população e tinha o olhar sempre atento para o que se passava. São José – com a ladainha mais curta – mandava um pouco menos. Era como o pai que tinha que afastar-se mais vezes de casa e não sabia tão bem das coisas boas ou menos boas. Mas gostávamos dele, sem dúvida nenhuma.

No céu também estava nossa irmãzinha Irma, que morrera com menos de dois anos, além de São Sebastião, São Pedro e São Paulo. A morte cobria todos os espaços de luto. Por alguns dias. Quando apenas tocava o terceiro sino, o mais agudo e dolorido, a gente sentia a solidão entrar em todas as fibras do ser. Acompanhar o enterro parecia obrigação. Mas também a hora em que a voz larga do tio Jacó recordava a eternidade presente no tempo.

E nós sabíamos que Deus escrevia a história de cada um.

Como fazer dessa religiosidade a motivação existencial no seminário?

De fato, a transição se fez de maneira bastante espontânea. No seminário de Rio Negro tudo falava de Francisco e de Maria mãe de Jesus. A ela fora dedicada uma gruta a cento e cinqüenta metros aproximadamente de nossos campos de esporte.

Lá íamos, todos os dias, na pausa da merenda. A imagem de Nossa Senhora de Lurdes em meio às águas que brotavam das pedras e eram recolhidas no tanque povoado de peixes nos deixou lembrança imperecível. Lá celebrávamos as suas festas, em vigílias iluminadas por velas e aquecidas por cânticos, solos e orações. A figura do padre-prefeito se transformava diante da mãe de "meu Senhor", como dizia São Francisco.

Impossível imaginar eloqüência mais arrebatadora que a de frei Carlos Sabóia Bandeira de Mello – futuro bispo de Palmas – nem voz mais melodiosa do que a de frei Cipriano Chardong diante dessa imagem da gruta de Lurdes.

Mais tarde foi erigida a "casa de São José", onde proferi o primeiro sermão da vida, em março de 1946, quando acabou o trigo no seminário. "Ide a José" foi o tema bíblico que escolhi.

Mas a devoção a Maria nos levou também à Bíblia. Nosso grupo de jovens se comprometeu a recitar o terço por anos a fio, com cinco quadros evangélicos para meditar diariamente, até completar, em três dias, as quinze cenas em que Maria participou da vida de nosso Redentor. Queríamos fazer mais ainda, e aceitamos o "Ofício de Nossa Senhora". Como aí as imagens eram também do Antigo Testamento, Maria começou a andar conosco pela história da salvação.

O certo é que a verdadeira "devoção", ou seja, a imitação de Maria, nos levou ao Cristo, exercendo ação fascinante sobre nós e dispondo-nos a qualquer sacrifício que a vida comum exigisse.

Quando um dia, no último ano, um professor de religião nos explicava que Maria era o "feminino" que buscávamos para a nossa complementação, para a reciprocidade dos sexos, lembro-me do sobressalto que tive. Porém cheguei à conclusão, lentamente elaborada, que de fato não sentira quase nunca a ausência ou a saudade de uma mulher – a não ser da mãe e das irmãs – em todos esses seis anos de vida reclusa.

Maria foi e continua sendo o eterno feminino dentro de nós e o grande sonho pela mulher a atrair-nos. Ela é mais do que imagem e símbolo, ela é vida no Cristo e para Cristo. Além de tudo isso, aos poucos ela vai encarnando para nós o povo inteiro, ao qual dedicamos nossa força viril, como o homem casado a entrega à sua mulher.

Maria foi e está sendo elemento indispensável na religiosidade.

Coisa muito semelhante se deveria dizer de São Francisco. Dele praticamente aprendi os grandes valores da vida através das leituras e constantes apelos dos padres que nos faziam, por semana, três conferências muito apreciadas. O sermão dominical, em contraposição, parecia pura retórica, arremedo de homilia.

De São Francisco, o que mais me empolgou foi a sua loucura evangélica. Ser o "arauto" de Cristo, levando as palavras e gestos do Mestre ao pé da letra. Igualmente repassava pelo coração a natureza que ele cantava. Agora, a natureza daquele Paraná. O pinheiro, tão triste para outros, para mim é o cálice eternamente verde a recolher o orvalho sempre alvo numa taça que transforma tudo em vida. Os animais, desprezados normalmente pelos filhos de colonos, naqueles anos de adolescência assumiram o significado do "cordeiro de São Francisco, imagem de Cristo", do "lobo de Gubbio, o homem-fera a ser dominado", do peixe surdo que entende um sermão, da cigarra que acorda para rezar.

Não existe mau tempo. As brumas tão cerradas daquelas manhãs no úmido Rio Negro me estimulavam a correr com alguns colegas, respirando-as a fundo, achando que algo de divino entrava em nós.

O amor pela água, "a irmã pura e casta", dura até hoje, e diante dela podem deixar-me sonhar: seja a água um simples regato borbulhante ou o grande mar com seus bramidos.

Nada, porém, foi aos poucos se tornando mais fraterno do que o irmão que sofre. Por longo tempo, desejei não ser mais padre e sim um "simples frei", companheiro dos homens feridos na caminhada. Quem sabe foi isso que me levou aos morros de Petrópolis por dez anos e meio, entre favelados, como também às favelas e à periferia sofrida de São Paulo.

Que dinamismo indomável enche de novidade esse puro conceito de "irmã" ou "irmão", para transformá-lo numa corrente elétrica, a percorrer nossa vida e toda a história. Não havia entre Francisco e Clara, como alguns escreviam, romance, mas encontro das primícias humanas – das pessoas mais perfeitas – com a missão mais elevada de qualquer homem: ser o altar do que há de belo, vigoroso e esplendoroso, para a oferta a Deus e aos homens.

Afinal foi Francisco que me levou a aceitar tantas restrições e tantas manias naquele tempo, porque acreditei ser a pobreza um esvaziamento constante do coração para aí terem lugar as misérias humanas e as inspirações mais elevadas do próprio Deus.

Pobreza, esposa de Jesus, é o poema do povo brasileiro cantado durante cinco séculos, mas também é poema de todo jovem que sonha com o encontro de Cristo nesse povo.

Pobreza é música sem letra, porque as letras vão surgindo ao longo da caminhada. Pobreza são as quatorze estações de cada peregrino consciente – mas também o sepulcro vazio visitado por Madalena.

Possuir, jamais! Deixar-se possuir, também não! Ser livre, para tornar livre, enquanto o amor vai ampliando seus raios de ação até abraçar todas as mulheres, homens e criaturas, no amplexo autêntico – o único autêntico – da cruz que salva e torna feliz.

Com São Francisco toda a religiosidade acaba se transformando na oração que ele nos manda rezar todos os dias e o dia todo: o pai-nosso.

Os dois últimos elementos pedagógicos que marcaram minha existência podem ser resumidos nessas duas convicções:

4º - Não esqueci meu povo, nem jamais o esquecerei.

5º - Não esqueci a missão da Igreja em meio à gente sofrida, mas sempre esperançosa.

4 A formação franciscana

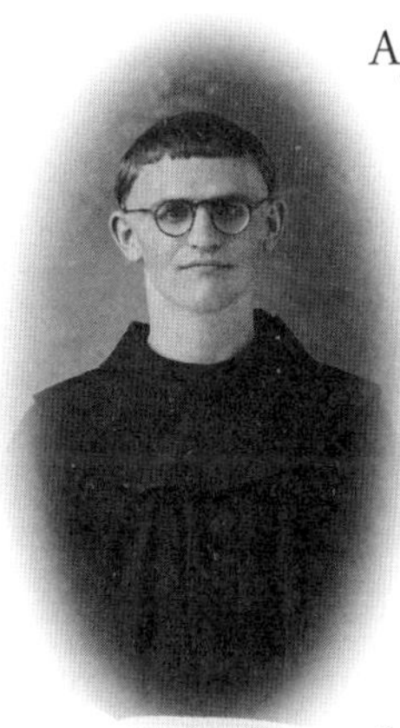

Após o término dos estudos de segundo grau no Seminário São Luís de Tolosa, em Rio Negro, quase todos os alunos se dirigiam a Rodeio, em Santa Catarina, para aí iniciarem o noviciado, a formação franciscana e sacerdotal para a vida. Foi o meu caso.

No noviciado foi-nos comunicado de maneira muito singela e insistente: "Neste ano, todos devem ler e meditar sobre a Bíblia, desde a primeira até a última página. Se possível, consultem as notas e tomem como ideal de leitura o modo de São Francisco, isto é, não basta saber, é preciso saborear, interiorizar e celebrar a comunicação de Deus conosco." Embora não nos fosse cobrado o que líamos todos os dias, a Sagrada Escritura se tornou para nós o livro de cabeceira, a inspiração para os grandes e pequenos sonhos da vida e para as lutas mais decisivas da existência.

O segundo ponto realçado foi o estudo da vida de São Francisco, seus escritos, assim como o início da fundação da ordem franciscana no século treze e sua situação no século vinte. A parte intermediária nos seria comunicada mais tarde, durante os estudos. A verdadeira paixão por São Francisco me ajudou a superar tanto os imprevistos desagradáveis como as tarefas mais exigentes durante toda a formação e a vida posterior. Nunca poderei agradecer suficientemente o fato de nossos mestres nos introduzirem no espírito franciscano de convivência fraterna, de amor ao Cristo crucificado e ressuscitado, e na veneração pela natureza, que sempre de novo implora o nosso carinho e a nossa admiração.

Muitos anos mais tarde, numa de nossas reuniões do episcopado, um bispo disse, com singeleza e humildade, que não havia aprendido a rezar. Naquele momento lembrei-me da expressão de que o verdadeiro judeu era o homem transformado em oração, e o verdadeiro cristão era o Cristo, sempre unido ao Pai. Durante todo o noviciado nos ensinaram os diversos métodos de contemplação e comunicação com Deus e o mundo, mas também nos deixaram plena liberdade para nos expressarmos de acordo com a nossa vida e com nossas aspirações mais profundas. Rezar é a missão mais essencial do franciscano, do padre e de todo cristão que assume o seu batismo, sua união com Cristo. Não só os Salmos se tornaram o companheiro de todas as iniciativas como também o Evangelho e a vida se uniram numa elevação constante ao Deus criador, providência e finalidade última de tudo o que existe.

Na manhã da minha primeira consagração à Ordem de São Francisco, nosso mestre, o formador do noviciado me entregou uma carta, longa e inesquecível, de meu mano frei João Crisóstomo, que já era padre e trabalhava na Baixada Fluminense. Ele me escrevia fazendo uma proposta: como eu havia sempre manifestado grande amor ao estudo do latim e do grego, e à aprendizagem das diversas línguas, devia aproveitar esse conhecimento para estudar o início do cristianismo, sobretudo a era chamada dos Padres da Igreja, que vai do primeiro século até ao sexto depois de Cristo. A questão me entusiasmou de tal maneira, que fui imediatamente procurar o professor frei Tito Hardic, grande gênio musical e bibliotecário do convento. Confiei-lhe a proposta de meu irmão e perguntei se ele poderia me introduzir na leitura dos autores cristãos dos primeiros seis séculos. Frei Tito levantou-se de pronto, foi à biblioteca enorme, de onde tirou um livro bem gasto, intitulado *Cartas de São Jerônimo*. Foi este o começo de minha especialização, que iria prolongar-se durante os estudos de filosofia e teologia, até o doutoramento na Universidade da Sorbonne, em 3 de maio de 1952. Digo pouco. Essa carta de meu mano preencheu a minha vida com o entusiasmo dos cristãos e com suas lutas ao longo das provações pelas quais o cristianismo teve que manifestar sua capacidade divino-humana de atravessar os momentos históricos mais difíceis.

O tempo da filosofia compreendeu três anos de intenso trabalho, imensos sofrimentos e preparação para os estudos posteriores e as lutas da vida.

Logo após o término do noviciado, nosso grupo partiu para Curitiba, onde iríamos passar três anos estudando filosofia, lógica, metafísica, cosmologia, história da filosofia e tantas outras matérias que compõem o currículo filosófico do seminário.

O primeiro e mais espinhoso passo foi cursar o Artigo 91 no ginásio estadual de Curitiba. Como os nossos estudos não eram então reconhecidos pelo governo brasileiro, os superiores escolheram alguns frades para tentarem prestar os exames da terceira, quarta e quinta séries, e assim obterem o título de formação média para estudos posteriores. Passávamos as férias inteiras estudando matemática, física, química e outras matérias que pouco nos haviam interessado no seminário e muito menos nos preocupavam na hora de nos formarmos em filosofia. O fato é que esses exames, aliás bem superados, me facilitaram, mais tarde, a admissão à Universidade da Sorbonne, na França, e abriram portas para a vida e para o respeito a todas as matérias que começaram a ser importantes para o Brasil a partir da última guerra.

O estudo dos Santos Padres, feito à margem da filosofia, trouxe muito conforto à nossa espiritualidade e à união do trabalho em grupo. Uns oito ou dez estudantes, fomos pedir ao professor frei Eleutério Reuter para nos introduzir no estudo do grego bíblico e do latim usado pelos primeiros sábios da Igreja.

Frei Eleutério havia retornado dos Estados Unidos e abraçou com entusiasmo a missão de orientar uma dúzia de confrades novos no estudo do latim e do grego dos primeiros seis séculos do cristianismo. Posso dizer que chegamos a traduzir os escritos mais difíceis dos primeiros tempos cristãos e a estudar os comentários nas mais diversas línguas com o auxílio desse mestre. Tivemos até a ousadia de enviar os textos traduzidos para a Editora Vozes, então dirigida por frei Thomas Borgmeier, que jamais iria dar atenção aos estudantes atrevidos do início da filosofia. Nossos manuscritos devem estar, ainda hoje, empoeirados nas mais esquecidas gavetas da editora.

De importância capital foi a nossa atitude durante os primeiros anos da Segunda Guerra. Embora participássemos até dos desfiles cívicos com o hábito franciscano completo, muita gente nos considerava como sendo de partido alemão, italiano ou japonês, e não como de fato éramos, patriotas que enviaram capelães militares para a Itália e rezavam diariamente em favor da paz, do progresso e independência do Brasil. Os anos de guerra não ajudaram o Brasil a construir aquele futuro que ele poderia ter colhido após os embates internacionais. Certamente falhou a política brasileira de importação e exportação, que poderia equilibrar a nossa economia com a dos Estados Unidos e da Europa, toda ela erguida pelo Plano Marshall, tão benéfico para os países vencedores e para os da Europa não-comunista.

Na filosofia, apesar de todas as matérias interessarem diretamente à formação e ao preparo para a teologia, o estudo da língua portuguesa ocupou lugar central. O professor Passos nos ministrava uma aula por semana, abordando assuntos da literatura contemporânea e as grandes modificações introduzidas a partir de 1922.

Fui pedir ao diretor dos estudos que abrisse para nós um curso de retórica que abrangesse também a familiarização com os livros e estudos mais importantes feitos então em nossa pátria. Esses momentos recordavam em parte o estudo começado com frei Alfredo Setaro em Rio Negro e, por outro lado, nos introduziam no espírito missionário que tanto caracterizava a ordem franciscana e ainda a mobiliza de maneira especial nos dias de hoje. Com grande emoção, eu podia declamar, em latim ou português, escritos de São Jerônimo ou de outros padres. O cristianismo é missionário porque leva o amor de Cristo a todas as pessoas, adaptando-o à ideologia e experiência de cada grupo humano.

A filosofia é certamente um terreno imprescindível para a formação humana e, sobretudo, para os padres que desejam aprofundar-se na teologia e na mentalidade do povo para o qual vivem, morrem e que procuram levar à vida e à ressurreição futuras. Quase diria: não há vida profunda sem o estudo, formal ou informal, da filosofia, que desvenda os segredos de todas as origens.

Durante o tempo de formação em filosofia, dolorosa e sofrida, jamais poderia ter adivinhado que Deus iria me oferecer a imensa graça da formação teológica.

Em primeiro lugar devo realçar a formação extraordinária dos nossos professores do instituto teológico. De índole e cultura diversificadas, eles constituíam a equipe mais invejável que até agora encontrei em minha longa peregrinação de formador e aprendiz. Só na parte de teologia moral contávamos com dois professores, um formado em Roma e outro em Friburgo, na Alemanha. O que importava, porém, para mim, era o estudo bíblico que ansiosamente preparara durante os anos de formação filosófica e mesmo nos anos do seminário-menor. Lá encontramos dois mestres tão diversos quanto preparados para a matéria. Frei João José Pedreira de Castro, conhecido biblista e grande místico, passava a vida meditando sobre a escritura e acompanhando o povo brasileiro em toda parte para aproximar-se, através de Nossa Senhora, do Deus que encaminha todas as coisas no mundo. Ao seu lado figurava a estatura imponente de frei Mateus Hoepers, primo de meu pai, que passara longos anos na Europa especializando-se em formação bíblica, primeiro em Lovaina, na Bélgica, depois em Friburgo, na Alemanha. Ambos não só eram excelentes professores, mas igualmente seguidores da palavra de Cristo no sentido mais estrito e profundo. Nunca esquecerei as tardes de formação sobre o sentido das parábolas, como também guardo com imenso carinho as lições transmitidas, um pouco desordenadamente, por frei João José na classe e com imensa sabedoria nas aulas particulares que, durante um ano, ministrou a este aluno que hoje recorda a memória do grande mestre.

Minha intimidade com frei João José Pedreira de Castro tornou-se tão expressiva, que ele chegou a oferecer-me toda a sua correspondência particular com sua venerável mãe, Zélia Pedreira de Castro, aquela que viu as seis filhas entrarem para o convento e os três filhos dedicarem-se ao sacerdócio. Depois da morte do marido, ela própria ingressou no convento, para terminar sua vida santa numa oblação íntima com toda a família.

Mas eu falava dos professores. Não posso esquecer, neste momento, o grande especialista em Duns Escoto e na história da imensa construção dogmática dentro da Igreja, frei Constantino Koser. Nascido em Curitiba, pouco mais velho que os seus próprios alunos, tivera aulas particulares com o grande mestre padre Penido, que fixara residência em Petrópolis depois de tornar-se afamado como teólogo e escritor na Suíça e, quem sabe, em toda a Europa. De frei Constantino guardo a lembrança mais nítida, nos três anos que passei em Petrópolis como seminarista, estudante de teologia. Embora tivéssemos certa liberdade com o jovem professor e o criticássemos como a um colega, ele jamais nos decepcionou. Foi tal o incentivo que dele recebi, que um dia bati à sua porta dizendo que gostaria de ler, no original, as obras de Santo Tomás de Aquino. Na mesma hora, e com a decisão que lhe era própria, foi à estante de livros e de lá tirou a *Summa contra Gentiles*. Imediatamente comecei a leitura e me habituei ao linguajar do exímio teólogo. Mas logo percebi que, apesar de as palavras me entrarem pela cabeça, a concepção ideológica ultrapassava, de longe, a minha capacidade de noviço em teologia. Percebi também que a teologia precisa ser entendida como uma espiritualidade que eleva todas as coisas até Deus e faz saborear esta revelação divina a nós, pequeninas criaturas. Foi nessa hora que compreendi a palavra de São Francisco, ao dirigir-se, com a sua simplicidade, ao Pai do céu. Dizia ele: "Grande e bom Senhor..."

Voltei então, depois de meses, ao mestre Constantino Koser para lhe dizer que eu não tinha muito talento para a especulação e, por isso, iria dedicar-me mais ao estudo da palavra de Deus e da espiritualidade bíblica. Deu-me razão, favorecendo assim os meus estudos posteriores com sua intuição de amigo, mestre e exemplo de teólogo. Aliás, posso acrescentar desde logo que frei Constantino Koser, além de teólogo, era homem de tanta intuição, que foi logo escolhido para conselheiro da província e, pouco mais tarde, para definidor e ministro-geral da ordem franciscana. Este cargo ele exerceu com competência reconhecida durante mais de dez anos.

Não posso enumerar todos os mestres, porque cada qual se parece hoje com um santo protetor que me levou a considerar o estudo teológico como a maior graça da vida e o caminho para a união constante com o Espírito Santo, com Cristo Jesus e com o Pai celeste.

Outro tesouro que descobri em Petrópolis foi a maravilhosa biblioteca, aberta em todas as horas para os estudantes, e a coleção de mais de trezentas revistas que eram permutadas com as cinco que então se publicavam naquela cidade. Devo dizer que essas revistas ocuparam a maior parte do meu tempo e me abriram os horizontes para todas as lutas que o Evangelho deveria enfrentar no mundo inteiro. Tanto as guerras quanto a fome, tanto a injustiça social quanto a malandragem esparramada pelo universo, tudo isso era comentado nelas e proposto como grande desafio para a nossa existência de padres franciscanos. O que mais me interessava, porém, era o que se referia à Bíblia, à revelação de Deus para a nossa orientação e a nossa atividade na existência.

A biblioteca e as revistas se pareciam a um mar de imensa e inexplorada variedade para todo o nosso trabalho futuro. Acostumei-me de tal maneira à leitura nas diversas línguas, que ainda hoje não chego a pegar no sono se não leio alguma coisa substancial ou alguma análise de um problema humano e teológico.

Não posso, no entanto, esquecer o essencial: o instituto teológico de Petrópolis nos preparava para a ordenação e para a atividade franciscana em nossa terra. Lá fomos iniciados nas quatro ordens menores, que então se recebiam, como também no subdiaconato e o diaconato. Quanto a estas duas últimas ordens, devo confessar que elas me proporcionaram imensa satisfação e alegria. Atualmente talvez seja difícil entender, mas naquela época tocar na hóstia consagrada era um extraordinário privilégio. No momento do diaconato, eu era designado para levar, cada manhã, comunhão para um doente, como hoje faz um ministro da Eucaristia. A primeira vez que abri o tabernáculo, a emoção foi tanta, que, ao virar a chave, ela se quebrou. Éramos também convidados a cuidar dos pobres, a pregar e a dar aula de catequese para as crianças. Enfim, o mundo recluso em que tínhamos vivido se abria de novo.

Para mim, o que havia de mais supremo era distribuir a comunhão. Quando, como bispo, preparei os membros da equipe em Santana para serem ministros da Eucaristia, a irmã Arminda, que trabalhava conosco, exprimiu um sentimento muito semelhante ao meu na época do diaconato. Ao saber que iria pegar com as mãos a hóstia consagrada, ela não coube em si de alegria e emoção. A observação que lhe fiz, embora a tivesse desconcertado, foi significativa da mudança de mentalidade: "Irmã, não se esqueça, mais importante do que segurar a hóstia é ser batizado e comungar."

Antes de nossa ordenação diaconal – ocorrida em 29 de novembro de 1944 – o bispo de Niterói, dom José Pereira Alves, nos disse, em tom muito solene:

"O diaconato sempre foi, para mim, a ordem mais importante e conferida com o maior entusiasmo, porque ela dá o sentido cristão ao sacerdócio e mesmo ao episcopado." *Diakonein* de fato significa "servir". E Cristo nos avisara, com muita insistência, que só é grande quem serve e que o maior entre nós deve servir àquele que mais necessita. Não importa, pois, ter dinheiro, nem vale a pena receber honras e benefícios e, muito menos, ser venerado por parte dos homens. O que conta é todo gesto de amor praticado por causa do Evangelho.

O que mais me impressionou, como é natural, foi a ordenação sacerdotal, que se deu em 30 de novembro de 1945, na festa do apóstolo Santo André. Por causa da guerra, só meu irmão padre, frei João Crisóstomo, e meu primo-irmão, vigário da Penha no Rio de Janeiro, padre Luís Steiner, puderam representar a família em Petrópolis. O tempo do pós-guerra não permitia viagens longas a quem era pobre e dependia de muitas condições para uma cerimônia importante.

Celebrei a primeira missa no dia 23 de dezembro, junto às irmãs franciscanas do Alto da Serra, em Petrópolis, tendo como assistente e padrinho o superior da casa, frei Ático Eyng, que era meu parente e tinha toda a sua família em minha terra, Forquilhinha. Passei esse tempo longo entre a ordenação e a primeira missa solene em São Paulo, na Vila Clementino, onde fui orientado nas diversas cerimônias sacerdotais por um grande amigo, frei Honório Nacke.

Descrever o dia 23 de dezembro de 1945 é repetir o êxtase tantas vezes lembrado pelos padres que, pela primeira vez, entre os familiares, podem dizer, com fé e amor, sobre o pão e o vinho, por ordem de Cristo, a palavra: "Isto é o meu corpo, isto é o meu sangue." Jamais em outra ocasião a linguagem humana atingirá o mistério mais central do cristianismo – a Eucaristia. Ela renova a morte, a ressurreição e o domínio de Cristo sobre a Terra.

No dia em que me chamaram para presidir a missa de trigésimo dia em favor de meu padrinho e amigo dom Hélder Câmara, em Recife – 27 de setembro de 1999 –, o arcebispo dom José Cardoso me comunicou, com muita emoção, que dom Hélder Câmara, tão célebre no mundo, quisera só estas palavras como epitáfio de seu túmulo: "Ele viveu para celebrar a missa."

Meu *Tio,* como o chamo afetuosamente, amigo e grande mestre dos bispos do Brasil, exprimiu com profundidade o que eu sinto até hoje cada vez que

Cristo me permite rememorar a cena de sua última refeição com os apóstolos. Celebrar a santa missa é, de fato, assumir dentro de si a pessoa e a missão de Cristo na maior plenitude possível. Quero dizer que o termo "tio", para referir-se a Dom Hélder, foi muitas vezes usado pelo clero durante os anos de repressão, para camuflar sua identidade.

Apesar dos festejos e de toda unção que cerca o "primiciante", que passa as primeiras férias como padre junto à família, minha vida iria tomar um rumo totalmente inesperado. Mal cheguei de volta a Petrópolis, em fins de janeiro, recebi o telegrama do provincial, frei Ludovico Gomes de Castro, enviando-me a Rio Negro para substituir, como professor de português, frei Vítor Wiltgen, acometido de enfarte. Esse ano de 1946 se revelou tão rico em minha existência, que deveria consagrar a ele todo um livro. O leitor, no entanto, sabe que estas páginas são apenas introdutórias para o tempo de bispo e arcebispo em São Paulo.

Um dia depois de minha chegada a Rio Negro começavam oficialmente as aulas. Entrei na sala da oitava série com a idéia de examinar um pouco o nível dos alunos e perguntar como gostariam de colaborar com o professor novo e improvisado. Só lhes posso dizer que essa turma constituiu marco de referência durante toda a minha vida. Muitos desses alunos se tornaram confrades e hoje são considerados jubilados por terem pertencido durante cinqüenta anos à ordem franciscana. Ensinaram-me, sem o saber, o método Paulo Freire, e levaram-me a descobrir a imensa satisfação de trocar conhecimentos e de aprofundar a língua portuguesa, sobretudo em sua evolução histórica.

Quase igual satisfação me proporcionaram os alunos da quinta série. Se me lembro bem, deviam ser quarenta e um os marmanjos que eu tinha diante de mim. Qual não foi porém o espanto deles quando lhes anunciei que um desses seis dias de ensino da língua pátria seria consagrado à declamação ou à narrativa de um fato interessante da existência! Nem eles nem eu esquecemos as surpresas que nos causamos durante esse intercâmbio de saber entre aluno e professor que começam a descobrir a sublimidade da língua pátria.

Só de uma coisa me arrependi: expulsei, uma vez, um aluno de classe. Quando saí para ver o que ele fazia, abriu ousadamente a boca e mostrou a língua em sinal de desprezo. Recebeu em troca o primeiro tapa que dei na minha vida, talvez também o último. Quando, mais tarde, perguntei a esse aluno, já adulto, se o tapa ainda lhe doía, ele me respondeu, com toda a franqueza: "Levei tantos na vida, que esse se misturou a todos os demais."

Não chegou a ser franciscano.

Outro fato que me impressionou: os alunos estavam de passeio a um lugar muito belo, cujo nome era o menos apropriado. Tratava-se da excursão à "Vaca Morta". Lá havia um campo de futebol maravilhoso, e os meus quarenta alunos da terceira série se dividiram em dois times e me convidaram a participar do jogo. Com certa inibição, agravada pelo hábito franciscano que eu usava, entrei em campo e logo tive que cobrar um escanteio. A baliza era um tanto alta e o meu chute resultou em gol olímpico. Recebi tamanha salva de palmas, que os alunos do colégio vieram me felicitar. Abandonei então o campo e nunca mais tive problemas de disciplina com a quinta série.

Com o auxílio de meus excelentes confrades, quase todos jovens, consegui dar as aulas de literatura brasileira e portuguesa, como também algumas noções de literatura universal. Os conhecimentos então adquiridos foram servir-me mais tarde, quando, ao ter que prestar exame sobre uma língua estrangeira, escolhi a nossa. O professor da Sorbonne admirou meus conhecimentos de literatura e deu-me a nota suficiente para provar o conhecimento de uma língua e de uma literatura além da francesa, na qual eu prestava todos os meus exames.

Sobre o ano de ensino a adolescentes e jovens só posso concluir dizendo: foi a mais bela experiência que uniu a amizade com os estudos, transformando tudo em ideal franciscano para a vida.

No caminho de volta para Petrópolis, meu superior provincial me surpreendeu em São Paulo dizendo que eu devia preparar-me para estudos universitários depois de terminar um ano de teologia em Petrópolis. Ofereceu-me espontaneamente a alternativa: "Você pode estudar ou na Sorbonne, em Paris, ou na Universidade de Oxford, na Inglaterra. Também deixo-lhe a escolha entre línguas clássicas e história e geografia." Respondi de imediato que preferia estudar em Paris, porque me parecia mais familiar e mais próxima, e também optava pelo estudo de línguas antigas, porque me possibilitaria a continuação das pesquisas na literatura dos primeiros séculos do cristianismo, a assim chamada patrologia.

Em outubro de 1947 eu partia, num avião quadrimotor, levando trinta e nove horas para voar do Rio até Paris. O avião tinha que aterrissar no Recife para revisão e abastecimento, seguir até Dacar, no norte da África, fazer escala na Espanha, para, afinal, chegar a Paris com quase vinte e quatro horas de atraso, numa viagem cansativa e de prolongada duração.

Começa, nesse momento, a grande surpresa na minha vida, mas também a preparação providencial para o futuro: eu iria ser aluno da universidade mais célebre da Europa sem o preparo necessário – assim pensava eu – para tão maravilhosa e importante missão na vida.

5 *Sorbonne: conhecendo o mundo e a história*

Durante dez meses depois de minha estada em Rio Negro tentei preparar-me para os estudos que iria iniciar no final do ano de 1947 em Paris. Apesar da longa espera e da ansiedade, jamais fiz uma avaliação abrangente sobre o que haveria de positivo e de negativo nessa minha permanência na Europa. Seriam cinco longos anos e, talvez, a última etapa necessária para trabalhar no seminário-menor, na formação de futuros sacerdotes. Foi assim que o meu superior provincial me informou, antes da partida, mas não foi assim que a Providência o quis após a minha volta.

Afinal, como foi a adaptação na França?

Antes de partir, já enviara o pedido para morar no convento franciscano. Para tanto, também recebera a assim chamada "obediência", uma recomendação para dedicar-me totalmente aos estudos em país estrangeiro e junto a pessoas das quais mal ouvira falar.

Três questões talvez mereçam análise mais profunda: a primeira se refere à adaptação à universidade francesa, que deveria preparar-me para o estudo de línguas e pedagogia em favor de alunos adolescentes e menores. Eu sabia que, na volta, me dedicaria por longos anos à formação de ginasianos e colegiais no ambiente de Agudos, interior de São Paulo. Todas as dificuldades que iria superar teriam sempre uma motivação: nada mais importante do que formar um Cristo para os tempos modernos, ou seja, um padre para o Brasil de hoje e de amanhã.

Na prática, porém, as coisas pareciam muito diferentes. Se não fosse a ajuda de um colega canadense, frei Rodrigo La Rue, talvez não tivesse vencido, de maneira rápida e eficiente, a burocracia francesa. Acrescia outra dificuldade: era o pós-guerra, e todo estrangeiro poderia significar uma pequena ameaça para um país humilhado e totalmente destruído.

Senti esse problema logo no primeiro dia, quando vieram cumprimentar-me três confrades alemães, prisioneiros de guerra, que haviam obtido permissão para residir no convento, em lugar do campo de concentração ou da prisão. Contaram-me que se apresentavam toda semana ao comando e prestavam as informações através de seus superiores franceses. Eles ignoravam a língua do país e me pediam que lhes traduzisse, quanto possível, as conversas com os superiores e com os confrades. Com o meu francês ainda acaboclado, eu lhes prestava esse serviço com imenso gosto, e não tardou a recompensa de contar com os préstimos de três grandes amigos naquele convento totalmente desconhecido e diferente dos brasileiros. É que a província franciscana à qual eu pertenço fora renovada justamente pelos confrades desses prisioneiros de guerra no início do século XX.

Maior adaptação me era exigida para conformar-me ao novo estilo de vida franciscana na província de Paris. Embora acolhido com a generosidade e a delicadeza mais apuradas do espírito francês, não pude deixar de experimentar a diferença que existe no modo de viver dos franciscanos. Enquanto quase todos os meus colegas no Brasil se dedicavam ao trabalho paroquial, missionário e pedagógico, os filhos de São Francisco na França optaram por uma vida mais contemplativa, oração comunitária mais controlada, refeições sempre em família ampliada e relativamente pouca atividade fora do convento. Até hoje sou gratíssimo aos confrades novos e idosos pela acolhida e compreensão que tiveram com este pequeno brasileiro a quem chamavam de *frère Evariste.*

Após as refeições, podia sempre entreter-me com os padres de mais idade que foram missionários no Vietnã e de outras partes da Europa e do mundo. Só Deus pode avaliar o quanto aprendi com eles e como deleitei meus alunos ao lhes transmitir depois as histórias que ouvi deles. Havia, por exemplo, a de frei Maurício, um jovem padre francês que servira na marinha. Ele nos contou que o cultivo da pobreza era tão grande, que partira para o longínquo Vietnã levando consigo apenas a bússola, como lembrança do serviço militar, o hábito franciscano e a vontade de ser mártir em nome do Cristo que ele iria anunciar naquelas paragens asiáticas tão distantes da filosofia francesa.

Mais tarde ele se tornou meu confessor e orientador, além de mestre da língua francesa e dos ideais mais caros a São Francisco.

Os confrades novos me eram especialmente dedicados em seus préstimos. Tanto ao corrigir o meu francês quanto ao ensaiar a pronúncia, eles foram mestres exímios e rigorosos ao longo dos anos. Um deles, *frère* Luc Mathieu, chegou a corrigir as provas de minha tese para que a impressão saísse boa. Minha única dificuldade, para ser franco, consistia em relacionar-me com os superiores da casa, que queriam a minha presença em todos os exercícios, quando, muitas vezes, eu devia estar na universidade ou em algum curso particular. Tive que recorrer até a Roma para obter a dispensa necessária e, assim, dispor de tempo para cumprir o meu dever escolar. E quando estava para terminar a redação da tese doutoral, ainda o superior me obrigou a mudar de convento, porque precisava da minha cela para um novo hóspede que pedira residência no convento. Este fato, que inicialmente pareceu um estorvo imenso para o término de meus estudos, acabou sendo o início da grande amizade com os confrades franciscanos da Ordem Terceira Regular que vim a admirar depois, como verdadeiros heróis e santos, na missão franciscana do Mato Grosso.

Voltando agora os meus olhos e minha afeição para os anos que passei entre os franciscanos da França, devo confessar que foram grandes benfeitores e insubstituíveis amigos numa fase decisiva de minha vida. Com eles aprendi a ser franciscano em qualquer situação e a adaptar-me às novas situações com humor e facilidade. A cada um deles consagro a minha oração e a minha gratidão, mas lembro-me especialmente dos padres idosos, pois me ensinaram a sempre cuidar dos beneméritos sacerdotes que chegam à idade avançada. Para eles, cuidei de ter um espaço especial em Petrópolis e construí, em São Paulo, a "Casa do Padre".

São Francisco abriu horizontes tão amplos à generosidade humana, que em toda parte, do Vietnã à América do Norte, podemos encontrar apóstolos e missionários capazes de estancar as lágrimas dos que sofrem e derramar o sangue para que outros não tenham que chorar as vítimas das injustiças humanas. São Francisco é, de fato, o mediador entre os corações generosos de qualquer parte da Terra.

Já lembrei que sem a ajuda especial do confrade La Rue e de outros colegas dificilmente eu teria conseguido a inscrição na universidade tão célebre, chamada, muitas vezes, *Académie de Paris*. Quando comprei o guia universitário, espantei-me ao verificar que, dois anos após a guerra, mais de quarenta mil estudantes já eram acolhidos naquele centro antigo e famoso do mundo. Foi lá que, nos séculos treze e quatorze, franciscanos e dominicanos abriram novas perspectivas para a teologia católica. Como dizíamos entre nós: brigaram muito, mas o resultado foi bom. Agora, vinha eu para conseguir um lugar e ali formar-me em estudos clássicos e pedagogia para, mais tarde, dedicar-me à formação de padres missionários no Brasil.

À secretaria da faculdade de letras apresentei todos os meus diplomas de teologia, filosofia, estudos seminarísticos, mas levei igualmente um documento que a interessou de imediato: os resultados dos exames no Artigo 91, no ginásio estadual do Paraná. Quatro meses após a inscrição recebi resposta positiva, só por causa deste último documento, que figurava como sendo oficial no catálogo da Sorbonne. Aquilo que antes me parecera inútil e quase infantil diante de tantos estudos superiores acabou sendo a porta de entrada nessa universidade ciosa de sua fama e venerada pelos trabalhos produzidos.

Cursei em primeiro lugar língua e literatura latinas. Para elas, sentia-me especialmente preparado, mas logo verifiquei que os vinte e poucos colegas vindos do Haiti chamaram de imediato a atenção dos professores com seu latim perfeito. Um professor perguntou, em público, onde o meu colega o aprendera e recebeu como resposta: "Com os jesuítas do Haiti." Como não havia nenhum sentimento racial entre os colegas, esse amigo negro passou a ser respeitado pelo domínio de uma língua que tanto influenciou a nossa como outras derivadas na Europa e em outras partes do mundo.

Nossa freqüência não era controlada. Por isso, um colega padre me confessou que vinha freqüentando a Sorbonne durante oito anos, e havia posto o pé na sala apenas meia dúzia de vezes. Mais tarde, acrescentou: "Também, nunca passei nos exames." Seguindo o conselho dos mais experientes e de alguns mestres, eu freqüentava as aulas que julgava mais indispensáveis, acompanhando algumas outras por rádio. O método parecia moderno no tempo do pós-guerra e nos facilitava muito a formação, porque diversas aulas eram ministradas na mesma hora. O importante era adquirir os escritos dos professores e saber exatamente a especialidade – nós dizíamos as "manias" – de cada mestre.

Embora tivéssemos exercícios escritos durante todo o ano, as provas finais se realizavam nos meses de junho e novembro. Eram quatro blocos de exames, que formavam o conteúdo de nossa licença nos estudos da antiguidade: o latino, o grego, o histórico e os de língua estrangeira.

Quando me preparava para o primeiro exame, que consistia em dois exercícios escritos e duas provas orais, uma colega dos chamados *Études Normales* (reduto dos maiores talentos entre jovens) me confiou que as provas eram eliminatórias, segundo as vagas necessárias na França. Exemplificou dizendo: "Neste momento existem uns dois mil candidatos para os exames de latim, mas não chegam a admitir duzentos na primeira prova. Os demais serão eliminados nos interrogatórios orais." Essa praxe de exames iria repetir-se depois para as três outras matérias, pois cada uma fornecia o chamado *diplôme*, e os quatro, em conjunto, eram considerados como licença em letras.

Com a graça de Deus, o conselho dos mestres, a ajuda dos colegas e o empenho de quem vem de longe consegui vencer as provas no mais curto espaço possível e com boa colocação. Até hoje agradeço ao bom Deus por ter me fornecido todos esses auxílios que me permitiram apresentar-me como doutorando.

Dos meus professores levo a impressão profunda de seu saber e de sua seriedade em ministrar as aulas, não atrasando nunca e jamais prolongando o tempo reservado a eles.

Às minhas colegas e aos meus colegas devo dizer que a França do pós-guerra foi um país extremamente acolhedor, patriótico e também – por que não confessá-lo? – cristão no seu modo de encarar o futuro. A prova desta última afirmação posso dá-la pelo convívio respeitoso e amigo dos alunos, mas também pela edição de nosso jornal católico chamado *Tala Sorbonne* (*Vont à la Messe).* Esse jornal chegava a ser vendido a sessenta e sete por cento dos alunos, enquanto que o comunista, *La Clarté,* era acolhido pelos demais.

Também as nossas peregrinações a Chartres e a freqüência às conferências dos grandes e numerosos escritores da época provavam o interesse pela luta da Igreja em acompanhar ou preceder a história de nosso tempo.

Convém aqui lembrar alguns nomes que eram, então, o "pão doce" para todos os gulosos da leitura. Cito apenas alguns, porque o leitor facilmente poderá inteirar-se de toda a produção literária do tempo: François Mauriac, Paul Claudel, Sartre, considerado de esquerda ou comunista, mas também Emanuel Mounier, os futuros cardeais Daniélou e De Lubac, como também grandes autores dominicanos, entre eles o futuro cardeal Yves Congar.

A única coisa que nos feriu profundamente foi a intervenção do Papa Pio XII, ou seja, da Cúria Romana, na chamada Nouvelle Théologie. A questão me surpreendeu por duas vezes. Eu freqüentava, sem inscrever-me, todos os cursos e conferências de Daniélou, de Congar e dos demais dominicanos. Devo dizer que os admirava, pensando até em imitá-los ao voltar para a pátria. Que sonho juvenil!

Um dia se contou, na Universidade Católica, que o mestre Daniélou e os demais colegas da Nova Teologia haviam sofrido rude admoestação e até restrições em suas publicações, porque a Nouvelle Théologie estava sob suspeita. Assisti à reunião dos alunos, que não eram propriamente meus colegas – porque eu oficialmente freqüentava a Sorbonne e não o Institut Catholique –, e verifiquei que a maioria iria abandonar o estudo sistemático da teologia para consagrar-se a outras tarefas, ou simplesmente à pastoral, que vinha sendo renovada aos poucos na França.

Também os padres operários e as Missões da França receberam diversas admoestações que feriram nosso espírito de jovem e diminuíram nosso entusiasmo, que era grande, pela ação de Roma no pós-guerra. Só mais tarde, no Brasil, quando foi posta em discussão a Teologia da Libertação, é que, como contarei na segunda parte deste livro, vim a sentir o mesmo temor e a manifestar a mesma apreensão ao secretário de estado de Sua Santidade João Paulo II, cardeal Agostinho Casaroli.

Como conclusão, devo agradecer à França, tão rica em manifestações religiosas no pós-guerra, expressando minha admiração sem limites aos mestres da Sorbonne, que souberam orientar um brasileiro perdido na metrópole francesa. Também quero exprimir gratidão profunda aos colegas, moças e rapazes que, com todo respeito, souberam cultivar o espírito latino e americano na amizade e na ajuda mútua, aos confrades franceses que se esmeraram ao transmitir-me um franciscanismo sem acanhados limites, e desejo registrar uma admiração especial pelos teólogos daquele país, que souberam abrir horizontes sem par a um pobre caboclo vindo do Brasil. Deus é grande e seus servos participam desta grandeza, apesar das distâncias que vão entre os planos de Deus e a imaginação humana.

Após a defesa da tese, em 3 de maio de 1952, sobre *La Technique du Livre d'après Saint Jérôme,* parti de imediato para a Espanha, onde queria passar um tempo em San Sebastian e Bilbao, com a família de um colega franciscano, e onde desejava participar, do outro lado do país, do Congresso Eucarístico Internacional. Eu me sentia inteiramente realizado naquela fase da vida. Foi o que confessei ao escritor Paul Claudel, que encontrei um dia sozinho, sentado nas proximidades do lugar onde se realizavam as maiores solenidades daquele congresso.

Na Espanha visitei muitos lugares históricos, passando depois a Portugal, onde os confrades me convidaram para conhecer Lisboa, Coimbra, Fátima e o norte do país.

Senti-me feliz quando, no dia 30 de junho de 1952, pude embarcar, em Lisboa, no navio *Andes*. Nele, desfrutei da amizade do casal francês René

Mathieu e Maguy – ele irmão do frei Luc Mathieu, de Paris – e de suas duas filhinhas, como também de toda a tripulação do transatlântico, que aportou no Rio de Janeiro na madrugada de 9 de julho daquele ano.

A primeira vista de nossa terra me encheu de tal maneira os olhos e o coração, que cheguei a dizer a todos os companheiros de viagem: "Só existe um Brasil. É o nosso Brasil." A alegria se tornou quase explosiva quando reconheci, no cais do porto, minhas irmãs Otília e Ida e meus irmãos Felippe e frei Crisóstomo. Duplamente compensado por estar entre irmãos e entre cidadãos, meus irmãos para sempre.

6 *A missão começa*

Foi com muito receio que eu pedira licença ao meu superior provincial para passar as férias nos diversos países da Europa e me informar a respeito da educação dos jovens, particularmente os seminaristas. A resposta dele me surpreendeu e alegrou: "Abra os olhos e procure descobrir tudo o que pode trazer em nosso benefício quando tiver que assumir a sua missão no Brasil."

Ao chegar ao Rio tive a primeira surpresa agradável: recebera a notícia de minha transferência para o Convento de Santo Antônio, no Largo da Carioca. Sob a orientação de meus confrades, devia adaptar-me novamente à língua e a todos os costumes do nosso país e não haveria certamente lugar mais adequado do que a então capital do Brasil. Com o entusiasmo que trazia da Europa, aceitei todas as incumbências, tanto para a pregação de retiros quanto para a ação pastoral nos mais diversos lugares.

Pude, assim, experimentar a verdade daquele antigo dito, corrente na província franciscana: "A maior vocação de um filho de São Francisco é a de tapa-buracos, desde que tenha simplicidade e queira aceitar as situações inesperadas."

As surpresas naturalmente não faltaram. Tanto a amizade dos confrades, como a de frei Mansueto e frei Luís Gonzaga, como a lucidez do guardião frei Oscar me serviram de apoio nas situações mais inesperadas. A maior de todas as surpresas foi a visita da irmã diretora da Faculdade de Filosofia, Ciências e Letras de Bauru, São Paulo. Dizia-me ela com a fineza e o estímulo de quem fazia jus ao cargo que ocupava: "O senhor será fundador da cadeira de literatura e língua francesas em nossa faculdade, que terá início em março de 1953." Gostei imensamente dessa nova incumbência, apresentada de maneira tão amiga, fraterna e generosa. Sabia que o meu tempo principal deveria ser dedicado aos seminaristas de Agudos, que distava vinte e cinco ou trinta quilômetros de Bauru, o que, certamente, me permitiria lecionar durante duas tardes literatura moderna e língua francesa, matérias tão do meu gosto. Assim vinha sendo delineado o meu trabalho para o futuro.

Depois de passar as férias de fim de ano junto à família, recebi a notícia de que iria trabalhar em Agudos, como prefeito. Eu estava disposto a assumir qualquer incumbência que viesse dos superiores, porque foram eles que me permitiram passar cinco anos na Europa e seriam eles, portanto, que fixariam as minhas tarefas a partir dessa preparação para o futuro. Mas o atendimento espiritual aos adolescentes com os problemas próprios dessa idade iria me impedir de ler e estudar.

Em Agudos encontrei equipe invejável de jovens professores e um edifício moderníssimo em construção. Numa daquelas alas imponentes eu deveria exercer a função de prefeito de cento e onze alunos que freqüentavam a segunda, terceira e quarta séries ginasiais, passando o dia inteiro no meio deles, orientando desde sua vida espiritual, a preparação das aulas e do futuro sacerdócio até a solução de uma insônia causada por dor no dedo do pé. Imediatamente introduzi o sistema de dividir esses cento e onze jovens em equipes de doze, com programas e atividades sempre diversificadas. Desse tempo guardo a melhor lembrança, sobretudo porque podia pôr em prática o que havia descoberto nos diversos educandários europeus: planos de formação semelhantes aos propostos por Paulo Freire no Brasil. Alunos e professores se formam mutuamente e constituem, assim, verdadeira pesquisa de novos métodos.

Após dez meses, nova surpresa veio mudar a minha vida: com a ausência do professor de português, eu devia assumir, ao menos interinamente, as suas aulas. Hoje, à distância, me parece quase um desafio inaceitável ensinar, ao mesmo tempo, francês, grego, latim e português nas diversas classes.

Nesse meio tempo também se iniciou a tarefa de ministrar aulas de língua e literatura francesas na Faculdade do Sagrado Coração de Jesus, em Bauru, como me havia sido anunciado pela diretora quando voltei da Europa.

Se comparo as duas atividades, a do seminário e a da faculdade, devo dizer que o seminário produz dez vezes mais do que uma faculdade em uma cidade dispersiva, como já era Bauru naquele tempo. Ambas, no entanto, me proporcionaram a maior satisfação que se pode ter na vida, que é levar as pessoas a descobrirem a riqueza do pensamento de artistas e grandes homens de tempos passados. A sabedoria não nasce espontaneamente. Ela vai crescendo, como uma planta, e muitas vezes se transforma em árvore frutífera de grande utilidade para o ser humano e para os que se relacionam com ele.

Foi também isso que me ensinou, em Juiz de Fora, o estágio de três anos na CADES – Campanha de Aperfeiçoamento do Ensino Secundário –, organização do Ministério da Educação para a formação de professores de ensino médio nos lugares onde não havia faculdades de ciências e letras. No primeiro ano fui convidado a lecionar didática da língua francesa, matéria que me era familiar a partir dos cursos noturnos que havia realizado na Universidade Católica de Paris. Os quarenta alunos estranhavam sobretudo que eu desse as aulas em francês, embora traduzisse constantemente os termos menos conhecidos. O certo é que, em menos de duas semanas, os alunos – professores do interior que vinham a Juiz de Fora para se aperfeiçoarem nas técnicas de ensino – se revelaram grandes amigos, sendo talvez o motivo principal de eu receber, anos mais tarde, o honroso título de Cidadão de Juiz de Fora. Jamais poderia ter sonhado que chegasse, um dia, a integrar-me de tal forma ao povo de Minas Gerais e que ele se tornasse para mim ponto de referência, tal como aconteceu mais tarde em Petrópolis e depois em São Paulo.

Acabei de escrever o nome Petrópolis. De fato, após três anos de ensino e luta em Agudos e Bauru, fui transferido para Petrópolis, onde assumi o difícil encargo de "mestre" dos clérigos, ou seja, de orientador dos estudantes de teologia que se encontravam diante da ordenação sacerdotal. O extraordinário dessa convocação foi o fato de eu ter sido enviado à Europa com a expressa incumbência de preparar-me para passar a vida no seminário-menor, lecionando e educando adolescentes e jovens para a vida franciscana.

Agora estava eu diante de quarenta e quatro pessoas que haviam cursado, além do secundário completo, filosofia, e se encontravam entre o primeiro e o quinto ano de teologia. Nos últimos anos já haviam sido ordenados padres. Foram justamente eles que me proporcionaram as grandes alegrias de contarem as surpresas e as soluções que davam aos diversos casos, tanto nas capelas de Petrópolis quanto em nossas paróquias da Baixada Fluminense.

Três eram as minhas principais incumbências naquele recinto sagrado que é o Instituto Franciscano de Teologia de Petrópolis. A primeira já foi mencionada: acompanhar, dia e noite, os candidatos ao sacerdócio que aí se formavam para a missão futura. A segunda, não menos importante, consistia em apoiar os redatores de nossas cinco revistas e jornais que, naquele tempo, eram editados pelas Vozes, nossa tipografia já centenária. Gastei longas horas apreciando livros e colaborando o mais possível com os redatores das diversas publicações. Durante alguns anos tive a incumbência de dirigir o CIC – Centro de Informações Católicas. Para tanto, consegui que uma dúzia de estudantes optasse pelo jornalismo, fazendo curso por correspondência e interessando-se por tudo o que o Brasil produzia na década de cinqüenta.

Uma terceira missão, igualmente importante, era ministrar as aulas de patrologia e história antiga da Igreja. Na condição de professor desta matéria, eu podia aproveitar tudo o que estudara na Europa, assim como as revistas e livros que apareciam em abundância para apreciação ou permuta de nossas publicações.

O gosto de escrever me fora transmitido pelos professores durante o ensino secundário e o superior. Mesmo na França, eu dedicava duas horas, todos os domingos, para registrar as experiências que podiam interessar aos leitores de nossas revistas e jornais populares. Em troca, os redatores me enviavam romances e livros para que me mantivesse a par da evolução literária brasileira. Foi essa generosidade de meus benfeitores que me levou a escrever, como já lembrei antes, uns cinqüenta livros durante a minha vida, alguns milhares de artigos e durante vinte anos manter três programas de rádio, além de entrevistas ocasionais na televisão. Nunca quis ser escritor, mas sempre achei que meu patrono, São Paulo, nos fizera o maior benefício ao escrever as epístolas e incentivar os grandes teólogos, sobretudo do terceiro ao quinto século do cristianismo, a produzir obras indispensáveis hoje à nossa formação cristã.

Eu chegava aos quarenta anos, quando os franciscanos me escolheram para vice-provincial. Surgia assim uma quarta incumbência, dificilmente conciliável com tudo o que vinha fazendo. Desta forma, eu me tornava responsável, com meu colega de estudos e grande amigo frei Walter Kempf, pelo território que ia do Espírito Santo e Minas Gerais até o Rio Grande do Sul, abrangendo cinqüenta e nove casas e setecentos franciscanos. Eu o substituía com freqüência, pois, como grande entomólogo – escreveu cinco mil artigos sobre formigas –, era chamado seguidamente a Londres. Devo agradecer no entanto aos meus confrades a boa acolhida que me deram na província. Aliás, já na Europa eu experimentava a cordialidade e a hospitalidade franciscanas que vão de mãos dadas e são a maior garantia da autenticidade de um filho de Francisco de Assis.

7 *Nomeação para bispo*

Quando cheguei a Petrópolis, o vice-provincial que eu substituía me disse que costumava celebrar a missa todas as manhãs na Igreja de São José Operário, situada num vale entre sete morros cobertos por favelas. Depois de celebrar três missas no primeiro domingo, pensei: “Mas eu quero conhecer esse pessoal.” Comecei a subir os morros e as crianças se interessaram logo por mim, curiosas de me verem de hábito. Aos poucos, muitos vinham me esperar e um coro acompanhava minha escalada: “Bênção, frei Evaristo!” As crianças corriam ao meu encontro, pulavam no meu pescoço, me levavam para suas casas quando a mãe estava doente. As mulheres me chamavam com a maior confiança para resolver problemas com seus maridos, eu era convidado para as festas, e passei a participar intensamente da vida de todos. Tudo era feito com enorme afeto e intimidade.

Realizei então um levantamento que demonstrou que apenas nove por cento das crianças freqüentavam a escola. Como professor, senti que precisava tomar alguma providência e, com o consentimento do bispo, elaborei um estatuto para toda Petrópolis, estabelecendo que a prefeitura só pagaria os professores – na grande maioria professoras –, e a Igreja garantiria a manutenção das escolas, o que dava à diocese a possibilidade de selecionar o magistério. Esse estatuto foi aprovado na Câmara Municipal e está vigente até hoje. Pelo menos três vezes por semana eu subia os morros para visitar as escolas. Mais tarde escolhi seis seminaristas para me auxiliarem nesse trabalho. Quando sabia que algum aluno estava faltando, visitava a família para saber o motivo. No final, cem por cento dos alunos compareciam e o estudo progrediu expressivamente. Essa ação estendeu-se a toda a diocese.

Conhecer aquelas pessoas e ser amado por elas foi motivo de uma profunda felicidade para mim. No dia em que deixei Petrópolis para ser ordenado bispo, quando o automóvel foi se afastando, pensei com muita tristeza: "Nunca mais vou ser tão feliz quanto me senti aqui nesses dez anos, porque nunca me senti tão amado."

Depois de ser ordenado bispo, celebrei uma missa campal em São José Operário com quarenta franciscanos. Vinte mil pessoas desceram dos morros para participar. Ao lhes dar a bênção final, eu afirmei: "Nunca vou me despedir de vocês, porque vou levá-los todos no meu coração."

Essa intensa experiência de compromisso afetivo explica minha reação ao ser convidado para bispo auxiliar em São Paulo.

Em fins de 1965 e início de 66 houve um longo período de chuvas e deslizamentos de morros, tanto no Rio quanto em Petrópolis. Junto com os oitenta seminaristas, fomos socorrer o povo e levar os flagelados para abrigos seguros nas escolas, nos hospitais e demais lugares que se ofereciam na hora. Calamidade pública. No salão da Ordem Terceira Franciscana chegamos a reunir, numa só vez, mais de cem caixões que guardavam os restos mortais de pessoas das minhas sete favelas.

Passei a noite inteira consolando o povo, e de manhã realizei a missa de corpo presente, cantada pelos estudantes e acompanhada pelo capelão dessas famílias tão provadas dos meus morros. No domingo seguinte, o povo ainda comentava o fato de a maior escola construída por nós – para mais de quinhentas crianças – também ter sido arrastada pelas águas e reduzida a um esqueleto.

Estávamos então na semana santa. Quando, na quinta-feira, eu voltava de uma visita de dia inteiro às famílias atingidas que ainda moravam pela região, o irmão porteiro me chamou ao telefone dizendo que o núncio apostólico me chamara com certa insistência. Era dom Sebastião Baggio, mais tarde cardeal e prefeito da Congregação dos Bispos. Pedi ao irmão que tivesse um pouco de paciência, pois eu precisava tirar a lama da roupa e do corpo, porque andara o dia inteiro entre os acúmulos de pedras e barro que desceram dos morros. A quinta-feira santa, apesar de constituir o dia de visita do Cristo Eucarístico a todos os meus doentes, se transformara aquele ano em dia de luto e lágrimas, preparando a sexta-feira da paixão. Quando, uma hora depois, eu pude ligar para o núncio, ele me intimou a apresentar-me no mosteiro dos beneditinos, no Rio, às nove da manhã do dia seguinte.

Foi nessa hora e nessas circunstâncias que ele me entregou, com extrema gentileza, o cartão indicando-me como bispo auxiliar de São Paulo. Respondi de imediato que era honra demais para um franciscano e que eu não me sentia, de forma alguma, preparado para assumir tão importante encargo. Pedia-lhe mesmo a gentileza de guardar o bilhete da Santa Sé, porque minha resposta era absolutamente negativa nas circunstâncias em que me encontrava. O núncio apostólico insistiu, porém, que levasse comigo a nota proveniente da Santa Sé e lhe trouxesse a resposta definitiva por escrito na terça-feira seguinte.

A essa altura, devo confiar ao leitor que recebera também de Roma, mas, dessa vez, da cúria dos franciscanos, o convite para participar de uma comissão encarregada de adaptar a constituição dos franciscanos ao Concílio Vaticano. Mandava ainda o superior de Roma que me dispusesse a ficar alguns meses trabalhando, com mais quinze especialistas, na missão indispensável e dificílima de levar a ordem franciscana inteira a adaptar-se o mais rápido possível a tudo o que o Concílio Ecumênico nos trazia de novo.

Da sexta-feira santa até a terça-feira da Páscoa tive pouco sossego. Pensava ao mesmo tempo na viagem que era obrigado a empreender na terça-feira à noite a Roma e na carta que teria de entregar ao núncio apostólico, dando os motivos pelos quais não podia aceitar a incumbência como bispo auxiliar de São Paulo.

Na quarta-feira da Páscoa, ao chegar em Roma, fui de imediato entregar a correspondência que a nunciatura me confiara, imaginando que dentro dela estaria também a minha renúncia à possível indicação como bispo de São Paulo.

Nossos trabalhos para a atualização das constituições dos frades menores tiveram início de imediato e fui encarregado, com um confrade colombiano e outro italiano, da proposta da formação dos franciscanos para os tempos novos. Foi então que percebi o quanto o Concílio Ecumênico abria janelas e portas para entrarem novos ares dentro das instituições e como se ampliava a perspectiva de os religiosos trabalharem como missionários em todo o mundo.

Três vezes minha alegria e entusiasmo foram perturbados por chamadas do prefeito da Congregação dos Bispos, que, com a delicadeza característica da Cúria Romana, me animava a aceitar a incumbência que me fora proposta no Brasil, de ser bispo auxiliar de São Paulo.

Na terceira chamada, e depois de duas renúncias consecutivas, ele me disse com a firmeza de quem está habituado a enfrentar as negativas de candidatos: "O senhor jamais poderá dizer não ao Papa." Perguntei: "O Papa manifestou pessoalmente seu desejo e sua vontade?" O cardeal não titubeou, retorquindo de imediato: "É desejo explícito e expresso do Santo Padre, o Papa Paulo VI."

Deixei os aposentos centenários do cardeal-prefeito da Congregação dos Bispos e me dirigi, de imediato, à Basílica de São Pedro, onde olhei para o lugar em que – eu sabia, pelas informações do professor da Sorbonne – estavam os restos mortais de São Pedro. Então, pela primeira vez na vida adulta, quanto me lembro, eu chorei. Chorei tanto, que uma pessoa desconhecida veio bater-me no ombro perguntando: "O senhor padre está se sentindo mal?" Respondi: "Sim, mas só Deus pode curar esta fraqueza que no momento me invade o corpo e a alma." Estávamos no dia 2 de maio de 1966.

No dia 6 fui chamado pelo ministro-geral da Ordem dos Franciscanos, que me entregou o documento da nomeação para bispo de São Paulo e me consolou: "Bispo auxiliar não permanece muito tempo na mesma posição. Costuma ser transferido quando há maior necessidade em outro lugar. Animese, pois nós somos da Ordem dos Franciscanos para servir à Igreja exatamente onde ela mais precisa."

Apesar de estar inteiramente conformado com a idéia de que no dia 10 de maio sairia publicada a nomeação que fora assinada no dia 2 do mesmo mês, eu não esperava que trouxessem ao meu quarto de trabalho um grande bolo e vinhos daquela Itália maravilhosa. Os colegas de minha comissão me cercaram, felicitaram e desejaram um bom trabalho em São Paulo, dando-me uma bênção toda especial de São Francisco para socorrer sempre os mais pobres e necessitados. Na hora em que todos se ajoelharam para pedir a minha primeira bênção de bispo, o padre-geral, frei Constantino Koser, meu professor e colega em outros tempos, disse: "Você tem o direito e o dever de dar a tríplice bênção, porque, a partir do dia de hoje, já é bispo auxiliar de São Paulo nomeado, embora não ordenado."

Após o almoço festivo pedi licença aos meus colegas para ausentar-me aquele dia e aquela noite. Fui ao convento das Irmãs Escolares de Nossa Senhora, onde minha irmã Maria Helena exercia a função de conselheira-geral. Passei uma tarde tranqüila e, no dia seguinte, celebrei a santa missa para toda a comunidade em língua alemã, como era costume na casa, uma vez por semana. No final da missa avisei às irmãs que nessa mesma noite partiria para o Brasil. "Que pena!" – elas exclamaram.

Quando expliquei que o Santo Padre me escolhera para bispo auxiliar de São Paulo, a expressão "Que pena!" foi seguida por uma calorosa salva de palmas. Recebi delas de presente uma túnica de seda feita no Japão.

Ao desembarcar no aeroporto de Congonhas, em São Paulo, ninguém me esperava, pois eu não avisara da minha chegada. Tomei um táxi e fui à Vila Clementino pedir um quartinho a meu colega de seminário frei Olavo Seifert, que me abraçou com grande alegria.

Mal porém fechara a porta atrás de mim, o primeiro repórter de um jornal paulistano se apresentou. Queria saber qual a impressão de alguém nomeado bispo de São Paulo no início da ditadura militar que iria conturbar toda a história brasileira, dando um rumo falso à sua evolução. Na terceira parte deste livro tratarei especificamente desse assunto.

Pouco depois soou também o telefone do provincial, intimando-me a comparecer ao Convento de São Francisco, no centro, para ser homenageado num almoço que os confrades que respondiam pelos franciscanos do sul do Brasil queriam me oferecer.

Ao visitar em seguida, com frei Olavo Seifert, o cardeal dom Agnelo Rossi no Palácio Pio XII, ele nos saudou efusivamente, mas perguntou, um tanto inquieto: "Qual dos dois, afinal, será meu bispo auxiliar?" Eu respondi, com muita simplicidade: "Infelizmente, Eminência, sou eu."

Logo a seguir o cardeal, sempre apressado e prático, me perguntou onde eu queria ser ordenado bispo. Respondi: "Certamente em São Paulo, onde vou trabalhar com o povo, onde fui vice-provincial por alguns anos e também professor no interior do estado por outros três anos."

Sua Eminência me lembrou com delicadeza que o meu colega – nomeado na mesma ocasião para auxiliar em São Paulo –, monsenhor Bruno Maldaner, elegera Porto Alegre para a ordenação e talvez fosse preferível eu não escolher a cidade de São Paulo.

Observei então que só me restavam três lugares conhecidos: o primeiro, certamente, seria Petrópolis, onde passara dezesseis anos de minha vida como estudante e professor; a cidade de Curitiba, onde moravam minha mãe, meus irmãos, irmãs e muitos sobrinhos; ou ainda a terra onde eu nascera, Forquilhinha.

A resposta de dom Agnelo foi imediata: "Já que há dúvidas, pergunte à senhora sua mãe."

No dia seguinte, festa do Corpo de Deus, eu me dirigi a Curitiba, onde encontrei minha mãe cercada de diversos irmãos e irmãs, e ouvi de imediato a pergunta: "Onde vai ser a sua ordenação?" A resposta todos já podem adivinhar: "No lugar que a mãe desejar." Todos riram, lembrando que ela havia dito: "Se o Paulo me perguntar, vou dizer-lhe que sempre se volta às raízes em momentos importantes da vida."

Dessa forma, no dia 3 de julho de 1966, todo ele nublado e sem luz elétrica funcionando, a pequena cidade de Forquilhinha se enfeitou para receber o primeiro bispo ali nascido. Dom Agnelo Rossi, acompanhado por dom Anselmo Pietrulla, bispo de Tubarão, e dom Honorato Piazzera, de Lages, me ordenou bispo da Santa Igreja Católica Apostólica Romana e ali mesmo me confirmou para seu auxiliar na região norte de São Paulo e no trabalho com a imprensa na mesma cidade.

Mais de cinqüenta confrades e milhares de pessoas vindas da terra dos meus avós, Capivari, como também as autoridades de Criciúma e os moradores de

Forquilhinha, trouxeram radinhos de pilha para poder acompanhar a ordenação, pois faltava energia elétrica para os alto-falantes.

Como padrinhos de ordenação escolhi os meus dois antigos professores, Jacó Arns e Adolfo Back, porque deles guardara a mais profunda lembrança de tudo o que me ensinaram na vida.

Foi certamente um dia de imensa graça, porque eu cultivava, desde os tempos do noviciado franciscano, grande devoção ao Espírito Santo, que é quem dirige de maneira especial o bispo.

Mas foi igualmente o dia de minha maior apreensão, porque iria trabalhar numa cidade gigantesca que eu apenas conhecia por visitas freqüentes e como vice-provincial dos franciscanos, que têm ali a sua sede.

Meu único consolo: nas horas decisivas Deus sempre está mais perto de nós para inspirar-nos, socorrer-nos e reanimar-nos. E foi o que aconteceu.

Família Arns (Paulo Evaristo está de pé, atrás da mãe), Curitiba, dezembro/36.

Foto arquivo de família.

Profissão solene de Frei Evaristo Paulo Arns, dezembro/43.

Foto álbum de família.

Página ao lado:

Frei Evaristo Paulo defronte à Catedral de Notre Dame de Paris (período 1947-52).

Foto álbum de família.

Dom Paulo e sua mãe, Helena, no dia da posse como Arcebispo Metropolitano de São Paulo, SP, 01/11/70.

Foto cedida pelo jornal *O Estado de São Paulo.*

Abaixo:

Frei Evaristo com o irmão Frei João Crisóstomo e os pais, Helena Arns e Gabriel Arns em suas bodas de ouro, Curitiba, 1963.

Foto álbum de família.

Os irmãos Arns. Em pé: Ida, Bertoldo, Otília, Osvaldo, Zilda, Felippe, Zélia, Max José. Sentados: Irmã Hilda, Frei João Crisóstomo, Dom Paulo, Irmã Gabriela e Irmã Maria Helena. Curitiba, 1990.

Foto álbum de família.

Dom Paulo sendo ordenado Bispo por Dom Agnelo Rossi,
Cardeal de São Paulo, Forquilhinha, 03/07/66.

Foto álbum de família.

Página ao lado, acima:

Dom Paulo, Bispo Auxiliar de São Paulo, tomando posse como Vigário Episcopal da Região norte, Paróquia-Matriz de Santana, ladeado por Dom Antonio Maria Alves de Siqueira, representante do Cardeal Rossi, 24/07/66.

Foto arquivo pessoal.

Página ao lado, abaixo:

Dom Paulo em paróquia da região Norte (período 1966-70).

Foto arquivo pessoal.

Dom Paulo em visita aos presídios do Carandiru, no tempo da região Norte (1966-70).

Foto arquivo pessoal.

8 *Primeiros passos do bispo auxiliar*

Eu não sabia que bispo auxiliar também toma posse. Aliás, é uma posse singular, porque o bispo pode ser removido a qualquer instante por aquele a quem ele representa, que é o bispo diocesano.

Dom Agnelo teve a gentileza de marcar para o dia 24 de julho de 1966 a minha posse na igreja de Santana e na região norte de São Paulo, como fora acertado por escrito no mês anterior.

Cheguei a São Paulo na véspera e fui pedir alojamento no Convento de São Francisco, na Vila Clementino, que já me acolhera como padre e agora como bispo recém-nomeado. Lá me contaram que o cardeal Rossi se encontrava em Portugal para uma missão inadiável e designara seu bispo auxiliar dom Antônio Maria Alves de Siqueira para representá-lo na cerimônia.

Naquele dia 24, à tarde, compareceu na residência dos franciscanos Alfredo Inácio Trindade, presidente do Corinthians, num grande carro com diversos acompanhantes. Embora eu fosse torcedor – e ainda sou – desse time, causou-me surpresa que a chegada definitiva à minha região fosse marcada por um clube de futebol. Alfredo Trindade tornou-se meu amigo por todo o tempo de vida que Deus ainda lhe concedeu.

E qual não foi a minha admiração quando o então prefeito de São Paulo, Faria Lima, veio com o seu secretariado para esse momento de apresentação do novo bispo ao povo da região em que eu iria trabalhar.

Houve atraso de uma hora para o começo da cerimônia – realizada na igreja matriz de Santana, na Rua Voluntários da Pátria – por causa do engarrafamento de trânsito de São Paulo, tão antigo quanto a memória alcança.

A celebração nada teve de particular, a não ser a leitura da bula de nomeação e o pequeno sermão em que prometi trabalhar, dar a vida pelo povo e seguir as normas do Concílio Vaticano II para o relacionamento com os leigos, as religiosas, os padres e o ecumenismo.

Quando terminou a celebração, foram apresentados alguns números no salão paroquial que deixaram minha mãe e meus irmãos encantados e me deram a certeza de que me encontrava entre amigos e bons colaboradores.

Terminada a sessão literária, perguntei com simplicidade ao vigário onde eu me alojaria, porque trazia comigo toda a bagagem vinda na perua que me transportara de Petrópolis a São Paulo.

A resposta do bondoso padre Clorálio Caimi mostrou o seu embaraço: "Sei que andaram procurando uma residência, mas nunca me disseram qual é, nem se está em vias de ser adquirida, ou se já está à disposição..."

Eu era, portanto, um bispo peregrino, sem morada fixa e sem perspectivas dessa morada.

Passei a primeira noite com minha família num hotel e no dia seguinte voltei muito alegre para o convento dos franciscanos de Vila Clementino, onde iria ficar mais três semanas.

Esse começo da vida episcopal me trouxe o grande consolo de pensar: "Se eles não se acham preparados, estamos em igualdade de condições, porque eu também não me sinto apto para assumir a pastoral numa cidade tão vigorosa quanto complicada."

No entanto, já no dia 31, o primeiro domingo depois da posse, o provincial dos camilianos, padre Júlio Munaro, veio me buscar para inaugurar a igreja ainda não terminada de São Camilo de Lelis, na Vila Nivi, que ele incentivara o povo a construir.

Levei um susto quando me disse: "A entrada é pela Rua do Tanque Velho e o dia de hoje, chuvoso, vai nos causar algum problema."

De fato, passamos todo o tempo da missa abrindo guarda-chuvas por sobre o altar e aconselhando os fiéis a se protegerem da mesma forma. Mas foi um dia muito alegre. Além da gentileza inexcedível do padre Júlio, amigo até hoje, conheci naquele dia o padre Luís Biazzi, a quem padre Júlio me levou depois do almoço festivo numa casa de amigos.

Nessa visita, dei a primeira ordem como bispo da região norte: "Padre Luís, daqui para a frente o senhor deve construir a sua casa e só terminar a igreja depois que estiver bem acomodado, porque sua tosse e sua gripe me mostram que o inverno de São Paulo e a umidade não conservam a vida nem dos padres mais piedosos."

De fato, o padre Luís Biazzi, depois de me levar tantas vezes à sua paróquia, bem como a conhecer a vida e o trabalho de sua própria família no interior, morreria de câncer no pulmão, em São Paulo, em 11 de fevereiro de 1974, mesmo dia em que faleceu minha mãe, em Curitiba.

As religiosas que trabalhavam na arquidiocese de São Paulo tinham como animador oficial o abade de São Bento. Este logo me chamou para me confiar o cuidado pela espiritualidade e a pastoral de todas as irmãs da região norte. Tarefa, entre todas, muito grata. Poucas se ocupavam diretamente com o povo, pois a maioria administrava colégios e outras organizações, onde recebiam crianças e jovens. Eram ativas e felizes, o que me consolava. Mas não conseguiam desenvolver sua influência sobre o povo simples que não freqüentava as suas instituições.

De imediato pedi que entrassem no plano nacional de atividades e ali exercessem a liderança até que os leigos estivessem preparados para assumir essa tarefa. A idéia foi muito bem recebida: elas escolheram um grupo de religiosas que ficaram disponíveis para reuniões semanais comigo, transmitindo depois, em suas devidas áreas, as orientações e as novidades capazes de trazer novo alento ao trabalho missionário das irmãs.

A Igreja Missionária era então o grande ideal de todos aqueles que aceitavam de coração as orientações do Vaticano II.

As religiosas também se reuniam segundo as suas atividades nos colégios, nos poucos hospitais e nos diversos trabalhos já assumidos anteriormente. Em todas elas brotavam novas idéias a partir do Concílio Vaticano II.

Maior alegria causava a excursão bimestral ou trimestral que durava o dia inteiro e promovia entre as religiosas um maior conhecimento, amizades que se aprofundavam e o aconselhamento do bispo novo que lhes queria bem, mas pouco conhecia de seu passado e de seus ideais.

As religiosas nunca me decepcionaram na região norte de São Paulo, porque sua generosidade sempre excedeu minhas expectativas. Um exemplo disso foi quando pedi a uma superiora provincial que me cedesse uma irmã bem preparada para a orientação da catequese da região. Ela respondeu sem hesitar: "Devo consultar o Conselho, mas tenho certeza de que ele aprovará a indicação da própria diretora do curso normal e do ginásio que mantemos com grande sacrifício em favor do povo. Ela é catequista formada, além de ser líder nata, e a vice-diretora do colégio pode assumir a direção até o próximo capítulo, quando se voltará a discutir a designação das irmãs."

A experiência com os padres da região norte foi ainda mais interessante, e certamente mais produtiva para o futuro daquela área da cidade. Até aquele momento eles estavam divididos em três setores pastorais que dentro em pouco iriam tornar-se cinco.

A primeira reunião dos padres foi marcada para o dia 13 de setembro, véspera de meu aniversário de quarenta e cinco anos. Tratava-se inicialmente de escolher um tema, e os coordenadores dos setores me sugeriram "Como trabalhar com a juventude" numa região tão tradicional e afastada do centro de São Paulo. Fiz breve exposição sobre o assunto sem imaginar que minhas reflexões, tão simples, fossem provocar uma primeira revolução no clero pacífico da região norte.

Os setenta padres seguiram com imenso interesse a minha exposição e, no final dela, levantaram as questões mais sérias e as dificuldades mais contundentes. Em primeiro lugar, era preciso que eu visitasse todas as escolas para reanimar o professorado e interessar os alunos em seus estudos presentes e futuros. Prometi fazê-lo aos poucos, a partir das indicações dos próprios vigários.

De uma hora para outra levantou-se a momentosa questão: como organizar uma diversão sadia para essa juventude que não tem nem praça para um jogo de futebol e muito menos organização para diversão e esporte, quando isso faz parte da formação e educação de todos os jovens?

Um dos padres mais novos sugeriu imediatamente que deveríamos ceder os nossos salões paroquiais para bailes e, sobretudo, para a preparação e a realização do carnaval e de outros festejos.

Do outro lado da sala, gritou energicamente um padre bem troncudo e de cabelos embranquecidos: "Se o senhor bispo fizer isso, eu me declaro fora da região norte e prometo fazer campanha em sentido contrário!" Os dois defensores das linhas opostas se levantaram e foram um de encontro ao outro, dando uma demonstração prática de "esporte clerical" até então desconhecido para mim e para muitos outros.

No entanto, a sessão movimentada de setembro provocou novas reuniões nos meses seguintes e sobretudo me proporcionou tamanha aceitação por parte do clero, que eu decidi visitar cada padre, no velho e poderoso "leão" (um automóvel antediluviano) do padre Luís, para cumprimentá-los e lhes levar uma garrafa de vinho. Só depois é que entrou em minha mente e em meu coração a idéia fundamental de cultivar essas visitas o mais possível e nas ocasiões mais favoráveis, ou mais críticas, de cada um de meus colegas padres.

A eles pude comunicar, de maneira prática e concreta, como o bispo assume a diocese, que é a porção do Povo de Deus reunida pelo Espírito Santo e pela Eucaristia junto com o clero e jamais sem o clero. Cada padre se torna, assim, os braços do bispo, como diziam os padres conciliares, mas também o coração, a mente e os planos do pastor designado para unir e orientar o clero.

Foi com essa finalidade que o cardeal dom Agnelo Rossi veio, numa tarde de terça-feira, dia 9 de setembro, visitar a região norte e abençoar a secretaria, dando posse ao primeiro-secretário da região, padre Waldomiro Pires Martins. Guardo até hoje o texto da provisão, documento tão antigo quanto útil para o futuro dos padres da região norte e que aqui reproduzo.

Cúria Metropolitana de São Paulo
Agnelo Rossi
Cardeal Presbítero da Santa Igreja Romana
do título da Grande Mãe de Deus
Por mercê de Deus e da Santa Sé Apostólica
Arcebispo Metropolitano de São Paulo:

Fazemos saber que, tendo sido por nós dividida a Arquidiocese de São Paulo em quatro Territórios Episcopais, com sede respectivamente nas Paróquias da Catedral Metropolitana, de Nossa Senhora do Desterro de Jundiaí, de São José do Belém, e de Santa Ana, conforme Decreto por Nós assinado em onze de fevereiro do corrente ano, Havemos agora por bem instituir Vigário Episcopal do Território Norte, com residência em Santa Ana, o Exmo. e Revmo. Senhor Dom Paulo Evaristo Arns OFM, Nosso Bispo Auxiliar.

Nos termos do Decreto ***Christus Dominus*** *nº 27, gozará Sua Excia. Revma., pelo próprio direito, nos limites do referido Território Episcopal, dos poderes que o Direito Canônico atribui aos Vigários Gerais. Outrossim, ao mesmo Nosso Bispo Auxiliar delegamos todas as faculdades que são concedidas aos Ordinários Residenciais pela* ***Pastorale Munus****, pelas Faculdades Qüinqüenais, e que Nos seja permitido comunicar. Da mesma forma, o Exmo. e Revmo. Vigário Episcopal terá jurisdição delegada em toda a Arquidiocese para administrar Sacramentos e Sacramentais, assistir e abençoar matrimônios, não obstante o que prescreve o cânon 1.096/1º do Código de Direito Canônico.*

Do Exmo. Vigário Episcopal de Santa Ana esperamos a mais decidida e fiel cooperação, na certeza de que Sua Excia. Revma. empenhará todos os seus talentos e zelo para que Nossa administração na Arquidiocese de São Paulo seja a mais eficiente e proveitosa para a glória de Deus e a salvação das almas. E aos sacerdotes e fiéis do dito Território pedimos a mais sincera reverência e colaboração para com o Exmo. Senhor Dom Paulo Evaristo Arns, o qual será entre eles como a própria pessoa do Arcebispo Metropolitano.

Para constar mandamos passar esta Provisão em Nossa Cúria Metropolitana aos doze de julho de mil e novecentos e sessenta e seis.

(ass.) † Agnelo, Card. Rossi
Pe. Hugo Munari, Chanceler do Arcebispado (ass.)

Em uma visita ao arcebispo de Curitiba, pranteado amigo e irmão dom Manoel Delboux, ouvi de seus lábios a expressão um tanto singular: "O senhor certamente sofrerá muito com o clero de São Paulo, pois ele foi formado em meu tempo – ao menos parte dele – e me deu muito trabalho."

Um ano mais tarde, em visita ao mesmo arcebispo, eu lhe confiei, de coração sincero e feliz, a notícia de que os padres da região norte me causavam extraordinária alegria, apesar de serem tão diversos em seus métodos e em sua ideologia. Tornaram-se autênticos amigos, para não dizer irmãos providenciais, nessa hora da história. Ele reagiu: "É a única maneira de o bispo ser feliz, pois vê os seus padres se sustentarem e animarem-se mutuamente."

O leitor me perguntará: "Mas como chegou a isso?" Creio que foi, em primeiro lugar, por ter aceito todos os padres como elementos indispensáveis para a ação pastoral nos tempos novos. Em seguida, creio que as reuniões mensais e as visitas, ao menos bimensais, a cada padre promoveram tanta familiaridade, que eu poderia exclamar, sem exagero, mas lembrando-me da palavra de Jesus: "Somos um entre nós, assim como estamos unidos ao Cristo, Sumo e Eterno Sacerdote."

Grande mérito na formação e união do clero da região norte tiveram o professor dominicano frei Gilberto Gorgulho e a professora Ana Flora Anderson, ministrando cursos bíblicos todas as manhãs das terças-feiras, além de incentivar as lideranças leigas na meditação e no aprofundamento da Palavra de Deus.

Outro ponto fundamental para a união foi a assembléia realizada nos salões da Igreja do Menino Jesus do Tucuruvi. Lá, decidimos trabalhar unidos a todas as organizações mais consistentes da região em favor dos pobres e dos assim chamados excluídos da sociedade.

A Legião Brasileira de Assistência mais tarde nos indicou o caminho para um trabalho conjunto que iria reanimar todas as obras cristãs e católicas da região. Ela propunha que em cada setor houvesse uma direção diferente, mas subordinada a um diretor-geral. Assim, as obras municipais e estaduais, como também as espíritas e as de diversas denominações cristãs, supervisionavam as organizações de um setor, e todas em conjunto mandavam um representante para as reuniões com o diretor-geral das obras assistenciais, que era o próprio bispo da região norte, por escolha de todos os participantes.

Nos lugares onde isso nos parecia possível reuníamos grupos que tinham como cerne a meditação bíblica unida à vida pastoral de cada participante. Tanto frei Gorgulho como Ana Flora Anderson sustentaram essa organização e, depois, motivaram a imensa legião de leigos para a renovação da região que irei descrever daqui para a frente.

Não quero, porém, deixar de mencionar, antes de abordarmos o termo mais importante desta parte, a presença das irmãs do Colégio Mazzarelo, em Santa Teresinha, os diretores dos colégios que se reuniram conosco, a presença sempre amiga e compreensiva do padre Júlio Martins Serra, secretário da região antes de nós chegarmos, e, mais tarde, do padre Waldomiro Pires Martins e de seu substituto, o padre Clorálio Caimi.

Também o clube Espéria e outras organizações – lembro aqui as sociedades Amigos de Bairro – se esforçavam para levantar o ânimo das pessoas capazes de cuidar, na zona norte, do florescimento da semente destinada a tornar-se uma bela árvore, com os frutos desejados pelos cristãos e pelas pessoas de boa vontade. Não somos apenas indivíduos. Somos pessoas que têm como ideal existir para os outros e, assim, realizar a grande família de Deus, que deve ser a Igreja Católica Apostólica Romana.

9 *Concílio Ecumênico e normas da Igreja do Brasil*

As recomendações do bem-aventurado Papa João XXIII para uma ação de emergência na América Latina baseavam-se tanto na realidade presente quanto numa visão do futuro. O generoso Papa nos comunicava que a nova época das nações emergentes, como o Brasil, iria passar por uma transformação radical no terreno das realizações materiais e no da prática religiosa, por causa das migrações constantes do interior para as grandes cidades.

A simplicidade que caracterizava João XXIII e as qualidades reconhecidas de nosso povo faziam com que o programa de renovação devesse ser ao mesmo tempo muito simples, prático e eficiente. Chegou-se, dessa forma, a um esquema que foi reduzido a três pontos fundamentais: amizade, fé e culto. Minha experiência nesse campo me fez dar plena razão, tanto ao Papa como aos bispos brasileiros que haviam endossado essa programação para um Plano de Emergência a ser executado no mais breve espaço possível.

Aos padres e agentes de pastoral eu sempre transmitia a senha: cultivar, o mais possível, a amizade ou, como dizemos em tempos modernos, a solidariedade entre o povo. As migrações chegaram a elevar o número de habitantes da capital paulista de aproximadamente seis para dez milhões, em menos de oito anos. Para citar um exemplo, recebemos da prefeitura de São Paulo a informação de que normalmente a seca nordestina expulsava para a nossa região cerca de duzentas a trezentas mil pessoas por ano, chegando uma vez a quase seiscentas mil, conforme as estatísticas acessíveis. A solidariedade seria o único meio de dar acolhida favorável a esses irmãos depauperados em seus corpos e em suas propriedades.

A solidariedade nada significaria se não tivesse continuidade. O brasileiro se entusiasma com extrema facilidade, mas desanima igualmente com os primeiros tropeços e com a rotina. No entanto, cada um de nós gosta de ver o sol brilhar em sua vida todos os dias do ano e não apenas no momento de uma nova intervenção da comunidade.

A fé era, pois, a segunda proposta do saudoso Papa João XXIII. Pela fé não chegamos a conhecer apenas a possibilidade de uma vida futura, mas abarcamos todas as surpresas que nos reserva o tempo presente. Acostumar o povo a ler a Bíblia e a procurar diariamente nela os motivos de perseverança e de renovação tornou-se, assim, o segundo imperativo do plano emergencial. Em todas as comunidades e paróquias costumávamos distribuir a preços módicos a Bíblia, que podia ser lida pelos alunos que iam à escola, enquanto os pais eram analfabetos.

Também fizemos questão de encarregar a Rádio Nove de Julho, que pertencia à arquidiocese, assim como outros meios de comunicação, de transmitir diariamente reflexões bíblicas. Incentivo maior ainda recebemos por meio das Campanhas da Fraternidade, que sempre incluíam em suas reuniões, diárias ou semanais, o momento de reflexão bíblica e de leitura aprofundada da vida do povo e do plano de Deus.

Mais difícil foi acostumar o povo ao terceiro ponto, que era o culto divino. Estatísticas confiáveis nos lembravam que apenas cinco a sete por cento da população nas grandes cidades costumavam freqüentar a missa aos domingos. Encontrei mesmo um mineiro extremamente simpático que me confessou que já morava há dez anos no lugar e não conhecia a igreja que ficava a menos de quinhentos metros de sua casa. Explicou: "Na minha terra, eu pertencia à Irmandade Jesus Maria José e não faltava de jeito nenhum à missa do domingo. Aqui não conheço o caminho para a igreja, porque não tenho nenhum compadre ou alguma família amiga."

A solução para esse problema foi organizar pequenos grupos de reflexão bíblica para dar prosseguimento à Campanha da Fraternidade e levar o povo a viver em comunidade, responsabilizando-se pelos irmãos que chegavam de outras partes.

Podemos concluir, sem exagero, que o programa Amizade, Fé e Culto nos abriu novas veredas para os migrantes, mas também para os católicos locais que viviam há algum tempo afastados do culto.

Para o primeiro semestre de 1968, organizamos, junto com os responsáveis pelos setores da região, um programa que visava incentivar os padres a terem sempre nova criatividade e a estreitar os laços de amizade em toda a nossa cidade de São Paulo. Ele foi publicado, embora não pudéssemos dizer que a totalidade dos sacerdotes, aproximadamente setenta, estivesse presente e que todos fossem ativos nessa programação em favor da pastoral operária, das missões e da preparação aos sacramentos.

As associações religiosas eram bem numerosas naquele tempo em que começava a frutificar o movimento comunitário. Chegamos mesmo a contar quarenta e nove delas, que tinham sua origem num ponto estratégico do Concílio Ecumênico ou na imaginação de algum padre fundador.

Também estabelecemos um programa com nove pontos fundamentais para incentivar as pastorais e unir mais as paróquias, onde muitas vezes os movimentos dividiam mais do que uniam.

Importante, em tudo isso, nos parecia o movimento, sempre renovado para a união do clero e das irmãs em torno do bispo. A igreja particular, incentivada pelo Espírito Santo e pela Eucaristia, deveria exprimir-se sobretudo na amizade, na fé e no culto, como acontecia com o Plano de Emergência proposto pelo Papa João XXIII e aceito com entusiasmo pelo episcopado brasileiro.

As visitas mensais a todos os padres, como também as reuniões em lugares aprazíveis, entremeadas com orações e diversões, nos levaram de fato a sermos uma grande família, onde poucos se sentiam excluídos e cuja intenção era não deixar ninguém à margem ou em condição de lutador isolado.

Não só era gostoso, mas também eficiente, ver como cada qual se sentia inteiramente à vontade nas reuniões do clero e na comunicação com os colegas e comigo. Eu nunca sentira tanta alegria, nem mesmo nas comunidades religiosas franciscanas em que durante vinte e sete anos me julgara feliz por causa do espírito fraterno.

O que, porém, mais importava era assumir o Concílio Ecumênico como inspiração de toda a pastoral e da mentalidade moderna da Igreja em nossa região.

Os documentos do Concílio Ecumênico trouxeram tamanha expectativa para a Igreja Católica, que, em todos os ambientes da Igreja durante os anos de sua realização e no tempo imediatamente posterior, respirávamos Concílio, falávamos Concílio, escrevíamos Concílio e nos preparávamos para a nova época que a Igreja iria iniciar.

A Editora Vozes foi encarregada pela Conferência Nacional dos Bispos do Brasil de traduzir os documentos do Concílio, apresentá-los em seguida para uma revisão e levá-los a público, com todas as possibilidades que essa editora católica possuía.

Lembro-me de que um dia, no ano de 1962, frei Boaventura Kloppenburg perguntou se eu não queria traduzir parte dos documentos importantes, porque tanto ele quanto eu nos interessávamos em participar de tudo o que fosse renovado pelo Concílio. Pedi licença aos meus superiores para retirar-me na casa das Irmãs Franciscanas Hospitaleiras, lugar conhecido como "Meio da Serra", próximo a Petrópolis. Ali permaneci algumas semanas, com os textos originais, as alocuções dos diversos padres conciliares – para entender bem os textos – e, igualmente, com a tradução francesa e o material necessário para garantir a fidelidade da tradução.

Ao levantar-me, de manhã, após a santa missa, não fazia outra coisa senão ler os documentos do Concílio, cotejá-los com as traduções já feitas em outras línguas e lançar o primeiro esboço da tradução em papel timbrado das Vozes. Foram dias de imensa satisfação, e os grandes documentos sobre a Igreja, a Liturgia e sobretudo as Missões me estusiasmavam particularmente.

No entanto, o que o Concílio dizia sobre os religiosos e padres era insuficiente e paupérrimo. Por não renovar a vida dos padres seculares e dos religiosos, o Concílio fez com que a Igreja perdesse praticamente metade do seu clero. Durante o Concílio, depois de traduzir os textos, fui chamado para dar uma conferência em que afirmei: "No começo do cristianismo, os religiosos iam para todos os lugares, ao encontro de todas as categorias de pessoas, sem discriminação. Eram perseguidos e martirizados, mas iam. Agora não, são preservados, e o objetivo principal tornou-se não pecar e ir para o céu." Apesar disso, houve uma renovação no clero, mais tarde, como conseqüência dos demais documentos conciliares.

Não se trata de reproduzir aqui toda a riqueza desse Concílio que, certamente, é o mais importante da História para a nossa geração, e talvez para os vinte séculos de vida da Igreja. O certo é que os leigos mereceram o quarto capítulo da Constituição Dogmática sobre a Igreja e nele foi realçada a grande dignidade de cada batizado, sua vida apostólica, sua participação no sacerdócio universal, como também sua missão profética e seu dever de testemunhar o Evangelho.

Essa verificação se confirmou sobretudo a partir de 1968, em Medellín, na Colômbia, quando a reunião dos bispos da América Latina se realizou com o imenso entusiasmo e envolvimento das lideranças leigas e de todos os que confiavam em uma participação da Igreja inteira nos novos tempos.

Em São Paulo, o cardeal Rossi promoveu diversas reuniões para tornar conhecidos os documentos conciliares e levar a mensagem a todo o território da arquidiocese. Formaram-se comissões para cada um dos documentos importantes e fiquei impressionado com a riqueza do relatório produzido e com a assimilação tão profunda por parte do clero e dos leigos.

A reunião mais importante aconteceu no Colégio Santo Américo, no Morumbi, onde se procurou traduzir para a prática tudo o que vinha sendo meditado e estudado na reunião dos padres, sobretudo no bairro da Penha, como também na reunião de religiosos e leigos, em conferências e explicações de peritos e teólogos.

O que é que se decidiu de tão importante nessa reunião realizada de 20 a 24 de fevereiro de 1967? Foi exatamente o que Paulo VI diria na abertura da então futura reunião de Medellín: que não era tempo só de falar, mas sobretudo de agir, para que o Concílio renovasse a América Latina.

Nosso grupo da região norte, sempre atento à reunião no Colégio Santo Américo, decidiu que levaríamos imediatamente as propostas para o encontro do clero, dos religiosos e dos agentes de pastoral que se reuniam normalmente aos sábados no Colégio Marillac. Foi assim que constituímos os primeiros grupos para a difusão dos textos conciliares e a introdução das normas que nos vinham com tanta abundância, mas também com tanto realismo e aprovação da parte dos leigos.

A implantação de toda essa nova mentalidade eclesiástica só chegou no momento em que o episcopado latino-americano decidiu reunir os bispos em Medellín. Estamos, portanto, em 1968.

Na manhã do dia 24 de agosto daquele ano, o Papa Paulo VI, presente em Bogotá, abriu solenemente os trabalhos, nomeando como presidentes da Conferência Episcopal os cardeais Samoré, presidente da Comissão para a América Latina, e o peruano Ricketts, junto com o nosso queridíssimo arcebispo e futuro cardeal Avelar Brandão Vilela. Foram constituídas nove comissões, depois subdivididas, a ponto de produzirem documentos e mensagens sobre os pontos mais importantes que a Igreja deveria enfrentar na América Latina.

O clima em São Paulo se transformou em expectativa crescente quando soubemos que os documentos de Medellín estavam sendo preparados a partir das bases, para depois chegarem até a discussão dos coordenadores. Convém, no entanto, lembrar que o próprio Papa Paulo VI afirmou, com muita ênfase: "O futuro reclama um esforço, uma audácia e um sacrifício que põem na Igreja uma angústia profunda", acrescentando depois que os pontos doutrinais mais importantes deveriam ser realçados, porque a época da secularização estava tirando o vigor da verdade religiosa e da comunhão sobrenatural, e que a própria Igreja estava sendo enfraquecida na sua comunidade e na sua hierarquia.

Por isso o Papa Paulo VI convidava os bispos a concentrarem os maiores cuidados em assistir, escutar, guiar, instruir, admoestar e confortar os padres. Além de insistir sobre a colaboração dos sacerdotes em nossa terra, o Papa deu também especial atenção aos jovens e aos estudantes, como igualmente aos trabalhadores do campo e da indústria. Tratava-se, portanto, de assinalar as necessidades, declarar os valores primordiais e apoiar os programas sociais e técnicos verdadeiramente úteis. Nosso caminho estava orientado pela justiça e pela solução dos problemas sociais que deveriam ser considerados sob a ótica cristã, na qual o homem ocupa o primeiríssimo lugar.

O Papa Paulo VI esperava uma transformação profunda através dessa Conferência, e não se enganou em sua previsão. Ao terminar a alocução, ele dizia, com aquela intuição que lhe era própria: "O episcopado latino-americano... diante de qualquer problema espiritual, pastoral e social prestará seu serviço de verdade e amor com vista à construção de uma nova civilização, moderna e cristã."

Todos os discursos dos presidentes da Conferência de Medellín tiveram um caráter didático e organizativo do mais alto valor. A partir deles é que se pôde chegar a formar os grupos de estudos em grande parte compostos de leigos altamente qualificados, como igualmente de padres e bispos experimentados na luta.

Quando releio hoje os documentos sobre justiça, paz, educação e juventude, fico impressionado diante da visão realista e das propostas práticas de todos os grupos constituídos para produzirem os chamados documentos finais, em número de dezesseis. Todos eles marcarão época na história da América Latina, mas particularmente na pastoral dos diversos países.

O entusiasmo pelas notícias que nos chegavam de Medellín foi tão grande, que me dirigi ao redator do novo *Jornal da Tarde* para ver se ele poderia acompanhar os passos que essa reunião da Colômbia estava dando para o futuro. Naquele momento, coordenava uma briosa equipe de jornalistas nosso grande amigo e jornalista Ewaldo Dantas. Com a licença de seu chefe, Dr. Ruy Mesquita, esse grupo jovem vinha muitas vezes a meu apartamento para discutirmos o sentido das novas mensagens e as normas práticas que nos vinham daquela assembléia. Lembro-me do espanto que senti ao constatar que as palavras tão correntes na linguagem eclesiástica – "o cristão é sacerdote, profeta e rei, como o próprio Cristo" – eram inteiramente estranhas ao nosso grupo amigo. "Profeta", explicava eu, "é aquele que busca a sua inspiração na Palavra de Deus e tem coragem de apresentar a verdade, mesmo em situações adversas. Sacerdote cristão é aquele que se oferece a Deus durante a vida e leva consigo toda a sua atividade até ao altar de Cristo. A palavra rei costuma ser substituída pelo termo 'servo', porque Jesus afirmou que 'o maior entre vocês deve ser também o primeiro no serviço prestado aos irmãos'."

Um dia, numa visita que era quase costumeira, eu disse ao Dr. Ruy, na presença de seu irmão Júlio, de saudosa memória: "O senhor tem uma equipe extraordinária em seu novo jornal e espero que ela também lhe agrade, assim como me entusiasmou nos nossos encontros." O Dr. Ruy, com largo sorriso, respondeu: "Pena que eles não dominem bem o português, para serem perfeitos na redação." Eu então lhe afirmei: "Aquilo que eles escrevem o povo entende."

Mais tarde, Ewaldo Dantas deixou a função de coordenador da equipe do *Jornal da Tarde* para assumir a direção de *O São Paulo*, jornal da arquidiocese, no período mais crucial e doloroso da moderna história do Brasil. Foi então que ele pôde descrever aquilo que a nossa equipe tentou implantar na região norte. É o que tentaremos fazer agora.

10 A missão do povo de Deus

São sete e meia da noite. Quinze a vinte membros da Equipe Regional chegam à pequena casa do bispo da região norte. Saudação alegre, mas breve. Quem nunca falta é o nosso motorista japonês, Ricardo, que dirige muito bem e transporta, na Kombi da tinturaria de seu pai, os que não têm condução própria.

Às oito horas em ponto entro no salão paroquial, onde estão reunidas em círculo trinta pessoas. Saudação rápida, e começamos a primeira parte da reunião.

Um membro da equipe fala durante sete minutos, e é interrompido pelo cronometrista que lhe avisa que o tempo está esgotado. De imediato, a pessoa à esquerda do expositor faz uma pergunta, ou pede um esclarecimento. Tudo rápido. Dois minutos, no máximo, para cada um.

Depois de dar a volta entre todos os membros que podem desejar alguma explicação nova, a pessoa à esquerda do expositor tem novamente dois minutos para comentar o que ouviu da parte do membro da Equipe Regional ou de um dos colegas de sua turma. Não há resposta nem intervenção de alguém. O segundo membro da Equipe Regional expõe a sua opinião a respeito do que ouviu. Rapidamente chegamos ao final dessa complementação do que foi proposto para o primeiro dia, segundo o programa estabelecido. São nove horas, os sessenta minutos da primeira parte da reunião estão esgotados. Quinze minutos de pausa para algum cafezinho, canto, ou outra animação.

O relógio marca nove horas e quinze minutos. Nesse momento eu me apresento explicando algum ponto importante, como o batismo, a invocação do Espírito Santo ou os sete princípios da Pastoral de Conjunto. Sete minutos depois a campainha do cronometrista me impõe silêncio. Recomeça a sessão de perguntas, continua a complementação de dois minutos para cada membro e termina a reunião com um canto apropriado ou uma oração.

Impossível descrever, nesse momento, qual a impressão dos trinta convidados da paróquia que irão mais tarde formar suas equipes para as linhas da Pastoral de Conjunto, o treinamento de novos membros e a comunicação com a Equipe Regional. Todos sabem que, durante meio ano, eles se reunirão semanalmente, sempre assistidos por dois membros da Equipe Regional que conhecem bem tanto os textos do Vaticano II como os dezesseis programas de Medellín e sobretudo a Bíblia Sagrada.

Desde que assumi como bispo a região norte, eu procurava a maneira prática de levar a mensagem da assembléia episcopal de Medellín e do Vaticano II até as bases da região norte, não esquecendo o clero. Qual seria o melhor método para isso? A reunião descrita acima ilustra uma etapa do processo de trabalho que escolhemos adotar.

Naquela época apresentava-se em São Paulo a organização chamada FASE – Federação de Órgãos para Assistência Social e Educacional. Procurei a direção e chegamos a um acordo a respeito do treinamento de uma equipe mista bem escolhida.

Inicialmente a equipe era constituída em sua maioria de leigos, além de dois padres e quatro religiosas. Como bispo da região, propus que o treinamento se fizesse durante sessenta horas, nos dias mais adequados para a organização e para o nosso grupo. Conseguimos reunir, entre homens e mulheres, umas trinta pessoas que haviam pertencido à Ação Católica ou a movimentos de espiritualidade.

Todos muito dispostos, jovens a maioria, mas suficientemente corajosos para enfrentar essa tarefa, tão grande para nós quanto o próprio significado do Concílio Vaticano II e da Conferência de Medellín para toda a Igreja da América Latina.

Propusemos à FASE que nos indicasse apenas os métodos, porque nós buscaríamos o conteúdo nos textos do Concílio Ecumênico e dos documentos publicados a partir de Medellín.

A atuação da FASE foi muito eficaz, introduzindo técnica inteiramente nova de dinâmica de grupo. Desde o começo excluiu-se qualquer conferência ou explicação mais extensa que pudesse cansar ou distrair os participantes.

Na segunda parte da reunião vinha o principal: a discussão sobre a forma de colocar em prática o que havia sido exposto, debatido e acrescido pelos participantes do grupo. O tempo passava rápido. Terminávamos pontualmente às dez horas, para todos poderem voltar às suas casas ou aos seus trabalhos.

Essa equipe foi chamada "Regional" porque se compunha de membros das mais diversas comunidades paroquiais, com o apoio de seus vigários ou de suas organizações. Adalgisa, irmã Maria Stella, Esther, Genoefa, padre Caimi, Maria Inês, irmã Arminda, Valdir, Humberto, Bernadeth, Manolo, Anunciação, Maria Angela, Bosco, Maria Alice, José, Mirtes, Carmen, Manoel, Raquel, irmã Zali, Jair, Hildete, irmã Marta, Rubens, padre Nilton e Íris são os nomes caros de recordar dessas pessoas que ao meu lado lançaram-se com afinco na empreitada pioneira.

Terminado o prazo do treinamento, devíamos escolher cinco pessoas em cada uma das seis paróquias para, com a nossa equipe, prepararmos o núcleo que iria trabalhar em favor da renovação paroquial.

Foi aí que encontramos o primeiro obstáculo. Diversos padres vigários tiveram uma dificuldade enorme em descobrir cinco pessoas inteiramente disponíveis, capazes e corajosas o suficiente para enfrentar um curso de uma semana inicial e, em seguida, novos cursos na própria paróquia. O impasse acabou sendo resolvido: todos os padres colaboraram, embora a escolha das pessoas nem sempre tenha sido satisfatória.

As reuniões, tão movimentadas, se transformavam em autênticas festas para o grupo, que compartilhava não somente as idéias, mas também o entusiasmo do Vaticano II e da Assembléia de Medellín.

Foi no dia 30 de setembro de 1967 que iniciamos a Missão do Povo de Deus, nome dado ao conjunto do treinamento e da visita pastoral – o bispo com a sua equipe – em cada paróquia. A primeira foi a de Nossa Senhora dos Prazeres, na Parada Inglesa.

O assunto a ser debatido nos sete minutos iniciais era a técnica de reunião – liderança leiga, criatividade do cristão, nucleação ou formação de comunidade, técnica de entrevista, de fazer convites convincentes, analisar sistemas sociais, armar projetos, programação da pastoral. Toda esta parte era apresentada pela Equipe Regional, muito bem treinada para tanto.

Na segunda parte da reunião eu expunha o programa de emergência, ou seja, o que vinha a ser a Comunidade de Amizade, Fé e Culto, qual o significado profundo do batismo e da crisma para a ação apostólica, a devoção ao Espírito Santo e sua presença em nosso trabalho. Em suma, o conteúdo das sete linhas de ação pastoral da Igreja no Brasil, chamado Plano de Pastoral de Conjunto.

Eu nunca havia percebido tanta amizade entre grupos eclesiais como a que experimentei ao reunir os cinco representantes de cada uma das seis paróquias com os membros da Equipe Regional. Todos se sentiam promovidos, como se participassem de um curso universitário, e, ao mesmo tempo, se preparavam para reproduzir mais tarde em suas paróquias os assuntos tratados com tanta seriedade pela equipe.

A Parada Inglesa, com seus membros bem animados, nos ajudou a descobrir o caminho que iríamos empregar, imediatamente depois, na paróquia vizinha de Nossa Senhora da Anunciação, na Vila Guilherme.

No final dos seis meses de treinamento, o vigário era convidado a fundar em sua paróquia tantas comunidades de base quantas fossem necessárias ou úteis para levar o conhecimento das linhas fundamentais da ação da Igreja ao povo todo.

Para os que desconhecem o que seja uma comunidade de base, cabe uma explicação. A comunidade de base é um grupo de pessoas que se reúnem para cuidar do bem-estar do povo – saúde, educação, transporte, moradia – com motivação religiosa. Esta vem da leitura regular da Bíblia, da discussão das condições de vida de todos à luz dos textos bíblicos e da celebração dessa vida, geralmente aos domingos. Quando penso na minha experiência com as favelas de Petrópolis, constato que cada morro constituía uma comunidade de base. A amizade que unia os moradores transformava-os numa verdadeira família, responsável pelo bem-estar de todos os seus membros. Na época empreguei o método que seria sugerido pelo Concílio para a formação de comunidades, intuitivamente, como uma conseqüência natural do convívio com aquele povo tão unido.

Nas paróquias da região norte havia grupos que se assemelhavam, sobretudo nas periferias, por causa de suas necessidades particulares e por alguma liderança que podia ser conquistada para a fundação de um grupo que lesse a Bíblia e propusesse planos que colocassem em prática os exemplos encontrados nos capítulos dois e quatro dos Atos dos Apóstolos.

O essencial era a orientação desse grupo por uma pessoa escolhida pelo vigário e pela comunidade local para poder explicar a nossa técnica de interpretação dos textos sagrados e a estratégia de ação comunitária. A reunião se fazia uma vez por semana, ao menos, e buscava aos domingos o seu incentivo na eucaristia e na evangelização proposta pelas paróquias. Estas deveriam responsabilizar-se pela perseverança e a boa orientação religiosa dos grupos assim formados.

Convém lembrar que, após a Missão do Povo de Deus, eu permanecia por dez dias em cada uma das seis paróquias em que tinha havido treinamento de equipes centrais. O que fazer nesses dez dias?

No domingo inicial eu explicava o que é a Missão do Povo de Deus e falava em todas as missas da paróquia ou de suas filiais.

Na segunda-feira visitava as fábricas ou todas as organizações operárias existentes na área da paróquia. É evidente que isso não podia ser feito senão depois de uma preparação, isto é, da visita aos proprietários e mesmo aos líderes operários dessas organizações. Quero acrescentar que, em três anos e meio, só quatro fábricas não aceitaram essa visita oficial, feita durante todo o dia para abranger os diversos departamentos de cada uma.

Como o operário é sincero, direto e objetivo! Após minha pequena alocução, agradecendo a colaboração de todos para o sustento do povo e o progresso da cidade e do país, os operários eram convidados a fazer as suas perguntas. Manifestavam imenso interesse em esclarecer pontos importantes que mudaram na Igreja, após o Concílio, ou que perturbavam as pessoas por causa das diversas crenças. Nessa hora é preciso ter muita simplicidade, mas ao mesmo tempo usar a técnica necessária para satisfazer os operários e torná-los amigos.

Aliás, na visita que precedia o meu comparecimento à fábrica, os membros da Equipe Regional sondavam os operários para saberem se queriam o bispo de batina, faixa e solidéu, ou num terno simples, com a cruz e o pequeno sinal de sua missão na lapela. Não houve uma só fábrica que não desejasse o pastor em seu traje total e específico, porque, diziam os operários: "Nós merecemos o maior respeito, e o bispo, quando vem com sua batina solene, nos honra como cidadãos e nos prestigia também como membros de uma igreja ou de uma organização religiosa."

A terça-feira era consagrada aos doentes. Eu costumava consultar o vigário a respeito do número de doentes e do endereço de cada um. Lembro-me de um caso em que o padre me falou: "Tenho apenas sete doentes em minha paróquia. O senhor, portanto, poderá terminar essa visita em meio dia e não precisa passar da manhã à noite andando de casa em casa."

Duvidando da informação, pedi aos membros da Legião de Maria que consultassem as farmácias para descobrir se não haveria mais de sete doentes numa comunidade tão ampla como aquela. Os legionários não só acabaram localizando mais de cinqüenta pessoas acamadas ou impedidas de sair, mas chegaram a descobrir que, a menos de cem metros da casa do vigário, havia um lar de crianças deficientes que eram cuidadas por uma mãe totalmente extenuada e feliz com a perspectiva da minha visita. Este dia consagrado aos doentes que o Cristo tanto amava talvez fosse o que me trazia mais consolo.

A quarta-feira era chamada "Dia do Céu", o dia das crianças. Passávamos horas visitando os grupos escolares e todas as organizações em favor da infância, como creches e escolas maternais. É claro que, nesse dia, era preciso levar sempre algum presente, santinhos, balas ou coisas semelhantes. O importante era a hora em que eu falava calmamente sobre Jesus criança, jovem, profeta, amigo dos pobres e dos doentes, mas também caminho, verdade e vida para chegar ao céu. Não ouvi criança alguma dizer que não gostava de Jesus, ou que não queria ir para o céu.

O dia mais difícil era a quinta-feira. Por isso chamávamos o encontro com a juventude de "Dia da Esperança". Mais tarde, algumas jovens e alguns rapazes pediram que mudássemos a expressão para "Dia do Encanto". Ele se resumia a uma visita aos ginásios da paróquia, onde eu ia de classe em classe para debater o tema "Como preparar um Brasil melhor". Depois que eu deixava a turma, entravam alguns membros da Equipe Regional para convidar os jovens a participarem da liturgia ou em outras organizações apropriadas a eles na comunidade paroquial.

Foram momentos de grande discussão, de queixas dos jovens, mas também de comunhão constante em torno de um Brasil sem ladroeira, como eles diziam ao expressarem seu desejo de participar da renovação política.

O engajamento definitivo na política era, naquele momento, quase impossível, mas nos anos seguintes deu origem à criação de centros de fé e política. Estes produziram mais tarde bons resultados quando foram entendidos e apoiados pelos padres ou religiosos responsáveis do setor ou da paróquia. Disso trataremos depois.

A sexta-feira foi sempre reservada à oração da comunidade. A exposição do Santíssimo era feita às dez horas da manhã. Nesse momento, eu orientava, durante uma hora, a meditação e as orações. Depois, me retirava para dar lugar às lideranças leigas, para leituras, meditações bíblicas e também para a reza do terço e outras orações mais populares.

A bênção do Santíssimo Sacramento costumava ser dada às dezenove horas, e logo a seguir havia um círculo de estudo sobre liturgia e orações fundamentais para o cristão da nova era.

Não poderei nunca agradecer suficientemente ao Deus da história por nos ter concedido a eucaristia como centro do entusiasmo e de toda a reanimação das comunidades.

Chegamos, finalmente, ao sábado. Era o "Dia das Famílias". Dia do amor. Dia da união com a Trindade Santa, que é representada no amor entre mãe, pai e filhos.

Além das visitas às famílias que desejavam nos receber, havia os encontros no salão paroquial, sobretudo nas horas da tarde.

O dia terminava com a celebração eucarística às sete da noite e com uma troca de idéias com os pais sobre educação e os meios mais modernos de educar os filhos para serem felizes.

Encontrei nas famílias muito mais disposição do que imaginava. Quase todas mostravam-se aflitas por não poderem corresponder a tudo o que Deus esperava de sua parte em favor da família mais ampla, particularmente dos velhinhos e das crianças.

No domingo havia o encerramento da Missão do Povo de Deus, porque falávamos sobre a Comunidade de Amor, Fé e Culto. Eu costumava celebrar missa solenÍssima, ou, como diziam os nossos coroinhas, missa com cheiro de incenso.

Mas havia um encontro importante, que jamais deve ser esquecido. Para ele foi reservada a segunda-feira: oração pelos falecidos e por nossos antepassados.

Como dizia o grande psicólogo Gemelli, todos nós temos setecentos ou mil anos em nosso sangue. Herdamos, portanto, o passado com suas virtudes e vícios, e levamos adiante aquilo que colhemos e aquilo que produzimos em nossa existência.

Como o povo brasileiro gosta de rezar pelos seus entes queridos que passaram para a eternidade! Todas as missas dessa segunda-feira ficavam repletas e levavam a paróquia a uma reflexão sobre o sentido da vida e os autênticos valores que são eternos.

Como ninguém se despede em clima de tristeza, organizávamos à noite algum tipo de despedida. Jovens sempre têm assuntos novos a apresentar e cada paróquia se esmerava em dar alegria, tanto a mim quanto a todos os novos colaboradores surgidos durante a Missão do Povo de Deus.

Em alguns lugares havia também as sociedades de Amigos de Bairro. Elas costumavam vir ao meu encontro, mas, por vezes, também me convidavam às suas sedes, para aí debatermos o que deveria ser melhorado na parte material, cultural e mesmo espiritual do lugar.

Não houve uma só vez que eu me decepcionasse nesse encontro com os líderes, que são sobretudo ativos no tempo das eleições. Mas, como todos se lembram, estávamos no período do golpe militar de 64 e as eleições ficavam um tanto distantes de nossas idéias, embora desejadas por nossos corações.

O que procurei fazer, através deste breve relato, foi transmitir ao leitor o quanto uma paróquia pode se parecer com um jardim, bem ou mal cuidado. É preciso cultivar diversas espécies de flores e saber tratá-las da maneira mais adequada.

Nada pode reanimar tanto o vigário e os colaboradores leigos quanto a possibilidade nova que lhes é oferecida para cumprirem sua função profética, na palavra, sua função sacerdotal, na oração e no oferecimento da vida, e sua função régia no serviço, ou seja, na transformação do lugar e da sociedade em que vivem.

Que Deus seja louvado por tudo o que opera por seus filhos que, no batismo, receberam o espírito de Cristo para serem caminho, verdade e vida junto com os irmãos e amigos.

O leitor, a essa altura, talvez esteja se perguntando: "Mas o senhor não era bispo auxiliar? O que dizia seu arcebispo a respeito do trabalho?"

A melhor resposta que posso dar é a frase que dom Agnelo, na visita à residência episcopal de Santana, no dia 30 de março de 1970, lançou no *Livro da Crônica da Região Norte*:

"Tive oportunidade de percorrer as páginas do *Livro do Tombo*, verificando sobretudo o estupendo trabalho das Missões Populares e da Campanha da Fraternidade na região." (*Livro da Crônica da Região Norte*, p. 57.)

11 A missão do povo de Deus em Roraima

Meu grande ideal, desde criança, era ser missionário em qualquer lugar da Terra. Tanto os missionários franciscanos que visitavam a nossa colônia nos anos iniciais como os padres dehonianos, ou "padres do Coração de Jesus", que mantinham prestigioso colégio em Tubarão, Santa Catarina, me haviam entusiasmado nesse sentido. Eles cantavam conosco, organizavam festinhas de todos os tipos, mas sobretudo nos preparavam para os sacramentos, como a primeira comunhão, os batizados e tantos outros meios de unir-nos a Deus e aos irmãos.

Quando iniciei o trabalho na região norte de São Paulo, avisei o povo que minha ação seria missionária. Não só no sentido de chamar os fiéis que haviam se afastado da Igreja, mas no de andar e pregar por outras terras, como fazia o Cristo e nos ensinara São Francisco. Andar e andar, missionando.

A ocasião chegou no mês de fevereiro de 1969. Os padres da congregação da Consolata, nossos grandes e bons auxiliares na luta da região norte, se entusiasmaram com o projeto Missão do Povo de Deus. Recebi com satisfação bem compreensível o convite para ir, acompanhado de parte da Equipe Regional, até Boa Vista, capital do então território de Roraima, para lá lhes ensinarmos o método empregado na Missão.

Pelas dificuldades então existentes na viagem para o extremo norte do país, tivemos que interromper nosso percurso em pleno domingo de carnaval no Rio, onde, por falta de táxis no aeroporto Santos Dumont, fomos a pé procurar pernoite numa sala de aula do convento acolhedor das irmãs vicentinas, em Botafogo.

O trecho seguinte, Rio–Manaus, iniciou-se na madrugada da segunda-feira, num quadrimotor da VASP, e durou longas horas, incluindo demorada escala em Brasília. O sobrevôo da floresta amazônica era ilustrado pelos comentários dos pilotos, que não só apontavam as aldeias dos índios, mas também as imensas propriedades de alguns paulistas ambiciosos. Só de Brasília a Manaus levamos cinco horas.

No final da tarde, enfim, chegamos à capital amazonense, onde nos aguardava um padre da Consolata, cuja paróquia situava-se num bairro próximo ao aeroporto. Ali pernoitamos, depois de ministrarmos a um grupo selecionado de paroquianos locais instruções especiais sobre a Campanha da Fraternidade daquele ano, nos moldes do que fazíamos na região norte de São Paulo.

A viagem completou-se afinal na manhã da terça-feira de carnaval, em um dos dois únicos vôos semanais que então ligavam as duas capitais, Manaus e Boa Vista. Mais uma hora e quarenta de vôo, com direito a "batismo" para quem ultrapassasse pela primeira vez a linha do equador. Foi o caso de Maria Angela, "batizada" por mim, a pedido da assistente social Genoefa, com o copo de água fornecido pela tripulação, muita risada e "certificado" escrito pela "secretária Genô" na toalha de papel da bandeja do lanche.

Fomos recebidos festivamente no pequeno aeroporto pelo bispo dom Servílio Conti, alguns padres e duas irmãs. Com entusiasmo crescente, fizemos as reuniões preparatórias e os treinamentos iniciais, primeiro com o bispo, os padres e as irmãs, em seguida com grupos de jovens cheios de disposição. À noite, reproduzíamos com os adultos os mesmos treinamentos, em termos mais adaptados à condição deles: Mauro, Nilza, Genival, Socorro, Valderício, Ana, Jader, Josefa, Augusto, Alice, Germano, Odônia, Reginaldo, Abrilina, Zezinho, Cristiana, Adriano, Fátima, Florência e Luzia. Foram momentos da mais pura manifestação de amizade, fé e culto na região mais avançada do norte do Brasil.

Além dessas iniciações necessárias às três categorias – adultos, jovens e religiosos –, fazíamos as nossas pregações de madrugada, para nos anteciparmos ao calor excessivo das horas avançadas do dia.

As missas eram sempre campais, e as pregações para o povo, muito diretas e no sentido bem missionário de levar para fora da diocese de São Paulo o anúncio da boa-nova do Evangelho.

Qual não foi a minha surpresa quando recebi o convite para fazer também palestras diárias para os setenta professores do território! Foram programadas para o período da manhã, no cinema da cidade, que padecia pela escassez constante de energia elétrica.

O interesse dos professores foi crescente e contagioso. Nossos encontros deixaram de ser puras palestras para tornarem-se uma troca de experiências e dificuldades, onde mais aprendi do que ensinei.

Sempre vale a pena confiar nos professores, manifestando-lhes não só respeito, mas também a admiração e o carinho que merecem, como pais de nossos alunos e formadores de nossa nacionalidade.

Maior ainda foi o êxito colhido pela assistente social Genoefa Frederico. Em poucas horas conquistou a simpatia de todas as senhoras que seguiam as suas exposições. Começaram a chamá-la de Genô, como o fazíamos, e ela soube dar atenção a cada uma das particularidades de suas alunas. Como não era a primeira vez que essa experiente e dedicada diretora de Serviço Social da Legião Brasileira de Assistência se embrenhava pela Amazônia, foi fácil para ela falar de integração no sentido pleno. Eram escola e família, vida e religião, grupos pequenos e a cidade.

Afinal, tudo devia integrar-se para chegarmos a formar autêntica família, sempre disposta a enfrentar os desafios inevitáveis. Genô realmente soube conquistar corações e inteligências para a missão cristã e o Reino de Deus.

Mais fácil ainda pareceu a missão de Maria Angela Borsoi, que naquele tempo já exercia, nas horas vagas, a função de minha secretária. Nutricionista por vocação e formação, ela podia falar das coisas mais saborosas da vida, que são as frutas e todas as possibilidades que oferece a região norte de nosso país.

Aliás, segundo o testemunho de Maria Angela, o povo, que sabia nutrir-se razoavelmente bem graças à profusão de peixes e frutas existentes na região, se esforçava também para assimilar novas propostas para a cozinha e para a própria convivência social nessa parte do Brasil.

Certamente ela ali colheu iguais ou melhores resultados do que os que viria a acumular logo a seguir, nos longos anos de ensino no SENAC e nas instituições livres. Vale a pena unir ao ensino cultural e religioso a parte social e a questão alimentícia, elementos indispensáveis para, ao promover a saúde, formar amizade, alimentar a fé e renovar o culto.

À noite, a partir das dezenove e trinta, reuníamos o povo num belo lugar à frente da matriz para a exposição da doutrina essencial da Igreja e para a preparação da formação bíblica que iria iniciar-se depois. Como não havia luz elétrica em Roraima, os padres, tão inventivos quanto missionários, iluminavam a figura do bispo com um refletor a pilha. O povo se assentava à frente do pregador, como no tempo de Jesus, e não se cansava de ouvi-lo. Assim, pude contar a trajetória do Povo de Deus, como também histórias edificantes do povo brasileiro.

Mais tarde vieram me dizer que, quando eu apontava para algum lugar no escuro, certas pessoas se sentiam acusadas, como no tempo do profeta Jeremias, e até se retiravam do lugar.

Mas tudo isso é lenda, tudo é folclore e entusiasmo, numa hora em que o povo se une para encontrar Deus.

O horário das sete e meia da noite marcou, a cada dia, o encontro amigo entre os padres, o bispo, as religiosas e os leigos daquela região.

Foi tal o nosso entusiasmo e a amizade com o povo, que, no dia da partida, não só o pequeno aeroporto se encheu, mas toda a redondeza veio se despedir, abanando lencinhos brancos.

Em vez, porém, de narrar a despedida, gostaria de lembrar que o grande rio Branco estava em baixa, porque era tempo da seca. Os amigos de lá nos contaram que, durante a chuva, o rio subia de dez a doze metros, enquanto que na seca se conseguia atravessar a pé toda a extensão do rio, contanto que se evitassem os canais, por onde desciam as canoas.

Foi exatamente nessas canoas que descemos num domingo o rio, para fazermos o piquenique de descanso, despedida e amizade, e para saborearmos o delicioso churrasco de peixe amazônico pescado pelos padres na madrugada anterior.

Levaram ainda no barco um pequeno toca-discos a pilha para nos proporcionar um fundo musical durante o almoço. Impossível escutar a música em meio ao barulho ensurdecedor da floresta! Lembro-me ainda de que, ao deitar-me sobre um tronco para a sesta, ouvi os assobios, silvos e roncos dos animais do interior da selva. Dei o maior pulo da minha vida para livrar-me do que me pareceu um ataque da fauna amazônica.

Ao contar esse fato aos padres amigos, eles lembraram que o solo transmite os sons da natureza de maneira muito viva e segura.

Também nos contaram, nessa ocasião, que um grupo de gaúchos valentes havia visitado o mesmo lugar para pescar. Ao lançarem seus anzóis no rio, viram, de repente, aparecer a cabeça e o pescoço de uma sucuriju. Em vez de atirar nela, abandonaram seus instrumentos de caça e pesca e se embrenharam na mata, escondendo-se atrás das primeiras árvores que ofereciam refúgio.

Não tivemos a mesma chance que nossos vizinhos gaúchos, mas soubemos admirar a força missionária de todas aquelas irmãs que cuidavam do hospital, do colégio e da catequese na região de Roraima.

O espírito missionário nos empolgou de tal maneira, que, pouco depois do regresso a São Paulo, pedi ao núncio apostólico que me proporcionasse a possibilidade de ser bispo missionário em qualquer região do norte do país. Minha idade e minha saúde certamente ainda eram suficientemente adequadas a esse trabalho que tanto me entusiasmara.

Não posso nem devo ocultar os imensos sacrifícios que esses missionários suportam naquela região. O calor, os mosquitos e todas as demais manifestações da natureza nada são em comparação com as invasões das terras e a perseguição aos índios por parte de gente gananciosa do Sul.

Enquanto alguns lutam em favor do Reino de Deus, outros procuram o reino da riqueza, destruindo grande parte do trabalho religioso. Nem tudo é luz, mas não são as trevas que dominam o ambiente.

Vale a pena lutar e conquistar sempre maiores amigos em favor de autênticas missões, tanto no norte de nosso país quanto em outras partes, sobretudo se isso é feito em comunhão ecumênica com todos aqueles que amam o Cristo Jesus, modelo dos autênticos missionários do mundo.

12 *Preparando-se para servir o povo de Deus*

Nem nossa excursão ao norte do país nem a repressão do sistema político podiam diminuir nosso entusiasmo pela formação religiosa do Povo de Deus. O Concílio Ecumênico Vaticano II e a grande assembléia dos bispos da América Latina em Medellín nos levavam a estabelecer metas prioritárias para o novo tempo.

Numa reunião, de 23 a 26 de fevereiro de 1970, sob a orientação do cardeal Rossi, fixamos quatro grandes prioridades para o futuro próximo: promoção vocacional, diaconato permanente, comunidades eclesiais de base e promoção humana. Nesse meio tempo, também tive ocasião de representar o cardeal numa reunião no México, em que o Serra Clube – instituição católica internacional fundada pelo franciscano frei Junípero Serra, que cuida das vocações para o sacerdócio – procurava assimilar as novas orientações do Vaticano II. Eu também havia sido escolhido para secretário da Comissão Central da Conferência Nacional dos Bispos do Brasil – CNBB – e devia ocupar-me particularmente da educação e formação de nossa juventude. Tudo isso me aproximava ainda mais das equipes missionárias em São Paulo.

Repassei com elas os documentos que achávamos indispensáveis para o progresso da Missão do Povo de Deus. Dos documentos conciliares escolhemos, em primeiro lugar, aquele sobre a Sagrada Liturgia, dando realce aos primeiros capítulos. Também nos ocupou, de modo sistemático, a encíclica de Paulo VI *Mysterium Fidei*. Levei também ao conhecimento de nossa Equipe Regional as instruções da Sagrada Congregação *Eucharisticum Mysterium* e *Fidei Custos*, esta instituindo os ministros extraordinários da eucaristia. Os documentos vindos de Roma, que anteriormente pareciam coisas destinadas ao clero, agora penetravam nos corações dos leigos que se preparavam para a nova fase de sua ação missionária em São Paulo.

Em março do mesmo ano elaboramos em conjunto o grande programa para uma primeira turma de participantes escolhidos que iriam consagrar dez noites ao primeiro curso de formação. Pensando no Concílio e em Medellín, e refletindo sobre as prioridades de toda a arquidiocese, decidimos fixar quatro assuntos de maior relevância: a palavra e a eucaristia, assunto básico; comunidades de base, meio indispensável para chegar ao povo; serviços na igreja e a possibilidade do diaconato para homens casados; e vocação cristã, tanto leiga quanto religiosa e sacerdotal.

Escolhemos cinqüenta e um participantes, imaginando que alguns iriam desanimar ao longo dos quatro períodos do curso. Eram vinte e duas religiosas que se comprometeram a participar para depois assumir novas tarefas, e vinte e nove leigos, tanto solteiros quanto casados.

Iniciamos esse curso em abril, no Colégio Marillac, sem que faltasse um só dos convidados. Para ministrar o curso, sobretudo em sua primeira parte que era o estudo da palavra e da eucaristia, preparei nossa Equipe Regional auxiliado por frei Gorgulho, como nas ocasiões anteriores.

Ao tomarmos conhecimento de que a Santa Sé permitia a leigos participarem da distribuição da eucaristia, invertemos a programação de nosso curso e iniciamos a preparação desses leigos, que não deveriam ser meros distribuidores da eucaristia, mas profundos conhecedores do amor de Cristo revelado na presença eucarística.

Convoquei novamente a Equipe Regional e procurei ministrar-lhe as verdades fundamentais, baseando-me nos documentos do Concílio, mas sobretudo na Bíblia e na tradição de dois mil anos da Igreja. Foram horas de intensa devoção eucarística, indispensável para os cursos futuros que programaríamos. Os leigos, sobretudo os casais, sentiam-se não apenas honrados, mas sobretudo responsáveis pela nova mentalidade eucarística, fundamento da própria igreja particular de São Paulo.

Não se tratava, portanto, de apenas distribuir a hóstia e o vinho consagrados aos irmãos. Exigia-se uma atitude eucarística que marcasse a vida de comunhão na família e na sociedade. Chegamos a elaborar em conjunto um pequeno manual que continha igualmente a preparação para a celebração eucarística fora da missa. Sabíamos que setenta a oitenta por cento dos fiéis da região norte não conseguiam participar da missa aos domingos. Para eles, preparávamos também o encontro com Jesus e a caminhada com ele ao longo da vida. A celebração, presidida por leigos ou religiosas, seguia o esquema da missa, mas, a partir da oração eucarística, alguém trazia as espécies sagradas da paróquia a que pertencia aquele núcleo tão afastado da Igreja.

Dessa forma, muitos fiéis iam até a paróquia em algum dia especial do mês para preparar-se, através da confissão particular ou comunitária, e vinham participar de nossa celebração eucarística nas pequenas comunidades de base, tão escrupulosa e conscientemente orientadas pelos novos ministros extraordinários da eucaristia.

Para garantir a seriedade e a autenticidade dessas celebrações, dávamos a cada um dos ministros, além do pequeno manual, um certificado de mandato especial. Introduzimos aqui a cópia de um desses certificados, para que o leitor tome conhecimento não só da seriedade, mas da responsabilidade e da fundamentação exigidas para esse ministério.

ARQUIDIOCESE DE SÃO PAULO · BRASIL ·

CERTIFICADO DE MANDATO ESPECIAL
PARA
MINISTRO EXTRAORDINARIO DA SAGRADA EUCARISTIA

A MARIA ANGELA BORSOI

depois de ter participado do curso para Ministros Extraordinários da Sagrada Eucaristia, promovido nos dias 13 a 24/4/1970 pela Região Episcopal Norte da Arquidiocese de São Paulo, foi-lhe conferido ESPECIAL MANDATO para distribuir o Corpo do Senhor na Eucaristia aos fiéis, conforme a Instrução da Sagrada Congregação dos Sacramentos «Fidei Custos», com a qual se conformará em tudo, bem como as instruções da Vigararia Episcopal, para o uso dêste Mandato, válido por um ano.

São Paulo, 1º de maio de 1970

+ Paulo Evaristo OFM
Vigário Episcopal da Região Norte

Côn. Geraldo Majella Agnelo
Coordenador Geral da Pastoral Arquidiocesana

Registrado no Livro de Mandatos Especiais da Cúria Metropolitana de São Paulo sob o n.º 26

Porém, alguns dos nossos padres, entre eles os mais zelosos, se queixaram de que começássemos os ministérios pelo da eucaristia, embora admitissem que a preparação era extremamente rigorosa e talvez única em nossas dioceses. Acolhendo sua preocupação, voltamos o mais rápido possível ao esquema já mencionado, que falava da palavra e da eucaristia, das comunidades de base, dos serviços na igreja e da vocação cristã.

Faltava porém a oficialização desses ministros da eucaristia. Foi o que fizemos em solene celebração e diante de todo o público na noite de 1º de maio de 1970, tornando assim conhecida uma nova praxe da Igreja, em que o leigo se une à ação do próprio Cristo, que caminha com os seus fiéis para fundar o Reino de Deus e levá-los até o coração do Pai.

Todos os que foram escolhidos para ministros extraordinários da eucaristia participaram dos cursos subseqüentes, ou de algum deles, e sentiram-se imensamente compensados por serem chamados oficialmente pela Igreja para uma ação em favor da sociedade e sobretudo em favor de seus irmãos batizados.

Ao comunicar a nova fase dos ministérios, recebi, da parte do cardeal dom Agnelo Rossi, aprovação e até nova sugestão. Dizia ele: "Por que não unir a este ministério da fé, que é o eucarístico, a segunda parte, que é o ministério da palavra e, quem sabe, o ministério da justiça e da solidariedade em nossas comunidades?"

Nossos padres, porém, eram mais lentos e, talvez, mais realistas para a formação de seus fiéis. Eles nos pediram que, antes de iniciarmos os grandes cursos sobre a palavra, comunidades de base, ministério e vocação, formássemos, para toda a região, outros grupos de ministros extraordinários da eucaristia com o mesmo conteúdo e as mesmas condições dos primeiros cinqüenta e um.

Foi o que aconteceu, de junho a outubro desse mesmo ano de 1970. Realizamos quatro cursos fundamentais, abrangendo um total de cento e trinta e cinco participantes, acrescentando, para cada uma das turmas, uma tarde especial de recolhimento e revisão integral do programa. Essa revisão incluía a discussão sobre experiências feitas em diversas comunidades, sobre dúvidas surgidas a respeito do ministério da eucaristia e da celebração sem padre, como igualmente propostas para a nova ação dos cursos que deveriam iniciar-se em breve.

Esses ministros da eucaristia não só se tornaram grandes amigos do Cristo Eucarístico, mas também meus amigos, amigos dos padres e do cardeal-arcebispo que permitira e incentivara tal experiência religiosa.

Em todos os pontos da região norte parecia nascer a chama que atraiu Moisés no deserto, e dessa chama nós ouvíamos a palavra de respeito diante do Deus que quer caminhar com seu povo, sem nunca deixar de ser Senhor do Céu e da Terra.

Como bispo da região, o cenário me parecia agora mais como um céu estrelado do que como uma região rotineira e indiferente ao Cristo que dera a última gota de seu sangue em favor de cada cristão e de cada pessoa humana.

Mas estava na hora de começarmos os novos cursos. Vamos a eles, para que o leitor compreenda seu conteúdo e propósito.

Quanto ao ministério da palavra: a igreja particular é confiada ao bispo junto com o presbitério, que é o conjunto dos padres com quem o bispo trabalha. Eles formam uma autêntica unidade para representar a pessoa e sobretudo a vida e o ministério – que é serviço – do Cristo Senhor.

Em nossa região, como é natural, nem todos os padres haviam acompanhado com suficiente prontidão a preparação de tantos leigos para o ministério da eucaristia. Quando, agora, com licença de nosso arcebispo, iríamos começar o treinamento de leigos para os diversos ministérios, achamos por bem reunir todos os padres da região norte para uma preparação especial à evangelização. Eles aceitaram, com muita disposição, reunir-se todas as terças-feiras pela manhã para um curso sobre o Evangelho de Lucas, escolhido por ser o único evangelista que relata toda a vida de Jesus, assim como a história da Igreja a partir de Pedro e de Paulo. Frei Gilberto Gorgulho, com seu preparo extraordinário e seu amor à região norte, se prontificou a ministrar os conhecimentos fundamentais de toda leitura bíblica e particularmente a do Evangelho de Lucas.

Antes, porém, de inaugurarmos esse curso, pedimos à FASE, que já nos treinara anteriormente, para iniciar nossos padres em sua técnica que, de alguma maneira, parecia nova.

A reação dos padres não foi tão favorável quanto a dos leigos. Os motivos eram os mais diversos. Creio, sobretudo, que uma boa parte do clero ainda não estava imbuída do espírito do Concílio Vaticano II e resistia sobretudo à convocação de leigos feita na grande assembléia latino-americana de Medellín.

A certa altura houve mesmo discussões acaloradas sobre a posição dos leigos e a missão do padre. Um deles chegou a exclamar: "Então o padre só se distingue dos leigos porque pode proferir as palavras 'eu te absolvo' e os termos da consagração na santa missa?"

Evidentemente tivemos que penetrar mais profundamente na função própria de cada sacerdote nos planos de Cristo e de sua Igreja. Para isso, organizamos um primeiro retiro, dirigido pelo excelente pregador franciscano dom Valfredo Tepe, ordenado bispo pouco antes e muito capaz de atrair a simpatia de seus ouvintes.

Apesar disso, durante o retiro, surgiram cartazes com os dizeres "Somos a última geração", ou, ainda, "Somos os últimos dos moicanos".

Com a serenidade de dom Valfredo e a franqueza com que procurei falar-lhes, acabamos por entender-nos de maneira inteiramente nova como Igreja, onde cada qual tem sua missão e sua responsabilidade própria. Foi, talvez, um dos retiros mais proveitosos de que participei em minha vida. Até hoje sou grato à paciência, à sabedoria e à bondade de meu confrade dom Valfredo Tepe, bispo auxiliar de Salvador, Bahia, e depois bispo de Ilhéus.

Só então o curso planejado com frei Gorgulho, sobre o Evangelho de Lucas, pôde ter efeito. Apesar de as exposições do mestre na exegese bíblica serem convincentes, o principal das manhãs de terça-feira acabou sendo a união do clero em torno da pessoa de Jesus e de seus representantes, o bispo da região norte e, sobretudo, o arcebispo de São Paulo.

Depois desse curso completo sobre Lucas conseguimos iniciar os novos preparativos para os ministérios planejados. O primeiro seria o da palavra.

Antes de convidarmos os leigos e alguns religiosos para o primeiro curso, tivemos que ouvir – o bispo e a Equipe Regional – uma exposição dirigida por frei Gorgulho e a professora Ana Flora Anderson, cujo tema era "Introdução geral à formação do Novo Testamento e a pregação cristã primitiva". O leitor pode conferir o conteúdo desse curso preparatório lendo o primeiro livro da história da Igreja, que são os Atos dos Apóstolos, sobretudo os capítulos um a quinze.

Na segunda parte da preparação, este mesmo grupo que iria ministrar o curso da palavra fez a análise das Cartas de São Paulo, como também de sua vida, vitórias e dificuldades. Especial menção merece, nessa fase, a explicação da Epístola de São Paulo aos Romanos, capítulos seis a oito: a lei e a liberdade. Tão intenso era o curso, que resolvemos nos retirar da cidade para a casa de encontros das Missionárias de Jesus Crucificado, no Capão Redondo.

Estávamos então preparados para iniciar o primeiro curso do ministério da palavra, que foi realizado no Colégio Marillac de 14 a 19 de setembro de 1970, com quarenta e oito candidatos. Como o acesso ao local era o mais fácil de toda a região episcopal, conseguimos que nenhum participante faltasse aos dias de formação, que iam de segunda a sexta-feira.

Na primeira etapa foi transmitida uma noção bem construtiva sobre as comunidades cristãs primitivas e a gênese do Novo Testamento. Os expositores eram escolhidos com antecedência e se submetiam a uma preparação imediata para resolver as dificuldades que poderiam surgir diante de um auditório já bem iniciado nos estudos.

Logo a seguir abordamos os temas que tínhamos estudado com frei Gorgulho. Acrescentamos, porém, alguns pontos fundamentais, como os títulos e a missão de Jesus, a vida em Corinto e em Roma, e os esclarecimentos necessários para uma segunda etapa.

Essa segunda etapa, ainda realizada em setembro, introduzia os nossos futuros missionários leigos na compreensão dos evangelhos sinópticos, dos gêneros literários e sobretudo numa segunda revisão da Epístola aos Romanos.

Também foram abordados os grandes temas da parábola, do milagre e sobretudo das narrações sobre a pessoa e os métodos do Senhor Jesus.

A terceira etapa foi, sem dúvida, a de maior repercussão. Ela visava sobretudo a uma espiritualidade bíblica, e tinha como conteúdo a leitura e a compreensão da Palavra de Deus. Como exemplo, podemos citar aqui a aceitação do Sermão da Montanha com todas as suas exigências para uma vida cristã. Nesse momento apareceu o resultado divino de uma transformação de todo o grupo em discípulos e evangelistas do Divino Mestre.

Acrescentamos ainda uma reflexão aprofundada sobre os gêneros literários e sobre um assunto sempre debatido entre o nosso povo – os milagres –, sobretudo os narrados no Evangelho de Lucas.

A pedido dos cursistas, também foi analisada a tentação de Jesus no deserto e sua transfiguração, antes da Paixão e Morte do Divino Mestre.

Não preciso acrescentar que o Evangelho de Mateus, como gênero literário, mereceu atenção especial.

Importante me parece lembrar também que continuávamos a reunir os ministros da eucaristia, mesmo que nem todos pudessem seguir a etapa que acaba de ser descrita.

As religiosas e os padres, ao mesmo tempo, interessavam-se sempre mais em formar comunidades eclesiais de base ou grupos de reflexão bíblica e oração.

Todos nos encontrávamos em atmosfera missionária quando fui chamado pelo cardeal Rossi e recebi a notícia de que devia assumir a direção da Arquidiocese de São Paulo.

Mesmo depois de receber a notícia continuamos a nossa preparação para a Missão do Povo de Deus. Reuníamos então no Ipiranga as pessoas da região norte e das demais regiões que quisessem iniciar-se no espírito missionário e assumir os diversos ministérios dentro da Igreja.

Antes de separar-me de minha Equipe Regional, ainda presidi algumas reuniões e a ela permaneci ligado durante toda a existência, embora não de maneira tão prática quanto no tempo em que presidia apenas a região norte da Arquidiocese de São Paulo.

O missionário saletino padre Clorálio Caimi, vigário episcopal e meu sucessor na região norte, poderá dar o testemunho da generosidade e da colaboração constante de todas essas pessoas, tão preparadas para serem apóstolas, como no início da era cristã.

O que acabo de descrever aqui de forma sucinta foi amplamente relatado no livro que publiquei na época pela editora dos padres paulinos sob o título *A quem iremos, Senhor?* (1968).

13 *Preparação especial para a Campanha da Fraternidade*

Durante décadas, a Igreja do Brasil vem explicando o que deseja alcançar com a Campanha da Fraternidade. Mesmo no ano 2000, quando esta assume um caráter ecumênico, comunica-se aos fiéis que a campanha é um "processo educativo que ajuda a perceber as exigências da Palavra de Deus diante dos problemas concretos da sociedade".

Desse modo, a campanha tem conseguido três bons resultados: levar os agentes e os fiéis a estudarem de modo mais intensivo a Palavra de Deus e a aprofundarem as conseqüências da fé; comunicar ao público em geral, fora dos ambientes eclesiásticos, a voz profética da Igreja diante de graves questões sociais; fazer nascer iniciativas pastorais concretas para responder aos clamores da realidade analisada e às exigências da Palavra de Deus intensamente refletidas nas comunidades.

O texto-base da CF-2000 lembra duas advertências do mártir americano Martin Luther King: "A injustiça, em qualquer lugar, é uma ameaça à justiça em todo lugar" e "Temos de aprender a viver juntos como irmãos, ou perecemos juntos como loucos".

Os objetivos da campanha já eram pressentidos quando, em 1968, nossa Equipe Regional veio me pedir para ser preparada para a próxima Campanha da Fraternidade como havia sido treinada para a Missão do Povo de Deus. Tínhamos bons exemplos para continuarmos na campanha, iniciada no Nordeste em 1963 abrangendo dezesseis dioceses e que prosseguia em 1968 em cento e quarenta e três circunscrições eclesiásticas.

Estávamos, pois, em boa companhia. Nossa equipe se reuniu, para a preparação, em 28 de janeiro de 1968. Foi então dividida em cinco subgrupos para atender aos pedidos de todas as nossas paróquias, que passavam de quarenta.

Cada um desses cinco grupos recebeu a missão de treinar uma turma para abordar as equipes paroquiais dos setores.

O programa parecia emanar da própria campanha: base teológica, humanitária, comunitária e pessoal. Para tanto haveríamos de consagrar quatro dias inteiros, acrescentando por toda parte algumas diretrizes didáticas e práticas. O padre coordenador de cada um de nossos setores acompanhava pessoalmente os trabalhos junto às equipes paroquiais.

Em outubro, a pedido do representante da CNBB, escrevi *A Humanidade Caminha para a Fraternidade*, que, publicado pelas Edições Paulinas, teve três edições.

Adotei como princípio fundamental dar uma boa base bíblica, com realce especial à pessoa e à prática do próprio Cristo Jesus. Só a sua vida e seu exemplo poderiam levar-me a ilustrar, com certa perfeição, o mandamento do amor, ou seja, da fraternidade.

Eu sabia que a escolha do assunto principal a ser debatido resultara de consulta feita a quase todas as dioceses do Brasil, onde havia treinamento de pessoas para a evangelização intensiva durante a quaresma. Evidentemente, eu teria que fazer também a revisão desses cursos e consulta aos responsáveis para exame dos cartazes, dos conteúdos e também da forma nova que iríamos adotar.

O que mais importava era a formação de verdadeiros apóstolos dessa evangelização intensiva, porque quase todos eles eram missionários leigos, embora especialmente preparados. Importava, em seguida, criar uma verdadeira mística em torno dessa ação missionária que o próprio Jesus confiara em primeiro lugar a seus apóstolos, incluindo, naturalmente, os demais discípulos que o seguiam.

Na preparação próxima era necessário também chamar a atenção para o nível do povo, que em cada setor de São Paulo é diferente, por causa das muitas migrações.

Não tínhamos grande influência sobre os meios de comunicação social no início de nossos trabalhos. Aproveitamos então os artigos publicados no jornal arquidiocesano *O São Paulo*. Era preciso que saíssem de lá as primeiras motivações, como também as motivações de reforço, sempre em termos acessíveis, ao menos para nossos coordenadores regionais que preparariam o povo interessado em formar grupos de reflexão, de oração e de trabalho no campo indicado pela campanha.

Também nos sentíamos na obrigação de comunicar ao mesmo povo, pelo nosso jornal e por todos os outros meios possíveis, os resultados tanto materiais quanto espirituais da campanha.

Jamais o dinheiro recolhido poderia ser aproveitado para intuitos egoísticos da paróquia, da região e mesmo da arquidiocese. Chegamos até a pedir, em nome dos novos missionários, que uma coleta fosse inteiramente reservada às crianças do Instituto Dom Orione, todas elas portadoras de deficiência física acentuada.

Mais tarde conseguimos também levar o povo a refletir sobre as vinte ou trinta crianças – certamente as mais pobres entre os pobres – que nasciam todos os dias no Amparo Maternal, maternidade fundada em 1939 e mantida pela Arquidiocese de São Paulo, e que nos últimos vinte anos vem sendo dirigida, com eficiência exemplar, pela irmã Anita Gomes, da Congregação de São Vicente de Paula de Gysegem.

Já naquele tempo eu pensava que toda e qualquer discriminação teria que ser afastada de nossas mentes e de nossos corações. Deveríamos, eu e a equipe com quem trabalhava, emprestar decididamente nosso apoio ao negro, à mulher, à criança abandonada, aos presos, aos injustiçados e a tanta gente que clamava por socorro.

Nesta hora não posso esquecer a Liga das Senhoras Católicas, fundada e animada pelo primeiro arcebispo de São Paulo, dom Duarte Leopoldo e Silva. Apesar de elas atenderem a um milhão e oitocentas mil pessoas na cidade, poucos conhecem o imenso sacrifício dessas abnegadas mulheres da mais alta sociedade que dedicam tempo e talento para socorrer crianças, adultos e idosos, sem fazer alarde de suas atividades e de seus méritos.

A elas minha gratidão e bênção especial pelo que foi feito, pelo que está sendo realizado e pelo que empreenderem em espírito sempre novo, até o fim da vida.

Sempre me voltava à mente a exortação do Papa João XXIII, nas duas grandes encíclicas *Mater et Magistra* e *Pacem in Terris*. Insistia o bondoso pontífice nos quatro pontos fundamentais a que nos obriga o Evangelho e que vínhamos repetindo em todas as ocasiões: justiça social, solidariedade, busca da verdade e bom uso da liberdade. Só assim chegaríamos a uma comunhão entre nós e a uma consciência nova no meio paulistano.

Nem sempre éramos bem aceitos pelos vigários, porque eram leigos os que pregavam, instruíam e exemplificavam. Isso me obrigava a participar, em todos os setores, de um ou outro curso, conforme minha possibilidade.

Mas não bastava a minha presença. Era necessário que cada membro da Equipe Regional manifestasse, por sua vida e seu exemplo prático, aquilo que propunha a partir do Evangelho e da análise da sociedade que nos era comunicada sempre através do texto-base da CNBB.

Iniciamos o trabalho de preparação para a Campanha da Fraternidade em 1968, e o repetimos sempre, com o aperfeiçoamento possível, até o ano de 1970, ocasião em que o Papa me designou arcebispo de São Paulo.

Não é possível lembrar aqui todas as iniciativas que a Equipe Regional promoveu durante a pregação intensiva do Evangelho nos setores. Talvez seja útil citar a visita que eu fazia à prisão feminina, dirigida então pelas irmãs do Bom Pastor, e o almoço de confraternização com as presas daquela instituição. Eram mais de cinqüenta, e as bondosas irmãs receberam os vinte e cinco pregadores da campanha sempre mais entusiásticos e especializados nas questões teológicas, humanitárias, comunitárias e pessoais.

O difícil era preparar cada apóstolo paroquial a fazer sua visita de casa em casa, ou a dirigir os grupos de reflexão e oração que se formavam nas ruas, nas garagens, ou mesmo em casas particulares, impossibilitados muitas vezes de se reunirem nos salões paroquiais, distantes ou pequenos demais. Mas é certo que essa preparação específica da Campanha da Fraternidade, desde 1968, deu grande reforço às Missões do Povo de Deus, além de produzir o livrinho *A Humanidade Caminha para a Fraternidade,* com capa desenhada por um preso que se entusiasmou pela missão que todos recebemos na hora do batismo, da crisma e, sobretudo, nas celebrações eucarísticas.

Oxalá a campanha, que agora se estende às mais diversas denominações cristãs, possa produzir o efeito tão desejado pelo Papa atual, João Paulo II, e por seus antecessores, lutando pela paz, ou pelas expressões incisivas, "guerra, nunca mais", "desvalorização da vida humana, nunca mais".

Até hoje agradeço à nossa Equipe Regional daqueles anos a colaboração eficiente, entusiástica e apostólica.

14 *O que os presos nos ensinaram*

Foi só durante a minha estada na França que eu soube dar valor à palavra de Jesus reproduzida no vigésimo quinto capítulo do Evangelho de Mateus: "Estive preso e me visitastes."

Não apenas os meus colegas franciscanos voltavam das prisões horrorosas da Alemanha, mas também os alemães prisioneiros de guerra ocupavam o nosso convento franciscano de Garnstock, Eupen, na Bélgica. Com os primeiros travei conhecimento e amizade no primeiro dia de aulas. O grupo de alemães alojados no Colégio Belga-Brasileiro era quase todo composto de pessoas doentes ou feridas de guerra. Ali havia sobretudo um médico de grande experiência e dedicação sem par.

Na época do Natal e Ano Novo tivemos o desejo de melhorar a qualidade da comida dos presos. Então, um padre belga me convidou a atravessar o país em todos os sentidos, pedindo nos conventos comida e agasalho para o inverno que estava chegando. Com ele percorri quase todas as casas religiosas, e não só trouxemos o jipe carregado, mas também muitas palavras de conforto para o padre que cuidava do bem-estar dos presos considerados "inimigos".

Nunca passei tanto frio, mas também não me lembro de ter tido tanto consolo pela realização da palavra de Cristo Juiz reproduzida pelo evangelista Mateus no seu vigésimo quinto capítulo.

Aliás, a convivência com presos e ex-presos de ambos os lados dessa guerra estúpida e total me fez abominar todo tipo de ditadura e aderir ao programa de solidariedade em qualquer ocasião e país.

Ao chegar à região norte de São Paulo verifiquei, de imediato, que a maior casa de detenção do Brasil e talvez também a maior penitenciária, ambas situadas no bairro do Carandiru, se encontravam ali.

Poucos dias depois de minha posse em Santana, veio ver-me o capelão salesiano da penitenciária, enérgico e totalmente dedicado tanto aos presos julgados quanto aos da casa de detenção, que aguardavam julgamento.

Convidou-me o padre Ismael Simões, em nome do juiz, a assistir a um julgamento rápido, dentro da detenção. Impressionou-me demais o fato de o preso estar aguardando há vinte e três anos o seu julgamento, desperdiçando quase toda a sua vida na inútil espera de justiça em São Paulo. As irmãs do Bom Pastor, que trabalhavam na penitenciária feminina, me disseram também que quase todas as detentas mereciam ser soltas, pois tinham agido em legítima defesa e deviam poder retomar suas vidas em liberdade. Cheguei a procurar o ministro da Justiça, o secretário de Segurança e o governador de São Paulo, pedindo a revisão dos processos para presas e presos. Minha intercessão não teve qualquer resultado por causa da dureza dos corações.

Habituei-me de tal maneira às visitas à penitenciária, que todas as semanas eu me oferecia para celebrar a eucaristia junto às irmãs encarregadas do presídio feminino e comparecia ao menos uma vez por mês para visitar os presos, participar da reunião da Legião de Maria que ali funcionava e até para cortar cabelo e engraxar sapatos.

Tanto o diretor quanto os demais funcionários sempre me acolheram com muita distinção, facilitando o contato necessário com os internos. Distribuir revistas e jornais, levar algumas notícias sobre resultados de recursos judiciais e ouvir as queixas dos presos era para mim um conforto na vida relativamente cômoda que levávamos fora da cadeia.

A questão, porém, tomou outro rumo. Um dia me avisaram que a irmã Maurina Borges havia chegado ao presídio feminino como presa política e iria assistir à minha celebração eucarística no dia seguinte. Através dela fiquei sabendo não só das torturas praticadas pela polícia em Ribeirão Preto, mas também do ato de excomunhão lançado sobre os autores dos crimes por meu amigo e arcebispo daquela arquidiocese, dom Felício Vasconcelos, meu antigo professor franciscano.

Também soube que, de início, os denunciados ridicularizavam tal ação da Igreja, mas aos poucos foram se sentindo marginalizados e punidos pela sociedade temente a Deus.

Foi o começo de uma ação que iria durar por toda a minha gestão de bispo em São Paulo.

Ficou conhecida, naquele tempo, a troca de presos pela restituição à liberdade do embaixador da Suíça, que fora seqüestrado. Nesse grupo também deveriam ir a irmã Maurina e um frade dominicano.

No dia anterior à execução dessa resolução extraordinária recebi de meu amigo e diretor da penitenciária o pedido para ali comparecer, às quatro horas da manhã, celebrar a missa com todas as presas, inclusive a irmã Maurina, e assinar uma declaração de que ela nunca se oferecera para receber qualquer regalia, como era considerada a expulsão do Brasil para o México.

O diretor assinou o mesmo documento comigo e a irmã, mas não consegui acompanhá-la até o momento do embarque. Só mais tarde Deus me proporcionou a alegria e a graça de visitá-la na capital mexicana, com a licença e a bênção do cardeal-arcebispo daquela cidade.

Fui um dia convocado com urgência pelo cardeal Rossi: "O senhor foi escolhido para visitar os dominicanos presos e verificar se realmente eles estão sendo torturados."

O único dominicano que eu conhecia até então era frei Gorgulho. Eu tomara conhecimento da transferência dos dominicanos para a prisão em São Paulo e me interessara em conhecer as razões que os levaram a ser presos. Naquele momento, porém, não me empenhei em visitá-los ou prestar-lhes algum auxílio especial porque havia outro bispo auxiliar, dom Lucas Moreira

Neves, que por ser dominicano devia interessar-se em dar auxílio a seus irmãos de ordem. O fato de dom Lucas não estar ligado a nenhuma região episcopal, como acontecia comigo na região norte, lhe dava uma liberdade maior. Além disso, eu considerava que qualquer ação que contestasse o regime militar teria mais eficácia se fosse exercida pelo cardeal-arcebispo de São Paulo, pois um bispo auxiliar nem era reconhecido como bispo.

Por isso, ante o pedido de dom Agnelo, respondi: "O senhor tem um bispo dominicano, e é mais interessante que ele vá, porque será certamente mais reconhecido e aceito pelos militares."

O cardeal limitou-se a insistir: "Eu peço que o senhor vá."

A palavra de meu superior, o cardeal, sempre fora ordem. Parti para o Presídio Tiradentes acompanhado de frei Gilberto Gorgulho, pedindo que ele se valesse de sua fabulosa memória para registrar cada palavra ou gesto dos dominicanos. Cuidei, é claro, de estar revestido de todas as insígnias episcopais, inclusive o solidéu. No horário estabelecido pelos militares, nós nos dirigimos ao quartel-general da polícia para visitar o primeiro preso, frei Giorgio Callegari, que vinha de uma greve de fome de seis dias. Subimos ao primeiro andar, percorremos um longo corredor e me espantei ao ver seis soldados apontando a baioneta para nós, deixando apenas o espaço estrito para entrarmos na cela do religioso.

Dirigi-me ao grupo de militares: "Poderia estar a sós com ele?"

A resposta não admitia argumentação: "Desculpe, recebemos ordens de acompanhá-lo. O senhor tem toda a liberdade..."

Eu não conhecia frei Giorgio até aquele momento. Resolvi abrir o jogo, dizendo que ali estava em nome do arcebispo de São Paulo e perguntando como ele estava sendo tratado.

Frei Giorgio, estudante de teologia, ainda não era padre (eu mesmo o ordenaria em dezembro de 1971). Mais tarde, ele se revelaria extrovertido e loquaz. Nessa hora, porém, nada falou. Apenas aproveitou os momentos de distração dos soldados para me fazer sinais com o olhar de que não estava sendo bem tratado. Percebi o enorme medo e nervosismo que ele sentia. Logo os dois oficiais, que se sentaram ao lado dele enquanto eu tentava um diálogo, se movimentaram. Era o sinal de que eu não poderia ir mais longe. Nada perguntei sobre torturas e saí de lá sem ter certeza de nada, a não ser de que algo grave estava acontecendo.

A visita aos quatro frades dominicanos foi bem mais dramática. Depois de passar por muitas portas e muitos guardas, chegamos ao lugar em que se encontravam as suas camas e os poucos utensílios à disposição de meus confrades presos. Mais uma vez os militares nos acompanhavam e se sentaram entre mim e os prisioneiros, em atitude ameaçadora. Repeti a mesma pergunta feita a frei Giorgio, tentando obter alguma informação, ainda que indiretamente. Frei Betto, hoje tão conhecido, espertamente se colocou atrás dos militares, de frente para nós, e com os olhos indicou o lugar em que se encontrava frei Tito de Alencar, acamado, visivelmente extenuado. Aproximei-me dele e levei um choque ao constatar o quanto ele havia sido torturado. Ensangüentado, deprimido, repetia: "O senhor está vendo... o senhor está vendo...", dirigindo-se mais a frei Gorgulho do que a mim.

Não foi difícil perceber as marcas profundas da tortura e o estado de desespero. Estivera isolado durante muitos dias no quarto nessa situação, outra tortura. Aliás, ela penetrara em seu ser e iria tomar posse dele até lhe ordenar o ato supremo de desespero.

Eu tinha a impressão nítida de que frei Tito, generoso em sua vida, estava quase moribundo naquele momento. Não sei se ele conseguiu ouvir o que eu dizia, mas procurei comunicar que eu ali estava em nome da Igreja, para obter oficialmente informações sobre a sua condição, e de que todos podiam contar com a ajuda do cardeal-arcebispo de São Paulo.

Chegara a hora de comunicar as minhas impressões ao então arcebispo de São Paulo e meu superior, o cardeal dom Agnelo Rossi.

Para transmitir com precisão o que presenciara, conversei longamente com frei Gorgulho, cuja memória extraordinária guardara todas as palavras e os mais pequeninos gestos ocorridos durante nossas visitas.

Dom Agnelo sentou-se a meu lado e perguntou de imediato minha impressão. Respondi sem hesitar: "Minha impressão é de que frei Tito de Alencar foi horrivelmente torturado e que alguma coisa grave está acontecendo com os demais."

Fiquei chocado quando o cardeal se levantou e disse: "Muito obrigado, dom Paulo, mas devo lhe confiar que outros me garantem que não há tortura nas nossas prisões."

Essas palavras ficaram ressoando em meus ouvidos até nas celebrações eucarísticas, quando me lembrava da paixão e morte de Cristo e do martírio dos primeiros apóstolos que ele nos deixou.

O seminarista dominicano Roberto Romano foi preso na rodoviária de São Paulo quando tentava embarcar para o Rio, onde pretendia avisar os pais de frei Ivo que seu filho estava detido. A depressão em que as condições da prisão o deixaram afetou seu equilíbrio emocional e ele tentou se matar, cortando os pulsos. Quando tomei conhecimento desse fato, fui visitá-lo com frei Gorgulho. Como sempre, escoltados por dois soldados apontando-nos metralhadoras. Roberto Romano, que parecia adormecido, assustou-se ao nos ver e em seus olhos surgiu uma pungente expressão de desamparo e temor, como se o fôssemos acusar pela tentativa de suicídio. Instintivamente, a misericórdia me impulsionou em sua direção. Ignorando as armas que nos ameaçavam, sentei-me ao seu lado, abracei-o e, sem mesmo refletir, ninei-o, talvez reproduzindo o gesto amoroso com que minha mãe me confortara na infância.

Consegui outras vezes ter acesso ao Presídio Tiradentes. Lá encontrei mais ou menos uma dúzia de religiosos, todos eles encarcerados sob o pretexto de subversão. Alguns eram meus conhecidos e todos se tornaram meus amigos a partir dessa hora e da consagração aos serviços da Igreja e da humanidade. Ouvi tantas coisas e reparei em tantos ferimentos, que não tive mais dúvida de que a tortura se instalara como método de interrogatório para todos os presos políticos.

A partir dessas visitas tão deprimentes comecei a me interessar por todos eles. Fui celebrar missa para os dominicanos na prisão e pedi ao capelão militar, monsenhor Luís Marques, que servisse de intermediário e celebrasse a missa para eles. Monsenhor Marques assim o fez, até o momento em que me disse: "Dom Paulo, as coisas estão ficando perigosas para mim. Continuarei em contato, levando o seu consolo, dentro das possibilidades." Isto deixou frei Betto e os demais religiosos bastante isolados, com pouca comunicação até com seu advogado, Dr. Mario Simas. Meus passos eram seguidos, e eu me dei conta de que também precisava tomar muito cuidado.

Aos presos políticos dediquei o primeiro dia depois de minha posse como arcebispo. Em seguida, mais sete longos anos, com horas e dias por vezes intermináveis. Quando Cristo me perguntar: "Estive preso, você me visitou?" – espero que me perdoe todas as omissões nessa área de sofrimentos indizíveis, porque não só os visitei, mas estive preso com eles, unido pela mais irrestrita solidariedade.

Estamos chegando aos anos setenta e se aproxima o momento de eu mudar de lugar e assumir responsabilidade ainda maior.

Foi o que aconteceu numa terça-feira de outubro, durante a reunião dos coordenadores da minha queridíssima região norte: "Telefonema do próprio cardeal. Venha logo atender, por favor."

Concluí a reunião com os meus padres e passei em casa para colocar roupa conveniente e apanhar os apetrechos indispensáveis para a viagem que, eu imaginava, seria até Brasília. Isso porque o cardeal havia estado em Roma e marcara uma data bem posterior para a sua volta. Deveria, portanto, pensava eu, ter acontecido alguma coisa especial.

Quando cheguei ao Palácio Pio XII, então residência do cardeal-arcebispo de São Paulo, fui imediatamente levado ao escritório de Sua Eminência, que me disse: "Fui convidado pelo Papa Paulo VI a assumir a Congregação das Missões e a viajar com ele, nas próximas semanas, até o Oriente."

Formulei meus votos e transmiti meus parabéns, dizendo a dom Agnelo o quanto era importante estar ao lado do sucessor de São Pedro, sobretudo quando ele se chama Paulo VI. Ele agradeceu e me instruiu: "Vá ao telefone, por favor."

Este já estava fora do gancho, à espera de que eu atendesse ao chamado. Do outro lado da linha se encontrava o núncio apostólico, dom Humberto Mozzoni, dizendo que estava em Roma e me perguntando, em nome de Sua Santidade o Papa Paulo VI, se eu aceitava ser arcebispo de São Paulo, já que o cardeal Rossi fora transferido para Roma.

Perguntei: "É consulta ou é ordem? Se for consulta, queira responder ao Santo Padre, com todo o respeito, que não posso aceitar, por muitos motivos.

Se, porém, for ordem, diga-lhe, com a mesma simplicidade, que como franciscano aprendi a nunca discutir decisões dos superiores de minha Igreja querida."

A resposta, naturalmente, demorou um pouco, pois o núncio voltou à presença do Papa e, após alguns minutos, me transmitiu a confiante, mas terrível sentença: "É ordem de Sua Santidade."

Minha reação imediata foi: "Queira transmitir ao bondoso Papa Paulo VI que aceito todas as suas ordens e darei o meu sangue para cumprir essa missão tão espinhosa. Que ele me dê a bênção para tão grande missão em tempos perturbados do Brasil."

Naquele 22 de outubro de 1970 eu deixava de ser bispo da região norte para tornar-me arcebispo metropolitano de cinco milhões e novecentos mil católicos, de uns quinhentos e noventa padres na ativa e de umas cinco mil irmãs nas instituições e nas pastorais desta maravilhosa arquidiocese que é São Paulo.

Parte 2

Arcebispo de São Paulo: construindo a esperança

1 *Igreja particular: um projeto pastoral para a cidade de São Paulo*

"Diocese é a porção do Povo de Deus
confiada a um bispo
para que a pastoreie em cooperação
com o presbitério,
de tal modo que, unida a seu pastor
e por ele congregada no Espírito Santo
mediante o Evangelho e a Eucaristia,
constitua uma igreja particular,
na qual verdadeiramente está e opera a Una, Santa, Católica e Apostólica Igreja de Cristo." (*Decreto* ***Christus Dominus nº 11***)

Estávamos no início da década de 70, mais precisamente na virada de 1970 para 1971. Já empossado como arcebispo metropolitano de São Paulo, eu me questionava sobre a comunicação entre a mensagem do Evangelho e a pessoa humana situada no espaço cultural da época, perguntando-me como nossa Igreja visaria à promoção do ser humano considerado à luz da fé, na sua eminente dignidade de filho de Deus. Em suma: como ser Igreja na gigantesca cidade.

Acredito que a mensagem só evangeliza quando é acolhida como autêntico "Evangelho", isto é, como notícia esplêndida, feliz, inesperada e decisiva, que transforma a vida de quem a recebe. Por isso me pus a sonhar, logo nas primeiras semanas de atividades no novo cargo, com a melhor estratégia para atingir tal meta. Desafio de tirar o sono a qualquer filho de Deus! Não foi Cristo quem ordenou: "Convertei-vos e crede no Evangelho"?

Embalado pelo entusiasmo dos agentes de pastoral, padres e religiosas em nossa experiência na região norte, iniciei o ano de 1971 procurando conciliar as inúmeras solicitações inerentes ao cargo de pastor de São Paulo. Elas eram as mais diversificadas, desde estar presente protocolarmente entre as autoridades no ato de passagem de comando no QG do II Exército, na inauguração do Elevado Costa e Silva, o popular "Minhocão", receber a diretoria da maior editora de revistas de então para um jantar no Palácio Pio XII, acolher visitas oficiais de diplomatas atuantes em São Paulo, até viajar ao Rio de Janeiro, em 24 de abril, para a posse do cardeal dom Eugênio Sales como arcebispo da Cidade Maravilhosa. Em meio a tudo isso, o que importava era travar contato com as comissões e grupos arquidiocesanos existentes e avaliar seus programas e formas de atuação.

Minha preocupação pastoral voltava-se para o processo de revitalização da Igreja brotado no Concílio Vaticano II e lançado na Arquidiocese de São Paulo, três anos antes, por dom Agnelo Rossi. O amor aos paulistanos e aos imigrantes exigia que essa revitalização se alargasse e aprofundasse, deitando raízes nos 1.905 km^2 de nosso vasto território e sobretudo no coração de cada um dos oito milhões de fiéis que compunham nossa igreja particular. O povo de Deus não podia se acomodar ou desanimar numa cidade que ocupava todos os espaços com seu dinamismo. Os mais impacientes se lamentavam pelo fato de a metrópole divulgar umas dez mil novidades por dia, sem incluir as mais importantes para o povo sofrido, a saber, as mensagens de Jesus. O desafio devia ser assumido e logo. Mas como e por quem da equipe?

Foi também nessa hora que eu, como franciscano, me dei conta de que não podia viver num palácio cercado de dez mil metros de chão povoado das mais belas plantas, árvores e mesmo de animaizinhos de estimação. A venda, por cinco milhões de dólares, não significou apenas um gesto de despojamento, mas sobretudo uma condição para implantar centros de ação para leigos fervorosos vindos de todas as partes do Brasil. Afinal, a Igreja não era o povo e o povo não era o dono de tudo que o promove?

O gesto causou rebuliço na cidade, mas não impediu os apóstolos de se unirem ao povo, despertado para a ação. Com os dois bispos auxiliares – dom Lucas Moreira Neves e dom José Thurler –, o vigário-geral monsenhor Benedito de Ulhoa Vieira, o coordenador arquidiocesano de pastoral, cônego Geraldo Majella Agnelo, mais os vigários episcopais das regiões centro, sul, oeste, leste 1, leste 2 e rural, programei para o clero de todas as regiões um curso de Animação Conciliar. Ele se realizou no Instituto Paulo VI do Taboão da Serra entre os dias 5 e 7 de julho de 1971. Lembro-me ainda de minha participação sobre muletas, porque eu convalescia com a perna gessada em conseqüência das seqüelas deixadas pelo grave acidente automobilístico sofrido em 14 de maio daquele ano na BR-101, quando o Opala azul, conduzido pelo irmão marista Antonio Boeing, capotou, precipitando-se na ribanceira de uma curva. Naquela ocasião, ele me levava de Curitiba para Criciúma, onde, em companhia de minha mãe Helena e de duas de minhas irmãs, Ida e Zilda, eu participaria das festividades das bodas de ouro de magistério de meu antigo professor e tio Adolfo Back.

A partir desse curso no Taboão da Serra formaram-se na arquidiocese quatro grupos de aprofundamento dos diversos aspectos da evangelização, da teologia e da pastoral, abordados pelo Concílio Vaticano II. Este trabalho bem distribuído e incentivado proporcionou a base estratégica para preparar sacerdotes, religiosas, religiosos e leigos. Todos estes, por sua vez, se comprometeram a refletir e a formar equipes de padres coordenadores em cada região da cidade, para despertar esta *porção do Povo de Deus* que iria transformar-se em sinal evangelizador para toda São Paulo e seus arredores.

O *aggiornamento* dos padres, programado de forma igual para todas as regiões e realizado em 1972, constou de quatro blocos: Fé e Teologia (prática e doutrina); Mentalidade e Teologia Popular; Evangelho de João; Cristologia e Antropologia.

O importante em toda essa movimentação era chegar até o povo nos setores onde ele ganhava o mínimo para sobreviver e alimentar a esperança paulistana: reunir cinco ou mais paróquias em cada setor e nomear os coordenadores, para cada um deles animar parte da Igreja, cobrindo toda a cidade. A partir de então, os padres coordenadores, propostos pelo próprio povo, passaram a reunir-se freqüentemente conosco. Assembléias semanais realizadas nos setores passaram a revitalizar região por região. Os coordenadores, já no ano seguinte, 1973, reuniam-se comigo por três dias inteiros a fim de refletir e rever a animação da igreja particular, mergulhando no seu modo de ser e agir. Era a evangelização da cidade de São Paulo que transpirava por todos os poros. Aprofundou-se também, por meio de inúmeras iniciativas práticas, o papel das regiões e dos setores como núcleos de sustentação da Igreja nesses trabalhos.

A formação de ministros leigos, incentivada pela abertura proporcionada pelo Papa Paulo VI – que pediu a cada bispo que refletisse sobre quais seriam os ministérios mais importantes para a evangelização em sua diocese – e já testada por nós nos quatro anos de região norte, foi se estendendo a todos os setores e regiões da arquidiocese. Parecia o tufão do primeiro Pentecostes que veio provocar a multiplicação de comunidades eclesiais de base e grupos de rua sustentados com o serviço da palavra e da eucaristia, sobretudo na periferia da grande metrópole.

Logo depois surgiram os ministros da saúde, tão necessários para as nossas comunidades povoadas de doentes e carentes de toda espécie. Com o pequeno número de padres e a grande extensão da cidade e municípios densamente povoados em torno da capital, fizeram-se necessários também ministros do batismo e do matrimônio. Importantes, por causa da violação dos direitos pelo regime militar, foram os agentes especializados em direitos humanos que colaboravam com as comissões e centros de grande projeção na luta pelos direitos dos perseguidos e injustiçados em todas as camadas da sociedade. A Igreja se identificava com o povo em sua caminhada.

Esses leigos, que estudavam durante dois anos antes de receber o mandato e no início participavam regularmente das assembléias arquidiocesanas, chegaram a multiplicar-se por milhares e milhares, com a graça de Deus. Eram orientados para irem ao encontro da expectativa e da sensibilização interior do povo, tornando-o apto a captar o anúncio do Evangelho e interiorizá-lo, transformando os cristãos em verdadeiros apóstolos do Reino de Deus nessa nova sociedade humana que se formava.

Eu acreditava – como até hoje acredito – que a pastoral só teria êxito quando conseguisse ressoar ao nível da consciência e orientar o agir social das pessoas. Mas enfrentávamos um problema: as mais variadas interferências estruturais e conjunturais do espaço cultural em que viviam as pessoas, sobretudo as moradoras de uma megalópole como São Paulo, muitas vezes impediam que a mensagem do Evangelho chegasse ao nível de sua consciência e tivesse o poder de convertê-las, empolgadas que estavam com informações mais fascinantes ou promessas políticas abrindo perspectivas alucinantes. Era o domínio da máquina e da técnica, eram as gratificações ilusórias do "milagre brasileiro", de ter mais para ter mais ainda. A censura à imprensa e o despreparo do povo aumentavam as dificuldades para resistir às pressões do ambiente sociopolítico. Os empresários, para citar um exemplo, desejavam por vezes ser justos e cristãos, mas viam-se envolvidos numa competição monstruosa, na qual lances audazes relegavam a níveis insignificantes os critérios éticos.

Fundamentado na convicção profunda de que a missão concreta da Igreja devia consistir na ação de conformar o mundo com as exigências do Evangelho, eu via como necessário formar grupos e envolver o povo todo, anunciando, vivendo e explicitando a tarefa primordial. A Igreja de São Paulo recebera do Evangelho a missão animadora de motivar diretamente a esperança cristã, na certeza de que Deus a chamava para ser fermento de um mundo mais habitável, justo e fraterno. Só assim a massa se transformaria em Povo de Deus.

No desempenho dessa missão e em profunda comunhão com meus colaboradores padres, religiosas e leigos, fui procurando atuar em algumas frentes que passo a descrever nos capítulos seguintes, sempre na tentativa de servir e ajudar a encontrar respostas aos grandes anseios da humanidade sofrida.

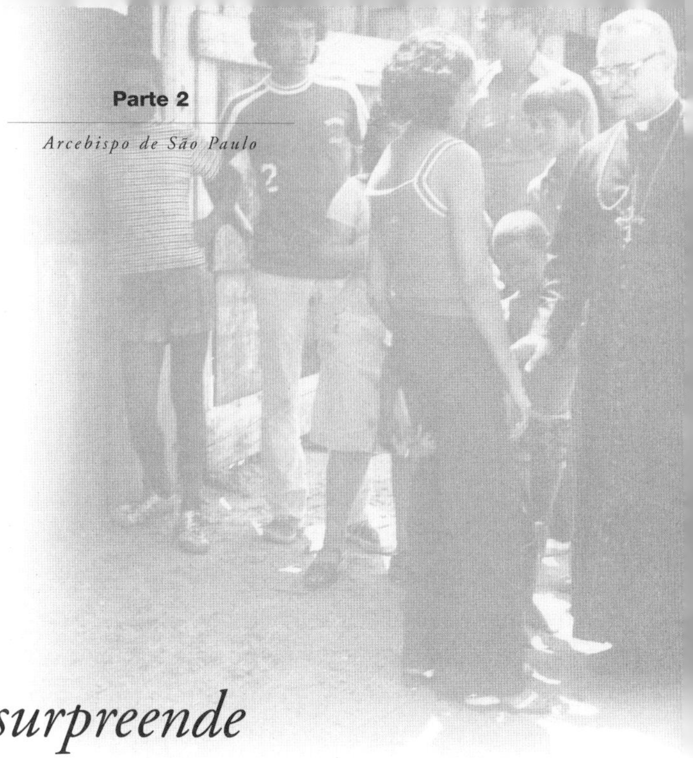

Parte 2

Arcebispo de São Paulo

2 *A luta surpreende*

A residência definitiva em Santana se compunha de seis pequenas divisões, agradáveis, sem dúvida, para um franciscano. Quando fui examinar os lugares onde deveria movimentar-me como arcebispo, descobri que o Palácio Pio XII estava cercado de outras cinco grandes casas para a moradia de sete irmãs, dois funcionários e oito irmãos intitulados "clérigos do monsenhor Baleeiro". Em torno do edifício central, jardins maravilhosos, com árvores e plantas de todas as partes do mundo e alguns animais de estima oferecidos ao cardeal-arcebispo de São Paulo.

No primeiro dia de trabalho eu me vi só, no grande salão de jantar que acolhia os hóspedes para as solenidades e para os dias de reunião mais extensa. Como franciscano, eu estava habituado a sentar-me junto às pessoas que comiam em casa e a repartir com elas o que houvesse de apetitoso para aquele dia. Isso aconteceu também no palácio, de maneira espontânea.

Quando vi os oito irmãos revestidos de seu hábito branco, trazendo os pratos em fila, me levantei, dirigindo-me até a copa, que ficava entre a cozinha e o grande salão de jantar, e ali sentei-me para almoçar entre as sete missionárias de Jesus Crucificado que estavam a serviço do arcebispo. Um susto, da parte delas, e uma satisfação especial, de minha parte. Dali para a frente, quando não havia hóspede especial, as próprias irmãs já preparavam meu pratinho entre os delas e durante as refeições sempre tínhamos assuntos interessantes a conversar.

Andando, um dia, com a superiora dessas irmãs pelos jardins do Palácio Pio XII, perguntei qual era a ocupação de cada uma e comentei como era oneroso viver numa situação como aquela. Ela me confessou que, além das sete irmãs e dos oito irmãos, ainda havia oito guardas que se revezavam e estavam acostumados a tomar as refeições à custa do palácio. Também se haviam habituado a uma boa cervejinha, em cada refeição, o que contribuía para a conta mensal subir, além de diversos outros inconvenientes. Minha pergunta espontânea para a irmã o leitor já pode adivinhar: "Será que precisamos manter todo esse aparato quando eu me habituei a viver com o mínimo possível?" Ela me respondeu com muita simplicidade: "Depois do Concílio, talvez o pessoal compreenda que o cardeal não precise de palácios, de cortes e de cortejos."

Na reunião seguinte do Conselho de Presbíteros, composto de vinte e um membros, propus a mesma questão. Até os sete conselheiros nomeados por mim concordaram de imediato com os demais, escolhidos por seus colegas, dizendo que o palácio apresentava muitas rachaduras, precisando de reforma completa, se fosse para mantê-lo. Caso contrário, a ocasião não seria má para uma troca que me deixasse num lugar mais adaptado ao meu trabalho e à minha maneira de ser.

Saímos daquela reunião com o propósito de convencer os demais padres da arquidiocese de que o arcebispo novo queria aproximar-se do povo e deles mesmos, passando a morar numa residência mais simples e mais adequada. A notícia se espalhou em dois tempos e comecei a receber autoridades e jornalistas, todos interessados na questão. Não havia um que concordasse comigo, porque os jardins eram de fato maravilhosos. As crianças dos arredores brincavam neles todas as manhãs, e os animaizinhos eram apreciados por todos os visitantes.

O próprio Conselho de Defesa do Patrimônio Histórico, Arqueológico, Artístico e Turístico do Estado de São Paulo foi acionado por grupos de pessoas da sociedade desejando conservar um monumento que já fora condenado, tanto pela ausência de valor artístico e histórico quanto pelo precário estado de conservação do edifício.

Até o prefeito Figueiredo Ferraz acabou me fazendo uma visita, só para convencer-me que abandonasse a idéia. Como tática, perguntei se ele estava disposto a financiar a reforma do edifício principal e das construções secundárias. Depois de examinar as diversas rachaduras, o prefeito concluiu: "É mais barato construir coisa nova do que reformar o que pede socorro volumoso em dinheiro." Menos uma pessoa a se opor à minha transferência para um local mais adaptado às funções futuras.

O CONDEPHAAT, na pessoa de seu secretário-executivo Ruy de Azevedo Marques, enviou-me, em 15 de junho de 1972, o seguinte documento:

"Tenho a honra de comunicar a Vossa Excelência que, por deliberação do Egrégio Conselho de Defesa do Patrimônio Histórico, Arqueológico, Artístico e Turístico do Estado – CONDEPHAAT –, adotada na sessão de 07 do mês em curso (ata nº 118), o processo de tombamento do PALÁCIO PIO XII, sito à rua do mesmo nome nº 279, Paraíso, nesta Capital, foi arquivado.

Como conseqüência, fica o precitado imóvel liberado para uso e disponibilidade, sem restrições."

Nelo Ferrentini, um dos diretores do *Diário Popular*, periódico muito ligado à arquidiocese naquela época, contratou uma centena mais ou menos – dizia ele – de pesquisadores para consultar o povo a respeito da decisão do arcebispo: abandonar o bairro chamado Paraíso, entre flores e jardins, e ir morar num logradouro mais popular. A resposta que trouxeram esses cem jornalistas e pesquisadores me surpreendeu. Conforme relato do diretor, ninguém queria que o arcebispo deixasse o Palácio do Paraíso para ir habitar junto ao povo: "Senhor arcebispo, a sua proposta não agrada ao povo simples e também não recebe a aprovação das classes média e alta. O senhor tem que ficar onde está."

Algum tempo depois fui convidado a participar de um programa muito popular de televisão em nossa cidade, "O Clube dos Artistas", na TV Tupi. A pergunta principal de Aírton Rodrigues não me surpreendeu: "O que o senhor vai fazer com todo o dinheiro desses onze mil metros quadrados de jardins e esses edifícios um tanto históricos que neles estão plantados?"

Quando dei a resposta, dizendo que nossas periferias, já um tanto abandonadas, agora estavam recebendo numerosos imigrantes do Nordeste por causa das secas, todo mundo concordou que alguma coisa deveria ser feita. Sem plano ainda estabelecido, propus que a Igreja desse o primeiro passo. Não podendo construir casas para todo mundo, poderia, quem sabe, levantar centros comunitários que abrigassem as pessoas ao chegarem à cidade de São Paulo, mantendo-as lá enquanto procurassem trabalho e moradia para suas famílias. Uma imensa salva de palmas aplaudiu essa proposta que, aliás, vinha sendo elaborada por um bom número de leigos e padres preocupados com o futuro de nossa periferia. Lancei naquele momento mesmo a idéia de como era indispensável uma Operação Periferia com a qual o prefeito de São Paulo já concordava em colaborar.

Coisa curiosa. Algumas semanas mais tarde, o mesmo diretor do *Diário Popular* veio dizer-me, com grande alegria, que mandara consultar o povo se era útil para a cidade, e bom para o próprio arcebispo, que ele cedesse os cinco milhões de dólares da venda da imensa propriedade e os transformasse em centros comunitários em torno da cidade e por vezes no meio dela. A resposta, ao contrário da primeira vez, havia sido cem por cento favorável. "Acolher o povo para instruí-lo, orientá-lo, cuidar de sua saúde e arranjar-lhe emprego é o que mais importa neste momento. Se a Igreja der o exemplo, a cidade e o estado não poderão negar-se a colaborar."

Para a alienação de um patrimônio como esse é preciso licença especial da Santa Sé, com argumentação a ser minuciosamente examinada em Roma.

Entreguei, pois, a questão aos juristas da arquidiocese, orientados pelo monsenhor Castro Nery (1901-1972). Como muitos sabem, ele havia sido deputado, era considerado o maior orador sacro da arquidiocese e não recusava as demonstrações de apreço que eu lhe fazia. No entanto, eu pensava, os gestos nobres desse monsenhor, tão prestigiado em São Paulo e em Roma, devem ser naturalmente opostos aos de um humilde franciscano que vem lhe pedir socorro.

Aconteceu exatamente o contrário. Monsenhor Castro Nery, tão elegante e apreciado, tinha um coração grande para o povo sofrido. Chegou a dizer-me que eu nem precisava pedir licença a Roma, porque não iria desfazer-me de uma propriedade, e sim trocar um palácio envelhecido por algumas centenas ou milhares de terreninhos adaptados à construção de centros comunitários. Em todo caso, ele não só elaborou o projeto, mas conseguiu obter o consenso do Cabido Metropolitano, que ele mesmo presidia.

Houve, porém, alguns protestos, que chegaram à Cúria Romana, à qual eu havia solicitado o consentimento para a troca do palácio por pequenos terrenos semeados por toda a cidade de São Paulo, sobretudo onde eles fossem mais necessários. Até altíssimas autoridades, na Igreja e fora dela, que haviam enviado cartas a respeito do assunto, receberam de Roma uma resposta que me fez apreciar o novo espírito que orientava a Cúria Romana. Dizia ela que os tempos haviam mudado e hoje a Igreja devia unir-se aos pobres, defendendo-os e compartilhando com eles os seus problemas.

Poucas vezes na vida senti tamanha satisfação como naqueles momentos em que recebi a aprovação do povo – segundo informação do diretor do jornal – e a aprovação da Cúria Romana – segundo as cópias das respostas enviadas aos que reclamavam. Assim, finalmente, pudemos vender o Palácio Pio XII para a Kobayashi Industrial Habitacional do Brasil, em 4 de junho de 1973, com a escritura firmada pelo 26º Tabelião de São Paulo.

Apesar de toda essa tramitação, o Conselho de Defesa do Patrimônio Histórico e Cultural, desta vez do município, ainda quis assumir a questão, decretando o tombamento do palácio nos mesmos dias em que completávamos a transação imobiliária com a Kobayashi. Nessa ocasião, porém, o julgamento do prefeito Figueiredo Ferraz e dos demais peritos foi decisivo, e eu, já cardeal, pude, enfim, passar a dedicar-me tranqüilamente à Operação Periferia, que ensejara toda essa manifestação e polêmica, aliás muito compreensíveis em nossa cidade.

Tratava-se agora de elaborar a estratégia de implantação da Operação Periferia. Padre Ubaldo Steri, sacerdote italiano que ainda trabalha em São Paulo, veio, com toda modéstia, sugerir-me algumas idéias que depois submeti ao critério dos conselheiros da arquidiocese.

A primeira era de não construir propriamente uma igreja em cada terreno, e sim um salão amplo, fácil de ser dividido, com área suficiente para acolher de meia dúzia a dez famílias, reservando ainda um lugar para a cozinha e algum outro espaço para reuniões. O importante, porém, era garantir as áreas mais adaptadas para tais construções, porque devíamos levar em conta a distância para o trabalho, as possibilidades de condução e até de pagamento. Uma meia dúzia de padres e leigos se ofereceram em toda parte para procurar os lugares indicados, sem, no entanto, revelar que eram para a Igreja, porque, nesse caso, os preços subiam muito, para meu próprio espanto. Alguns ricos sabem tirar vantagem, mesmo dos lugares onde os pobres deveriam ser socorridos!

Quando esse trabalho se encontrava em pleno andamento, e já com mais de quinhentos terrenos comprados e assegurados, aconteceu a Assembléia Episcopal Latino-Americana em Puebla (janeiro/79), no México. Durante os dias da assembléia, no Seminário Palafoxiano, costumávamos sentar-nos em pequenas mesas para as refeições, misturando o mais possível as pessoas dos diversos países e das diferentes organizações. Um dia procurou-me o monsenhor Leo Schwarz, diretor da organização alemã MISEREOR, perguntando-me se eu aceitaria pregar durante a quaresma na Alemanha, falando particularmente aos meios de comunicação. Disse-me ele que, depois de minhas conferências desse tipo, no ano anterior, o aumento da coleta para os países pobres havia crescido em dez por cento, e por isso eles queriam, na próxima vez, reservar três milhões de dólares para a compra de terrenos destinados aos centros comunitários.

Ao mesmo tempo em que nos empenhávamos em adquirir terrenos para os pobres, nos lembramos de tantas mães carentes que não encontravam em São Paulo apoio no momento decisivo do nascimento de seus filhos.

Foi nessa hora extrema que se formou, na Alemanha, um grupo sólido e perseverante, orientado pelo padre Reinhold Waltermann, antigo capelão da Universidade de Münster. Padre Waltermann, depois de exercer os cargos mais elevados naquela cidade alemã, retirou-se para uma paróquia de periferia próxima a Münster, e aí iniciou trabalho em favor dos pobres de dom Hélder Câmara.

Ao descobrir nossa dificuldade crescente com a manutenção do Amparo Maternal, dedicou-se de corpo e alma a interessar, em diversas partes da Alemanha, grupos de pessoas generosas que colaborassem com orações e doações em favor dessa instituição que cuida das crianças e mães pobres de São Paulo.

Além das doações, ele se empenhou, durante um ano inteiro, em conhecer bem a situação em São Paulo e me convidar a falar, sempre que possível, aos membros daquela igreja da Alemanha voltada para os pobres do Brasil.

Devo lembrar igualmente o generoso grupo de cristãos da paróquia norte-americana de Santo Anselmo, Arquidiocese de Nova York, que durante anos a fio dedicaram o resultado de seu jejum quaresmal à compra de leite para os bebês do Amparo Maternal, provando assim que o verdadeiro sentido da penitência do tempo da quaresma é suprir fraternalmente as necessidades de cristãos mais pobres com o dinheiro deixado de utilizar na aquisição de sua própria alimentação.

Poucos colaboraram tanto quanto esses alemães, norte-americanos, holandeses e tantos outros, para que não se fechasse o Amparo Maternal, criado na década de 30 por dom José Gaspar de Affonseca e Silva e mantido até hoje, com grandes sacrifícios, pela Arquidiocese de São Paulo.

Na Operação Periferia, para a compra de terrenos destinados aos centros comunitários, o mesmo apoio financeiro se deu depois de nossas pregações na Suíça e em outros lugares do mundo, embora resultando em menor arrecadação.

Quando um dia perguntei ao administrador da cúria quantos espaços já estavam reservados para os centros comunitários, ele respondeu: "De mil e duzentos para cima!"

Não devemos, no entanto, pensar que apenas os estrangeiros são generosos. Uma só paróquia de São Paulo, e não das mais ricas, adquiriu mais de quarenta terrenos para construir centros comunitários e ainda fez uma campanha de tijolos pelo Natal. Cada criança trazia o presente para o Menino Jesus e este reservaria os tijolos para as casas que ele não encontrara em Belém, ao nascer. Os pobres também deviam ter ao menos uma casa grande onde pudessem adaptar-se para viver, trabalhar e relacionar-se na grande cidade de São Paulo.

Quando, um dia, eu quis levar o núncio apostólico dom Carlo Furno para examinar o projeto que havia sido aprovado por Roma e que interessava pessoalmente ao Papa Paulo VI, escolhi a região de São Miguel Paulista e acompanhei o representante do Papa numa caminhonete por diversos bairros de lá. Quando chegou o meio-dia, nós o convidamos para um descanso, mas ele, para meu espanto, respondeu: "Os senhores vão desculpar-me, mas, depois do almoço e do descanso, eu não tenho gosto de ver mais casas em construção, nem lugares prontos para receber casas e nem mesmo centros comunitários concluídos. Estou cansado de ver tantas construções em favor dos imigrantes e de nossos irmãos mais pobres!"

Cada centro comunitário se organizava em combinação com o líder escolhido, com o vigário e muitas vezes também com o conselho preparado para tal mister. Num domingo, porém, me deu vontade de visitar uns dez centros, um após o outro, para um breve reconhecimento. Cheguei antes das sete horas da manhã a um primeiro centro comunitário sem avisar ninguém. Acompanhado de parte do povo, parti para um segundo, um terceiro, até chegar ao último, onde haviam levantado um grande altar para a celebração da santa missa em favor de mais de vinte mil pessoas presentes. Era a missa de gratidão por toda a Operação Periferia.

Jesus, que foi mal acolhido na Terra pelos homens, abençoava as pessoas que recebiam bem os nordestinos e demais brasileiros que procuravam refúgio em São Paulo.

Acolher é amar e amar é cumprir o destino principal da vida.

3 *Cristo dentro e fora de casa*

Os vinte e um padres que compunham o Conselho de Presbíteros estavam em festa. Celebravam, naquele momento, o segundo aniversário de minha posse. Apesar disso, os assuntos invadiram logo os aspectos mais dramáticos de nossa cidade, que eram as periferias, e o desejo de acolher os imigrantes que chegavam de todas as partes à nossa capital.

Não foi sem susto que se abriu a porta da grande sala e entrou um homem baixo, moreno, de passos decididos. Dirigiu-se imediatamente a mim e logo fez um elogio aos padres, ressaltando que, mesmo em dia santo e de importância para a arquidiocese, não deixavam de trabalhar. Conquistou não só a simpatia de todos, mas até uma cadeira ao meu lado, quando declarou que era dom João, arcebispo de Manaus.

Após as apresentações de praxe, cedi a palavra ao ilustre visitante e pedi que nos falasse com a maior franqueza e liberdade. Omitindo a introdução, dom João de Sousa Lima logo foi nos instruindo sobre a situação da Prelazia de Itacoatiara, no Amazonas. Lembrava ele que o bispo local, um canadense sofrendo de depressão incurável no Brasil, se retirara para o Canadá. Sem bispo e sem orientação, a prelazia começava a definhar em todos os campos religiosos. Ele, dom João, nomeado pela Santa Sé administrador apostólico desse território amazonense ligado à Arquidiocese de Manaus, enviara comunicação a todos os bispos do Brasil, pedindo socorro ou sugestões práticas. Acrescentou ainda, maliciosamente: "Fiz o propósito de tomar ao pé da letra as mensagens de meus colegas bispos e arcebispos e de visitar o primeiro que enviasse uma resposta escrita." O primeiro telegrama lhe chegara da Arquidiocese de São Paulo. Agora ele estava ali, para pedir o apoio prometido em todos os sentidos possíveis.

A exposição do arcebispo de Manaus impressionou profundamente os presbíteros de São Paulo e um deles lembrou que no dia de minha posse eu havia prometido, de público, que iria empenhar-me profundamente, com toda a arquidiocese, na ação missionária, ou seja, na evangelização de nossa própria igreja particular e das dioceses que pudéssemos socorrer.

Hoje, quero reproduzir a palavra pronunciada na catedral em 1º de novembro de 1970. Dirigindo-me ao cardeal dom Agnelo Rossi, que fora designado para ocupar-se de toda a extensão do mundo ainda não evangelizado, eu prometia, com muita audácia, mas também confiança:

"Uma coisa apenas queremos prometer-lhe: a sua Arquidiocese de São Paulo renova hoje o compromisso de ser uma diocese essencialmente missionária, no sentido de formar apóstolos para as suas próprias necessidades imensas, e de contribuir – com a graça de Deus e o trabalho paciente dos educadores religiosos – para a formação de apóstolos em favor de outras terras. Sei que as nossas trezentas e cinqüenta paróquias estão dispostas a renunciarem a tudo o que é instalação, para andarem como comunidades vivas, anunciando a paz. Andaremos como missionários, no Espírito de Jesus."

*(**Sermão de Posse**, 1º/11/70)*[1]

No momento em que deixei a região norte da Arquidiocese de São Paulo para assumir o pastoreio da grande metrópole, estávamos preparando os ministros da palavra. Naquela hora, tínhamos em vista cinco pontos fundamentais:

---

[1] A íntegra do sermão de posse encontra-se no Apêndice II.

O primeiro era acordar o desejo de ler a Bíblia, de rezar por meio dela e de orientar a nossa vida, quanto possível, pelo exemplo de Jesus. Para tanto era preciso conhecer de perto a Cristo e amá-lo a ponto de poder exclamar com São Pedro no quarto capítulo dos Atos dos Apóstolos: "Não podemos deixar de falar daquilo que vimos e ouvimos."

Também costumávamos repetir o início da Epístola de São João: "Aquilo que ouvimos e vimos, aquilo que meditamos e contemplamos, aquilo que tocamos com nossas mãos, o Verbo da vida, nós vo-lo anunciamos... para a nossa salvação."

Apóstolos ardorosos convencem pela vida, pela palavra, mas sobretudo pela solidariedade na dor e na alegria. Este era o segundo ponto.

Terceiro ponto: os nossos evangelistas deviam conhecer não só as palavras do Evangelho, das Epístolas, todo o Novo e o Antigo Testamento, mas igualmente saber como é que se formou a Escritura e qual o seu poder transformador. Nesse momento entrava, além do ensino do que havia de mais moderno sobre a Bíblia, também o espírito evangélico, que pode e deve animar a todos os que anunciam de verdade o Cristo Salvador.

Quarto ponto: descobrir pela leitura e pela troca de idéias quais os trechos da Bíblia que no dia de hoje poderiam não só impressionar, mas até orientar os líderes do povo e sobretudo as pessoas dedicadas totalmente à Igreja. Havia, pois, necessidade de descobrir junto aos futuros evangelizadores o que mais nos impressionava e o que era mais debatido nas reuniões. Ninguém nutria a pretensão de formar sábios ou especialistas em Escritura, mas todos desejavam ser testemunhas confiantes da Palavra de Deus na vida e na ação dos missionários da cidade.

O quinto ponto talvez fosse o mais importante: como formar pequenos grupos que pudessem reunir-se ao menos uma vez por semana para assumir a Bíblia como programa de vida e como orientação para a ação missionária junto ao povo, sobretudo nas pequenas comunidades. Deveriam surgir grupos não só de oração, mas de todas as formas de expressão cristã, desde o trabalho até a política.

Como o leitor está percebendo, nossa ambição era grande, mas se conformava inteiramente com aquilo que Cristo esperava de nós para aquele momento na cidade de São Paulo. As pequenas comunidades formadas em toda parte nos facilitavam a ação, mas era preciso escolher o primeiro núcleo e levar essas e outras idéias para dentro da cidade de São Paulo. Para tanto, convidamos frei Gilberto Gorgulho e a professora Ana Flora Anderson para recomeçarem as Semanas da Palavra. Dessa vez, já não era mais no Colégio Marillac, em Santana, mas no Seminário do Ipiranga, apesar de o acesso àquela zona da cidade não ser fácil. Nossa alegria foi grande, e a nossa esperança, ainda maior. A sala de aulas se enchia, transbordava, e os nossos grupos voltavam cada semana mais entusiasmados. Sabem por quê? É que durante a semana eles transmitiam às suas pequenas equipes aquilo que haviam recebido na aula anterior, no Ipiranga, por parte dos professores e dos colegas. Assim, o Anúncio da Palavra podia ir continuando e os missionários iriam surgir espontaneamente, por obra do Espírito Santo, em todos os lugares onde se fazia necessária uma nova evangelização. A alegria se tornava geral quando os novos evangelizadores chegavam a comunidades inteiramente novas, vindas do interior, sobretudo quando lá já existiam grupos de oração ou de reflexão bíblica.

Estávamos em meio a esse trabalho quando chegou o convite para irmos à Amazônia abrir centros missionários no norte do país, quando nós próprios nos sentíamos ainda tão pobres. Mas é da pobreza que se requer generosidade na partilha. Foi o que fizemos.

Retorno à nossa reunião de 1º de novembro de 1972, à hora em que dom João nos pediu auxílio para a Amazônia. Era tão realista e concreto esse nosso querido e saudoso arcebispo, que só nos pedia dois ou três padres, acompanhados de leigos treinados para a catequese e a assistência social, ou seja, para a evangelização como um todo. Aceitou logo também que eu e o Conselho de Presbíteros fizéssemos uma primeira viagem à Amazônia, para lá sentirmos as necessidades e as propostas do povo e dos padres canadenses que lá trabalhavam.

Viajei com o cônego Celso Pedro da Silva e fomos muito bem recebidos em Itacoatiara pelos padres canadenses, que nos explicaram longamente as dificuldades de congregar o povo e de evangelizá-lo, pois normalmente ele se reunia para festas, compras ou encontros de amigos.

Depois de fazermos um relato a dom João, acertamos com ele o que já tínhamos combinado com o povo e os padres: que voltaríamos para ajudar nas visitas aos diversos lugares e para as necessidades que iríamos descobrindo junto ao povo. Na primeira leva, partiram de São Paulo dezessete missionários, entre eles uma irmã missionária e três padres – um deles, presidente do Conselho de Presbíteros, e os dois outros, muito ativos e criativos. Os demais eram leigos treinados em diversas especialidades, como saúde, liturgia, catequese, serviços sociais e sobretudo no espírito comunitário. A todos nada prometíamos, senão um salário mínimo por mês, o combustível para duas barcas – porque na prelazia não havia estradas senão o rio –, a promessa de cuidar da saúde e, sempre que necessário, a passagem de regresso a São Paulo. Enquanto o contrato com a Arquidiocese de Manaus em favor de Itacoatiara compreendia dez anos de serviço gratuito, cada missionário se comprometia a lá permanecer por três anos, caso não houvesse motivo especial para a volta.

Nos primeiros anos, essa nossa equipe chegou a fundar, se bem me lembro, mais de uma centena de comunidades de base, onde se reuniam as pessoas aos domingos para ouvir a Palavra de Deus e debatê-la, relacionando-a com a vida toda. Os missionários as visitavam de mês em mês, ou mais vezes, quando isso era possível. Podemos dizer, junto com o autor dos Atos dos Apóstolos: a alegria se espelhava em todos os rostos, quando o arcebispo ia visitá-los, ao menos, uma vez a cada dois anos.

Foram cinco as minhas viagens e visitas de quinze dias ao território missionário.

É difícil ser juiz objetivo de uma causa que nos era tão cara e nos dava tantas esperanças. Mas um prelado da Amazônia, vizinho de nosso território, dom Arcângelo Cerqua, me disse certa vez o que jamais revelei antes: "Não se reconhece mais a prelazia. Tamanho é o progresso, o entusiasmo, e tais são as possibilidades para o futuro, que esta obra só pode ser orientada pelo Espírito Santo."

Nosso contrato expirou após dez anos. Apesar disso, diversas missionárias e também alguns padres lá permaneceram longo tempo, e dois deles – José Maria Pinheiro e Pedro Luís Stringhini – foram escolhidos pelo Espírito Santo para serem bispos – o primeiro, de outra diocese amazônica, depois de ter sido secretário da Conferência dos Bispos, Regional Norte-1, que abrange boa parte da Amazônia, e o segundo, agora, no raiar do terceiro milênio, para bispo auxiliar da Arquidiocese de São Paulo.

Também devo confessar que numa obra divina nunca falta a cruz. Esta veio machucar nossos ombros das maneiras mais diversas. Uma vez por uma revista francesa que afirmava, deturpando o sentido de nosso trabalho, que "o imperialismo missionário de São Paulo nem sempre se adapta à Amazônia". Quando perguntei ao grande amigo e saudoso dom Jorge Marskell como esta frase pôde ser levada a um centro de difusão na França, ele me respondeu que uma expressão dessas pode surgir numa discussão de pequenos grupos, ou por falha de algum missionário, mas que ela jamais caracterizou a ação missionária de São Paulo, inspirada no Evangelho e na vida do povo sofrido da Amazônia.

Outra cruz, mais pesada do que essa, nos foi colocada sobre os ombros exatamente na Semana Santa. O jovem missionário leigo Afonso, filho do humilde guarda de minha residência do Sumaré, se preparava com entusiasmo em Itacoatiara para doar sua vida naquele ambiente hostil e assustador da Amazônia junto aos padres de São Paulo. Num sábado santo, depois de planejar o sermão para a cerimônia da ressurreição, estava ele no barco, próximo a Silves, e fez um sinal para as crianças de sua catequese indicando que iria dar um salto para dentro da água que cercava a ilha. O fato é que Afonso não voltou mais à tona. Os pescadores, que tanto o amavam, conseguiram tirá-lo de muitos metros de profundidade, para depois levá-lo até a igreja de Itacoatiara, onde foi velado na noite da Páscoa. Quando o cadáver chegou a São Paulo, acompanhei o traslado até a casa, no M'Boi-Mirim, onde morava a família. A mãe, presidente do Apostolado da Oração, me recebeu com tranqüilidade e me proporcionou até muito conforto com essa expressão: "Quando nós demos o Afonso para Deus, foi um presente de verdade. Ele e nós tínhamos a mesma idéia de que a vida dele, daqui para a frente, seria toda dedicada ao Evangelho e às Missões."

Não há redenção sem efusão de sangue. Esse sangue do jovem mártir evangelista e missionário Afonso certamente se uniu ao sangue de Cristo em favor de Itacoatiara e da Arquidiocese de São Paulo. Durante anos, o pai dele, Antonio, sempre recordava a alegria de ter dado um filho para Deus.

Não importa o tempo, não importa nem mesmo a realização. O que importa é a entrega total à vontade de Cristo, o maior Missionário, aos trinta e três anos de idade.

Que Ele aceite todos os nossos sacrifícios e a nossa vontade de realizarmos uma igreja missionária.

4 *Caminhar unidos*

No dia 5 de março de 1973 fui investido em Roma, pelo Papa Paulo VI, como cardeal. Comigo foram instituídos vinte e um cardeais.

Certa vez, ao me perguntarem se o fato de ser nomeado cardeal me envaidecia, eu respondi espontaneamente: "Quase sempre é um peso ir a Roma." E expliquei: primeiro, porque é necessário estudar os documentos enviados pelo Vaticano, apesar de saber que, com o Papa atual, o que fazemos e dizemos em Roma tem pouquíssima influência. Quem decide é a Cúria Romana. Paulo VI ouvia os cardeais e publicava exatamente o resultado do trabalho elaborado pelos bispos nos sínodos. Com João Paulo II é diferente: os documentos são recolhidos e em seguida doze pessoas são escolhidas para redigir o documento final. Fui escolhido duas vezes como redator: não saiu uma só frase do que redigi.

Mas o fato de ser cardeal dá um *status* e um poder político especial, tanto em Roma quanto no próprio país. No começo do século vinte houve uma grande discussão sobre quem seria o primeiro cardeal da América Latina: um argentino ou um brasileiro. O Brasil fez a melhor proposta: o cardeal teria *status* de vice-presidente da República. Por isso, quando vem uma autoridade estrangeira, o cardeal fica sempre ao lado do presidente da República, ou do governador, se a solenidade for no estado.

Meu vizinho na cerimônia de entrega do chapéu cardinalício era o imponente e majestoso cardeal africano Maurice Otunga. A ele perguntei, uma vez, se havia diversas línguas em seu território episcopal. Ele me respondeu: "Apenas trinta, das quais eu entendo mais ou menos umas dez e falo correntemente três." Acrescentei que eu imaginava estar em situação muito mais difícil, porque, naquele ano, tinha feito levantamento pelas igrejas e capelas e o resultado me fora transmitido como uma espécie de confusão de línguas. Em São Paulo, no Brasil, se celebrava a liturgia eucarística, cada domingo, em vinte e nove línguas diferentes.

Como sanar essa diferença e preparar a união dentro de uma cidade sempre de novo agitada?

A idéia mais bem recebida foi a de reunir, a cada um ou dois meses, os padres responsáveis por todas essas comunidades e transmitir-lhes a Pastoral de Conjunto – o conjunto dos serviços que a Igreja presta ao povo – elaborada pela Conferência Nacional dos Bispos do Brasil. Cada qual saberia adaptar à sua língua e a seu povo as normas fundamentais e o desejo de participar de tudo o que tocava a religião católica.

Além de reunir os pastores, sempre muito bem-intencionados e muito afinados comigo e com a pastoral da diocese, podíamos contar com a congregação dos padres carlistas, que além de se encarregarem apenas dos imigrantes dos países latino-americanos e dos italianos que lhes foram confiados pelo fundador, ajudavam igualmente a criar um clima novo para os nordestinos que acorriam em massa, sempre temendo novas secas e sonhando com a solução paulista para seus problemas materiais.

O segundo elemento, muito importante, era a visita tanto às comunidades estrangeiras quanto aos grupos nordestinos que se formavam em diversas partes da cidade. No fim de uma crisma cheguei a perguntar, aos padrinhos e aos próprios crismados, quem havia nascido em São Paulo. Resposta: nem um só. A segunda pergunta, a partir da própria observação do tipo humano: quem nascera no Ceará? Grito unânime: quase cem por cento.

Mas é certo igualmente que esses núcleos se desfaziam ao longo dos anos por causa do trabalho e do transporte difícil na grande cidade.

O que poderia unir mesmo a nossa ação pastoral seria a proposta da CNBB, elaborada com muita psicologia e boa dose de experiência pastoral. Era um plano em seis linhas, ou seis dimensões, como se diria mais tarde, que orientavam todas as pastorais nascidas em nossa terra. A primeira e a última eram certamente as mais decisivas e as mais exigentes. Comecemos então por elas.

Eu definiria a primeira linha do Plano de Pastoral de Conjunto como sendo o esforço de todos para constituirmos unidade e acordarmos o povo para um treinamento constante. Parece tão evidente e tão necessário, que nem deveria tentar explicar o que significava esse esforço para constituirmos a unidade e conseguirmos o treinamento. O que importava mesmo nessa unidade? Em primeiro lugar, unir as lideranças, tanto dos presbíteros e dos religiosos quanto dos agentes de pastoral, nos mais diversos campos. Nossos padres provinham de quase todos os países da Europa e alguns dos Estados Unidos e até mesmo do Japão. Fazer com que todos entendessem a mesma coisa através da mesma palavra pode talvez parecer simples, mas é provavelmente um grande desafio até o fim dos tempos.

Para que esse treinamento se transformasse em garantia para o futuro, fomos escolhendo padres que pudessem formar-se nas diversas universidades da Europa, sobretudo nas múltiplas organizações romanas de estudos teológicos. Nunca tivemos menos de três ou quatro e chegamos até a uma dúzia de alunos que freqüentavam as universidades romanas orientadas pelas mais diversas congregações religiosas. Hospedavam-se no Pio Brasileiro, moradia dos seminaristas e padres que as dioceses brasileiras enviam a Roma para estudar. Não nos arrependemos das tentativas renovadas para que fossem formados bons professores e padres especializados nas diversas tarefas religiosas confiadas à Arquidiocese de São Paulo. Chegamos mesmo, por um momento, a pensar que devíamos tirar da ação pastoral o que tínhamos de mais ativo, para preparar um futuro bem criativo e animado.

O treinamento se dirigia também a todos os leigos. Havia domingos em que mais de uma dezena de grupos passavam a tarde inteira tratando dos problemas teológicos e pastorais mais adaptados à sua ação entre o povo. Como dizia alguém, é um formigueiro, onde cada qual transporta a sua folhinha para dentro do ninho da paróquia ou da comunidade religiosa a que pertence. Até hoje estou convencido de que a formação das lideranças é o único meio de garantir a perseverança de nossas pastorais em qualquer situação da Igreja de São Paulo. Não quero porém estender-me mais sobre esses pontos, porque eles foram constantemente lembrados, tanto através de nossas publicações como no meu livro de 1968, *A Quem Iremos, Senhor* (Edições Paulinas), e nos artigos em *O São Paulo*.

A segunda dimensão pastoral poderia traduzir-se com expressão sempre nova. Uma vez falávamos das Missões. Em outras, nos referíamos à reconquista das pessoas que abandonavam a prática religiosa, e quase sempre insistíamos no estudo bíblico e nos documentos importantes que nos vinham da CNBB, de Roma e da própria Arquidiocese de São Paulo. Era preciso realmente criar nova mentalidade, semelhante à de nosso padroeiro São Paulo e dos outros grandes missionários das épocas primitivas da Igreja. Santo Inácio de Antioquia, de quem eu havia publicado as sete cartas em português (*Cartas de Santo Inácio de Antioquia*, Vozes, 1970), nos ensinava como, no fim do primeiro século, a vivência bíblica dava o tom para todo relacionamento entre os homens, a História e o próprio Deus. Dar testemunho daquilo em que se crê pode ser uma expressão de tal forma decisiva, que sustenta a comunidade inteira e lhe confere novo espírito.

Falar de catequese, em outros tempos, era levar o público a bocejar e a esperar que passassem as admoestações do vigário. Nos tempos novos, a catequese se transformou realmente no coração e na alma não só das crianças e das catequistas, mas também dos pais e amigos de todos os que freqüentavam algum curso. Chegou-se mesmo à conclusão de que a catequese iria durar a vida inteira e atingiria tanto a criança no seio materno quanto as autoridades mais distinguidas de toda a Igreja. Ninguém estava eximido de atualização em matéria catequética, porque ela tornava prática a ordem do Cristo: "Ide por todo o mundo e testemunhai o Evangelho a todas as criaturas." O testemunho é como o selo de sangue colocado sobre as nossas idéias e propostas de vida.

Chegamos, afinal, à quarta dimensão – a litúrgica – que não só se situa bem no centro de toda a enumeração da Pastoral de Conjunto, mas igualmente no coração da vida de nosso povo. Quando me perguntavam quantos sacerdotes ou celebrantes da eucaristia viviam em São Paulo, eu tinha que responder, a bem da verdade, que eram mais de mil, embora metade deles estivesse doente, ou fosse de idade avançada, ou vivesse fora da arquidiocese. Mas eram dez milhões de fiéis que desejavam nutrir-se do pão eucarístico e fortalecer-se pelo sangue de Cristo.

Depois de construirmos mais de mil e duzentos centros comunitários, sabíamos que jamais iríamos ter padres suficientes para que todos os que procuravam ouvir a Palavra de Deus e confortar-se com o sacramento eucarístico pudessem viver dignamente o seu domingo. Felizmente, naquela hora, nos veio a permissão de Roma para prepararmos ministros da eucaristia, que acabaram sendo os ministros da celebração eucarística sem padre. Percorrendo muitas vezes essas celebrações, e pondo-me à escuta das reflexões transmitidas por celebrantes de congregações religiosas femininas e por ministros leigos preparados para a celebração eucarística, pude e tive que confessar que eles falavam tão bem quanto nós padres, e muitas vezes com aplicação mais prática à existência. Até o ofertório, a celebração se mostrava realmente comunitária, compartilhada e enriquecida pela liberdade de participação em tudo o que se fazia e dizia. Na hora de começar a oração eucarística, todos se levantavam para receber festivamente, como no domingo de Ramos, o Cristo Eucarístico que entrava dentro do recinto arrumado para Ele. Depois vinha uma preparação mais ou menos igual para a comunhão e uma reza muito bem planejada do pai-nosso e da lembrança da morte, ressurreição e ascensão de Cristo. O que faltava mesmo era a parte da consagração eucarística, que era feita pelo padre na igreja matriz e assim unia todos os centros comunitários à grande Igreja do Senhor.

Houve muitas conversões, como também houve alguns abusos, nesse campo. A vigilância se torna tanto mais imperiosa quanto mais sagrado e elevado é o mistério que se realiza por obra do Espírito Santo e pela aceitação generosa dos batizados. Nunca haveremos de chegar a ponto de poder dizer que "fizemos o suficiente para corresponder à generosidade de Cristo, que vive eucaristicamente entre nós".

A quinta dimensão – a ecumênica – parecia, de início, mais destinada à elite. A prova disso eu tivera nos primeiros momentos em que, ainda no tempo da região norte, eu tentara celebrar uma cerimônia ecumênica em igreja católica. Meu amigo, o pastor evangélico, se entusiasmou de tal maneira, que se excedeu em louvar a própria congregação religiosa, fazendo com que os católicos tirassem a conclusão: "O novo bispo é meio protestante." Foram necessários muitos encontros para entrarmos de novo num mesmo espírito e na mesma verdade a respeito de nossa religião católica, que hoje procura três condições para unir-se a todos os que acreditam em Cristo.

A primeira condição é o respeito. Jamais falar mal de evangélicos ou de membros de outras congregações cristãs.

Em segundo lugar, realizar as obras caritativas, sempre que possível, em união com aqueles que têm preparo para tanto, sejam católicos, sejam os que não apresentam expressão religiosa semelhante à nossa.

Quando convidávamos o povo para a terceira condição, que era rezar em comum, tínhamos sempre a esperança de encher os nossos espaços religiosos, mas eles continuavam vazios, apesar de rezarmos os mesmos salmos, lermos a mesma Bíblia e comentarmos os mesmos fatos de nossa existência.

Na Arquidiocese de São Paulo tivemos sempre a grande ventura de nos entender bem com todas as religiões que vinham nos consultar, muitas vezes a respeito das possibilidades de desenvolvermos alguma ação comum. Lembro-me de três experiências inter-religiosas em grandes ocasiões que tiveram êxito acima do esperado. Em cada uma delas unimos de fato nossas preces e cânticos em favor da paz mundial e das pessoas mais sofridas.

A primeira vez foi por iniciativa da Conferência Nacional dos Bispos do Brasil, quando nos reunimos na Praça da Sé, em 27 de outubro de 1986, a fim de que todas as religiões que o desejassem se manifestassem sobre a paz, rezando para o entendimento entre os povos. Naquela ocasião lastimamos apenas a ausência do mundo muçulmano que começava a estabelecer-se em São Paulo.

Na ocasião do setuagésimo aniversário do jornal *Folha de São Paulo* e durante a Guerra do Golfo, fomos convidados a organizar, na catedral, um "ato multirreligioso pela paz" que reuniu, pela primeira vez entre nós, um representante muçulmano junto a cristãos e judeus. Foi em 18 de fevereiro de 1991, contando com a presença de altas autoridades do Brasil e dos representantes mais insignes das diversas religiões. Embora houvesse um certo desentendimento entre israelitas e muçulmanos, a impressão geral foi de grande solidariedade e de união de corações.

Muito mais expressivo foi o ato inter-religioso organizado na Igreja de Nossa Senhora da Consolação em favor dos idosos, em 18 de novembro de 1999. Proposto pela comissão governamental de Brasília para o Ano Internacional do Idoso, decretado pela ONU, acabou por realizar-se em São Paulo e deixou a mais profunda impressão em todos os que tiveram o privilégio de ouvir os representantes dos mais diferentes credos do mundo inteiro. Não só as palavras, mas também as músicas mais tocantes dos cantores e corais, e os apelos dos representantes, tornaram o ato muito simpático a todos os idosos que superlotaram o recinto, em plena tarde de dia útil. As pessoas precisaram acomodar-se até mesmo assentando-se nos degraus e espaços livres do presbitério, e, acercando-se de mim na saída, manifestaram de várias formas sua alegria com o evento e pedidos para que o repetíssemos mais vezes, em lugares diferentes.

Chegamos, afinal, à sexta dimensão da Pastoral de Conjunto, que é a social. Alguns hão de estranhar, mas acredito que todos me darão crédito por eu afirmar que a pastoral dos direitos humanos me aproximou mais do povo e de suas lideranças do que todas as demais pastorais sociais. Mesmo se eu disser que a classe operária me comoveu muito mais com a luta em favor da justiça social e sobretudo com a morte dos operários Santo Dias da Silva e Manoel Fiel Filho, devo confirmar o que afirmei: sem a Comissão Justiça e Paz, criada em 1972 e de que falarei mais extensamente depois, eu jamais poderia ter dado apoio e manifestado amor à classe operária, naquele momento muito unida e sofrida por causa do regime militar. A Justiça e Paz fez muito mais do que apenas defender milhares de pessoas que, apesar de inocentes, eram consideradas perigosas pelo regime militar. Dezenas, senão centenas e milhares de brasileiros foram preservados da tortura e mesmo da morte por causa da ação decidida e corajosa de todos os membros dessa comissão valorosa que Deus suscitou no momento mais decisivo de nossa reação contra o regime totalitário. Tantas foram as suas iniciativas para formar o povo ou confirmá-lo na cidadania e na expressão de seus ideais, que até o pedagogo Paulo Freire, com toda a sua equipe, elaborou programas inteiros que foram espalhados pelo Brasil afora, atingindo depois vários países da América Latina, a África quase inteira, e foram utilizados em seminários na Irlanda, Inglaterra e Estados Unidos. A Comissão Justiça e Paz de São Paulo, que se reunia mensalmente comigo – fora os contatos normais e urgentes do dia-a-dia –, soube captar os momentos decisivos, apresentando as soluções mais adequadas para os acontecimentos históricos que vivemos entre 1970 e 1986.

Não foi apenas o esforço admirável de preservar a dignidade humana que deu a essa comissão a sua fama e sua possibilidade de ação. Foi o culto da própria pessoa, feita à imagem de Deus, que arrancou as mais belas ações e expressões do coração e da inteligência de todos os nossos membros desse grupo inspirado pelo próprio Deus.

Eu estava um dia chegando de metrô à capital da Inglaterra para procurar abrigo na casa do saudoso cardeal Basil Hume. Abri naquele momento o jornal e comecei a ler um artigo que me deixou completamente eletrizado. O notável cardeal beneditino falava da AIDS, que se propagava rapidamente na África, onde ele estivera, e ameaçava agora o mundo inteiro. Quando cheguei à casa do eminente chefe católico da Inglaterra, busquei mais informações a respeito do que a Igreja deveria empreender para sustar a epidemia que ameaçava cobrir a África e o mundo todo.

Ao voltar daquele país, transmiti esses dados ao nosso padre-médico e pesquisador Dr. Aníbal Gil Lopes. Este não só já abrira, atrás de sua sede paroquial, um pequeno hospital para aidéticos, mas ele próprio se transferira para aí viver num segundo andar e jamais abandonar os doentes. Percebi assim que poderia obter informações mais práticas em congressos se enviasse para lá o Dr. Aníbal.

No entanto, ele não permaneceu só. Em diversos lugares, sobretudo entre as irmãs de origem irlandesa, acordou o sinal evangélico de socorrer pessoas tão ameaçadas e transmitir-lhes as esperanças cristãs indispensáveis para aquela hora. Foi dessa maneira que se iniciou, em São Paulo, com a reserva indispensável exigida na época para o caso, a luta contra um dos maiores males que já assolaram a humanidade. Houve sacrifícios incontáveis e incomensuráveis, mas também houve a alegria de, por exemplo, na Casa Vida, idealizada, fundada e dirigida pelo corajoso monsenhor Júlio Lancelotti – e que inaugurei em 26 de julho de 1991 –, diversas crianças com menos de um ano e afetadas do mal aidético recuperarem a saúde completa.

A humanidade terá que provar sempre de novo que a natureza e a religião andam de mãos dadas para uma situação mais favorável ao povo sofrido.

5 *Abastecer para a ação constante*

Tive a grande satisfação de pregar, em janeiro de 1984, um retiro para cerca de quatrocentos jovens universitários, num evento intitulado Festival da Juventude, na Austrália. De manhã nos encontrávamos para uma hora e meia de reflexão e, à noite, reservávamos tempo igual para a celebração eucarística, bem movimentada. Quando os jovens perceberam minha alegria de compartilhar com eles tantos gestos, palavras e atividades que revelavam a amizade que já se estabelecera, me perguntaram com toda a franqueza e quase que oficialmente: "O senhor não gostaria de passar o resto de sua vida em nosso país, visitando as muitas faculdades e universidades que acolhem os alunos dos maristas que convidaram o senhor para este encontro?" Respondi, como era natural, que essa tarefa não só me honraria de maneira extraordinária, como também me proporcionaria uma oportunidade missionária que sempre ocupara meus sonhos como padre e bispo: influenciar a sociedade a partir de novas idéias e de movimentos organizados por pesquisadores da universidade. Mas acrescentei logo: "O povo de São

Paulo está de tal modo ligado à minha pessoa, que eu me sinto comprometido para sempre com a sua sorte e sua caminhada. Perdoem-me, mas devo preferir São Paulo a esta maravilhosa Austrália, tão bem organizada."

O que me impressionava em São Paulo era sobretudo o contato pessoal com tanta gente treinada pela Ação Católica e pela atuação de meus predecessores. Mais ainda, com os grupos que traziam novas idéias para a juventude, para os casais e para os migrantes. Em toda parte havia fogo e esse fogo que Cristo trouxera à terra, de fato, estava queimando.

O que faltava era movimentar a massa que, por exemplo, se aglomerava nos campos de futebol e em alguns eventos de diversão. Como levar as idéias evangélicas a serem o sal da terra e o fermento da massa? Em suma, como mobilizar essa massa para que a cidadania se unisse ao espírito cristão e ao desejo de honrar a pessoa humana na qual se manifestava a presença de Deus?

Já tínhamos tentado coordenar, pela Pastoral de Conjunto, as atividades essenciais da Igreja. Também já existiam os grupos que se empenhavam para que o cristianismo não fosse apenas palavra, mas palavra que explicasse a ação já realizada ou ainda a realizar. Afinal: como preparar as pessoas e os grupos para as horas decisivas que sempre chegam numa cidade monumental como a nossa?

É verdade que a divisão da arquidiocese em setores trazia uma certa mobilidade e também possibilidade de comunicação mais rápida. Mas esses setores não conseguiam manter o entusiasmo e a chama viva porque lhes faltavam meios e talvez até incentivos suficientes para a comunicação e sobretudo para a ação.

O que fazer?

Depois de consulta aos vigários episcopais, ao coordenador da pastoral, ao Conselho de Presbíteros e a todas as demais agremiações da arquidiocese, fui ao encontro de sociólogos, sobretudo aqueles que haviam sido expulsos da universidade do estado e se revelavam ansiosos por empreender qualquer coisa que movimentasse a massa aparentemente indiferente do imenso povo paulistano. Aliás, já vínhamos mantendo contato com eles desde meados de 1974.

Entre os intelectuais e peritos da sociologia, da psicologia de massas e da política em sua evolução ofereceram-se diversos especialistas para indicarem livremente o que seria mais indispensável para acelerar o regime democrático e a compreensão dos deveres de cidadania. Organizamos então, com nossa secretaria de coordenação pastoral e para as noites de 6 a 8 de novembro de 1974, um Ensaio de Abordagem dos Problemas de Evangelização em São Paulo. Em outras palavras, uma conversa informal que levaria em conta as pesquisas sociológicas em curso, os problemas pastorais da arquidiocese, a urgência na renovação da tarefa de evangelização – principalmente após o entusiasmo despertado pelo Sínodo de Roma –, a obrigação que têm os pastores de ouvir pessoas interessadas no bem-estar do povo e refletir sobre realidades concretas, e não somente sobre enunciados genéricos.

Participaram seis especialistas do CEBRAP, dentre os quais o sociólogo Fernando Henrique Cardoso, sua mulher, a antropóloga Ruth Cardoso, oito professores da PUC/USP e jornalistas da revista *Visão,* além de mim e dos pastoralistas dom Benedito Ulhoa Vieira, cônego Geraldo Agnelo, padres Dario Bevilacqua e Luís Viegas, frei Gilberto Gorgulho e as irmãs Maria Stella Sanches Coelho e Marlene Pessoa Lins, além de quatro secretárias, dentre as quais Margarida Genevois, da Comissão Justiça e Paz.

Tão auspicioso foi o resultado da reunião, que o grupo sentiu necessidade de maior aprofundamento. Assim, durante quase um ano, continuamos a conversar periodicamente. As propostas eram gravadas e copiadas para servirem a futuras iniciativas numa hora tão decisiva de nossa convivência. Foi aí que alguém começou a brincar referindo-se ao grupo como os "loucos", porque projetavam um Brasil novo, em que todos participassem da evolução positiva de nossa história.

As reuniões dos "loucos" foram poucas, mas certamente frutuosas para toda a ação futura da sociedade.

Afinal, no ano jubilar de 1975 e com a nomeação dos novos bispos, chegamos à conclusão de que era preciso fazer dupla consulta ao povo. Havia mais de dez anos que ele não votava com seriedade para escolher seus representantes políticos. Agora, certamente, teria gosto de nos revelar quais os seus ideais mais apreciados e quais as suas prioridades para a ação imediata de cristãos que amam a cidade.

A comissão arquidiocesana de pastoral, composta de bela equipe que se distinguia pela criatividade e pelo arrojo, nos propôs uma consulta ampla ao próprio povo, através das Comunidades de Base espalhadas pelo território da arquidiocese. Esta consulta deveria constar de perguntas muito simples e portanto inteligíveis a todos, mas também muito práticas, para depois formularmos um questionário definitivo. Convidamos, para tanto, um sociólogo da USP que assessorou com grande entusiasmo os membros de nossa comissão e nos ajudou a chegar assim, praticamente, a toda a população de São Paulo.

Apesar de avisada, essa massa de gente se espantou quando foi convidada a revelar o que mais desejaria de imediato para a cidade e onde melhor colaboraria para a execução do plano.

Depois de meio ano de insistência e consulta, recebemos de volta um questionário respeitável e com idéias realmente debatidas e expostas com franqueza. Chegara, portanto, o momento de a comissão de pastoral fazer o resumo das idéias mais repetidas e bem documentadas, enviando de volta esse resumo para as mesmas comunidades ou grupos a que tinha sido endereçada a consulta. Mas, desta vez, o texto vinha acompanhado de duas propostas: a primeira era escolher para cada comunidade maior ou paróquia cinco representantes que estivessem bem a par do que o povo havia discutido. Em segundo lugar, pedir que esses cinco representantes reservassem o sábado inteiro do dia 29 de novembro daquele ano de 1975, das oito da manhã às cinco da tarde, para debaterem as idéias expostas e traçarem assim um programa de ação para toda a Arquidiocese de São Paulo.

Nesse tempo de preparação para a primeira grande assembléia de consulta ao povo, o entusiasmo ia crescendo junto a alguns e a desconfiança aumentava no coração de outros. Apesar dessas duas atitudes aparentemente contraditórias, o dia escolhido nasceu ensolarado e cheio de esperança. Vamos pois assistir a essa primeira reunião de consulta às bases, como então dizíamos, que aconteceu no Colégio Assunção, na Alameda Lorena.

Estavam presentes todos os bispos de São Paulo – éramos seis bispos, mais dom Celso, que já havia sido eleito mas ainda não ordenado –, os trinta e oito coordenadores de setor, os representantes das religiosas, a comissão arquidiocesana de pastoral e os leigos delegados dos setores. Abri a sessão com uma breve oração e a leitura do Evangelho. Cristo é que nos enviava a sermos missionários para a grande cidade de São Paulo e depois para o mundo todo, como diziam as Escrituras.

Logo a seguir apresentei uma motivação especialmente elaborada e uma explicação pormenorizada de como passaríamos o dia trabalhando em conjunto, apesar de não termos prática para tanto. Depois dessa introdução suficientemente clara e entusiástica, cada qual devia olhar para o seu crachá e aí descobrir a indicação da sala que acolheria o seu grupo de trabalho. Lá escolheriam um coordenador e um secretário, para então dar início aos trabalhos, acertando os pormenores com o grupo todo. Os quase quinhentos delegados que compareceram a essa primeira assembléia traziam na ponta da língua aquilo que fora debatido em sua comunidade, tanto na periferia quanto no centro da cidade. Todos sabiam que essas idéias seriam expostas numa primeira reunião, após duas horas de debates. Foram também informados de que deveriam trazer a opinião do grupo sobre o número de prioridades e conseqüentemente sobre o conteúdo dessas preferências.

As duas horas pareceram passar com extrema rapidez. O cafezinho servido revelou que o debate já havia sido muito caloroso, e certamente a primeira reunião dos delegados que vinham dos mais diversos recantos de nossa Igreja de São Paulo iria despertar interesse nunca visto em eleições ou em preparação para tanto.

Chegou, afinal, o grande momento em que os grupos maiores, compostos pelos membros das mais diversas partes da cidade, puderam expor suas prioridades e as que poderiam e deveriam ser adotadas pela Igreja naquele tempo de repressão e de falta de comunicação entre o nosso povo. Os grandes quadros-negros foram sendo preenchidos a partir das colocações dos secretários dos grupos. A maioria não desejava mais de cinco ou seis, nem menos de três prioridades. Todos, porém, acrescentavam que, depois de conhecerem o resultado dos grupos em que haviam trabalhado pela manhã, gostariam de apresentar oradores para defenderem as suas posições e depois voltarem ao debate em grupos menores.

A cidade de São Paulo, nessa hora, parecia ter acordado de um extremo ao outro, incluindo o centro e todos os grupos especializados em pastorais mais recentes. A hora do almoço serviu para que muitos esclarecessem o que havia sido debatido em seus grupos e, assim, despertassem a curiosidade para a revelação do que os oradores inscritos iriam transmitir à grande assembléia.

Às treze e trinta estávamos novamente na grande sala com os quinhentos representantes muito animados e ansiosos pelo que nos aguardava. Foram concedidos três minutos a cada orador dos dez grupos maiores para que defendessem as prioridades que deveriam ser adotadas. Nunca vimos cenas de maiores contrastes e de mais útil complementação. A um orador de gravata e outros distintivos seguia-se uma senhora ou um senhor de vestes muito simples, mas de linguagem bem aguçada, para expor exatamente o contrário, ou muitas vezes confirmar o que o elegante orador do centro de São Paulo havia exposto. Por vezes chegávamos a chorar de alegria e, em outras, a espantar-nos pela audácia daqueles que haviam sido proibidos pelos militares de expor suas idéias em rádio, televisão ou jornal. Às três da tarde, após breve cafezinho, todos voltaram a seus grupos, que eram dez, para aí discutirem o que tinham ouvido e falado entre si. E também para chegarem a uma votação e escolherem um representante que votasse, em nome do grupo, em favor da prioridade por este escolhida. Todas as salas chegaram à conclusão de que a votação deveria ser secreta, mas revelada imediatamente e aceita pelos bispos e demais responsáveis da Arquidiocese de São Paulo.

Foi o que aconteceu às dezesseis e trinta dessa tarde de sábado. Os votos secretos haviam sido colocados nas urnas, trazendo, em primeiro lugar, *quantas* deveriam ser as prioridades e, em segundo lugar, bem distintamente, *quais* as prioridades. Designados os escrutinadores, postaram-se ao lado do quadro-negro duas pessoas, uma à esquerda, outra à direita. A primeira apresentava o número de prioridades votado em cada sala. Normalmente não passavam de cinco, nem desciam abaixo de três. Curiosamente, a pessoa designada para indicar as prioridades escreveu que a primeira era Comunidades Eclesiais de Base, a segunda, Defesa dos Direitos Humanos e Marginalizados, a terceira, o Mundo do Trabalho e afinal colocou em quarto lugar Periferia. Cada uma dessas quatro prioridades obteve noventa ou mais votos dos delegados escolhidos por todas as nossas comunidades no território da arquidiocese.

Como fora prometido, depois de obter a aprovação dos bispos auxiliares, promulguei essas prioridades e prometi que a comissão arquidiocesana de pastoral iria aproveitar as sugestões anteriores para dar-lhes conteúdo e meios de execução do que acabava de ser proposto por todo o povo de São Paulo.

Os próprios delegados já recebiam como primeira missão comunicar de maneira correta não apenas o resultado da assembléia, mas também a maneira como fora realizada. A prioridade não era apenas questão do setor, mas se transformava, nesse momento, em missão de cada batizado, ou seja, de cada cristão da Igreja de São Paulo.

O pastor presbiteriano Jaime Wright, que se revelou grande benfeitor na luta pela democratização do país e pela justiça aos perseguidos políticos, pediu a palavra e disse que nunca na vida poderia ter imaginado coisa semelhante numa igreja moderna, após tantas tentativas do governo para silenciá-la. Não só felicitava o povo, mas declarava-se entusiasta da maneira de proceder tanto dos bispos quanto dos delegados participantes da assembléia-geral.

Nas semanas que se seguiram a essa primeira grande assembléia, a comissão de pastoral teve a missão de formular exatamente o que havia sido decidido pelo povo, apontando os meios já disponíveis para realizar os programas das diversas prioridades e indicando a maneira de controle e de comunicação em todas essas esferas. Também tocou à comissão de pastoral a tarefa de comunicar aos bispos, e em seguida ao povo, que procuraríamos fazer uma revisão uma ou duas vezes por ano e, se necessário, nova assembléia a cada dois ou quatro anos, para incentivar o povo e evitar a rotina que costuma introduzir-se rapidamente em todas as nossas grandes atividades e resoluções.

Ao final da tarde do dia 29 de novembro de 1975, pudemos oferecer o sacrifício eucarístico ao Espírito Santo, que se revelara de maneira tão explícita e tão ardente, numa língua que todos compreendiam. Desde os universitários até os imigrantes analfabetos, todos se consideravam membros da Igreja, inspirados pela solidariedade e pelo amor à grande Arquidiocese de São Paulo. Esta encontrava-se em prece durante todo o dia, sobretudo entre as pessoas que tinham escolhido os delegados para a assembléia e que haviam preparado, durante seis meses, resultado tão expressivo quanto útil para criar novo coração e nova alma nessa massa muitas vezes indiferente ao bem do povo. Posso dizer sem exagero: a massa, nesse dia, se tornou Povo – e Povo de Deus.

6 *Trabalhadores: fidelidade e esperança*

Pelo terceiro ano consecutivo fui pedir a meu pai, como já contei, licença para iniciar os estudos de seminarista em Rio Negro, Paraná. Olhou-me com a serenidade costumeira, depois dirigiu o olhar para o infinito e me falou, com a calma de sempre: "Duas vezes já te disse que o pai não pode pagar o estudo para três filhos. Mas agora, com a vinda de frei Crisóstomo Adams, a coisa parece possível." Depois, voltando de novo os olhos para mim, acrescentou, com a firmeza que todos conheciam: "Filho, não esqueças nunca que és filho de um trabalhador, de um colono."

Essa palavra do pai voltou-me à memória em todos os momentos em que consegui uma conquista real ou aparente, sobretudo na hora em que obtive o diploma de doutor na Universidade de Paris.

Um dia depois de chegar a Petrópolis, já nomeado professor da Faculdade de Teologia, mandaram-me para um bairro de nome imponente, o Itamarati. Ao saltar do ônibus percebi que pela calçada andava lentamente um homem carregando um colchão. Imediatamente, reparando no meu hábito franciscano, me abordou, perguntando: "É o senhor que vai tomar conta de nós?" E a conversa fluiu com simplicidade, porque ele me explicou que aquele era o colchão do casal, mas iria servir a uma senhora moribunda moradora em um dos morros que ficavam à nossa frente. Perguntei: "E o senhor tem outro colchão?" Ele respondeu, como se fosse natural: "Ah, nisso sempre se dá um jeito, mesmo se a patroa reclama."

Foi a minha entrada num bairro cercado de sete morros cobertos por favelas, situado numa planície em que moravam funcionários de certa categoria. No centro erguia-se a minha capela, dedicada a São José Operário, porque operários eram todos os moradores daquele bairro de nome aristocrático.

Logo nas primeiras semanas fiquei sabendo que, além da fábrica de papel com dois mil operários, havia uma meia dúzia de tecelagens que costumavam atrasar o salário dos meus favelados (nunca podia usar esse nome, porque era ofensivo; tinha que dizer "moradores dos morros" e "trabalhadores das fábricas"). Eu voltava da França com a idéia de que a solução para o futuro seria a iniciativa familiar, em que todos os membros da família encontrassem o que fazer para sustentar-se, ou então a empresa comunitária, com vinte a trinta, até cinqüenta operários, todos participando das preocupações e das vitórias no mercado, ou ainda o grande empreendimento empresarial que tanto empolgara a Alemanha de Hitler, como, por exemplo, a Volkswagen (um carro para todo operário).

Alguns anos mais tarde, já como arcebispo, pude fazer, em maio de 1986, visita a Nova Scotia, no Canadá, onde o bispo católico dom William Edward Power me convidara a receber um título de doutor *honoris causa*, com finalidade toda especial. Ele me contou, logo na primeira noite, que a Universidade Saint Francis Xavier, de Antigonish, apesar de ter formado o primeiro-ministro do Canadá, se especializara ainda na formação de lideranças do terceiro mundo, para dirigirem empresas comunitárias na África e na Ásia. Como haviam recebido só esporadicamente candidatos da América Latina e sobretudo do Brasil, ele tentava estreitar laços para que, de maio a setembro, os alunos daquele subcontinente pudessem freqüentar e, quem sabe, renovar o conceito de produção nos países em desenvolvimento. "Por que maio e setembro?", perguntei. "É porque em outra época o frio se torna tão insuportável, que africanos e latino-americanos não conseguirão agüentá-lo nem dentro de casa, muito menos nas áreas externas. Aliás, nossa cidade é integralmente dedicada aos estudantes e particularmente aos que vêm de outros continentes."

Apesar de tal disponibilidade, prosseguia a ausência de candidatos brasileiros nos cursos da Universidade de Saint Francis Xavier, de Antigonish.

Contei este fato ao voltar, por diversas vezes, sobretudo ao ministro Antônio Cabrera, da Agricultura – infelizmente era o período do governo Collor –, sem no entanto conseguir iniciativas de sua parte para a solução do problema da formação dos nossos líderes operários, através, por exemplo, dos diversos sindicatos.

Voltemos a São Paulo do final da década de 70, porque aí as famílias reclamavam minha presença, pois vinham perdendo o poder aquisitivo de seu salário mês a mês. Apesar das ameaças do sistema militar que dominava o país, cerceando todos os movimentos, os operários pensavam que, sem uma greve de grandes proporções, não haveria reversão nessa constante destruição da saúde, dos estudos, da moradia, afinal, da vida de suas famílias.

Logo que foi anunciada a greve e fixados o tempo e a adesão dos diversos grupos, o sistema militar tomou uma iniciativa inesperada. Fechou todos os centros de reunião dos operários – suas sedes –, de modo que eles só poderiam comunicar-se pelo telefone que nós chamávamos de "árabe", porque falavam numa linguagem que os militares não entendiam. Não demorou, porém, para que viesse uma comissão de operários à cúria e me apresentasse esse problema. No final da discussão surgiu a pergunta quase que obrigatória: "O senhor nos cederia as igrejas para as reuniões dos operários? Porque, sem reunião, também desta vez, não haverá união." Propus de imediato que, em vez de ceder as igrejas, nós poderíamos abrir os salões paroquiais, contanto que alguns membros do conselho, leigos portanto, pudessem participar das reuniões e comunicar ao povo o que estava acontecendo. A proposta foi recebida com entusiasmo incrível: "Assim o povo todo vai participar de um movimento que já conseguiu arranjar alguns caminhões para transporte de mantimentos de São Paulo para o ABC."

Durante a conversa surgiu a necessidade absoluta de haver assistência jurídica para manter o movimento dentro das linhas gerais traçadas e nem sempre observadas pelo regime militar. Era preciso haver união, mas a legalidade também se tornava condição indispensável para o bom êxito de uma iniciativa de tamanha repercussão durante a repressão militar. Chegavam-nos à memória, naquele momento, os textos de Medellín-68, que tanto insistiam na justiça social, e as resoluções da Assembléia de Puebla, que se realizara em fins de janeiro e começo de fevereiro de 1979. A resolução dos bispos de se manterem ao lado dos pobres e particularmente dos empobrecidos pelos sistemas latino-americanos daquele tempo era sagrada. Evidente que os bispos e padres de São Paulo não só apoiaram a iniciativa como também procuraram meios de convencer o povo a colaborar e, assim, favorecer o governo, que já dizia estar procurando meios para uma democratização lenta e progressiva. Aliás, era lenta demais e parecia não progredir, como veremos, daqui a pouco.

Sempre sonhávamos com um Brasil novo. Imaginávamos que a característica essencial de nossa terra era a produção agropecuária que vinha reclamando uma indústria correspondente, para não se perder, ou não estagnar. O Presidente Juscelino Kubitschek, tão festejado por causa do novo ânimo que dera ao povo brasileiro de norte a sul, tinha enveredado por um caminho oposto. A fim de avançar em cinco anos com o Brasil para ao menos vinte anos, trouxera da Europa as grandes fábricas de automóveis e começara a abrir estradas de rodagem, imitando o desenvolvimento americano.

O que nós sonhávamos, no entanto, não era isso. Pelo mar, pelos rios e até pelas estradas de ferro, achávamos possível desenvolver por inteiro o Brasil, assim como São Paulo encontrara os caminhos abertos para o seu progresso durante a grande e bela imigração italiana. Sonhávamos até, nesse momento, com a participação dos operários nos lucros das empresas e possivelmente também numa participação mais intensa, através da co-gestão. Idéia que, nos tempos de especialização na Europa, eu havia ouvido e apreciado num congresso dirigido pelo cardeal de Colônia, Alemanha, e debatido com intensidade entre colegas estudantes.

Sempre assessorados pelo então presidente da Comissão Justiça e Paz, Dr. José Gregori, e por seus colegas quando necessário, o novo líder operário Lula e seus companheiros pareciam rasgar novos horizontes em favor dos trabalhadores. Mas a experiência cristã é que nenhuma vitória autêntica se alcança sem sofrimento, ou, como dizem os cristãos, sem a cruz de Cristo. O ferro deve chegar a parecer brasa para poder amoldar-se a uma nova forma de progresso.

Estávamos, numa tarde de terça-feira, reunidos no pequeno e acanhado salão da cúria, os bispos e os membros mais decididos da Comissão Justiça e Paz. Dávamos e recebíamos informações a respeito da greve e suas repercussões. Aqueles que seguiam mais de perto a evolução dos acontecimentos nos advertiam de que alguma tragédia ainda nos poderia surpreender. O governo Geisel, apesar de algumas demonstrações de adaptação a uma nova forma de conduzir o país, nada tinha ainda de democrático.

Enquanto discutíamos o que as informações e fatos nos sugeriam, chegou a notícia de que os cinqüenta ou mais operários reunidos na Capela do Socorro – onde não havia salão para reuniões – tinham sido expulsos, com gás lacrimogêneo e com ameaças de tiros autênticos. Contaram-nos, depois, que esses operários, reforçados por alguns colegas que acorreram de outra parte, procuravam uma maneira de defender-se contra as lambadas que iam recebendo dos policiais. Entre os operários expulsos havia um que hoje é conhecido em todo o território nacional: Santo Dias da Silva. Homem de autodomínio invejável, sempre respeitado pelos companheiros e nomeado presidente da Pastoral Operária (P. O.), colocou-se à frente dos colegas, pedindo-lhes que não reagissem. Nisso recebe um tiro pelas costas, justamente porque estava de frente para os operários, sendo portanto um alvo fácil para ser atingido na altura dos rins. Era a tarde do dia 30 de outubro de 1979, defronte à fábrica Sylvania, em Santo Amaro.

A notícia do ferimento de Santo Dias chegou rapidamente à nossa reunião, na Cúria Metropolitana. Embora houvesse outros também trabalhando para socorrer os operários, pedimos aos juristas da Comissão Justiça e Paz que se dirigissem à penitenciária de São Paulo, para defenderem os operários que chegassem presos, e pedimos aos bispos presentes que se ocupassem dos demais operários, sobretudo dos de suas regiões. O padre Paulo Link, de Carapicuíba, se ofereceu para me levar pessoalmente até a Capela do Socorro, a fim de inteirar-me da situação de Santo Dias e possivelmente da de outros feridos. Por informação de um médico que ali encontrei, soube que Santo Dias havia sido transportado para o Instituto Médico Legal. Seguimos com a maior pressa possível, naquela tarde chuvosa e emperrada, para a região do Hospital das Clínicas, onde se situa o IML de São Paulo. Ali chegando, entramos imediatamente na sala onde jazia Santo Dias, de bruços, morto sobre a mesa.

Todos se retiraram e eu me aproximei do cadáver, colocando o dedo indicador dentro da ferida e rezando o pai-nosso, olhando ao mesmo tempo para Deus e para mais ou menos uma dúzia de delegados que me assistiam naquele momento. Ao ver Ana, a esposa, entrando, falei aos funcionários da polícia: "Vejam o que vocês fizeram!" Ela se lançou nos meus braços, chorando: "Olhe, dom Paulo, o que fizeram com o meu Santo!"

Gostaria de acrescentar que Santo Dias nos trouxe a garantia de que a greve, como último recurso contra a injustiça social, deve ser sempre pacífica, firme, enérgica e perseverante. Porém, a sorte que tocou a este querido operário e nosso amigo foi a sorte que toca ao próprio Filho de Deus, Jesus Cristo, pregado na cruz pelo povo que ele mesmo alimentou, advertindo os seus seguidores de que quem quisesse segui-lo deveria também carregar a cruz. Na palavra de Jesus Cristo, no entanto, nunca faltou a promessa da ressurreição. É o que concluímos, de toda a luta autêntica dos operários, que não só merecem o maior respeito, mas também a possibilidade de viverem tranqüilamente com a família e com o futuro da pátria, a grande família de Deus.

Acabei de falar de Santo Dias como presidente da Pastoral Operária em São Paulo, capital e estado. É aqui que entra um novo capítulo, extremamente importante para toda a pastoral. Vamos aos fatos: mal acabara de tomar posse como arcebispo metropolitano de São Paulo, recebo um aviso, discreto mas insistente, de que um grupo de aproximadamente uma dúzia de operários cristãos precisava trocar idéias com o novo arcebispo. Convidei-os para a primeira data possível no Palácio Pio XII. O que me espantou, logo de início, foi que eles preferiram um recantozinho da sala de recepção em lugar da mesa que estava preparada para esses hóspedes a quem eu já queria bem, sem no entanto conhecê-los de perto.

O que tratamos naquela reunião quase que privativa importa menos do que o conhecimento das suas conseqüências. Havíamos falado de poucas coisas que ultrapassam a conversa normal entre um arcebispo novato no ofício e operários que se consideravam e eram de fato porta-vozes do pastor. O que me espantou foi receber, no dia seguinte, a visita de um padre salesiano bastante ligado aos presos políticos e bom conhecedor dos poucos amigos guardas dos presos. Ele me disse, em breves palavras, que eu deveria tomar mais cuidado ao reunir-me com pessoas ligadas à repressão contra o mundo operário e sobretudo contra a minha pessoa. Em seguida, entregou-me um bilhete com todos os assuntos tratados na véspera com os operários num dos recantos mais escondidos do grande Palácio Pio XII.

Consegui, então, mudar o local de nossa próxima reunião, que seria na semana seguinte, para a Igreja de Santa Ifigênia, sem revelar ao padre responsável quem participaria do encontro, mas pedindo-lhe que ele fosse realizado no local mais reservado da casa. Logo no início de nossa conversa, usei de uma palavra de Cristo, dizendo, com simplicidade e seriedade: "Alguém dos senhores nos traiu." Perguntei a um por um: "O senhor contou o caso para sua esposa ou para amigos?" Os doze participantes responderam como se fosse ao próprio Jesus em companhia de seus apóstolos: "Eu não. Deus me livre, sei bem com quem estamos lidando!"

Depois dessa cena mostrei-lhes o bilhete que o padre salesiano me havia entregue e lhes disse que seria muito difícil continuarmos a nos reunir sem que tudo chegasse aos ouvidos do SNI, ou seja, dos espiões da ditadura.

Estamos nos aproximando do ano de 1974. Minha mãe se encontrava muito enfraquecida e esperava que eu pudesse passar as férias junto a ela, quem sabe, pela última vez. Antes de partir, em começos de janeiro, chamei meu bispo auxiliar dom Lucas e lembrei a ele que aqueles operários que se reuniam comigo e que constituíam o grupo central da Ação Católica Operária estavam presos e precisavam de acompanhamento constante, tanto do ponto de vista jurídico quanto religioso e eclesiástico. Qual não foi o meu espanto quando, no segundo dia de minha estada junto à mãe, recebo à tarde a visita de uma religiosa e de um padre, que insistiam que eu voltasse a São Paulo quanto antes, se não quisesse sofrer grande mágoa.

Fui ao quarto onde minha mãe descansava e pedi a meus irmãos que numa hora mais adequada lhe comunicassem que eu voltava a São Paulo para socorrer o grande amigo e benfeitor padre Luís Biazzi, que jazia nas últimas no Hospital do Câncer, onde eu o visitava de tempos em tempos. De fato, meu generoso e inesquecível amigo da região norte partiu para a eternidade naquela mesma noite, e eu celebrei sua missa de corpo presente na Vila Guilherme com imenso acompanhamento de povo e grande emoção diante de Deus. Fora um amigo e um santo.

À tarde eu me dirigi ao DOPS e procurei falar com o seu diretor, o Dr. Vieira. Ele me conhecia e me lembrava constantemente que era sobrinho e afilhado do célebre pregador de retiros, o jesuíta Arlindo Vieira. Como eu viesse revestido das insígnias episcopais e cardinalícias, alguém me sugeriu que não entrasse na fila, mas me dirigisse ao elevador da parte final do edifício. Na hora de abrir-se a porta para eu entrar no elevador, um jovem me disse: "Dom Paulo, eu conheço o senhor da região norte, e minha mãe gosta demais do senhor. Não tem um santinho para eu dar a ela?" Resposta: "Claro que tenho. Só que você tem que me levar primeiro ao quarto andar, ao gabinete do diretor."

Na hora de sair do elevador, vem a meu encontro pelo longo corredor do edifício o próprio Dr. Vieira. A exclamação dele foi significativa: "Dom Paulo, o senhor não está com sua mãe doente, ou até moribunda?" Eu lhe respondi: "Doutor, o senhor me desculpe, eu estou com o coração e o pensamento junto aos meus operários presos aqui, confiados à sua guarda e sendo maltratados, se a notícia que chegou ao Sul está correta."

A justificação era sempre a mesma: "O senhor não acredite em boatos, porque nesta hora eles se multiplicam e os presos todos estão muito bem." Pedi então: "Eu poderia ver o operário Vieira, o Groff e, talvez, mais alguns?" Imediatamente o diretor tocou a campainha e, de maneira bem estranha, avisou a um delegado: "Veja se pode chamar aqueles com quem dom Paulo deseja se comunicar." A resposta veio em poucos instantes: "Eles foram chamados para interrogatório, o senhor sabe onde, e só devem voltar pelas cinco da tarde." O Dr. Vieira, com muita gentileza, disse que eu poderia voltar antes das cinco, prometendo facilitar todo contato com a minha gente, os membros da Pastoral Operária. Respondi que preferia permanecer caminhando no corredor e conversando com algum delegado, em vez de retirar-me, porque depois talvez não encontrasse o acesso fácil. Embora a proposta não agradasse ao diretor do DOPS, pude andar pelos corredores durante mais de duas horas e meia e arrancar do delegado, afinal, a confidência de que nossa gente de fato havia sido torturada, mas que ele, delegado, não tinha nenhuma participação nesse método de interrogatório. A certa altura perguntei-lhe aquilo que iria cobrar dos quatro outros delegados que ainda deveria encontrar nas tardes dessa semana: "O senhor é religioso? Católico, por acaso?" E ele, como os quatro outros, respondeu que tinha estudado em colégio religioso, sendo que um deles se formara em Direito, na Pontifícia Universidade Católica de São Paulo. Perguntei-lhe, como aos demais colegas depois: "O senhor não sente como Deus se manifesta claramente na hora em que tocam em um ser criado à sua imagem e semelhança, sobretudo quando torturam a pessoa humana?"

Durante essas longas conversas, cada um dos delegados foi me confiando o quanto havia sofrido dentro da própria família, tanto perdendo um filho que fora assassinado por outro quanto sofrendo transtornos psicológicos inesperados durante aqueles meses.

Devo acrescentar, desde logo, que alguns meses depois, ao sair da Igreja de Nossa Senhora do Carmo da Aclimação, em companhia do pároco, monsenhor Manuel Neves, uma pessoa ali sentada se levantou e veio ao nosso encontro com uma rapidez e movimentos tão agitados, que recuamos um pouco. Exclamou para mim: "Dom Paulo, tem perdão para mim? Consegui transferência, mas não consegui sossego!" Depois de tentar acalmar aquela pessoa, relatei para monsenhor Neves, em poucos traços, o que havia acontecido. Ele então me revelou: "Os capelães militares que antes eram desfavoráveis ao senhor estão hoje todos a seu lado, porque sabem que o senhor só procura assegurar a defesa da verdade e da vida."

Além do saudoso monsenhor Neves, que se tornou meu grande amigo, a Conferência Nacional dos Bispos do Brasil também sempre me emprestou o apoio possível e necessário. Deixei de relatar, ao falar do enterro do mártir Santo Dias, que a Comissão de Pastoral dos Bispos, reunida naqueles dias em Brasília, enviou a São Paulo dom Clemente Isnard e dom Mauro Morelli para participarem da missa exequial que seria celebrada na catedral. Mas, diante do tumulto do povo, ela foi substituída à última hora por um ato religioso em que se proclamou a Palavra de Deus e se ouviu minha alocução, reproduzida em biografia recente.[1]

Devo dizer, com a maior sinceridade, que tanto o Papa quanto a Conferência Nacional dos Bispos do Brasil sempre me deram apoio irrestrito e procuraram seguir meus gestos, como também meus protestos na defesa dos presos políticos e das demais pessoas injustiçadas. A eles, a gratidão que só eu podia ler nos olhos daqueles a quem dava não só a minha solidariedade, mas também o braço forte que vinha sustentado pelo chefe supremo da cristandade e pelos nossos amigos na orientação da Igreja do Brasil, através da Conferência Nacional dos Bispos.

Mas talvez não fosse esse o apoio mais decisivo para a luta pela verdade, solidariedade e justiça social.

Depois de fundarmos a Comissão Justiça e Paz, que no começo foi por anos dirigida pelo grande jurista e homem de coragem Dr. Dalmo de Abreu Dallari, nunca mais nos sentimos isolados em nossa atividade em favor dos presos políticos, sobretudo porque em torno do presidente da comissão se reuniram os melhores juristas e demais defensores da USP. A eles se agregaram o líder operário Waldemar Rossi e o então estudante de Direito Luís Antonio Alves de Souza, que ficaram fiéis até o dia de hoje à sua missão de defesa do trabalhador da cidade e do campo. Numa reunião cheguei a contar quarenta e quatro pessoas interessadas e preparadas para a defesa das vítimas da opressão, que se tornou sistemática. Mais adiante voltarei ainda a falar da Comissão Justiça e Paz.

As atividades da Comissão Arquidiocesana de Direitos Humanos, do *Clamor* – órgão destinado a noticiar as violações dos direitos humanos nos países do Cone Sul da América Latina –, e, mais tarde, o Centro Santo Dias

[1] Evanize Sydow e Marilda Ferri: *Dom Paulo Evaristo Arns – Um homem amado e perseguido.* Editora Vozes, RJ, 1999, pp. 285ss.

de Direitos Humanos, entidade muito ativa que mereceu como patrono esse mártir operário, foram decisivas para a assistência que se fazia necessária aos trabalhadores.

Todos esses órgãos, através de suas ações, se interessaram em animar e proteger as famílias dos operários presos. Entre seus membros figuravam alguns jornalistas – por exemplo, a extraordinariamente corajosa Jan Rocha – especialmente ligados ao movimento ecumênico, que já começava a integrar-se na ação contra a violência e as injustiças do regime ditatorial. O que mais importa frisar, neste momento, é que nunca ouvimos os operários torturados e imensamente humilhados contarem em público o que havia acontecido nessas horas tenebrosas de perseguição àqueles que se solidarizavam com os mais sofridos da população de São Paulo.

Não quero esquecer, neste momento, uma ação corajosa do Prêmio Nobel da Paz da Argentina, Adolfo Perez Esquivel. Estávamos analisando a situação brasileira e a comparávamos freqüentemente com a dos países vizinhos, sobretudo a Argentina, o Uruguai, o Paraguai e, mais tarde, o Chile. Também a Bolívia entrou em certos momentos, quando os refugiados mais se aproximavam de nós. Num domingo à tarde estávamos reunidos no seminário da Freguesia do Ó quando, repentinamente, fui chamado a intervir num caso de prisão no centro da cidade. Ao afastar-me para atender o chamado, Adolfo Esquivel me pediu apenas o tempo indispensável para apoiar uma proposta feita pelo saudoso jurista Dr. Mário Carvalho de Jesus, a fim de fortalecermos, se possível em cada esquina da cidade, um grupo de pessoas que não só nos comunicasse os fatos anormais provocados pela situação política, mas também pudesse recorrer diretamente a certos advogados que tivessem compreensão para o povo cioso de liberdade, comunicação e colaboração. Esse grande amigo, Dr. Adolfo Perez Esquivel, não só traduziu para o espanhol o meu livro sobre a família,[2] mas foi sempre um ponto de referência na luta pelos direitos humanos na Argentina, mesmo na hora em que tínhamos contato com doze organizações ecumênicas ativas naquele país.

[2] *La Familia Construye el Mundo?* Latinoamérica Libros SRL, Buenos Aires, 1980.

Ao lembrar as atividades insubstituíveis de amigos como Adolfo Perez Esquivel, não quero esquecer dezenas, senão centenas de latino-americanos que nos deram precioso e indispensável apoio nos diversos países. Também quero acrescentar que nunca levei a mal as reclamações que recebia dos que se diziam inimigos do comunismo e achavam que, por isso, eram também meus inimigos.

Por isso mesmo não me ofendeu o editorial de *O Globo* de 3 de outubro de 1979, intitulado "Flores de Moscou", que condenou o fato de eu ter recebido, na sacristia da catedral, a visita inesperada do cidadão Gregório Bezerra, que fora deputado federal e membro do comitê central do Partido Comunista Brasileiro.

Tal publicação provocou intensa repercussão em todo o país, tanto positiva quanto negativa. Parecia-me um gesto de nobreza que essa pessoa, tão estimada por uns e tão temida por outros, que sofrera tortura e degradação nas ruas de Recife, me oferecesse um buquê de flores antes da celebração da missa dominical em gratidão por todos os favores que Deus concedera aos brasileiros. Como diz a Escritura, "Ele faz nascer o sol sobre justos e injustos" e nós não fomos chamados a julgar e sim a respeitar cada pessoa em suas manifestações positivas.

Nunca perguntei pela cor política ou ideológica de uma pessoa. Só me interessou saber se a imagem de Deus estava sendo nela respeitada e se eu podia prestar-lhe algum auxílio em horas de solidão e de perseguição. O Deus da Justiça é o mesmo Deus do Amor.

7 O povo acorda para a libertação

Os atos institucionais promulgados pelo governo militar nos assustavam sempre mais. O clímax foi atingido pelo Ato Institucional nº 5, que excluiu o povo de toda e qualquer informação e influência. Como arcebispo de São Paulo, eu já não podia mais dizer que "uma porção do Povo de Deus" me fora confiada, porque não podia dizer mais nada em qualquer meio de comunicação. De 1968 a 1973 ainda me restava a Rádio Nove de Julho, da arquidiocese, mas em 1973 ela foi cassada, e com ela a minha palavra. Mas sentia que o sistema militar não conseguiria, como o pretendia, reduzir o povo paulista, sempre brioso e inventivo, a uma massa dominada e informe. Tinha, no entanto, que resolver algumas questões da arquidiocese para construir a unidade que desejava.

Quando tomei posse como arcebispo de São Paulo, procurei acalmar o Cabido Metropolitano – conjunto dos cônegos –, que, cioso de seu privilégio na eleição do novo arcebispo, viera reclamar por não ter sido consultado. Pedi pois uma visita especial e expliquei aos cônegos que eu não tivera nenhuma influência, nem na data nem tampouco na nomeação de minha pessoa para arcebispo de São Paulo.

Igualmente, uma região episcopal, muito influenciada por padres vindos da Itália, reclamava contra a indicação de um arcebispo sem nenhuma consulta ao clero, que sempre se encontra ao lado ou mesmo unido à pessoa do pastor.

Pensei, então, em fazer uma visita aos parentes, como também aos superiores de diversos grupos de padres vindos em grande número, por exemplo, da Arquidiocese de Trento, mas também procedentes da Irlanda, Espanha e outros países europeus. Tudo isso foi realizado em espírito fraterno e com grande alegria para os parentes dos padres, como também para os responsáveis das arquidioceses e dioceses que nos enviavam missionários tão solícitos quanto inventivos.

Também achei que devia visitar sistematicamente os padres brasileiros, para conhecer a condição material em que viviam e as queixas que poderiam nutrir contra a nova direção da Arquidiocese de São Paulo. O vigário-geral, dom Benedito de Ulhoa Vieira, e o secretário da pastoral, cônego Geraldo Majela Agnelo, se prontificaram a acompanhar-me, todas as sextas-feiras, para fazermos três, quatro ou mais visitas semanais às paróquias e aí verificarmos qual seria a melhor atitude e, quem sabe, a orientação que nos dariam os padres em relação ao seu povo. Iniciamos então, os três sempre juntos, esse programa semanal de visitas aos padres em setembro de 1971. Ao final de sessenta e nove semanas consecutivas havíamos conseguido fazer ao menos uma visita a cada padre da imensa arquidiocese. Em 1973 e 74, todas as sextas-feiras, a irmã Maria de Lourdes Schramm, superiora da comunidade de minha casa do Sumaré, conduziu-me no nosso fusca, acompanhado pelas irmãs coordenadoras do setor a ser visitado, a todos os conventos das regiões sul, leste 1, leste 2, oeste e norte. A partir de 1975 passamos a visitar todas as casas religiosas – muitíssimo mais numerosas! – do centro.

Mais importante, no entanto, eu considerava a reunião dos padres coordenadores de setor. Eles eram escolhidos pelos vigários de seis a doze paróquias e tinham como missão garantir o relacionamento sempre mais profundo entre o arcebispo e as comunidades tão numerosas dentro de nossa área. Nos primeiros cinco anos em que os vigários episcopais permaneceram como responsáveis pelos territórios essas reuniões de coordenadores se revelaram extremamente frutuosas. Posso até dizer que a liberdade com que eles se expressavam se assemelhava à liberdade dos futuros bispos que traziam título especial para coordenar os padres e com eles formar unidade.

A maior dificuldade que encontrávamos era na prestação de socorro ao povo sofrido que normalmente ocupava as periferias ou exercia uma liderança especial na cidade. Sempre que me vinha a notícia de alguma irregularidade, prisão ou desaparecimento, além de tantos outros problemas, eu entrava numa espécie de pânico por causa da dificuldade de estar, ao mesmo tempo, em todos os lugares. Nunca me recusei a estar presente quando as situações se revelavam mais perigosas ou difíceis. A dificuldade residia, sobretudo, na incapacidade de descobrir os meios jurídicos e outras possibilidades práticas para socorrer as vítimas, tanto nas prisões quanto em situações ainda mais penosas de desaparecimento ou aplicação de tortura.

Tentei, em primeiro lugar, cuidar da administração, nomeando os responsáveis pelas seis linhas do Plano de Pastoral de Conjunto da Igreja do Brasil, já descrito antes. Para tanto escolhia normalmente as pessoas indicadas pelos vigários episcopais e pelos coordenadores. Sei do imenso sacrifício a que essas pessoas se submetiam e da dificuldade de elas próprias se relacionarem com as comunidades e com os poderes civis ou militares constituídos. No terreno eclesial, como na catequese, na evangelização, na liturgia e mesmo nas obras sociais pertencentes à Igreja, eu tinha a impressão de estarmos caminhando lentamente, mas com a segurança necessária. Já nas pastorais que se referiam a assuntos da Operação Periferia, como também às questões em que precisávamos de apoio do governo, nossos passos eram muito mais inseguros e necessitávamos do socorro de especialistas para acertarmos a forma de agir dentro de uma situação anormal.

Foi nessa situação que procuramos formar em São Paulo, como comentei anteriormente, a Comissão Justiça e Paz que já existia em Roma, recém-fundada pelo Papa Paulo VI. Primeiro, era necessário encontrar um coordenador corajoso, capaz e respeitado pelas autoridades. A Providência Divina nos guiou para o professor e jurista da USP Dr. Dalmo de Abreu Dallari. De origem humilde, ele se fizera na vida em São Paulo e chegara, pelo talento e coragem, a ocupar a cadeira de Direito e a merecer o respeito dos colegas e a veneração dos estudantes. A ele confiamos a tarefa de procurar outros colegas, formados em ciências jurídicas e também ativos em outros campos sociais ou civis. Instalamos mesmo uma sala para o grupo, na Cúria Metropolitana, sempre guardada por uma secretária ágil e competente no relacionamento.

A partir daquele momento, a cúria de São Paulo tornou-se atração para todos os refugiados, tanto do Brasil quanto da Argentina, Uruguai, Paraguai, Bolívia e, mais tarde, Chile.

O desempenho eficiente e corajoso da Comissão Justiça e Paz de São Paulo, como era de se esperar, começou sem demora a repercutir em numerosas dioceses do Brasil e assim, pouco a pouco, outros bispos e igrejas particulares tomaram iniciativa semelhante, a fim de poderem atender aos clamores dos atingidos que surgiam simultaneamente no interior e em diversas capitais.

Foi assim que acabei sendo convidado, por exemplo, pela Arquidiocese de Campinas, através de seu arcebispo dom Antonio Maria Alves de Siqueira, para ali instalar a Comissão Justiça e Paz local. O ato foi marcado para a noite do dia 25 de agosto de 1977 na Catedral de Campinas e contou com a presença, além dos arcebispos locais, do prefeito Francisco Lopes e de seu vice. Dom Gilberto Pereira Lopes, então arcebispo coadjutor, abriu a solenidade afirmando que a comissão campineira atuaria nos mesmos moldes da que fora instalada anteriormente em São Paulo. A catedral achava-se superlotada, com predominância de jovens estudantes. Iniciei minha palestra diante da massa de ouvintes que se mantinham em absoluto silêncio, interrompido seguidas vezes por aplausos, principalmente quando afirmei que "vivemos uma época de medo, mas precisamos declarar bem alto que o cristão não tem direito a ter medo". Eu preparara meu discurso com base em pesquisa publicada antes por jornal de grande circulação, dando conta que "6,8% das pessoas consultadas tinham medo de ser presas. Ora, ter medo de rato, de barata, de cobra, eu ainda posso admitir, mas ter medo de ser preso é porque alguma coisa deve estar errada em nossa sociedade", eu comentava. Os presentes sorriam, manifestando seu acordo. No instante em que critiquei a indiferença – dizendo que "na hora em que tocam o fio de cabelo de uma pessoa, por mais insignificante que isso possa parecer, e no momento em que desfiguram uma pessoa, ferem o Cristo e a Humanidade. Se ficarmos indiferentes, daqui a pouco vão ferir muitos outros e a nossa própria família" – senti que poderia contar com o público para a coragem na árdua luta.

No entanto, pouco antes de concluir a palestra, no fundo da igreja alguém se levanta inesperadamente e grita, dirigindo-se a mim: "Cala a boca, Satanás!" Emoção e perplexidade perpassaram a grande assembléia, da qual boa parte se acomodara assentando-se no chão e nos degraus dos altares laterais. O desconhecido esboçou fuga apressada, não sem antes ouvir nossa frase, pronunciada em tom suave: "Deixem ele gritar. É um direito dele."

No momento em que preparo estas memórias, a história da Comissão Justiça e Paz de São Paulo começa a ser escrita, sob a coordenação de sua primeira presidente mulher, a socióloga Margarida Genevois, em companhia da professora Maria Victoria Benevides, relatando os fatos para o conhecimento indispensável daqueles que se ocupam da história de São Paulo e do Brasil. Não houve um só grande acontecimento que não passasse pelo crivo dessas cabeças privilegiadas que a USP e alguns outros setores da cidade nos apresentaram para a tarefa gigantesca de enfrentar todo um regime militar montado com muito poder e pouca justiça.

Se restringíssemos a ação da Comissão Justiça e Paz só aos presos políticos tantas vezes torturados e vítimas de injustiças inimagináveis, a contribuição já seria notável, porque a censura à imprensa era total. A atividade da comissão, porém, se estendia a tudo o que pudesse preparar um Brasil melhor. Quero enumerar algumas iniciativas, para que o leitor tenha idéia de quanta estima merece esse grupo de profissionais da classe média, com alguns líderes operários e estudantis, mulheres e homens corajosos nos tempos mais agitados de nossa história no século vinte.

Fé e política deviam entrar como reflexão para todo o povo cristão de nossa cidade, que para tanto precisava de elementos indispensáveis para desenvolvê-la. Criatividade e capacitação eram qualidades que distinguiam os corajosos membros da recente comissão. Eles chegaram mesmo, em anos posteriores, a trazer o grande pedagogo Paulo Freire, com toda a sua equipe, para montarem os cursos de cidadania e de participação para o povo de São Paulo e em seguida para outras regiões, dentro e fora do país. As publicações não consistiam apenas em pequenas edições ou material para discussão em grupos, mas, a partir do ano de

1976, quando afrouxou a censura, os grandes jornais de São Paulo passaram a acolher as propostas da Comissão Justiça e Paz com muita generosidade. Estávamos até evoluindo para a anistia, que a nossa equipe não só desejava que fosse irrestrita e total, mas que não se estendesse aos torturadores e aos atos sanguinários, como, aliás, acontece nos tribunais internacionais.

Tanto durante a presidência de Margarida Genevois quanto na de Marco Antonio Rodrigues Barbosa, a Comissão começou a orientar o povo de São Paulo para os direitos da cidadania e para as estratégias mais adequadas a uma boa eleição em todos os níveis permitidos pela revolução.

Foi também naquela ocasião que os jornalistas estrangeiros mais se distinguiram por difundir as notícias de prisões, desaparecimentos e demais injustiças já citadas acima. Lembro-me bem de uma ocasião em que o diretor do DEOPS me recebeu com esta frase: "Dom Paulo, como é possível? Ontem os líderes operários foram presos e hoje a BBC de Londres e os veículos mais influentes do mundo já publicam seus nomes e pormenores da prisão em dezenas e dezenas de nações!" Respondi-lhe, com muita simplicidade: "O senhor sabe que a Igreja é *católica* e o que significa este termo, não é? Significa 'difundido pelo mundo inteiro'. Gostaria tanto que o senhor nos desse boas notícias do Brasil e sobretudo de São Paulo para espalhá-las aos quatro cantos!"

Os maiores nomes da ciência jurídica em São Paulo nos trouxeram o apoio e a garantia de estarmos agindo dentro da lei, mesmo aquela elaborada pelo regime militar, sem deixarmos de aproveitar todos os espaços para a defesa das pessoas na hora certa e com as garantias de que estávamos servindo à sociedade da maneira mais adequada. Não podemos esquecer aqui os professores Fábio Konder Comparato, Goffredo Silva Teles e o ilustre jurista Mário Simas. Todos eles se tornaram amigos que nunca esquecemos em nosso relacionamento com Deus e com os homens.

Alguns deles chegaram a ocupar cargos de importância nos governos de Franco Montoro e Mário Covas, como, por exemplo, o nosso amigo de coragem insuperável Belisário dos Santos Júnior, que ocupou a pasta da Justiça por longos anos.

Para não me alongar nestas memórias, pedi aos presidentes das diversas fases da Comissão Justiça e Paz, desde Dalmo Dallari, passando por José Carlos

Dias e José Gregori, até o último de meu tempo de arcebispo, Antonio Funari, que escrevessem seus relatórios e mencionassem não só as iniciativas, mas também as conseqüências delas em São Paulo, no Brasil e em outros países. Sobretudo gostaria de agradecer-lhes por terem, depois de 1975, ajudado as regiões episcopais, com os novos bispos, a organizar a Pastoral dos Direitos Humanos, que sempre foi escolhida como prioridade a partir daquela data.

O povo acordara para a sua libertação e agora fazia propostas para uma ação constante e eficaz em favor de um Brasil mais justo, mais solidário e mais livre. Aliás, posso dizer que a Pastoral dos Direitos Humanos predominava nas reuniões nas regiões episcopais onde os problemas mais oprimiam a alma e a iniciativa do povo. O reverendo Jaime Wright, entusiasta da ação do povo em favor de um Brasil novo, nos acompanhava com uma assiduidade e criatividade quase que impensáveis.

Por anos a fio, o povo era mantido desperto pelos contínuos incentivos que recebia da reunião dos bispos, das grandes assembléias arquidiocesanas e das decisões da Comissão Arquidiocesana de Pastoral, integrada inicialmente pelo cônego Geraldo Majella Agnelo, cônego Dario Bevilacqua, frei Gorgulho, irmã Maria Stella Coelho e Edith Bogus. No momento em que os bispos auxiliares assumiram a pastoral nas regiões, a Comissão de Pastoral se transformou em secretariado arquidiocesano de pastoral, porque devia oferecer os subsídios e preparar as reuniões de conjunto. Eram seus membros Sérgio Conrado, Francisco e Stella Whitaker, irmã Miriam de França Miranda, a professora Ruth Maria Carvalho e outras pessoas que tinham preparo especial nas pastorais que animavam a vida da Igreja e sua ação em favor do povo de São Paulo.

Monsenhor Sérgio Conrado, a professora Ruth Maria Carvalho e seus colaboradores lançaram o fundamento, o conteúdo e a estratégia de nossos planos gerais de pastoral para a arquidiocese. Agradeço a eles, como aos demais integrantes arquidiocesanos e regionais do secretariado, por não se terem transformado em burocratas, mas sim em novos incentivadores das regiões e do conjunto indispensável da pastoral arquidiocesana.

Foi nesse tempo também, mais precisamente no dia 30 de maio de 1978, que surgiu o pequeno mas importante boletim intitulado *Clamor*. Nas três línguas em que era editado – português, espanhol e inglês – o título já exprimia o conteúdo urgente que levava aos leitores.

Até o presidente dos Estados Unidos, Jimmy Carter, se interessou pela nossa ação em favor do Brasil e da América Latina. Talvez fosse interessante lembrar aqui o episódio que ocorreu em sua visita como presidente ao Brasil, em 1978, no Rio de Janeiro. Convidado pelo seu secretário a acompanhá-lo no carro que o levaria ao aeroporto, coloquei-me ao lado do próprio presidente norte-americano e fiz-lhe com toda a clareza a pergunta quase audaciosa: "É verdade o que aqui se conta, que os Estados Unidos, ou melhor, a CIA ensinou os nossos militares a torturarem os presos sem neles deixarem marca?" Como de costume, Carter se voltou para a esposa Rosalyn e lhe perguntou numa altura que me permitisse ouvir: "O que posso responder a uma pergunta tão justa quanto incômoda?" Ela afirmou, num tom muito tranqüilo: "Diga ao senhor cardeal de São Paulo que isso pode ter acontecido."

Para outros a resposta poderia parecer evasiva. Para mim era a certeza do sim.

Não posso encerrar este capítulo sem lembrar o fato que sempre me volta à memória e me obriga à admiração e ao agradecimento ao povo de São Paulo. Apesar de fazer parte do estado mais produtivo na indústria e em parte da produção agropecuária, a cidade parece lenta em suas reações. Por vezes algumas pessoas de outros países que nos visitam a declaram até indiferente. Um embaixador americano chegou a me dizer, em plena Cúria Metropolitana, ao despedir-se do Brasil: "Em qualquer país da América Latina, quando as frutas estão caindo de podre, a árvore costuma ser sacudida e as frutas, derrubadas. Em São Paulo e no Brasil, a produção da revolução militar já chegou a tal ponto, que é impossível mencionar os militares sem receber vaia. E no entanto o povo não sacode a árvore e não elege civis para cuidarem de todos os ramos da política nacional, sobretudo o da economia, que se encontra em péssimas condições."

Minha resposta foi, certamente, a que daria o leitor: "Senhor Embaixador, nós queremos uma revolução sem derramamento de sangue, e vamos consegui-la. Talvez ela não seja tão radical quanto outra, feita a ferro e fogo, mas certamente nos trará um período de paz e de reconstrução, com o coração novo e com novos sonhos de solidariedade para a nossa terra."

8 *Relacionamentos inter-religiosos*

Como já contei na primeira parte desta autobiografia, ao terminar os estudos para a formação sacerdotal no Brasil, os superiores fizeram a grande surpresa de convidar-me a estudar numa universidade não-católica, no exterior. Que fosse enviado a Roma, poderia até parecer normal, por causa dos meus interesses pelas especializações e pelo estudo prolongado de línguas antigas. Não devo esconder que até sonhava em poder dedicar a vida inteira à meditação das Escrituras, ou seja, da Palavra de Deus.

A Bíblia foi uma constante em minha vida, e a decisão dos superiores de enviar-me para Paris não me abalou em minhas convicções. Iria buscar, por toda parte, a imagem e a vida de Cristo e de Francisco de Assis, fosse nos livros, na vida, em qualquer situação da existência.

Quando, em outubro de 1947, eu me inscrevi na Sorbonne, a universidade de Paris, fui procurar, como era natural, a orientação do diretor-professor Marouzeau da seção de línguas antigas. Recebeu-me ele com a delicadeza de todos os meus professores daquela antiga instituição e, vendo-me de hábito franciscano, contou-me que um dia fora coroinha, mas que hoje se satisfazia com os ensinamentos dos grandes luminares da antiguidade.

O mesmo iria acontecer com o professor Dury, de língua latina. Após uma aula, convidou-me a acompanhá-lo, porque queria conhecer-me de perto. A certa altura, olhando para o meu hábito franciscano, disse: "O senhor sabe que eu sou ateu e franco-maçom?" Respondi-lhe que respeitava todas as convicções e que achava que poderia aprender muito com ele. Essa afirmação parece tê-lo entusiasmado, pois acrescentou: "O senhor não estranhe que, apesar disso, eu passe todos os anos, ao menos uma semana inteira, em Assis, na Itália, para meditar a vida de Francisco de Assis e volte encantado com as novas descobertas que faço a respeito de sua pessoa, atividades e sobretudo de seus ideais."

O mesmo sucedeu com meus colegas, vindos de todas as partes do mundo e que se aproximavam sem acanhamento nenhum de um religioso brasileiro que tinha a ousadia de freqüentar uma universidade laica – que não admitia professor religioso – e discutia com os docentes os problemas dos mais diversos países. Depois de alguns anos, cheguei a considerar-me como cidadão francês ligado a todas as cidadanias do mundo.

Quando terminei meus estudos, com o doutorado em 3 de maio de 1952, eu me sentia tão ligado ao Oriente quanto ao Ocidente, ao Norte quanto ao Sul, embora nutrisse sempre uma saudade especial da América Latina e, como era natural, do meu Brasil. O mundo inteiro está mais dentro de nós do que nós no mundo. E era esse mundo interior que eu saboreava, apesar de apegar-me sempre mais aos ideais franciscanos, particularmente os ligados aos pobres que mais sofriam.

Por isso, quando chegou o primeiro convite para participar, como arcebispo, de uma reunião inter-religiosa internacional, aceitei com tanta espontaneidade, que nem fui perguntar a Roma se era conveniente que eu, como cardeal, estivesse presente em uma discussão considerada eminentemente política pela maioria dos convidados. Para mim era uma experiência fraterna que dava continuidade aos estudos e à atmosfera que experimentara na Sorbonne. O convite me viera da parte de uma pessoa que participara da Pontifícia Comissão Justiça e Paz do Vaticano, recém-fundada por Paulo VI, e também do presidente da Universidade de Notre Dame, Indiana, nos Estados Unidos, padre Theodore Hesburgh.

Ao aceitar o convite, me foi imposta a honrosa incumbência de abrir a sessão, em língua francesa, e de traçar algumas linhas sobre a contribuição dos religiosos para a paz. A reunião iria realizar-se em maio de 1975, na belíssima paisagem de Bellagio, na Itália, próximo à fronteira com a Suíça. Tudo ocorreria num ambiente religioso, com respeito sobretudo ao islamismo e à tradição israelita. Lá também se encontravam presentes representantes de outras grandes religiões, que no entanto não se distinguiam pelas suas intervenções, porque estávamos, naquele momento, sofrendo as conseqüências da guerra entre Israel e o mundo muçulmano, ainda incluído o Egito.

Começávamos todos os dias com uma longa oração matinal, da qual fui encarregado uma vez, e terminávamos as sessões com a reunião de cada religião, desde o budismo até o cristianismo, em grupos homogêneos, sempre orientados pelos princípios da religião dos participantes. Durante o dia, nossas conversas, por mais calorosas que fossem, sempre traziam à mente algum pensamento religioso que pudesse apressar a paz entre os dois povos que se guerreavam, apesar de terem a mesma origem pelo sangue e por muitas convicções. Cheguei a conhecer, naquele momento, pessoas da mais alta posição em seus países, como ministros, ex-ministros ou grandes pensadores. Também consultávamos constantemente mais de quarenta assessores de todos os países, que eram chamados a intervir para nos ajudar a encontrar soluções concretas e baseadas em convicções dos diversos povos.

Uma experiência como esta faria bem a qualquer arcebispo ou cardeal no início de sua função, mas em mim imprimiu marcas para toda a existência. Consultei constantemente os observadores enviados por Roma, embora eles não tivessem o direito de intervir como membros escolhidos da comissão dirigente. É certo que, alguns meses mais tarde, após algumas tragédias sangrentas, chegou-se a uma paz possível entre Egito e Israel. Os demais países muçulmanos também tiveram novas idéias para promoverem uma paz que fosse o princípio da paz universal. Lembro-me bem de um professor muçulmano que, enquanto conversávamos diariamente por uma ou duas horas, movia constantemente os lábios, desfiando ostensivamente as contas de um longo terço. Perguntei-lhe: “O senhor consegue conversar com tanta profundidade e ao mesmo tempo rezar?” Ele me respondeu, com a maior simplicidade: “Aprendi isso em minha casa e conservo este hábito na universidade, que é a casa da futura geração.”

Não posso dizer que Bellagio tenha dado resultados extraordinários, mas chegou a provar que só se consegue o respeito e a confiança mútua entre as religiões em reuniões bem preparadas e com discussões bem realistas. Quando o objetivo comum é de paz e de solidariedade humana, ele se torna elemento essencial para unir corações e inteligências.

Essa reunião inter-religiosa teve a sua continuidade dois anos depois, em Portugal, num belo sítio em Cascais, próximo a Lisboa. Tratávamos então da fome e das possibilidades de o mundo inteiro se alimentar convenientemente a partir do ano 2000. Os nossos numerosos assessores fixavam o ano de 2025 como primeira base possível para a distribuição dos produtos da terra necessários às crianças, aos idosos e às nações pobres.

O esquema das reuniões se desenrolou de forma muito semelhante ao do primeiro encontro, e o resultado das conferências e da troca de idéias foi certamente muito prático para todas as pessoas que pudessem, um dia, influir nos governos das nações. O elemento essencial, no entanto, era sempre a solidariedade e a complementação que o Oriente pode dar ao Ocidente, e que este muitas vezes impõe ao Oriente de maneira pouco adequada.

Interrompemos essa reunião um dia antes do previsto, também sem tirarmos as conseqüências de tudo o que fora debatido a partir das informações e das idéias sempre fecundas que brotavam de nossos participantes. O clima era de oração, de respeito e de sonho com um mundo novo.

A terceira grande reunião inter-religiosa se deu em Nova York, em 1990, com a participação dos bispos da África, como convidados especiais. Tratava-se nesse momento de, em clima de oração, analisar as causas, as conseqüências e o tratamento imediato do novo mal que ia surgindo no mundo todo – a AIDS. Apesar de religioso, o ambiente era dominado sobretudo pelos americanos, deixando pouco espaço para os representantes da África, que tinham tanto a dizer e estavam ávidos para ouvir propostas e soluções. Permanecemos unidos alguns dias, também em clima de oração, mas não sentimos aquele ardor que nos cercara nas reuniões anteriores, apesar de iniciarmos, terminarmos e entremearmos todas as reuniões com alguma prece ou algum incentivo especial.

Não posso dizer que tenha trazido grande novidade para o Brasil, porque aqui já estávamos em contato com especialistas de todas as partes do mundo e esperávamos propostas que pudessem ser aplicadas em nossa terra.

Bem diferente foi a reunião em Princeton, na Universidade Presbiteriana próxima a Nova York, no ano de 1990. A reunião tinha sido convocada pelo UNICEF, organização ligada às Nações Unidas e que se ocupa sobretudo das crianças pobres do mundo. O convite me chegou junto com a proposta de falar durante cinco minutos no início das reuniões e de participar em todos os grupos de trabalho. Quando enviei a resposta positiva, o diretor do UNICEF pediu que eu abrisse a sessão com uma alocução de meia hora e permitiu que eu fizesse projeções sobre a nossa Pastoral da Criança e os métodos baseados na experiência cristã do Brasil. A participação das religiões orientais foi altamente satisfatória. Em certo momento cheguei a abordar um dos chefes da delegação religiosa asiática, que citou mais de quarenta vezes o nome de Jesus Cristo em sua alocução.

Após a exposição, fui procurar o orador e perguntei se de fato o Cristo lhe parecia promover alguma união de corações para a defesa da infância, particularmente da mais sofrida. Ele me respondeu, convicto: "Sem a doutrina de Jesus Cristo sobre o amor jamais haverá consideração para a vida nascente e para a infância sofrida." A pessoa que traduzia a nossa conversa acrescentou: "O nosso chefe tem atrás de sua cátedra uma imensa imagem de Jesus Cristo, Mestre do Universo." No final dessa reunião apresentaram-se crianças das mais diversas raças para incentivarem não só as religiões, mas igualmente os chefes de estado que iriam reunir-se mais tarde para elaborar a Declaração dos Direitos da Criança e do Adolescente. Novamente tive que concluir que a religião, quando trata do amor, é realmente universal, e, quando defende a vida, não só é universal, mas decisiva para todo o futuro da humanidade.

Na Arquidiocese de São Paulo tivemos sempre a grande ventura de nos entendermos bem com todas as religiões que vinham nos consultar, muitas vezes sobre a possibilidade de desenvolvermos alguma ação comum.

Tenho a impressão de que a riqueza religiosa só ganha destaque especial quando fixamos um objetivo que interesse a todos e que possa arrancar das Escrituras e do patrimônio religioso das diversas religiões o que há de mais sublime na expressão da humanidade. Nós todos dependemos de grandes ideais para realizarmos plenamente a missão em favor das causas mais fundamentais da convivência humana.

Gostaria de terminar este breve resumo de uma experiência riquíssima com uma palavra que nos vem do próprio Jesus: "O Pai atrai todos a si", porque dele brotam a vida, o amor e a convivência pacífica da humanidade inteira.

9 *União progressiva no ecumenismo*

A primeira reunião ecumênica que realizamos em São Paulo, ainda no meu tempo de bispo auxiliar, conforme narrei anteriormente, foi marcada para a paróquia de Vila Maria, sempre tão aberta para as iniciativas do tempo pós-Concílio. Qual não foi o meu espanto quando o pároco, grande amigo meu, contou que um grupo de fiéis lhe havia comunicado que estavam extremamente aborrecidos com o novo bispo, porque ele chamava pastor protestante para falar em sua igreja. Se era para isso que vinha o bispo, dizia essa minoria de pessoas, preferiam não ter bispo a ter pregadores de outras religiões.

Embora esse episódio fosse passageiro e facilmente remediável, pensei no meu sermão de apresentação, em 24 de julho de 1966, na igreja de Santana, da região norte, onde falava da ação ecumênica, tão recomendada pelo Concílio Vaticano II e tão enfatizada pelo bondoso e venerado Papa João XXIII.

Apesar da reclamação, ao apresentar-me como arcebispo de São Paulo, tornei a frisar o quanto a ação ecumênica fazia parte de todo o meu planejamento futuro. De fato, a cidade de São Paulo se presta como nenhuma outra – penso eu – a uma ação comum de todos os cidadãos em favor da paz entre os seres humanos e da paz com Deus. São tantos os povos que nela habitam trazendo em seu coração as crenças herdadas ao longo dos tempos, por vezes antes de o cristianismo se manifestar ao mundo. A todos convém prestar o respeito, garantir a colaboração e unir-se na prece, mesmo que os conceitos de Deus sejam diversos.

Durante anos promovemos, junto com os irmãos de outras concepções do cristianismo, os atos mais diversos em favor da juventude, mas sobretudo pelas grandes causas que agitavam o Brasil e a humanidade. Eu sempre me sentia feliz quando os pastores cristãos das diversas denominações se apresentavam espontaneamente ou aceitavam o convite para se unirem a nós na catedral, numa prece comum. Também nas crises políticas sabíamos que devíamos contar com diversas manifestações, sempre unidas pela pessoa e doutrina de Cristo Salvador.

Houve um fato que muito influenciou a nossa decisão de trabalharmos unidos. Em 1973, o reverendo evangélico Manoel de Mello convidou o secretário-geral do Conselho Mundial de Igrejas, Philip Potter, para a inauguração de seu grande templo na Água Branca, em São Paulo. Além da admiração que Philip Potter conquistou por parte de todos os cristãos que participaram das cerimônias da inauguração, permaneceu dentro de nós aquela convicção, expressa pelo reverendo Manoel de Mello, dizendo que são muitos os pastores em São Paulo, mas temos um só cardeal que pertence a todos. Nunca havia esperado tamanha franqueza e amizade em ocasião solene como aquela.

Também fiquei profundamente impressionado quando o mesmo reverendo Manoel de Mello viajou ao encontro de dom Pedro Casaldáliga no momento em que este se encontrava em uma situação política ameaçadora. Aliás, nunca deixamos de ser amigos, e através desta comunicação muitos outros pastores evangélicos se aproximaram com a maior simplicidade para participarem de preces ecumênicas e no esforço para conseguirmos trabalho para tantos imigrantes que começavam a chegar a São Paulo por causa das secas do Nordeste.

O evento mais marcante da ação ecumênica se deu por ocasião das cerimônias funerárias do jornalista Vladimir Herzog. Os jornalistas haviam proposto uma missa na catedral, quando foram advertidos de que Vlado era judeu e que uma cerimônia católica poderia parecer uma intromissão indébita em outra crença. A semana toda se passou numa tensão crescente até chegarmos ao que nos pareceu a melhor conclusão: realizarmos a cerimônia na Catedral Metropolitana de São Paulo em caráter ecumênico e com o rito judaico. O reverendo Jaime Wright representou as diversas denominações cristãs e o rabino Henry Sobel, ainda um tanto desconhecido em São Paulo naquela época, pronunciou a bela exposição judaica bem adaptada ao momento trágico que então confiávamos à misericórdia de Deus. Muita emoção, mas também fundamento sólido para todas as manifestações futuras do ecumenismo, incluindo sempre o judaísmo, não o considerando como outra religião e sim como fundamento de todas as nossas crenças comuns.

Também foi a partir desse momento que o reverendo Jaime Wright não só participou de todas as nossas atividades em favor das pessoas perseguidas pelo regime militar, mas igualmente das manifestações mais diversas diante de Deus. Aliás, foi esse pastor presbiteriano que se tornou meu companheiro de caminhada durante nove anos, todos eles repletos de incidentes dolorosos, exigindo uma análise e planejamento que Jaime Wright estava preparado para propor e executar. Foi a ele que eu cedi uma sala da Cúria Metropolitana de São Paulo, na Avenida Higienópolis, 890. Comunicava-me com ele diretamente pelas portas do fundo e depois levava as vítimas do sistema militar pela outra porta, muitas vezes apenas para consolo e conforto, quando não conseguíamos soluções mais satisfatórias. Pessoas menos habituadas aos ritos católicos chegaram a designar o reverendo Jaime Wright como "bispo auxiliar" do cardeal de São Paulo. Nunca protestei, porque o auxílio dele era realmente de alguém que sabia vigiar – é esta a tradução de *bispo* – e, mais ainda, propor soluções, por mais custosas que nos parecessem. Posso dizer hoje, depois que ele partiu para a eternidade, que foi a pessoa que mais me confortou, inspirou e até orientou em momentos decisivos da ação religiosa para a paz das pessoas perseguidas.

Outra pessoa que merece menção toda especial é Philip Potter, para nós todos um exemplo de generosidade e de fidelidade durante longos anos. Depois de conhecê-lo de perto, eu costumava planejar minhas idas à Europa sempre com uma passagem por Genebra, ao menos para um curto mas sempre decisivo diálogo com esse homem tão extraordinário que durante vinte anos esteve no coração do ecumenismo.

Não quero fazer aqui a sua apologia. Ele não precisa dela. Em qualquer lugar onde o Evangelho devia projetar luzes e abrir caminhos, lá estava Philip Potter para ser o conselheiro, quando não um companheiro de soluções. Jamais poderei imaginar o nosso movimento ecumênico em alto nível se não colocar Philip Potter como coração e ideal dessa graça que nos foi dada para o novo milênio.

Era também por causa dele e por causa de sua intervenção que eu me encontrava com os representantes dos países do Cone Sul que faziam parte da comissão em Genebra. Como eram compreensivos, como eram delicados, como eram generosos!

A maior surpresa, porém, foi o encontro com a equipe do grande e inesquecível educador brasileiro professor Paulo Freire. Eu o conhecia de longa data, mas ele jamais havia mantido relações especiais comigo. Foi em Genebra que firmamos a nossa amizade, que há de durar por toda a convivência na eternidade e jamais poderá apagar-se de minha memória. Um dia, tive a coragem de discutir por tanto tempo com ele e com seus companheiros, que cheguei a perder o avião internacional, tendo assim a sorte de passar um dia inteiro na casa de Paulo Freire, em sua biblioteca, lendo e relendo as propostas de educação e elaborando um plano para trazê-lo à Pontifícia Universidade Católica de São Paulo e aos demais institutos de educação de nossa terra. A proposta deu certo, embora nos custasse muita precaução a chegada dele ao aeroporto de Viracopos, em São Paulo.

Apesar de todos esses fatos enumerados, creio que não contei nem metade daquilo que significou e sempre há de significar o movimento ecumênico na minha vida. Devo, porém, lembrar um episódio que marcou e ainda poderá marcar a ação entre irmãos. Os franciscanos da Reconciliação, congregação fundada na América do Norte, passam de continente em continente, de país em país, para lançarem os fundamentos da ação ecumênica e do trabalho dos cristãos em favor da união e da comunhão. Tanto eles quanto eu queríamos que eles tivessem uma residência em São Paulo para atrair as pessoas não apenas para as grandes reuniões, mas também para consultas e iniciativas particulares. Conseguiram então comprar uma casa no centro de São Paulo e dela fazer um ponto de reunião para todos os nossos amigos cristãos. Não importava o fato de a pessoa vir como indivíduo ou como membro de uma denominação religiosa. O importante era a amizade e as atividades de homens e mulheres em favor de um cristianismo sempre mais vivo e mais presente em todas as iniciativas que se realizassem na cidade.

No momento em que decidiram partir para outras terras, ofereceram-me, de graça, tanto a sede bem instalada quanto todos os recursos que haviam conseguido no Brasil durante longos anos. Para dirigir essa casa pediram que fossem formados alguns padres diocesanos, para depois criarem um núcleo de recepção e de orientação para os movimentos ecumênicos, não só na arquidiocese, mas no Brasil inteiro. Chegaram a me agregar, como arcebispo de São Paulo, à congregação deles e continuam nos levando constantemente a reexaminar a nossa atitude ainda muito pouco ecumênica para estes tempos novos.

Se for verdade que dos seis bilhões de habitantes da Terra apenas dois bilhões pertencem à religião de Cristo, é certo que o nome do Mestre já ultrapassou todas as fronteiras e chega a comover corações em todos os continentes, para a difusão da solidariedade e da paz e, assim, para uma convivência humana numa cidadania em que estão presentes não só os companheiros de caminhada, mas também o protetor e objetivo de toda a nossa peregrinação terrestre – Deus.

10 *Paulo VI – Conselheiro indispensável*

Como arcebispo metropolitano de São Paulo deixei o país oitenta vezes para visitar trinta e um países diversos. Em nenhuma dessas viagens tive ocasião de demorar-me e tirar, como se diz entre nós, alguns dias de folga.

Os cardeais, bispos, vigários e representantes de organizações internacionais encontrados no decorrer das viagens foram especialmente gentis para com nossa Arquidiocese de São Paulo, a ponto de eu pensar muitas vezes que sem eles não poderia ter fechado as contas na Terra, nem liquidado as minhas dívidas no Céu. O ganho espiritual superava sempre o material – em forma de doações –, mas um jamais excluía o outro.

Nada porém me enriqueceu tanto quanto os três contatos diretos com os sumos pontífices que tive durante o meu governo.

Uma pessoa teve um papel especialmente importante em minha vida: o Papa Paulo VI. Dom Humberto Mozzoni, o núncio que me transmitiu o desejo de Paulo VI de que eu fosse bispo auxiliar de São Paulo, dizia num tom de admiração e até de espanto: "Jamais teremos outro papa com a intuição histórica de Paulo VI. Ele traz dentro de si, como se fosse seu sangue, todo o passado da Igreja, e revela-nos o futuro desta mesma Igreja como se fosse um visionário diretamente orientado pelo Espírito Santo."

Outro cardeal, muito ligado ao Papa Paulo VI como secretário, me confidenciava que o Papa apreciava muito suas andanças pelos jardins do Vaticano, mas avançava sempre alguns passos à frente e, de quando em quando, o chamava para anotar alguma idéia importante sobre o passado ou o futuro. O próprio papa tirava do bolso um caderninho, no qual anotava algum pensamento que provavelmente ainda queria desenvolver ou executar de maneira mais sigilosa. Homem que falava pouco, pensava muito e rezava ainda mais.

Meu primeiro encontro com o papa que me nomeara bispo auxiliar e depois arcebispo se deu em Roma, logo no início de meus trabalhos, em março de 1971. Com algum acanhamento, fui pedir aos confrades de São Francisco que me custeassem a viagem, porque a Cúria Metropolitana dizia que só com um empréstimo poderia viabilizá-la.

Apesar de nunca ter falado com algum papa e mesmo ter evitado encontros com os representantes mais credenciados da Igreja, aproximei-me de Paulo VI com uma confiança e alegria que só o Espírito Santo pode conceder. Logo no início lhe confessei que o meu italiano era muito primitivo e pouco prático para nos entendermos, mas que eu tinha notícia segura de que ele amava a língua francesa por motivos especiais. Com isso, arranquei o primeiro sorriso, leve, de seus lábios e a primeira pergunta: se de fato eu havia estudado na Sorbonne e aí feito o doutorado em letras cristãs.

Submeteu-me, a seguir, a um verdadeiro interrogatório sobre as condições da cidade de São Paulo, em um francês elegante e espontâneo, interessando-se, sobretudo, pela população carente dessa imensa metrópole.

A primeira curiosidade de Paulo VI se referia ao número de habitantes de nossa arquidiocese. Respondi-lhe que pelo último recenseamento nós chegaríamos apenas a cinco milhões e novecentos mil, mas com a onda de migrantes que começara antes do fim do censo, alguns afirmavam que chegaríamos certamente a sete milhões e meio, e dentro de alguns anos a po-

Acima:

Dom Paulo na comunidade de Itapiranga, Amazonas, Prelazia de Itacoatiara, 1979

Arquivo pessoal.

No alto:

Dom Paulo fala a operários (ladeado, entre outros, por Ana Dias, viúva de Santo Dias).

Foto Agência Folhas, Fernando Santos.

Dom Paulo Evaristo Arns em Puebla, México, 1979.

Foto KNA-BILO, Frankfurt, Alemanha.

Página ao lado, acima:

Dom Paulo e o Papa João Paulo I, Vaticano, 06/09/78.

Foto do fotógrafo oficial do Vaticano.

Página ao lado, abaixo:

Cardeais Dom Paulo Evaristo Arns e Dom Aloísio Lorscheider em Puebla, México, 1979.

Foto KNA-BILO, Frankfurt, Alemanha.

Catedral e Praça da Sé, celebração de Corpus Christi de 1979.

Foto O Estado de São Paulo.

Dom Paulo e José Gregori no Parlatino, São Paulo, em 26/05/2000, por ocasião da premiação da Associação das Nações Unidas – Brasil a Dom Paulo, com o Prêmio Direitos Humanos 1999/ Personalidade do Ano.

Foto Douglas Mansur.

Abaixo:

Dom Paulo e o Revdo. Jaime Wright no Parlatino, São Paulo, 27/10/98, por ocasião da outorga a Dom Paulo, pelo Sindicato dos Jornalistas Profissionais no Estado de São Paulo, do título "Cardeal da Cidadania".

Foto Douglas Mansur.

Dom Paulo e o Papa Paulo VI,
Vaticano, 14/12/73.
Foto do fotógrafo oficial do Vaticano.

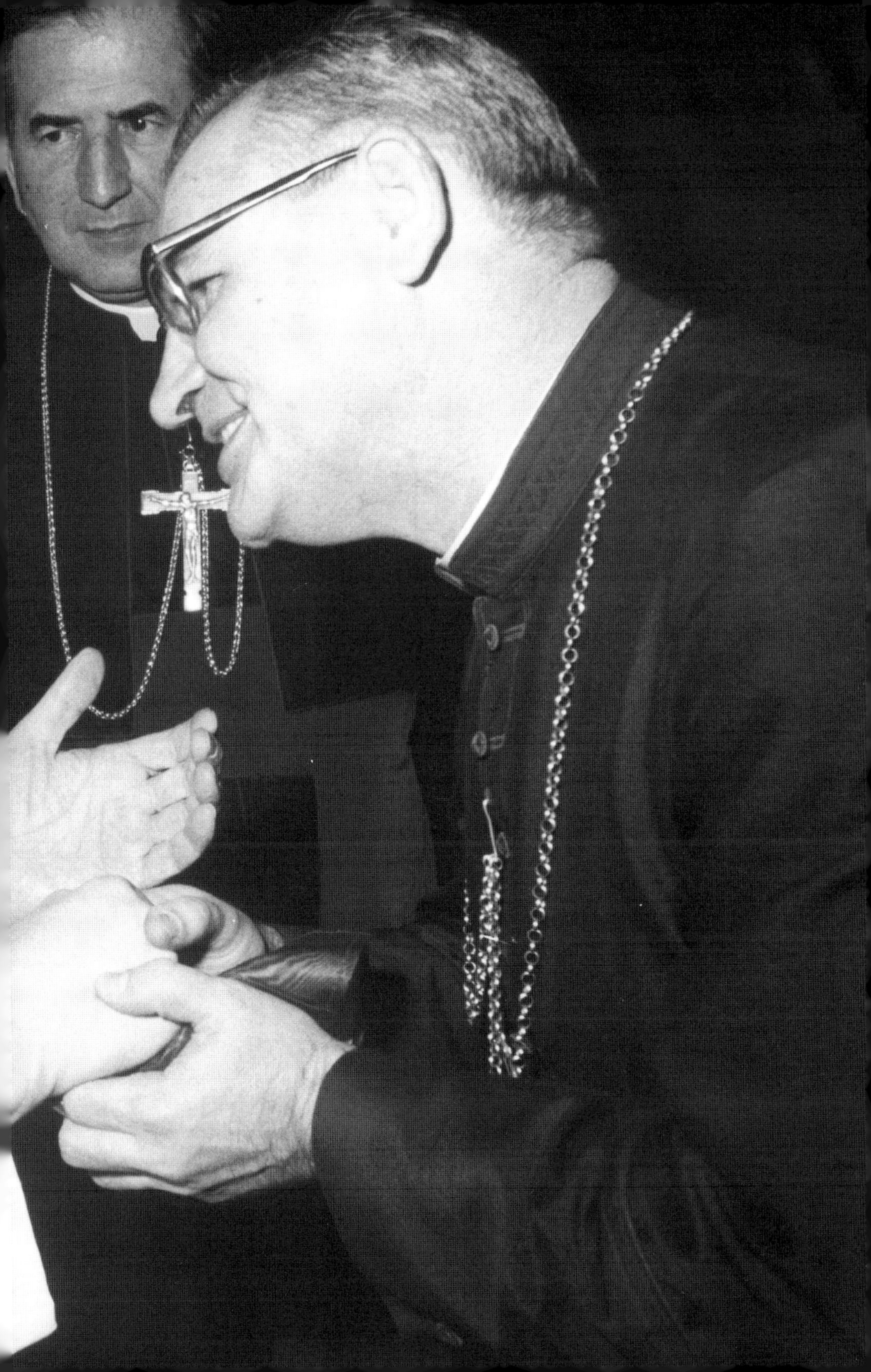

Dom Paulo em evento budista, Japão, 1994.

Foto Fundação Niwano para a Paz, Tóquio, Japão.

Página ao lado, à esquerda:

Dom Paulo e Hélio Bicudo na celebração das bodas de ouro matrimoniais do casal. São Paulo, 14/10/96.

Arquivo pessoal.

Página ao lado, à direita:

Dom Paulo e o Rabino Henry Sobel no Parlatino, São Paulo, 1999.

Foto Izilda Pereira.

Acima:

Dom Paulo, Frei Betto e Dom Pedro Casaldáliga na reunião das comunidades de base.

Foto Abril Imagens.

À direita:

Dom Paulo e Dom Pedro Casaldáliga

Foto Walter Souza Imaginação Multimídia.

Acima:
Celebração Litúrgica em memória de Frei Tito de Alencar Lima e Alexandre Vanucchi Leme, em presença dos restos mortais de ambos. Catedral Metropolitana de São Paulo, 25/03/83.
Foto Abril Imagens.

À direita:
Encontro com o Presidente Jimmy Carter no Rio de Janeiro, 1978.
Arquivo pessoal.

Dom Paulo e o Governador Franco Montoro
contemplam a destruição provocada pelo incêndio criminoso no TUCA,
Teatro da Universidade Católica, setembro de 1984.

Foto Agência Folha / Renata Falzoni.

Abaixo:
Dom Paulo acolhe a multidão na celebração de Corpus Christi,
junho de 1995, no Vale do Anhangabaú.

Foto José Cordeiro.

Concelebração de Corpus Christi, 1983.
Dom Paulo e seus bispos auxiliares.
Da esquerda para a direita: Dom Francisco Vieira, Dom Angélico, Dom Antonio Gaspar, Dom Alfredo Novak, Dom Décio Pereira, Dom Paulo Evaristo, Dom Celso, Dom Thurler, Dom Joel, Dom Fernando Penteado e Dom Luciano Mendes de Almeida.
Foto Douglas Mansur.

MENSA DOMINI

Dom Paulo na Celebração de Corpus Christi, 1990.
Arquivo pessoal.

Basílica de São Pedro, Vaticano:
cerimônia de Beatificação de José de Anchieta, 21/06/80.
No momento em que Dom Paulo lê oficialmente
a petição ao Papa João Paulo II

Foto L'Osservatore Romano,
Arturo Mari.

pulação atingiria dez milhões, senão mais. Nesse momento, o Papa, tão parco em gestos, levantou os dois braços ao céu e disse: "Como é que vamos ter pastores, missionários e outros agentes de pastoral para tanta gente?" Confessei-lhe que o seminário para todo o Estado de São Paulo só contava com setenta e nove candidatos ao sacerdócio e que na arquidiocese não chegávamos nem a meia dúzia. Ele me lembrou então que, além dos bispos que voluntariamente haviam permanecido em São Paulo na hora da promoção do cardeal Rossi para Roma, eu precisaria, necessariamente, de maior número de colaboradores.

Nessa hora, Paulo VI pronunciou uma frase que me voltou sempre à memória quando eu rezava por ele: "Para cada milhão de habitantes Vossa Excelência precisa, no mínimo, de um bispo que seja visível e próximo aos fiéis, porque o bispo é o sacramento mais considerado pelo povo, por representar e tornar visível a Igreja de Cristo."

Bispo, sacramento! Foi o que mais me impressionou nesse primeiro encontro com o Papa Paulo VI, que, em certo momento, se levantou da cadeira e foi até a janela mostrar-me os arredores da Praça de São Pedro, dizendo: "Todas estas pessoas que aqui circulam amariam a Igreja, amariam o Cristo Jesus, se conhecessem a bondade e o interesse dos bispos por quem são amadas."

Este episódio, tão original e inesperado, me deu alento e me guiou por longos anos, senão por toda a vida, como arcebispo de uma metrópole da dimensão e complexidade de São Paulo.

Cada encontro com Paulo VI começava da mesma maneira: ele apoiava as duas mãos sobre a ponta da mesa e me fixava com o olhar, que traduzia imensa preocupação e uma quase tristeza. A atmosfera só mudava quando eu dizia: "Sou Paulo Evaristo, arcebispo de São Paulo, e trago as orações e a obediência de todo o meu povo ao chefe supremo a quem tenho a honra de me dirigir neste momento." O Papa nem me dava tempo de pedir licença para falar em francês, porque logo respondia nesta língua: "São Paulo nunca me sai da memória."

Em 8 de maio de 1972 recebi, pela delicadeza do então bispo auxiliar dom Lucas Moreira Neves, que regressava de viagem a Roma, a mensagem que guardo com carinho e transmito neste momento a todos os meus colaboradores, para seu conforto, estímulo e união sempre mais íntima com o Papa: "Diga-lhe" – assim se expressou Paulo VI a dom Lucas – "que nós seguimos de muito perto e com interesse tudo o que se passa na Igreja dessa imensa cidade. Sabemos quanto trabalho e problemas vocês têm nessa diocese! Nós nos encontramos na alegria e na admiração, vendo que ele trabalha com afinco, mas sempre na alegria, na paciência e, em conseqüência, na paz."

Quando fui apresentar ao Papa o nome de monsenhor Benedito de Ulhoa Vieira para bispo auxiliar, levei comigo a recomendação de dois cardeais brasileiros que o conheciam bem e o apresentavam como pessoa ideal para a gigantesca cidade de São Paulo. O cardeal Motta e o cardeal Rossi não se furtaram a dar-me carta aberta de apresentação com os argumentos decisivos para a nomeação do primeiro bispo que eu ordenaria em minha existência, em 25 de janeiro de 1972.

Num segundo encontro narrei ao Papa que havia entregue as diversas regiões de São Paulo a padres escolhidos pelos seus companheiros e pela comunidade ativa que quisesse participar dessa indicação. Contei-lhe que eu até propunha que escolhessem candidatos de toda a arquidiocese, mas sugeria que não fossem buscar pessoas estranhas à região que seria entregue aos cuidados do eleito. O Papa olhou-me com aquele olhar que parecia vir da eternidade, penetrando os nossos pensamentos mais profundos, e afirmou: "O senhor precisa é de bispos auxiliares, e não tenha receio de apresentar candidatos, porque o Papa é o servo dos servos de Deus e deve ajudá-lo sempre, na maneira que o senhor mesmo propõe." Confessei-lhe então que já havia escolhido quatro nomes e achava que eles se entenderiam perfeitamente comigo, entre si, com os demais padres de São Paulo e com os agentes pastorais. Portanto, em todos os níveis de nossa convivência e colaboração.

Dessa vez tive que esperar mais, porque havia mudado o núncio apostólico e o novo representante do Santo Padre no Brasil parecia não entender bem o nosso plano de organização da arquidiocese, com trabalho tão igualitário entre o arcebispo e os bispos auxiliares. Apesar disso, chegou a nomeação dos quatro novos bispos para São Paulo em dezembro de 1974 e a ordenação se deu no ano seguinte.

Nesse momento eu já estava lutando para conseguir mais duas pessoas de grande prestígio, e por isso mesmo sem maiores objeções, para serem bispos auxiliares em nossa cidade: padre Luciano Mendes de Almeida, secretário dos jesuítas de todo o Brasil, e monsenhor Antonio Celso de Queiroz, do clero de Campinas e subsecretário da Conferência Nacional dos Bispos do Brasil. Para a apresentação desses dois ao Santo Padre, foi travada uma grande batalha, e nela o então prefeito da Congregação dos Bispos, dom Sebastião Baggio, me prestou uma ajuda pela qual lhe sou grato por toda a existência. Nós nos conhecíamos e estimávamos desde os tempos em que ele exerceu o cargo de representante do Papa no Brasil, como núncio apostólico.

Não quero lembrar aqui as objeções à escolha, porque todas elas se desfizeram. Primeiro, num encontro que me reuniu ao cardeal-prefeito da congregação e o núncio apostólico em Roma, num diálogo franco mas reservado ao coração de Deus. Em seguida, numa conversa íntima e prolongada com o Papa Paulo VI. Este, no fim de nosso colóquio, pediu para anotar os nomes dos dois candidatos a bispo e me dirigiu uma única pergunta: "Eles são, de fato, as pessoas que o senhor mais deseja ou há alguma dúvida?" Minha resposta decidida e imediata fez o Papa exclamar: "Eu aguardo a conversa com o prefeito da congregação e lhe darei resposta quando Vossa Eminência voltar da Terra Santa, que pretende visitar pela primeira vez."

Além da conversa a respeito dos colaboradores imediatos, o Papa Paulo VI me interrogava sempre sobre a maneira de enfrentar uma cidade tida como ingovernável até pelo poder civil. Pediu-me ele, certa ocasião, que eu visitasse o centro de Paris e aí me informasse a respeito de todas as iniciativas do cardeal Marty em relação à grande cidade. Isso para mim significava não apenas volta e reencontro com os confrades e lugares de estudo, mas também uma aula de pastoral para um arcebispo que sempre se considerou noviço em sua missão.

Não posso imaginar pessoa mais amiga e aberta do que o então cardeal de Paris, François Marty. A primeira vez, recebeu-me sozinho, e na segunda, me convidou para um almoço com todos os bispos regionais. A partir daí fui levado a todas as regiões para conhecer as diversas organizações, a missão confiada a cada bispo auxiliar e a sua interdependência com os demais bispos e com o cardeal-arcebispo. Talvez tenha sido esta a fonte de minhas reflexões futuras e do estilo novo empregado na pastoral de São Paulo.

Ao voltar ao Papa, ele me disse: "Esta experiência não basta. Vossa Eminência deve visitar todas as grandes cidades, a começar por aquelas da

América do Norte e do Sul, como igualmente da Europa, e, quem sabe, até de outros continentes."

Cada vez que eu terminava uma dessas viagens às capitais, freqüentando os bispos auxiliares, o arcebispo e a cúria, o Papa perguntava se havia novas idéias no ar para a administração das sedes crescentes em todos os recantos da Terra. Muito aprendi com essas visitas constantes aos grandes centros, e, mais ainda, o coração e a inteligência se povoavam de planos quando relatava ao Papa Paulo VI tudo o que vira e ouvira. Ele fazia sempre as suas perguntas, mas jamais emitiu qualquer julgamento sobre a ação dos grandes pastores das imensas cidades do mundo.

Em 1975, Paulo VI deu ordem ao prefeito da Sagrada Congregação dos Bispos para que eu lhe enviasse o plano, mesmo provisório, para a organização da Arquidiocese de São Paulo. Com os dados fornecidos pelos demais bispos regionais, dom Benedito elaborou, em latim, um belo volume sobre o que poderia ser uma arquidiocese formada por dioceses interdependentes, no novo Código de Direito Canônico. Não propúnhamos nenhum privilégio, nenhuma modificação para o novo relacionamento com Roma e com a Conferência Nacional dos Bispos do Brasil.

Em 1979, numa pausa providencial da Assembléia de Puebla, antes da celebração eucarística, o cardeal Baggio falou em minha presença a diversos bispos, dizendo que aqueles que tivessem grandes circunscrições eclesiásticas, ou cuja arquidiocese estivesse situada em capitais de nações, poderiam fazer uma visita a São Paulo para verificar como se realizava, na prática, a coordenação de uma pastoral ao mesmo tempo adaptada à realidade das diversas regiões da cidade e unida às demais pelo conjunto dos padres, pela partilha das entradas financeiras e sobretudo pela organização comum das pastorais mais onerosas, como os seminários e as organizações sociais ligadas à diocese.

Pouco tempo depois de Puebla, no entanto, o mesmo cardeal Baggio me informava que o novo Direito Canônico em nada modificava o conceito das arquidioceses em grandes capitais, mesmo que essas sempre fossem discutidas, tanto do ponto de vista jurídico quanto do religioso e administrativo.

O próprio Paulo VI, em nosso penúltimo encontro, em 1976, falou vagamente do plano e pediu que eu não perdesse o idealismo frente a tantos problemas e desafios que apresentavam as grandes cidades, sobretudo nos continentes e países novos como os da África e o Brasil.

A morte de Paulo VI era esperada e assim mesmo surpreendeu. No momento em que recebi a notícia, eu me dirigia à catedral para ordenar o novo bispo de Toledo, no Paraná. O cônego Geraldo Majella Agnelo havia sido meu secretário de pastoral por oito anos e naquele momento ocupava o cargo de diretor da Faculdade Pontifícia de Teologia Nossa Senhora da Assunção. Não anunciei o fato antes da celebração e percebi que os demais concelebrantes não tinham ainda sido informados a respeito do evento, triste para uma cerimônia de ordenação episcopal. No entanto, na hora do canto do "Santo" entrou o então chamado "cura" da catedral, monsenhor Sylvio de Moraes Mattos, com a notícia de que o Papa Paulo VI havia passado para a eternidade. Terminado o canto, procurei avisar de maneira suave toda a assembléia reunida, pedindo oração de ação de graças e não de luto, porque eu sabia que contávamos com novo intercessor para São Paulo junto a Deus.

Depois de todos os noticiários e comentários a respeito da riquíssima biografia de Paulo VI, chegou o momento de os cardeais se reunirem para a escolha de seu sucessor. Os grupos normalmente se compunham de cardeais que falavam a mesma língua. Eram os blocos inglês, francês e espanhol que reuniam o maior número de cardeais de todas as nações, também daquelas que não podiam exprimir-se na própria língua. É claro que fui unir-me a esses blocos, incluindo também o alemão, mas sobretudo especulando sobre o resultado das conversas dos cardeais de língua inglesa, cujo número era grande.

Como não estávamos ainda em conclave, podíamos pedir opiniões a pessoas abalizadas que não fossem eleitoras do papa, como são os cardeais. Por isso mesmo, os franciscanos da cúria generalícia transmitiam informações múltiplas a respeito de todos os candidatos lembrados nas conversas. Após alguns dias recebemos um livro volumoso contendo a biografia completa e até mesmo as produções literárias e atividades de todos os cardeais durante o tempo de sua gestão como bispos e mesmo na fase anterior. Essas informações eram sumamente interessantes e abriam perspectivas para diversas pessoas que poderiam ser esquecidas.

No momento de entrarmos no conclave que nos iria separar de todas as fontes de informação durante o processo de eleição do próximo sumo pontífice, tive a sensação claríssima de que todos estavam entregues ao Divino Espírito Santo para uma nova fase da Igreja.

Nas sessões que se sucederiam analisava-se muito mais a história passada do que propriamente a candidatura. Só conversando entre amigos e confidentes é que ficávamos sabendo qual seria o possível resultado do próximo escrutínio. Nossas cédulas de votação, preenchidas e assinadas, eram colocadas dentro de um grande cálice, acompanhadas do juramento de escolhermos a pessoa que, segundo Deus, nos parecia a mais indicada para papa naquele momento.

Meu vizinho, durante as sessões do conclave, era o cardeal Darcy Freeman, da Austrália, que me dizia não ouvir bem e não entender bastante o latim, o italiano e outras línguas que não fossem o inglês. Por isso, ficava lendo algum livro edificante e me pedia que lhe comunicasse as notícias que parecessem especialmente importantes para a eleição do futuro papa.

Havia duas sessões de eleição pela manhã e duas à tarde. No intervalo tínhamos plena liberdade de trocar idéias para assim apressar o resultado final. Quando foi eleito o patriarca de Veneza, cardeal Albino Luciani, a explosão de alegria encheu a sala, parecendo contagiar a todos. De fato, quando ele se apresentou ao povo do alto do edifício, como é costume há muitos séculos, a notícia correu na mesma hora como vento suave pelos continentes.

Todos pareciam estar sumamente satisfeitos com o resultado da eleição e com o trabalho feito pelos cardeais no conclave. Difícil mesmo foi para cada cardeal livrar-se, após a eleição, dos jornalistas que do mundo inteiro os assediavam. Apesar de saber da importância da eleição de um papa para toda a Igreja Católica, eu nunca havia imaginado que os países não-católicos se interessassem tanto pelo sorriso que o novo pontífice revelou, logo na sua primeira apresentação, do alto do edifício, na Praça de São Pedro.

Entre a eleição e a posse de um papa costuma haver intervalo de aproximadamente três semanas para os preparativos indispensáveis à cerimônia. Foi exatamente nessa hora que os membros da Comunhão e Libertação – organização italiana com diversos representantes em São Paulo – me convidaram para visitar Bari, no Adriático, e depois subir ao longo do litoral, através de

Ravena, até Veneza, chegando a Canale d'Agordo, nos Alpes, terra natal do Pontífice João Paulo I, recém-eleito.

Fui recebido em toda parte como benfeitor da humanidade por ter escolhido um tipo tão humanitário para o cargo mais importante da Igreja Católica. Subindo até a sua casa, permitiram-me entrar no quarto em que nasceu o Papa, visitar a igreja e o batistério que o tornaram filho de Deus e um novo Cristo na Terra. Levaram-me também a abraçar o padre idoso que foi seu primeiro vigário depois da ordenação sacerdotal, e assim passei por todos os lugares que haviam sido santificados pela peregrinação constante desse novo papa, tido de fato como peregrino e viandante, conforme dizia São Francisco.

Quando entrei no que fora a sala de trabalho do novo papa, o vigário-geral de Veneza me obrigou a sentar na cadeira de Albino Luciani para verificar como ele havia deixado toda uma série de correspondências para a volta, após a escolha do novo pontífice. Ele era, certamente, a pessoa que menos contava com o resultado da eleição, e assim mesmo foi o preferido do Espírito Santo para aquela hora.

Quando, na primeira audiência pública, fui cumprimentar o Papa João Paulo I, ele me levou para dentro de uma sala e prometeu bênção especialíssima para São Paulo e o Brasil todo.

Esse gesto completava um outro, feito durante a primeira missa por ele celebrada na Praça de São Pedro. Quando fui cumprimentá-lo, lembrando que eu era da mesma "fornada" de cardeais instituídos por Paulo VI em 5 de março de 1973, ele me disse que eu era certamente um bom repórter, porque todos os parentes que o haviam visitado se lembravam de minha visita à sua terra. A fotografia tirada naquele momento revela bem o caráter de João Paulo I: sabia externar aquilo que lhe ia no íntimo, e esse fato encantou o mundo todo.

Qual não foi, porém, o nosso espanto quando, trinta e três dias depois, nos chegou de madrugada a notícia de que o papa recém-eleito havia falecido! Custou muito acreditar na notícia, e horas depois os padres de São Paulo, reunidos no Seminário do Ipiranga, revelaram a mesma descrença. Naquele dia 30 de setembro de 1978 acabamos celebrando, na própria igreja do seminário, a primeira missa "em favor da Igreja, do Papa e do mundo". A notícia foi considerada infausta no mundo inteiro e deixou os católicos divididos entre um sentimento de dolorosa perplexidade e a aceitação daquela morte como um ato da providência divina.

Fomos, pois, convocados para um novo conclave. Nova eleição para papa. Nova angústia e esperança para o mundo. Quando cheguei a Roma, embora chovesse torrencialmente, pedi ao confrade que nos esperava no aeroporto que me levasse imediatamente à Basílica de São Pedro, para aí prestar a primeira homenagem junto aos restos mortais daquele que vai continuar vivo com o seu sorriso ao longo de nossa vida e pela eternidade afora.

João Paulo I foi realmente nosso pai, mas também nossa mãe. Pela primeira vez um pontífice ousou aplicar esse duplo privilégio ao próprio Deus, Senhor do Céu e da Terra. Temos, até hoje, a impressão de que ninguém representou melhor esse Deus bondoso e misericordioso do que o pontífice do sorriso, tão poucos dias no cargo e tantos anos em nossa memória.

11 *João Paulo II – mão firme e pacificador*

A eleição do cardeal polonês Karol Wojtyla foi surpresa para o mundo e talvez para os próprios eleitores. No dia em que foi eleito, o Papa João Paulo II cumprimentou todos os cardeais, um por um, abraçando-os, e se demorou um pouco mais comigo, porque já ouvira falar de uma cidade que crescia vertiginosamente e que se chamava São Paulo, no Brasil. Fiquei grato por ouvir de seus lábios: "Nós ainda vamos conversar muito sobre sua cidade e sua missão."

Meu colega vizinho, o cardeal Freeman, de Sydney, na Austrália, na aula de preparação para o conclave me havia dito que o cardeal Wojtyla era de um vigor extraordinário e de uma firmeza fora do comum em suas idéias. Suas intervenções no conclave provaram este último fato e demonstraram também que a pessoa humana como tal interessava especialmente ao professor da Universidade Católica da Polônia, onde Karol Wojtyla continuava lecionando, mesmo depois de cardeal.

Passando agora em revista as numerosas visitas que tive a honra de fazer ao Papa João Paulo II, devo dizer que ele cumpriu a missão e sempre me transmitiu nova esperança e nova coragem para a luta em favor da Igreja e de nossa pátria.

Será muito difícil elaborar uma síntese de tantas conversas e de tantos assuntos tratados em nossas reuniões. Devo dizer que o Papa quase sempre começava a conversa perguntando sobre a situação dos trabalhadores e do ensino em São Paulo e no Brasil. Como estávamos sob o regime ditatorial, tive que ouvir constantemente de seus lábios esta expressão: "Os governos ditatoriais de direita não diferem senão aparentemente das manobras dos governos comunistas, como nós os experimentamos em nossa terra."

Um segundo assunto que voltava todas as vezes à discussão era a formação do clero e dos agentes de pastoral nas diversas linhas. Felizmente pude dar-lhe sempre a informação de que aumentava o número de candidatos ao sacerdócio, e nos esforçávamos também por formar novos professores, enviando candidatos às universidades do exterior, particularmente de Roma. Também lhe comuniquei que estava em constante contato com o prefeito da Congregação da Educação Católica, cardeal William Wakefield Baum, norte-americano que parecia compreender o imenso interesse que tínhamos pelo aprimoramento de nossos professores da Faculdade Pontifícia de Teologia, situada no bairro do Ipiranga. Lastimamos ainda, diante dele, que o diretor dessa mesma faculdade, cônego Geraldo Majela Agnelo, tivesse sido nomeado bispo de Toledo, no Paraná, logo no início de sua aprovação para o cargo de diretor da faculdade, em 1978.

Não lhe ocultei, é evidente, que havia sido nomeado um visitador do Vaticano para essa faculdade, que demonstrava tanta transparência em relação a Roma como também em relação aos próprios superiores e bispos que nos confiavam os seus candidatos ao sacerdócio. Em época ulterior ficamos sabendo que tanto o cardeal argentino Eduardo Pirônio quanto o cardeal patriarca de Lisboa, dom Antonio Ribeiro, haviam sido convidados para presidir essa inspeção de nossa faculdade. Ambos teriam – assim me confidenciou pessoa amiga – invocado a grande amizade que os unia a mim para não poderem cumprir essa missão que sempre parece espinhosa, ou colocar em dúvida a minha capacidade como arcebispo e grão-chanceler da faculdade.

O próprio visitador que se anunciou, cardeal Josef Hoeffner, de Colônia, Alemanha, chegou a confidenciar-me igualmente que dissera ao Papa que trabalhava comigo no Secretariado para os Não-Crentes e estreitara laços de amizade não só com minha pessoa, mas também com a problemática que nós podíamos discutir, em alemão, com total liberdade. Além disso – lembrava ele –, "confiei ao Papa que minha idade avançada não me permitia um cumprimento fácil dessa incumbência".

Foi ele, no entanto, confirmado na missão que deveria desempenhar no Brasil e, além do secretário romano que trazia, ainda vinha com o programa já totalmente elaborado, indicando as pessoas a serem consultadas, apesar de seu predecessor, o então recém-nomeado bispo de São José dos Campos, dom Eusébio Oscar Scheid, ter executado um trabalho preliminar que certamente já havia enviado a Roma. Este, aliás, antes de desistir de sua missão, teve a grande gentileza de reunir os bispos de São Paulo – éramos onze, naquele tempo – para dizer-nos que jamais encontrara estudantes tão satisfeitos com seus bispos e mesmo com seus professores como aqueles que ele entrevistara durante os dias da pré-visita.

Aceitamos todas as propostas do visitador, homem de grande erudição e também de objetividade indiscutível. A nossa faculdade é pontifícia, o que significa que o Papa é diretor e responsável pela Faculdade de Teologia. Assisti às reuniões que o cardeal Hoeffner promoveu com os estudantes e percebi que ele se admirava da maturidade, da seriedade e também das informações de nossos candidatos ao sacerdócio. Estranhei, é verdade, que ele já trouxesse o nome dos padres e dos leigos a serem interrogados, justamente pessoas que não entendiam da Teologia da Libertação ou eram contra. Aconselhei os assessores do cardeal que jantassem com nossos professores, desejosos de discutir a Teologia da Libertação, mas eles não aceitaram.

Cabe aqui um esclarecimento sobre a Teologia da Libertação e minha relação com ela. Todos pensam que eu tive uma grande influência na Teologia da Libertação. Na última visita que fiz como arcebispo a Roma, fui chamado pelo cardeal Casaroli, secretário de estado do Vaticano, para uma conversa particular em que ele me disse, com o carinho que marcava nosso relacionamento: "Senhor Cardeal, desde a primeira congregação romana, passando por todas as demais, até chegar a meu gabinete, o seu nome é tão temido em

Roma, que ao som dele arrepiam-se todos os pêlos do braço." Eu me surpreendi: "Não conheço nenhuma das congregações, nunca fiz qualquer referência negativa a elas, não compreendo de onde pode vir este medo." Ele esclareceu com toda a simplicidade: "O senhor dá o *imprimatur* para os livros da Teologia da Libertação, que são temidos em Roma." Eu respondi: "Senhor Cardeal, nós temos a mesma idade, e quando eu estudava na França também perseguiram a *Nouvelle Théologie*, baseada nos santos padres. A verdadeira inquisição que houve na França, com a proibição de diversos escreverem e falarem, e restrições a dominicanos e jesuítas, causou tamanha revolta entre os estudantes, sobretudo os de pós-graduação, que eles resolveram interromper os estudos e retirar-se em protesto da universidade, voltando para suas dioceses. Eu gostaria que isso não acontecesse na América Latina. Em meio século não surgiu na França um só grande teólogo, porque nunca mais houve coragem para enfrentar uma inquisição como aquela de Pio XII. Se isso se repetir no Brasil, fazendo calar os representantes da Teologia da Libertação, nunca mais teremos um grande teólogo na América Latina. Por isso eu lhe peço, por amor à Igreja e à Teologia, uma atenção muito grande para essa questão. Em vez de verificar por que as congregações têm medo, eu gostaria de verificar o que há de errado nessa teologia."

Lembrei ao cardeal que eu só dava o *imprimatur* aos livros da Teologia da Libertação depois do parecer da comissão de doutrina da CNBB e das correções e modificações, efetuadas pelos autores, dos pontos sugeridos pela comissão de doutrina.

A opção preferencial evangélica em favor dos pobres, conseqüência imediata da Teologia da Libertação, determinou o objetivo geral da CNBB e das atividades de toda a Igreja no Brasil. Ela obedecia ao seguinte princípio: os pobres precisam ser preparados de tal maneira que possam tomar a sua história na mão.

Devo dizer que, atualmente, a Teologia da Libertação está sob uma camada de cinzas, mas na Igreja ela continua acesa em quase todos os corações dos que buscam a justiça, não como teoria, mas como atitude pastoral concreta. E vai acontecer o que se deu numa região de São Paulo, em que os soldados foram chamados para expulsar o povo que a ocupara. Uma senhora com a Bíblia na mão obrigou o grupo de soldados a parar e ouvir o trecho do Evangelho: "Tive fome e você não me deu de comer, tive sede e você não me deu de beber, estive doente e você nada fez por mim." Depois ela leu um salmo e afirmou: "Vocês vão se arrepender, porque Deus está ao nosso lado." O amor que os pobres têm pela Bíblia e a forma como ela serve de referência em sua luta é conseqüência da Teologia da Libertação.

Embora eu acompanhasse toda a evolução dessa teologia na América Latina, nunca concordei em afirmar que a faculdade Nossa Senhora da Assunção nela se especializara. Até acredito que nossa faculdade antecipou o desejo do Papa João Paulo II, integrando essa teologia latino-americana dentro da evolução de toda a teologia sistemática da Igreja. A Teologia da Libertação viera a público na Assembléia de Medellín, em 1968, e passou imediatamente para a faculdade, porque Medellín era como o Vaticano traduzido para a América Latina. Era natural que os professores a introduzissem na faculdade, e no entanto estes conviviam com aqueles que discordavam da Teologia da Libertação. Não tenho nenhum mérito ou demérito em sua introdução, porque respeito profundamente a liberdade do magistério.

Logo depois da visita do cardeal Hoeffner, fui ao Vaticano saber o resultado da avaliação da Faculdade de Teologia. Mandaram-me para o Papa, porque, segundo diziam, tratava-se de segredo pontifício. João Paulo II aconselhou-me a perguntar diretamente ao visitador as conclusões a que chegara a comissão. Assim o fiz, na minha ida à Alemanha, onde o cardeal morava. Em Colônia, fui muito bem recebido por ele, mas ao perguntar pelo resultado da avaliação, ouvi novamente: "Trata-se de segredo pontifício." Foi inútil argumentar que havia uma autorização do Sumo Pontífice para que ele me transmitisse o parecer da comissão.

Só alguns anos depois recebi, em papel não timbrado e preenchido por tipos diferentes de máquinas, uma série de observações totalmente desencontradas que certamente não brotaram nem da pena do visitador nem tampouco de alguma autoridade na Igreja.

Apesar de a nossa Faculdade de Teologia ter sido a primeira a ser examinada, e isto na época ser considerado uma perseguição específica à Arquidiocese de São Paulo, a questão da visita – ordenada, diziam todos, pelo Papa – diluiu-se pouco depois pelo programa de visitas elaborado pela Cúria Romana para todas as instituições de ensino superior teológico no Brasil.

Anos depois, vivi com o cardeal Hoeffner uma cena ao mesmo tempo dolorosa e consoladora. Quando ele estava à morte, num momento de lucidez, ao saber que eu me encontrava em Colônia, pediu que me chamassem. Fui ao seu encontro e durante duas horas ele me falou. Era ininteligível o que dizia, mas a simpatia que seus olhos expressavam me deu a certeza de que ele pedia desculpas e reafirmava sua estima por mim.

Outra questão que eu vinha discutindo sempre com o prefeito da Congregação dos Bispos e conseqüentemente com o Papa era a administração da arquidiocese, que crescia vertiginosamente e era considerada, até pelos poderes civis, como difícil, senão impossível.

Como já lembrei ao falar de Paulo VI, ele me enviara às grandes capitais e às cidades em expansão no mundo para verificar como a Igreja procurava penetrar na massa humana crescente para transformá-la em cristãos responsáveis.

Em 1975, o Papa Paulo VI pediu-me a proposta definitiva para a organização da Arquidiocese de São Paulo, dividida em regiões episcopais interdependentes, com bispos co-responsáveis, decisões tomadas em comum e recursos compartilhados de acordo com as necessidades, sob a coordenação do arcebispo. Dom Benedito elaborou a proposta em volumes grossos que foram entregues a cada conselheiro da Congregação dos Bispos, que são aqueles que assessoram o prefeito da congregação e levam as idéias ao Papa. Em 1977, quando fui a Roma, percebi que Paulo VI não estava bem. Chegou a falar-me, com a maior gentileza: "Senhor Cardeal, não leve a mal se repito ou não entendo alguma coisa, pois minha saúde está debilitada."

Nossa proposta nunca foi examinada pelos que elaboraram o novo Direito Canônico de 1983, conservando a mesma tradição para todas as dioceses.

Como já contei, no ano de 1979, em Puebla, já na gestão de João Paulo II, o cardeal Baggio, antes de começar uma missa, dirigiu-se aos cardeais presentes dizendo que São Paulo era o melhor modelo de administração de uma arquidiocese.

Para minha perplexidade, durante uma reunião em Itaici, o núncio me chamou para anunciar: "Está decidida a divisão da Arquidiocese de São Paulo." Respondi na hora: "Mas Senhor Núncio, o Papa me afirmou que queria a cidade administrada eclesiasticamente como um conjunto, e não dividida." Ele apenas disse: "Então o senhor vai falar com o Papa."

Reuni os bispos auxiliares em Itaici, comuniquei-lhes o que tinha ouvido e parti para Roma. Lá chegando, procurei o cardeal responsável pela divisão da arquidiocese e ele me garantiu: "É ordem do Papa."

Telefonei dali mesmo para o Papa, que me recebeu imediatamente. Em sua companhia estava o arcebispo de Paris, cardeal Lustiger, que vivera o mesmo problema. Ao falar da divisão em São Paulo, o cardeal reagiu com veemência: "Não deixe que cometam o mesmo erro que fizeram em Paris. Fique firme!" O Papa disse: "Eu não quero a divisão", acrescentando que concordava plenamente com a orientação de não dividir uma cidade como a de São Paulo em dioceses que poderiam adotar pastorais inteiramente diferentes, ou até contraditórias, se não houvesse laços bem definidos entre elas.

Pedi-lhe que telefonasse para o cardeal responsável transmitindo-lhe seu parecer. O cardeal Lustiger repetia: "Fique firme, Santo Padre, pois não deve repetir o mesmo erro em São Paulo." O Papa dirigiu-se a mim: "Eu nunca telefono, mas a palavra de um cardeal é a palavra fidedigna do Papa. Por favor, procure o cardeal e informe que o Papa não quer a divisão." Voltei a insistir, mas o Papa manteve a mesma posição.

Atravessei a pé a Praça de São Pedro para falar com o cardeal responsável, mas como seu secretário me disse que ele não podia me atender, escrevi num papel timbrado da congregação cinco frases do Papa contra a divisão da Arquidiocese de São Paulo e lá deixei, pedindo que o cardeal entrasse em contato comigo. Voltei para o Brasil sem que houvesse um chamado do cardeal.

Em Brasília transmiti ao núncio minha conversa com o Papa e sua discordância. Mas foi em vão. Poucos dias depois recebi um telefonema da nunciatura, anunciando: "A Arquidiocese de São Paulo foi dividida em quatro dioceses que se separam dela. A arquidiocese permanece com o centro da cidade, e as demais dioceses são: Santo Amaro com o bispo dom Fernando Figueiredo, São Miguel com o bispo dom Fernando Legal, Osasco com dom Francisco Manuel Vieira e Campo Limpo com dom Emílio Pignoli." Todos já designados, sem nenhuma consulta. Eu disse apenas: "Lastimo muito, porque é contra a vontade do Papa."

O decreto foi divulgado no dia 10 de março de 1989 e os documentos nos chegaram dias depois. Na forma como ficou definido, as dioceses são independentes entre si e só ligadas ao Sumo Pontífice para determinadas questões. Desta forma ficou eliminada a interação dentro de uma imensa cidade, como o fizéramos em São Paulo.

Comuniquei aos bispos, que comigo constataram que nada havia a fazer. Aceitei como prova de fidelidade ao que é determinado em nome do Papa. Senti, porém, que não era cumprido o propósito de Paulo VI de procurar uma solução para as grandes metrópoles, nem era obedecido o desejo de João Paulo II.

Foi esse, talvez, o capítulo mais triste de minha vida de arcebispo sob a orientação do Papa João Paulo II.

Depois da divisão da arquidiocese, nada mudou em nossa prática: decisões continuaram a ser tomadas em comum, os recursos, compartilhados. Os bispos que trabalhavam comigo dividiram o território que restou como Arquidiocese de São Paulo em seis regiões – Sé, Brasilândia, Belém, Santana, Lapa e Ipiranga – que passaram a ser administradas por cada um deles, em comunhão comigo.

Em 1998 resignei por idade. Eu deveria ter saído em 1996, quando completei 75 anos. Entreguei pessoalmente ao Papa minha renúncia, acrescentando que, devido a um câncer na vista esquerda que exigia tratamento e me impedia de ler, era urgente que me afastasse da arquidiocese. O Papa lastimou, mas pediu-me que continuasse até ser encontrado um sucessor. Voltei diversas vezes ao Sumo Pontífice, insistindo para que me liberasse. Dizia em alemão, língua em que conversava com João Paulo II: "Santo Padre, o senhor esqueceu o meu caso", mas ele me pedia paciência: "O Papa pode fazer o seu sucessor, mas não pode curar a sua doença como gostaria."

Fui tão persistente no meu pedido, que, finalmente, em abril de 1998, minha solicitação foi aceita e nomeado meu sucessor. A pedido do Vaticano, eu enviara três nomes, com os respectivos perfis dos candidatos. Dom Claudio Hummes, que veio me substituir, não constava dos indicados. Franciscano como eu, fora introduzido por mim em Santo André e tornou-se na época um grande amigo e companheiro na luta em favor dos operários.

Devo dizer, porém, e faço-o com todas as letras, que minha estima pelo Papa jamais diminuiu com alguma palavra, algum gesto ou alguma determinação de sua parte. Eu havia aprendido, desde jovem, que o Pai São Francisco vivera em situação muito mais difícil do que a minha, numa igreja muito mais dilacerada e por vezes até desviada de seus rumos. Em todos os países em que fui interrogado sobre as atividades e a orientação do Papa João Paulo II sempre respondi, com muita franqueza e com bons argumentos, que devíamos agradecer a Deus por termos um pontífice que manifestava tamanha piedade e, ao mesmo tempo, um vigor inusitado no tratamento dos problemas modernos.

A história da humanidade há de registrar, um dia, o que afirmei na Suíça, na Áustria, na Alemanha e em todos os lugares onde ouvia reclamações que me pareciam injustificadas: "O Papa é o autêntico líder no momento em que o comunismo começa a mostrar algumas debilidades e a Polônia abre uma porta para a entrada possível do sistema democrático em países que antes se revelavam como um bloco sólido e indestrutível."

O próprio Sumo Pontífice um dia me chamou e me abraçou dizendo que agradecia a defesa constante que eu fazia de sua pessoa em ambientes menos favoráveis, mas acrescentou que não gostara de minha crítica à Cúria Romana. Quando estranhei esta última afirmação, ele afirmou: "A cúria sou eu." Respondi-lhe com toda franqueza: "Nem mesmo a pequena cúria de São Paulo se identifica com seu arcebispo, pois ela faz e diz coisas, até em meu nome, pelas quais não sou responsável. Como poderia isto então acontecer em Roma?"

Apesar do grande respeito que merecem figuras destacadas que cercam o Papa nos seus trabalhos em favor de toda a Igreja, mantive até hoje essa convicção e receio que, em tempos futuros, a História registre o fato da mesma maneira. Como católico, padre, bispo e cardeal, sinto-me uma só pessoa com o soberano pontífice e não gostaria de separar-me de suas orientações por um milímetro sequer. Para tanto, não faltará a graça divina. Jamais, no entanto, irei identificar a pessoa do Papa, sua palavra, seus gestos e suas ordens para o mundo inteiro com aqueles que o cercam. João Paulo II é um grande pontífice para uma hora crítica da humanidade. Que Deus lhe conceda a recompensa que nós não soubemos dar nesta Terra, nem soubemos exprimir com nossas pobres palavras quando lembramos toda a grandeza de sua pessoa.

12 Participação em organismos romanos

Quando, em 27 de março de 1968, fui surpreendido pela nomeação para o Secretariado para os Não-Crentes, lembrei-me na hora de duas coisas decisivas para a existência: a primeira havia experimentado na minha vida de estudante e professor e era expressa num ditado quase popular: "Se você quiser ser homem bom, não receie ser sempre noviço."

Por que valorizo a experiência?

Na Universidade de Paris e no ensino das faculdades eu tinha que procurar constantemente aperfeiçoar os dados anteriores com informações novas. O mundo evolui em todos os campos e é preciso ter ânimo e coração para descobrir a orientação das pesquisas através de muita leitura, reflexão e troca de idéias com alunos e especialistas. Durante meus estudos na Sorbonne havia encontrado pessoas excelentes e que confessavam não terem fé num Deus que influi na História. Eu me perguntava onde buscavam apoio para tanta persistência na bondade e solidariedade. E foi exatamente esse o tema que, um dia, o secretário de nossa organização romana em favor dos não-crentes nos confiou para pesquisa em nossa terra.

Um segundo motivo para aprofundar constantemente o tema que me foi confiado pelo secretariado romano pode exprimir-se da maneira seguinte: se a humanidade cresce constantemente, em proporção o número dos cristãos parece mais acanhado diante daqueles que não confessam o mesmo Cristo Jesus e o Deus presente na História pela fé recebida no batismo.

No momento, as estatísticas indicam que a terra alimenta seis bilhões de pessoas, dentre as quais apenas dois bilhões se confessam cristãs. Qual será então a nossa missão diante dessa desproporção crescente e diante do mandato de Cristo: "Ide a todos os povos transmitir-lhes o que eu vos ensinei, batizando-os em nome do Pai, do Filho e do Espírito Santo"?

O presidente do Secretariado para os Não-Crentes era o cardeal Franz König, conhecido no mundo inteiro por seus estudos das diversas religiões e também da crescente indiferença de muita gente diante do destino final da humanidade. Esse cardeal austríaco havia exercido influência extraordinária durante todo o Concílio Vaticano II e continuava como ponto de referência para o relacionamento com o mundo comunista, mas também para toda pesquisa a respeito do relacionamento dos cristãos com pessoas de outras crenças ou com o mundo ateu sempre mais amplo. Durante os dezoito anos em que ouvi esse mestre sempre lúcido e objetivo, aprendi mais do que em todos os bancos escolares durante mais de vinte e cinco anos. Além de incentivar-nos a propor sempre novas análises de nossos países ou continentes, ele conservava o otimismo diante da Providência Divina, que orienta não só a história do cristianismo como também a evolução do mundo e o respeito às convicções de cada pessoa.

Nossa contribuição brasileira também era esperada por todos os membros do secretariado. O Brasil era considerado um país de intensa religiosidade e de fé essencialmente cristã. Eu devia agora promover uma análise do número dos não-crentes, mas sobretudo da motivação que os intelectuais encontravam para manter-se dentro de uma ética de alto nível e de uma perspectiva positiva em relação a seu próprio futuro.

Quando voltei de Roma encontrei a pessoa mais preparada para ajudar-me na tarefa de reunir intelectuais de alto nível e levá-los a indicar quais eram as suas motivações para colaborar no aperfeiçoamento da humanidade, se não tinham fé num Deus e mesmo num futuro eterno dessa humanidade. O sociólogo Francisco Whitaker Ferreira propôs que reuníssemos as expressões mais reconhecidas na ciência e na ação pública. Tanto as universidades do Rio de Janeiro quanto as de São Paulo apresentavam certo número de personalidades do mais alto valor cívico e intelectual. Chico Whitaker conseguiu, com cada uma delas, tempo necessário para a gravação de um depoimento que julgo do mais alto valor. Cada qual dizia o motivo que o levava a lutar sobretudo em favor das pessoas mais sofridas e do futuro da juventude. Foram seis longas horas de gravação que depois iriam resumir-se em uma dúzia de páginas para a apresentação aos membros do Secretariado para os Não-Crentes em Roma.

Quando chegou minha vez de apresentar os resultados, o secretário me chamou à parte para dizer que havia lido todo o meu relatório e, por causa dele, tinha passado algumas noites de reflexão e também de projeção para o próprio intuito de nossa agremiação. A maioria dos não-crentes intelectuais começava revelando que em casos de perigo extremo de saúde, ou de algum acidente inesperado, chegava a dizer "se Deus existe, que ele me ajude nesta hora". Em seguida relatavam que diante dos alunos sempre queriam parecer pessoas livres, inteiramente independentes e objetivas em suas investigações, sem deixar-se levar por ideologias ou por religiões históricas. A motivação que eles transmitiam a seus alunos concentrava-se constantemente no respeito à pessoa humana e nos direitos fundamentais de cada qual em todos os ramos da existência, qualquer que fosse o regime político ou a ideologia adotada pelos estados. A liberdade e a dignidade deviam ser consideradas como duas irmãs inseparáveis em sua caminhada para o futuro.

Quando depois de longo tempo fui dispensado pelas mais altas autoridades de Roma de colaborar no Secretariado para os Não-Crentes, recebi a nomeação para uma congregação romana que parecia concentrar-se no extremo oposto àquele secretariado. Por duas vezes fui nomeado membro da Congregação para o Culto Divino e a Disciplina dos Sacramentos e tive que refazer aí toda a minha experiência de professor de liturgia na Faculdade de Teologia de Petrópolis. Por seis anos, eu havia ensinado aos futuros padres como encarar a sua missão de representantes de Cristo para a evangelização e, conseqüentemente, para a administração dos sacramentos reconhecidos pela Igreja Católica.

Experiência inteiramente nova. Além do encontro com bispos e cardeais escolhidos pela Sé Apostólica para elaborar as normas indispensáveis à liturgia católica, eu devia conhecer também as tradições das grandes religiões e mesmo o culto exercido pelos índios e pelos negros, além das expressões religiosas de grupos modernos nos diversos países. Felizmente, os temas eram indicados meio ano antes de serem debatidos e, assim, eu tinha tempo para enviar as primeiras sugestões a Roma e receber, de lá, a contribuição dos demais membros que iriam debater os problemas em época determinada. Devo confessar que a grande maioria dos participantes levava muito a sério tudo o que se passava nos diversos países e continentes e apresentava uma série incalculável de novidades a quem vinha do Brasil.

Também as instituições como o diaconato permanente – permitindo aos leigos casados serem diáconos –, revitalizado durante o Concílio Ecumênico, mereceram pesquisa aprofundada e debates muito abertos a respeito das falhas e também dos progressos no diaconato, instituição já mencionada no primeiro livro da história da Igreja, os Atos dos Apóstolos. A esse respeito, devo dizer que as opiniões eram muito diversas e que os novos ministérios introduzidos na Igreja levavam muitos membros de nossa congregação romana a duvidar do ressurgimento vigoroso do diaconato permanente em todos os países do mundo.

As contribuições escritas e as opiniões emitidas durante as reuniões eram depois remetidas aos grupos especializados que se encontravam nas diversas congregações romanas. Por vezes, eu sentia falta de comunicação com outras instituições afins para ter um quadro completo do que poderia ser a comunhão católica em seu todo e as comunidades eclesiais em cada território nacional. Esse trabalho evidentemente era feito, mas não podia respeitar tantas e tão diversas opiniões expostas nas reuniões das congregações romanas, que são numerosas. Valeu a pena trabalhar para que Deus fosse sempre mais conhecido e amado e o Cristo merecesse ser considerado como Caminho, Verdade e Vida para o Pai, porque era exatamente o Espírito Santo que nos orientava nessas discussões.

Hoje, lançando meu olhar sobre o trabalho feito, penso que ele beneficiou mais os bispos de São Paulo do que as congregações romanas que estão em contato com o mundo inteiro e devem realizar as propostas evangélicas correspondendo aos anseios mais profundos do espírito humano.

A essa altura, lembro-me sobretudo da contribuição que recebemos através dos sínodos romanos de bispos normalmente realizados de três em três anos e longamente preparados, tanto em Roma quanto depois nos diversos países. Para cada sínodo recebíamos uma proposta inicial, com um texto elaborado seguido de perguntas a respeito do conteúdo de cada parte apresentada pelo secretariado do sínodo. Por duas vezes fui escolhido pelo plenário para fazer parte desse secretariado, composto de doze cardeais e bispos e convocado uma ou duas vezes por ano para coordenar as idéias do sínodo anterior e preparar o texto a ser debatido na próxima reunião sinodal.

Logo na primeira visita ao Papa Paulo VI, ele me perguntou se eu iria participar do sínodo sobre a Justiça e também sobre a possibilidade de ordenar sacerdote o homem casado. Quando lhe disse que eu era apenas suplente – mesmo porque na sessão plenária do episcopado brasileiro, que escolheu, em 1970, os quatro membros para o sínodo mundial, eu era bispo auxiliar de São Paulo –, o Sumo Pontífice insistiu que eu manifestasse corajosamente a minha opinião, como o fariam os demais membros do sínodo, porque ele, como servo dos servos de Deus, iria pôr em prática o que era proposto pelos padres sinodais eleitos em todas as nações, conforme o número de bispos e segundo as regras fixadas para essas reuniões. Infelizmente o resultado da votação foi negativo quanto à ordenação de homens casados.

Experiência sem igual tive no ano de 1974, quando, já cardeal, participei do sínodo que tinha como tema a "Evangelização dos Povos". Levei comigo um assessor de alta qualidade, frei Gilberto Gorgulho, que elaborava, durante as nossas sessões, aquilo que havia sido debatido no dia anterior e poderia ser apresentado como complemento, ou até refutação das idéias expostas. Nosso trabalho conjunto foi feito da seguinte maneira: durante as duas sessões que nos ocupavam praticamente o dia todo eu anotava as idéias que julgava importantes dos cento e trinta e poucos oradores e, à noite, passava todo o esquema a esse meu assessor muito atento e competente. Isso me possibilitava fazer, na manhã seguinte, uma intervenção oral ou escrita para o tema. Além disso, organizávamos reuniões de todo o grupo brasileiro, que se compunha, como já disse, de quatro membros eleitos: dom Hélder Câmara, dom Aloísio Lorscheider, dom Ivo Lorscheiter e eu, mais um designado pelo Papa – o cardeal dom Vicente Scherer – e o cardeal Rossi, membro nato do secretariado do sínodo, em Roma. Nessas sessões tinham a palavra, sobretudo, os assessores oficiais, que eram da CNBB, mas também participavam assessores particulares que algum membro do sínodo pudesse apresentar.

Talvez eu nunca tenha experimentado em minha vida o quanto a evangelização pode ser profunda, ampla e até capaz de modificar nossa atitude diante da História presente e futura. O Sínodo da Evangelização marcou época e costuma ser citado ainda hoje, ao lado dos documentos do Concílio Vaticano II, como fonte de altíssimo valor. Paulo VI foi inteiramente fiel ao que ele me dissera na primeira visita que lhe fiz, transmitindo ao mundo a mensagem do maior significado sobre a palavra e a ação de Cristo no mundo.

Após o sínodo, passei uma semana em Campos do Jordão, junto com assessores, para coordenar todas as intervenções e publicá-las em um livro intitulado *O Evangelho: incomoda? inquieta? interessa? – Sínodo da Evangelização* (Edições Loyola, 1975). Ao final deste livro se encontra o documento cujo primeiro esboço foi preparado por mim, aperfeiçoado pela comissão designada pelo plenário e em seguida traduzido para o inglês e depois assinado por todos os padres sinodais e pelo próprio Papa, sobre a importância dos direitos humanos, particularmente aqueles que mais tocam a nossa fé.

Na ocasião, o próprio Sumo Pontífice, depois de ouvir a leitura feita antes da assinatura do documento, exclamou: "Uma mensagem brotou com força quase irresistível da profundidade da meditação sinodal: o apelo em favor dos direitos do homem, aprovado por unanimidade pelos padres sinodais. É uma exortação bela. Mais uma vez fica demonstrado que a afirmação dos direitos de Deus gera a dos direitos do homem. A religião do Evangelho é assim – o amor a Deus é a raiz do amor a nossos vizinhos, e todo o mundo é nosso vizinho. Eu próprio gostaria de assiná-lo junto com todos os padres sinodais."

A esse documento me referi muitas vezes, e em muitas nações ele terá complementado o que o Papa João XXIII afirmara nas celebérrimas encíclicas *Pacem in Terris* e *Mater et Magistra.*

O novo pontífice, João Paulo II, perguntou, logo na primeira sessão a que eu assisti do sínodo de 1983 sobre "Reconciliação e Penitência na Missão da Igreja", se os bispos brasileiros não queriam publicar as suas reflexões e propostas em seu próprio nome, e não como documento ulterior assinado por ele. Por duas vezes ele repetiu essa sugestão, e no final pediu uma votação que, infelizmente a meu ver, foi negativa. Os padres sinodais preferiam um documento pontifício alimentado com idéias sinodais a uma exposição mundial dos resultados imediatos de um sínodo episcopal. Talvez tenha sido a influência do sínodo da evangelização, cujo documento trouxe a assinatura do Papa Paulo VI e assim exerceu influência muito profunda sobre a Igreja toda, que tenha levado os padres sinodais, nesse novo pontificado de João Paulo II, a pedir que o Papa mesmo assinasse as resoluções propostas pelos bispos e depois reelaboradas pelo secretariado do sínodo em Roma. Assim, o sínodo nunca se tornou independente, porque todos preferem a palavra do Papa a uma simples reunião do episcopado.

A história do sínodo dos bispos ainda não acabou, e talvez, para o futuro, a exemplo de outras igrejas cristãs, esta reunião episcopal assuma importância ainda maior do que a que teve nos pontificados de Paulo VI e João Paulo II. Afinal, é o Espírito Santo que orienta a Igreja nas grandes decisões e nelas está presente como esteve na reunião dos apóstolos que abriu a Igreja para a grande evangelização, com a fala do primeiro papa, São Pedro, como lembra o livro dos Atos dos Apóstolos para todos os tempos da História.

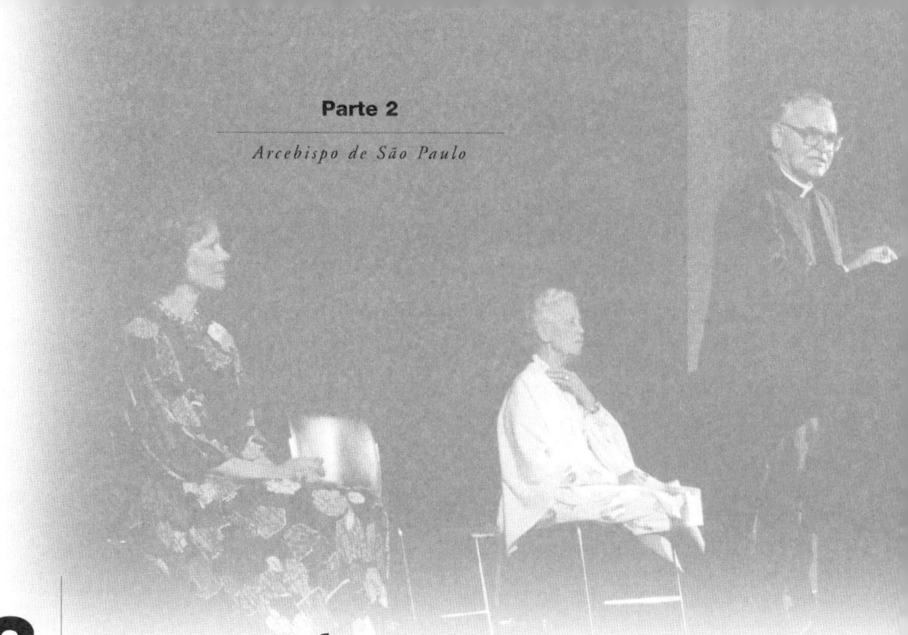

13 Dioceses do exterior: abertura para o mundo

Os contatos com as dioceses do exterior se iniciaram, em quase todas as situações, através de padres que trabalhavam conosco em São Paulo e pediam em troca algum favor, ou mesmo uma visita a seu bispo. Seguirei aqui uma ordem muito simples, enumerando os países que visitei mais vezes por causa dos interesses da Igreja de São Paulo. Começarei pelos Estados Unidos, pois diversas congregações religiosas daquele país assumiam não só as pastorais mais difíceis, como a carcerária, mas também paróquias e outros serviços que suas irmãs e padres sempre realizaram com muita eficiência.

Termino lembrando os países em que estive uma só vez e quase sempre por motivos inesperados e um tanto alheios à pastoral de São Paulo. Mas também é verdade que em todas essas ocasiões me receberam como bispo da Igreja Católica e cardeal intimamente ligado ao Papa Paulo VI ou a João Paulo II. Não fui eu que ditei a preferência; antes, obedeci ao que a hora parecia exigir de mim. Em caso de dúvida, consultava pessoas daqueles países, ou conselheiros que me pudessem orientar nas situações propostas.

Nos Estados Unidos também recebi a maior prova de reconhecimento pelos trabalhos realizados em favor dos presos políticos e das pessoas perseguidas pelo regime militar. Só os títulos honoríficos já poderiam me dar a prova do quanto o primeiro doutorado *honoris causa* influiu em todas as demais resoluções das faculdades e universidades dos Estados Unidos, pois em Dubuque, Iowa, cheguei a ser agraciado com o título de Doutor Honoris Causa em Ciências Humanas, apesar de esta universidade se declarar oficialmente contrária ao movimento ecumênico, isto é, à aproximação da Igreja Presbiteriana com outras confissões cristãs.

Não passo a enumerar aqui os demais títulos. Quero apenas ressaltar alguns pontos que são comuns a todas as notas de distinção apresentadas nos Estados Unidos para conferir-me alguma prova de consideração diante de organizações sociais e científicas.

Em primeiro lugar, acentuou-se em toda parte o respeito à pessoa humana diante da história da humanidade. Defender essa pessoa significa, ao mesmo tempo, dedicar-se totalmente a levar a bom termo a declaração da defesa dos direitos humanos, proclamação defendida pela esposa do Presidente Roosevelt, que tentou angariar subscrições até a meia-noite do dia 10 de dezembro de 1948. Não fosse o prestígio dessa senhora tão corajosa e perseverante, muitos países teriam adiado a resolução de apoiar a declaração dos direitos humanos, como o fizeram, por exemplo, os países comunistas e outras nações menos simpáticas à América do Norte. Nesse ponto, o Brasil constitui honrosa exceção, porque assinou, na primeira hora, aquilo que todos os brasileiros sentiram como defesa principal durante os anos da ditadura militar.

Outro ponto que deve ser realçado nos Estados Unidos é a imensa simpatia que as ordens religiosas e os bispos consagravam à América Latina depois da Assembléia Episcopal de Medellín (1968) e a de Puebla (1979). Cada vez que nos convidavam a visitá-los por algum motivo particular, tínhamos que expor os princípios básicos dos dezesseis documentos da primeira conferência e em particular a opção preferencial pelos pobres, tão sublinhada em Puebla.

Em diversos lugares também a Teologia da Libertação, baseada no grande livro de Gustavo Gutierrez, suscitava interesse particular pela novidade e pelo arrojo e, mais tarde, pela oposição que nos viria de certos setores em Roma.

Eu nunca visitara a Polônia, apesar dos constantes convites. Quando consegui tempo e meios de empreender uma visita ao santuário mariano de Chestocova, prolonguei a viagem até Opole, antiga província alemã que passara para a Polônia. Pude aí falar a uma multidão incalculável de pessoas e levar conforto ao bispo e aos religiosos.

No percurso para o país do Papa João Paulo II fiz escala em Roma, como sempre ocorria quando ia à Europa. Naquele ano (1984) estava chegando a seu desfecho o prolongado diálogo entre a Cúria Romana e o teólogo brasileiro frei Leonardo Boff. Aproveitei a ocasião para perguntar a dom Aloísio Lorscheider, que lá se encontrava para acompanhar Boff no diálogo com o cardeal Ratzinger, se achava conveniente que eu também desse o meu testemunho em favor de um de meus mais queridos ex-alunos. A mesma solicitação fiz ao cardeal Casaroli, secretário de estado do Vaticano, que, por sua vez, consultou o próprio cardeal Ratzinger. Este aceitou, com muita liberalidade, a minha presença.

O cardeal Ratzinger, quando professor, aprovara a tese de Leonardo Boff. Era então considerado um dos teólogos mais avançados da Igreja. Logo depois, ao tornar-se prefeito da Congregação da Doutrina da Fé no Vaticano, o cardeal condenou a mesma tese e proibiu Leonardo Boff de escrever, assumindo uma posição extremamente conservadora. Ao perguntar-lhe como tal coisa era possível, ele me respondeu: "O julgamento depende do lugar em que estamos. Na universidade a tese de Boff era primorosa, e por isso a aprovei. Quando foi publicada no Brasil com o título *Igreja, carisma e poder*, encontrou-me em outro lugar, e por isso a condenei."

O acompanhamento dos dois cardeais franciscanos do Brasil na famosa audiência Ratzinger/Boff repercutiu mundialmente, embora eu nada fizesse de extraordinário naquela ocasião. Queria apenas demonstrar simpatia por meu confrade teólogo, provando assim que sua ação só favorecia o nosso trabalho pastoral em São Paulo e na América Latina. Infelizmente o silêncio foi imposto a Leonardo Boff, causando uma reação negativa nas muitas pessoas que haviam lutado contra a censura na imprensa. Agora era Roma que se tornava censora.

Não cheguei, porém, a dizer qual o interesse especial em empreender viagens aos Estados Unidos – exatamente dezoito, em vinte e oito anos de arcebispo. Eu não tinha facilidade de exprimir-me em inglês como o fazia em francês e alemão.

A reunião – o Sínodo das Américas – que o Papa João Paulo II promoveu em Roma, em 1997, convocando bispos de todos os países desse continente, nos provou o quanto, na América Latina, dependemos dos Estados Unidos, não apenas na ordem política e econômica, mas também no cenário religioso. Quase todas as novas religiões ou seitas que conseguiram estabelecer-se em nossa terra tiveram sua origem nos Estados Unidos da América do Norte.

Posso até acrescentar que o movimento carismático, tão difundido também na Igreja Católica, nos veio diretamente de sacerdotes, congregações religiosas e até de leigos que se fundamentavam sobre o que haviam experimentado nos Estados Unidos. A influência desse movimento carismático se desdobrou em expressões novas no Brasil por causa da índole tão diversa do Nordeste, do Sudeste, do Sul e de outras regiões.

O leitor há de perguntar-se o que vale uma voz solitária para enfrentar tantas condições diversas nos dois países. Posso responder-lhe, desde logo, que nunca tive outra intenção senão a de obedecer aos bispos das dioceses visitadas e de falar ou agir sempre em conformidade com eles. O que percebi foi a grande generosidade em acolher a diversidade. Importante realçar este fato porque, na economia, parece dar-se o contrário: a diversidade sucumbe à supremacia absoluta do que chamamos dólar americano.

Gostaria de transmitir, porém, que guardo uma gratidão profunda a tudo o que experimentei nos Estados Unidos, particularmente entre os confrades franciscanos da Reconciliação. Além de me acolherem por diversas vezes, ainda assumiram o movimento ecumênico em nossa arquidiocese, imprimindo-lhe caráter sério e ao mesmo tempo liberal. Essa generosidade levou os nossos irmãos franciscanos de Graymor, em Nova York, a doar-nos o belíssimo centro de acolhida, sede da pastoral do ecumenismo – a Casa da Reconciliação – que organizaram na Arquidiocese de São Paulo e que funciona até hoje sob a orientação do padre diocesano José Bizon e de diversas congregações e pessoas dedicadas ao ecumenismo nesse período.

O espírito de solidariedade que encontrei em todos os níveis nas organizações, grupos e entidades que visitei nos Estados Unidos sempre me comoveu. Gostaria de registrar aqui mais alguns exemplos:

Em maio de 1981, duas congregações religiosas me convidaram a viajar àquele país. Os franciscanos que dirigem o Siena College me conferiram o título de Doutor Honoris Causa em Sagrada Teologia; e os jesuítas responsáveis pela Fordham University, na cidade de Nova York, me agraciaram com o mesmo título em Direito.

Outros grupos, aproveitando minha presença no país, convidaram-me para a despedida de alguns missionários de Maryknoll e para um colóquio com os superiores religiosos em Washington.

O movimento católico leigo mais influente de lá, chamado Catholic Worker, também fez questão de assistir a uma conferência do arcebispo de São Paulo em sua sede, situada no bairro mais pobre de Nova York.

Todos esses grupos conheciam a situação do Brasil no auge da ditadura militar. Todos sabiam da nossa luta para a proteção dos presos. A intenção dessas congregações era mostrar publicamente, em duas cidades responsáveis por boa parte da economia e da política do mundo – Nova York e Washington –, que os franciscanos, os jesuítas, os missionários de Maryknoll, os superiores religiosos de todo o país e os leigos organizados estavam conosco na luta pela justiça.

Da cerimônia na universidade dirigida pelos padres da Congregação de Santa Cruz, em Notre Dame, Indiana, no ano de 1977 participou o próprio Presidente Jimmy Carter, que recebeu comigo a mesma láurea, o Doutorado Honoris Causa em Direito.

Todas essas homenagens e convites tiveram um único objetivo maior, que foi mostrar ao governo militar no Brasil que a luta pela justiça e pela paz não era uma "excentricidade" de alguns bispos brasileiros, mas a posição firme e corajosa da Igreja no coração do Império.

Para não me alongar demais a respeito de minhas relações com cada país, passo a enumerar os que mais colaboraram para a nossa pastoral: nos primeiros anos de arcebispo, recebi de todos os meus colaboradores padres não-brasileiros o convite para visitar seus parentes, sobretudo na Europa. Devo dizer que tive as maiores alegrias e pude exprimir o agradecimento do maior número de comunidades dirigidas pelos filhos de outras nações que vinham trazer a mensagem de Cristo a seus irmãos em nossa terra.

Não se espantem que eu cite, em primeiro lugar, a Irlanda, por causa do grande número de missionários que essa terra forneceu à Igreja no período pós-conciliar. Nas duas viagens em que fui convidado a participar do encontro de padres e irmãs missionárias, pude reunir-me, durante um dia inteiro, tanto no norte quanto no sul do país. Nem poderia imaginar quanta alegria causamos aos que permitiram que filhos, irmãos ou amigos partissem para uma região tão distante e realizassem coisas tão maravilhosas em favor do Evangelho e da gente mais pobre do mundo.

Foi o que me impressionou na Irlanda, na Holanda – país tão rico em missionários e hoje tão desprovido de padres e religiosas – e em nações como o Canadá e o próprio Japão.

Como bispo auxiliar de São Paulo, fui duas vezes ao México: a primeira, como já contei, para representar o cardeal Rossi numa reunião do Serra Clube, e a segunda para participar de encontro organizado pelo Secretariado para os Não-Crentes, do Vaticano. O encontro com os mexicanos foi altamente positivo, sobretudo naquele momento em que a seleção brasileira acabara de conquistar o campeonato mundial de 1970, e os mexicanos vibravam com nossa vitória. Vivi esse mesmo clima de amizade com o povo mexicano em 1979, quando passei um mês inteiro em Puebla, colaborando na III Conferência Episcopal Latino-Americana que tanto marcou nossa história. O México será sempre para mim escola e vitrine. Nele aprendi e descobri minhas falhas e progressos na solidariedade humana.

Na Bélgica tive o consolo de visitar uma instituição teológica que preparava os missionários para ação tão delicada em países distantes. Alguns anos mais tarde, a mesma Bélgica ofereceu uma paróquia em Virginal, onde nossos estudantes puderam manter contato com o povo sem prejudicarem os estudos teológicos na Universidade de Lovaina.

A Alemanha, a Áustria, a França e outros países merecem menção toda especial porque, além da generosidade manifestada pelo envio de seus filhos ao Brasil, ainda revelaram grande coração no apoio às obras da pastoral de conjunto realizadas em nossa arquidiocese. Devo acentuar, a essa altura, que as organizações oficiais e particulares sempre preferiam atender ao meu pedido quando solicitava em favor de uma obra mais ampla, que não fosse confiada a somente uma congregação ou a um padre missionário.

A História jamais conseguirá registrar tudo o que recebemos da parte das entidades alemãs, holandesas, inglesas, italianas e francesas, sem mencionar outras, que, através de pessoas ou organizações especiais, nos socorreram nos momentos em que a ditadura militar nos sufocava em muitas atividades indispensáveis à ação da Igreja. Em troca, eu era convidado a falar da aplicação desses recursos durante certos períodos do ano especialmente marcantes para a contribuição dos fiéis.

Para tanto, viajei onze vezes à Alemanha, dez à Suíça, sete à Bélgica, seis à Holanda, cinco à França, cinco à Inglaterra e quatro à Áustria, além das viagens ao Canadá, à Espanha e a Liechtenstein.

Gostaria tanto que a nossa arquidiocese e todo o Brasil também se habituassem a prestar socorro a organizações de países ainda mais pobres que o nosso, sobretudo na África e na Ásia. Receber esmola parece humilhação. No entanto, esses países que nos socorreram sempre ressaltaram a generosidade dos agentes de pastoral e o tempo que eles consagravam ao ministério, tanto nas grandes organizações, como a Pastoral da Criança, quanto nas mais ofuscadas, como a Pastoral Carcerária. Cheguei a afirmar, em alguns desses países, que não trocaria a minha ação em favor da Igreja de São Paulo por nenhuma outra, em qualquer lugar do mundo, justamente por causa da generosidade e da acolhida que percebemos ou sentimos entre nossa gente. Que todos, neste momento, experimentem como é mais precioso dar do que receber, mas que é igualmente honroso receber em favor do pobre e distribuir com honestidade e generosidade.

Deveria ainda lembrar que algumas viagens tiveram significado especial, como por exemplo as que fiz ao Japão, a Portugal, à Suécia e mesmo à Tunísia e à Jordânia, a convite de grandes organizações que me quiseram honrar com alguma distinção especial, ou me incumbiram de examinar o que se fazia e poderia fazer em favor das organizações humanitárias num mundo distante.

Em cada país acontecia alguma coisa extremamente importante. No Paraguai, por exemplo, o governo soltou, a meu pedido e por causa de minha presença, mais de quinhentos lavradores presos há longos anos.

O mesmo posso dizer da visita ao Chile, ao Peru, e dos quatro anos em que acompanhei a Comissão Internacional para Questões Humanitárias da ONU examinando, em todos os continentes, como era realizado o plano em favor das atividades humanitárias. Pude assim descobrir e notificar os responsáveis a respeito das torturas, dos exílios, dos refugiados, das crianças maltratadas e de tantas outras calamidades que cobrem o nosso mundo de hoje como restos de barbárie da antiguidade e de países não-civilizados.

Seria, porém, injusto lembrar apenas as faltas cometidas contra os direitos humanos. Em 1981 fui nomeado para a comissão da ONU. Na sessão de abertura, em outubro de 1982, James Grant, diretor do UNICEF, me confiou a missão de desenvolver no Brasil ação sólida e abrangente em favor das crianças mais sofridas. Para tanto, convidei minha irmã Zilda, médica especializada em pediatria e saúde pública, para assumir essa ação fundamental e indispensável no Brasil de hoje, que é a conhecida e felizmente prestigiada Pastoral da Criança.

Orientada e animada pelo então arcebispo de Londrina, dom Geraldo Majella Agnelo, Zilda iniciou de imediato o trabalho em Florestópolis, município mais carente do Paraná. Ao longo desses quase vinte anos, estendeu o trabalho ao país inteiro e, atualmente, até a países como o Paraguai, Peru, Angola, Guiné-Bissau e Timor Leste. A coordenação nacional também foi visitada por líderes da Argentina, Chile e Venezuela, em busca de aprendizado para aplicar a mesma pastoral em suas áreas de atuação. Com o apoio oficial e permanente da CNBB, a Pastoral da Criança forma voluntários e aplica os melhores métodos, para a preservação da vida e da saúde das crianças, a mais de dois milhões de pessoas carentes, agora bem orientadas para o seu futuro.

Que a doutora Zilda Arns Neumann receba a gratidão de São Paulo, do Paraná e dos demais estados do Brasil e até mesmo de outras nações, por um trabalho que, com a graça de Deus e o amor do voluntariado, só vê crescer sua legião de admiradores.

Momento especialmente doloroso é lembrar que não fui acolhido, por exemplo, na África do Sul, onde todos os bispos, mesmo os de outras denominações cristãs, queriam minha presença e minha voz na defesa dos negros, naquela luta titânica pelo reconhecimento da igualdade de todos os homens. Eu já estava no carro que me levaria ao aeroporto quando o cônsul da África do Sul em São Paulo, em nome da embaixada, pediu que eu me comunicasse com as autoridades daquele país em Brasília. Estas, apesar de saberem que eu ia em missão de paz e de fraternidade, me proibiram terminantemente de desembarcar em seu território, no momento em que a minha voz procuraria levar esperanças e motivações novas para a paz.

Não tive alternativa senão enviar para lá a mensagem de amizade e solidariedade que foi distribuída entre todo o povo sul-africano, tendo talvez causado maior impressão do que a minha própria visita. Isso aconteceu no ano de 1985 e sempre será recordado como admoestação de Cristo Jesus, que chegou a não ser recebido em sua terra natal. Esse caso merece menção porque jamais algum governo, como poderia ter acontecido com o Paraguai e o Chile, recusou a minha entrada no país ou manifestou de público insatisfação de receber um defensor dos direitos humanos em seu território.

Afinal, o mundo é de Deus e Deus está presente no coração de cada pessoa, por menos que esta o sinta ou o exprima de viva voz.

Maior ainda foi a expectativa de visita à terra de Jesus. Dois motivos me incentivaram de maneira especial: o primeiro foi o fato de a empresa de turismo haver oferecido facilidades especiais a toda uma equipe que trabalhava comigo e que, agora, no ano santo de 1975 possibilitava nossa viagem à Europa e a Israel.

Sempre soube que uma visita aos lugares santos constituía como que o quinto Evangelho para se entender os gestos, as palavras e o sacrifício supremo de nosso Salvador e Mestre Jesus Cristo.

Desde a infância os integrantes do nosso grupo de peregrinos haviam lido, meditado e, quem sabe, assimilado o que Jesus lhes havia transmitido a partir dos Evangelhos e do Novo Testamento.

Também o Antigo Testamento fazia parte de nosso interesse especial pelos lugares onde os profetas e demais intérpretes de Deus nos comunicaram o indispensável conhecimento para nossa caminhada na vida. Apesar disso, pedimos ao professor e especialista da Bíblia frei Gilberto Gorgulho que nos reuníssemos nos meses que antecederam a viagem para interiorizar os textos sagrados, as circunstâncias em que eles foram proferidos e também para introduzir-nos na geografia e história dos lugares escolhidos para o roteiro.

Nosso grupo, constituído por quarenta e oito pessoas – além de mim, quatro padres, cinco religiosas e trinta e três leigos e leigas –, crescia na amizade e na contemplação das revelações de Cristo Jesus.

Nossa visita a Roma, de 21 a 25 de setembro, nos confortou particularmente pela ternura que o Papa Paulo VI revelou na maior audiência pública daquele Ano Santo de 1975. Pela delicada interferência de dom Lucas Moreira Neves, nosso grupo paulista estava colocado na primeira fila. Ao terminar a audiência, não resisti à tentação e, aproximando-me do Papa que descia de seu palanque, fiz um gesto muito pouco protocolar: peguei-o pelo braço e encaminhei-o em direção ao grupo, dizendo-lhe que queria apresentá-lo à nossa gente. Ele se deixou conduzir e apertou com sua mão frágil as mãos emocionadas que se estendiam para ele.

Paulo VI ainda me recebeu em uma audiência particular que, anunciada pelo secretário para durar cinco minutos, acabou se prolongando, por iniciativa do Papa, por cinqüenta e cinco minutos, porque ele fez questão de me revelar sua própria experiência na visita que fizera aos lugares santos.

O que mais me impressionou, nos primeiros dias da peregrinação à Terra Santa, foi a visita a Belém, onde não só pude celebrar a vida, mas igualmente a morte e a ressurreição de Cristo em nosso favor. Lá estavam, diante de nós, as ovelhas e os pastores mencionados no Evangelho com tanto carinho e propriedade.

Em suas conversas, o grupo só tinha um assunto que a todos empolgava: a experiência indizível de palmilhar os caminhos sagrados da Bíblia. Igualmente ressoavam em nossa imaginação e em nossos corações as palavras dos profetas, sobretudo as de João Batista, precursor do Messias. Prova disso foi a primeira visita ao rio Jordão, onde entramos como alguém que ia receber o batismo do próprio João para, em seguida, sentir como Deus se revelava em relação ao Cristo exatamente na hora de seu batismo.

Afinal, ser filho de Deus é a maior graça que podemos ter sobre a Terra.

Muitos dos nossos peregrinos nos confessaram que a subida ao monte das bem-aventuranças e a inesquecível eucaristia aí celebrada foi uma espécie de nova vivência de todo o Evangelho de Mateus, mas particularmente do Sermão da Montanha.

O percurso da via-sacra, na parte velha de Jerusalém, marcou cada uma das estações com significado novo e com a vontade de caminhar com Cristo, que nos exortara a carregar a sua cruz e a segui-lo. A conclusão da via dolorosa na

Basílica do Santo Sepulcro acabou por unir-nos numa só igreja que sofre todas as dores do mundo e aplaina a caminhada ao encontro definitivo com Deus na eternidade.

As celebrações participadas como nunca em nossa vida tornavam realidade o que víamos e o que esperávamos ver naquele encontro com o chão sagrado que se embebeu do sangue do Redentor e nos concedeu a grande graça de sermos cristãos ou, como ousara dizer Santo Agostinho, "novos Cristos" para o nosso tempo.

Nós nos sentíamos de fato, como diz São Pedro, um "povo sacerdotal, profético e real".

O que mais importava era oferecer tudo isso em favor do nosso povo sofrido e particularmente em nome de nossas famílias, que rezavam em casa enquanto nós nos comunicávamos, muitas vezes a céu aberto, com Deus Pai, Filho e Espírito Santo.

Não houve quem não lastimasse a brevidade do período, que foi do dia 25 de setembro a 1º de outubro, para recolhermos e assimilarmos tantas e tão profundas impressões sobre a vida dos profetas, de Maria, José, Jesus e seus apóstolos, e das primeiras comunidades cristãs tão admiradas quanto perseguidas naqueles lugares santificados pelo sangue do Mestre e de seus discípulos.

Eu e mais dois padres preferimos prolongar a permanência por mais doze dias na Terra Santa, graças à hospitalidade dos generosos dominicanos locais, enquanto o restante do grupo voltava à Europa para visitar centros importantes de peregrinação, passando pela Itália, França, Espanha e Inglaterra.

Como toda viagem tem sua surpresa, nessa segunda etapa de minha permanência em Jerusalém fui um dia intimado a participar de um almoço oficial com a presença de diversos ministros de Israel. Apesar de insistir que queria ser tratado apenas como simples peregrino guiando um grupo de colaboradores, as cenas do banquete acabaram sendo transmitidas pela televisão local a todo o povo de Israel.

No dia seguinte fui advertido pelo superior local dos franciscanos de que o mesmo já acontecera com os cardeais de Nova York e Munique, causando impressão altamente negativa entre o povo árabe. Desta vez tal encontro causaria um impacto maior pelo fato de eu ser franciscano e, assim, pertencer à ordem religiosa que durante sete séculos não abandonou a Terra Santa, nem mesmo durante as crises mais violentas, sempre defendendo a paz entre judeus e árabes.

Recomendou-me ele que me dirigisse ao representante do Santo Padre em Jerusalém, que certamente me aconselharia a tomar uma atitude que provasse a estima que todas as pessoas merecem diante de Deus e dos homens. Esse internúncio, dom Aquin Carew, de origem canadense, me aconselhou a visitar o bispo greco-melquita dom Hilarion Capucci, que se encontrava preso nos arredores de Jerusalém há mais de vinte anos. Todas as terças-feiras, quatro pessoas podiam visitá-lo livremente.

Foi o que fiz para provar que minha visita era puramente religiosa, sem nenhum caráter político. Essa seria a prova mais evidente de que nossa peregrinação era de paz e de amizade.

De fato, nossa conversa, vigiada por militares israelenses, se restringiu aos assuntos costumeiros numa visita cristã e de caridade a um preso político, como eu costumava fazer no Brasil durante o tempo da repressão militar.

Eu nunca imaginara que o governo de Israel pudesse interpretar esse ato de caridade como manifestação de falta de amizade para com o Estado de Israel e contra seu povo, os judeus nossos amigos.

Infelizmente, na hora do embarque de volta a Roma, no aeroporto de Tel-Aviv, percebi que o gesto de amizade a dom Capucci e a todas as pessoas que habitam a terra de Jesus não recebera esta interpretação por parte do governo local. Os policiais da inspeção me obrigaram a despir-me inteiramente, inclusive das meias, e levaram minhas roupas da sala, voltando depois com elas sem dar-me explicações.

Este desfecho inesperado de nossa peregrinação me deixou uma grande mágoa que foi porém altamente compensada por todas as impressões positivas que acabáramos de recolher na Terra Santa e ainda mais pela certeza da amizade e apoio que nunca nos faltaram por parte de amigos leais como o rabino Sobel, o professor Paul Singer e tantos outros intelectuais e jornalistas da comunidade judaica no Brasil e em outros países. Aliás, esta convicção viria a ser confirmada poucos dias depois do retorno ao Brasil, no episódio por demais conhecido da defesa que eu faria da integridade e da honra de Vlado Herzog depois de seu assassinato pela repressão militar em São Paulo.

Afinal, sempre cultivei e haverei de cultivar a amizade com todas as pessoas sofridas, em qualquer situação da vida. Isso aprendi na Bíblia sagrada e pretendo cultivar durante toda a existência.

Após o retorno a Roma, o Papa Paulo VI ainda me concederia a insuperável alegria de nomear dom Celso Queiroz e dom Luciano Mendes de Almeida como novos bispos auxiliares para nossa arquidiocese, conforme me comunicou o cardeal-prefeito da Congregação dos Bispos, dom Sebastião Baggio.

Ao encerrar este capítulo, me vem à idéia de que o leitor talvez não se dê conta do quanto um bispo, convidado por um colega em outras partes do mundo, chega a ser responsável pelo Evangelho e se torna assim um missionário em determinado campo, ou por causa de determinadas ações. O intercâmbio, além disso, enriquece de tal forma a pessoa e a ação do bispo junto a seus diocesanos, que nós podemos dizer que "já não vivemos a nossa vida. É Cristo que nos atrai e nos convida a usar sua voz, sua doutrina, seu exemplo, e a sofrer também as suas incompreensões e receber as suas alegrias junto àqueles que mais sofrem e junto àqueles que mais ajudam os que sofrem neste mundo". Somos uma só Igreja que possui milhares de olhos, ouvidos e sentidos no corpo místico de Cristo. Que nada seja feito para nossa honra, mas que tudo reverta para a pessoa daquele que nos escolheu a colaborar com Maria, para que Ele nascesse em todas as partes do mundo e aí fosse bem acolhido.

14 Organizando a Igreja numa cidade ingovernável

A participação sempre mais plena do povo só se consegue através de sua ação nos diversos níveis, escolhendo responsáveis que saibam coordenar as atividades sem entrar em atritos. Na primeira visita ao Papa Paulo VI, como já relatei, eu havia recebido o conselho de estabelecer bispos nas mais diversas regiões, para que a Igreja se tornasse visível e os agentes de pastoral tivessem acesso fácil a uma autoridade capaz de decidir. Essa nova linha de ação só pôde ser aplicada a São Paulo depois de termos ao menos cinco bispos regionais para as situações mais diversas de cada parte importante em nossa cidade. Essa decisão foi tomada em comum depois de muita reflexão e numa reunião conjunta no Instituto Paulo VI, em 1975.

Como os novos bispos ainda não conhecessem a mentalidade das diversas regiões que compunham a capital paulistana, propus que dom Benedito de Ulhoa Vieira se ocupasse da região oeste, dom Joel Ivo Catapan, da região norte, dom Angélico Sândalo Bernardino ficasse responsável pela região leste, dom Mauro Morelli, pela parte sul da cidade, e dom Francisco Manoel Vieira, por Osasco e a região rural. O centro ficaria mais dependente do próprio arcebispo. Para dom José Thurler, que havia apresentado problemas cardíacos, ficariam a Cúria Metropolitana, com atendimento especial às numerosas religiosas de nossa arquidiocese.

Chegamos a ter dez bispos regionais, unidos por mim como arcebispo, planejando para a Igreja de São Paulo, após consulta ao povo, tanto as prioridades pastorais quanto o plano de conjunto da Igreja do Brasil. Após a chegada de dom Celso e dom Luciano, a Santa Sé ainda nos favoreceu com a nomeação dos bispos dom Fernando Penteado, dom Décio Pereira, dom Alfredo Novak e, afinal, dom Antonio Gaspar.

Os grandes problemas da Igreja e da cidade eram confiados, em última análise, a esse colégio episcopal – eu com meus bispos auxiliares – que se tornou desta forma o coração de todo o serviço que conseguíamos prestar ao povo, sobretudo ao mais sofrido desta cidade que sem os bispos se teria tornado ingovernável. Foi a coordenação desse colégio episcopal que conseguiu dar sentido eclesial à minha presença a partir de 1975 até 1998.

Durante toda a minha gestão eu me reunia duas vezes por mês com meus dez bispos: nas primeiras sextas-feiras pela manhã em minha casa, e um dia e meio num local retirado, onde não houvesse interrupções. Discutíamos em comum os problemas de cada um em seu território, tendo sempre em vista o bem do povo e procurando chegar a uma unanimidade nas conclusões. Se um dos bispos não pudesse comparecer, transferíamos a reunião, porque fazíamos questão da presença de todos.

É impossível mencionar essas reuniões sem lembrar de dom Luciano Mendes de Almeida. Enquanto os bispos falavam, dom Luciano dormia profundamente. Quando chegava sua vez de falar, eu lhe dizia: "Dom Luciano, o senhor dormiu enquanto os outros falavam. Como vai poder opinar?" Dom Luciano pedia um minuto e, em seguida, descrevia com precisão o que cada bispo tinha dito, apresentando a sua conclusão. A primeira vez em que isso aconteceu – e o sono era tão profundo que a cabeça chegou a bater no joelho – eu lhe perguntei como era possível ouvir o que os outros falavam, e ele me respondeu: "Tudo se grava em minha mente e eu leio o que disseram." Um fenômeno psicológico que eu gostaria de entender.

É importante que se explique a razão do sono de dom Luciano: ele passava as noites visitando os pobres. Chegou um dia a levar um mendigo para dormir em sua cama, enquanto ele se deitava no chão. Muitas vezes mendigos e bêbados se juntavam no portão de sua casa durante a madrugada e o chamavam incessantemente – "Dom Luciano, dom Luciano!" –, interrompendo o pouco sono a que ele teria direito.

A atribuição principal de todo bispo católico é o empenho pela evangelização, a exemplo do próprio Jesus. Esta incumbência parecia tão normal, que não foi muito discutida, a não ser através da distribuição dos cleros secular e religioso que formavam uma unidade quase perfeita em toda a cidade. O que fazer, porém, dos coordenadores de cada setor, que abrangia de seis a doze comunidades paroquiais, além dos inúmeros centros comunitários?

Decidimos que nada seria estabelecido sem que houvesse intensa convivência do bispo com todos os seus colaboradores chamados normalmente de agentes pastorais. Foi o que se fez. Em relação aos meios financeiros para sustentar a eficiência da ação desses colaboradores indispensáveis, tanto leigos como religiosos, foi necessário também organizar a distribuição financeira para as regiões. Como São Paulo apresenta uma diversidade quase incomensurável de diferenças tanto no campo da renda familiar quanto das possibilidades das organizações produtivas, foi logo deliberado que as regiões mais pobres receberiam contribuição das que se encontravam em situação mais favorável. Para isso foi necessário organizar, em cada região, um centro administrativo com uma pessoa chamada a reunir-se com o colega das outras regiões, para avaliação constante das necessidades imprescindíveis para a ação evangelizadora. Apesar de alguns problemas, posso afirmar que nos vinte e oito anos da minha gestão na arquidiocese não tivemos dificuldades insuperáveis nesse ponto.

As organizações dos países europeus também vieram visitar-nos desde o início para avaliarem os diversos planos na execução da pastoral de conjunto e na realização prática das prioridades que se estabeleceram logo depois da primeira reunião de toda a arquidiocese. Nesse ponto, as decisões de Medellín e Puebla, incentivando-nos a pôr em prática a opção preferencial pelos pobres, foram de imensa valia. Era porém indispensável que houvesse um coordenador-geral tanto para resolver as dificuldades imediatas como para fazer previsões a médio e longo prazos. Como dom Benedito de Ulhoa Vieira, antigo procurador-geral da Mitra, assumira uma região episcopal, nomeei de início um padre com grande experiência em administração. Mais tarde a função voltaria a um dos bispos regionais.

Vivíamos um problema com a formação dos padres. Os seminaristas da arquidiocese se concentravam no seminário central, cujas dimensões eram absolutamente desproporcionais aos nove estudantes de teologia que abrigava e que os isolava do contato com o povo. Depois de longa discussão, os bispos propuseram que cada região tivesse sua casa de formação, ou se unisse a uma outra até que pudesse ter seus próprios seminaristas. Assim foi feito, e os estudantes passaram a morar em pequenos grupos em casas de formação descentralizadas, assistidos em cada uma por um padre formador e estudando todos na Faculdade de Teologia. Podiam dessa forma desenvolver atividades pastorais de serviço ao povo nas paróquias da região onde moravam.

O efeito foi altamente positivo. Embora o ônus financeiro e a dificuldade de encontrar bons formadores fossem uma constante em todas as dioceses, o certo é que o número dos estudantes foi aumentando, a ponto de chegarmos a ordenar, em vez de um ou dois padres, oito, dez e até vinte e quatro em determinados anos.

Para obter o consentimento de Roma para a organização da arquidiocese, procurei o eminente cardeal Jean-Marie Garrone, então prefeito da Congregação da Educação Católica. Ele hesitou, no começo, em aprovar o plano, e por isso convidei-o a visitar todos os centros de formação da Arquidiocese de São Paulo, como também a Pontifícia Universidade Católica, que sofrera diversas restrições durante o regime militar. Essa visita do cardeal foi extremamente útil para todo o nosso futuro, além de estreitar as relações de amizade de Roma com São Paulo. Sua exposição aos estudantes da Faculdade Pontifícia foi bem mais cordial e proveitosa do que a discussão aberta com o Conselho Universitário da PUC de São Paulo. O cardeal Jean-Marie Garrone revelou-se um pastor que sabia ouvir, gostava de proposições concretas e não se precipitava nas ordenações e conclusões para cada caso. Foi um conselheiro que soubemos admirar até o final de sua gestão em Roma e acompanhar por toda a existência.

Talvez seja bom incluirmos aqui a discussão teológica que se levantou na América Latina e também em Roma a respeito do conteúdo do ensino, ou seja, das linhas-mestras da formação dos futuros padres.

O que importava era o que nós designávamos como "seminário" em contraposição a "faculdade", embora em outros tempos as duas entidades se confundissem e muitas vezes dessem motivo para descontentamento e até para acusações desagradáveis.

Também a qualidade dos nossos candidatos foi se aperfeiçoando pela prática concreta da pastoral que a maioria exercia em pequenas ou grandes comunidades. Lembro-me de um episódio que pode confirmar esta minha afirmação. Numa reunião com os candidatos ao sacerdócio na região oeste, o visitador cardeal Hoeffner, de quem já falei, lhes propôs perguntas fundamentais. A primeira: "Quem de vocês já teve contato com alguma faculdade leiga da cidade de São Paulo?"

Os estudantes fizeram a contraproposta: "Que o senhor nos pergunte quem de nós já freqüentou curso completo em faculdade." Quase a metade dos quarenta ou cinqüenta candidatos levantaram o braço dizendo que depois de formados em uma faculdade é que se decidiram pela filosofia ou teologia.

O interrogatório iniciado nessa base prolongou-se de maneira prática, discutindo problemas de filosofia, sociologia e evidentemente de religiosidade e teologia. Apesar de ser conhecido na Europa como homem de imensa cultura, o cardeal alemão me disse com muita simplicidade: "Em meu próprio seminário dificilmente eu poderia travar uma discussão em tão alto nível e com tão bons resultados."

O importante, no entanto, era preparar esses candidatos para serem autênticos evangelizadores do povo tão diversificado de São Paulo. Como é do conhecimento do leitor, nesta imensa cidade encontram-se gênios autênticos em praticamente todas as especialidades do mundo científico, como também existem muitíssimas pessoas que mal sabem assinar o nome e jamais lêem algum jornal ou revista. Alimentam-se quase todos pela escuta das numerosas estações de rádio e sobretudo pelos canais tão diversos de televisão.

Como preparar candidatos para enfrentar essa diversidade quase inconciliável na orientação do povo?

Para tanto, os bispos responsáveis de cada região, sempre de acordo com a direção dos seminários, enviavam nossos futuros padres para auxiliarem algum vigário experiente e aí aprenderem a acolher o povo, a falar como fala o povo e a preparar-se para ter a paciência necessária ao enfrentar os diversos desafios de uma imensa cidade.

Os formadores buscavam informações junto aos colegas e mesmo em reuniões organizadas pela CNBB e pelas diversas nações da América Latina.

Enviamos sempre alguns candidatos ao Colégio Pio Brasileiro, em Roma, para cursarem matéria teológica ou filosófica no centro do cristianismo. Minha experiência, no entanto, me havia provado a necessidade de os padres selecionados para estudar em Roma passarem dois ou três anos engajados na ação pastoral concreta antes de se especializarem. Isto evitava que se tornassem teóricos tanto em sua matéria quanto em seu relacionamento com os futuros alunos.

Chegamos a fazer o esforço de enviar uma dezena de seminaristas para as diversas instituições romanas, como também para Lovaina, na Bélgica, além de um padre para a formação em catequese, em Paris. Outros dois especializaram-se em ecumenismo, nos Estados Unidos, e um em história medieval, na Espanha. Apesar do alto nível de formação, sempre nutríamos a firme esperança de que eles seriam formadores de amigos do povo, de evangelizadores práticos e de padres contentes com a missão que o espírito de Deus lhes conferia.

Eu gostaria de concluir esta parte dizendo que os bispos encontraram maneiras diversas para integrar sempre o clero entre si, torná-lo amigo do povo e dos colegas e uni-lo, quanto possível, ao Colégio Episcopal de São Paulo.

Como já lembrei na primeira parte destas memórias, o arcebispo de Curitiba, dom Manoel Delboux, que fora reitor de nosso seminário e da Faculdade de Teologia do Ipiranga, me perguntou um dia qual era a maior dificuldade que eu encontrava em São Paulo. Eu lhe respondi: "Gostaria que o senhor me perguntasse qual é a maior alegria que me proporciona a Arquidiocese de São Paulo." Diante do sorriso dele, acrescentei: "São os padres diocesanos e também os religiosos que dão a maior satisfação ao coração do colégio episcopal de nossa imensa cidade, que o senhor conhece tão bem."

Ele continuou, com a naturalidade que lhe era própria: "Pensei justamente o contrário. Imaginei que a sua dor de cabeça constante devia provir da dificuldade com o seu clero e seus estudantes de filosofia e teologia. Fui reitor e sempre imaginava como evitar futuras dificuldades aos bispos na relação com os seus padres." Completei a nossa conversa a esse respeito com a simples observação: "O senhor teve excelente resultado no seu esforço e na capacidade de seus sucessores que dirigiram o célebre seminário do Ipiranga."

Para compor o Conselho de Presbíteros, também chamado "senado do bispo", pedi que cada uma das sete regiões episcopais escolhesse dois padres representantes, deixando ao arcebispo o direito de escolher um terço do total dos componentes desse senado da diocese.

Entre os representantes do Cabido Metropolitano no conselho distinguiu-se o diretor da FAI – Faculdades Associadas do Ipiranga, hoje Centro Universitário Assunção ou UniFai –, o teólogo extraordinário que é o monsenhor Roberto Mascarenhas Roxo. Ele não só deu nova vida ao conselho como nos prestou serviços inestimáveis na redação de assuntos teológicos propostos por Roma e pelos próprios colegas padres em nossas reuniões costumeiras.

As questões delicadas eram sempre apresentadas por monsenhor Roxo com extrema clarividência e com a prudência necessária. Isto se evidenciou particularmente na hora dos trâmites que culminaram com a divisão da arquidiocese pela Cúria Romana em 1989.

A ele eu gostaria de exprimir minha gratidão pela disponibilidade e fidelidade em todas as situações, embora cada um dos membros do Conselho de Presbíteros mereça o meu reconhecimento.

Após vinte e oito anos de convivência, posso dizer que houve apenas uma interrupção prejudicial a mim e ao Conselho de Presbíteros. O motivo até hoje me parece o seguinte: quando indiquei os novos bispos para as várias regiões em que era dividida a arquidiocese, eu os convidei a participarem das reuniões bimensais do conselho. A conseqüência se fez sentir de imediato. Os padres se calavam sempre que um bispo emitia opinião ou contradizia alguma proposta. Pior ainda, o conselho passou a se desinteressar de quase todos os assuntos tratados com tanta seriedade e urgência.

Pedi então aos bispos que não comparecessem mais a essas reuniões bimensais e assumi a presidência pessoalmente em todas as ocasiões. Para compor a pauta, avisava os membros do conselho quinze dias antes da reunião, pedindo sugestões e insistindo que ninguém faltasse ao encontro, que eu achava decisivo para certas questões da arquidiocese. Também não deixei de informar-lhes que as duas reuniões mensais dos bispos poderiam muitas vezes reformar ou modificar alguma decisão tomada pelos padres. Admirei-me com a manifestação de humildade de todos os membros daquele conselho, que era chamado de "senado" pelo próprio Direito Canônico, e manifestei aos bispos que eles eram livres para opinar também sobre questões já discutidas em instância inferior.

Alguns fatos talvez mereçam agora ser recordados. Nossa reação diante da morte trágica do estudante da USP Alexandre Vannucchi Leme provou que fora acertada a decisão de escolher para membros do Conselho de Presbíteros dois peritos em assuntos políticos: monsenhor Benedito Calazans, que fora senador da República, e o padre Antonio de Oliveira Godinho, cassado como deputado federal, pois ambos se mantinham bem informados a respeito da nova orientação do governo militar.

Na ocasião do assassinato do estudante Vannucchi Leme, os vinte e um membros concordaram que fizéssemos o que haviam pedido os estudantes da nossa universidade estadual, a USP, a saber: concelebração eucarística com a presença de todos os membros do Conselho de Presbíteros, de dom José Melhado, bispo de Sorocaba, onde nascera o estudante, e com o sermão pronunciado por mim, agora cardeal de São Paulo.

Outra ocasião em que o Conselho de Presbíteros me deu total apoio como arcebispo e se manifestou diante das autoridades romanas foi quando, em 1989, Roma desmembrou a Arquidiocese de São Paulo em quatro dioceses autônomas. Os equívocos aí cometidos devem ser ainda analisados na história futura da arquidiocese, mas o Conselho de Presbíteros evitou que a arquidiocese cometesse qualquer imprudência ou se omitisse em qualquer circunstância diante de um fato tão inusitado, porque precipitado.

Ao fazer um resumo do meu relacionamento como arcebispo com o Conselho de Presbíteros, quero reafirmar que o conselho, além de indispensável, é a maneira mais prática de o bispo relacionar-se com o clero das diversas regiões, exercendo a sua função de orientador auxiliado sempre por pessoas bem consideradas pelo clero e aceitas pelo presidente do conselho, que é sempre o arcebispo. A elas a gratidão e o pedido de continuarem fiéis na missão difícil que é ser o senado do arcebispo.

Quanto ao Cabido Metropolitano, em tempos passados esta agremiação de padres, que recebem o título de cônegos, exercia uma série de incumbências na administração das dioceses. Para muitas questões, como a venda de terrenos, o bispo era obrigado a consultá-los.

Hoje a condição é totalmente diversa. As dioceses que ainda possuem Cabido Metropolitano – geralmente as bem antigas – devem obedecer rigorosamente o que prescreve o Código de Direito Canônico em sua versão promulgada em 1983, uma vez que grande parte das antigas atribuições do cabido foi transferida ao Conselho de Presbíteros e ao de Assuntos Econômicos. De acordo com o Direito Canônico, é o bispo ou o arcebispo quem determina as funções dos cônegos. Em São Paulo, cujo cabido conta com quatorze cônegos catedráticos e dez honorários, decidi confiar-lhes a missão de cuidar da história da diocese.

Um antigo e respeitado membro dessa especial agremiação de padres me relatou certa vez diversos desentendimentos entre o Cabido de São Paulo e arcebispos que me antecederam, sobretudo em questões de administração de bens patrimoniais. Felizmente, nunca tive dificuldade alguma com os cônegos, que chegaram a confiar-me ter sido eu o primeiro arcebispo do século vinte a gozar do constante apoio do Cabido Metropolitano.

O Conselho de Assuntos Econômicos, na forma rigorosa como é proposto pelo Direito Canônico editado em 1983, me parece uma instituição indispensável a todo bispo que tem a obrigação de manter os agentes de pastoral, para que não se interrompa nunca a evangelização em seu território.

Para compor esse conselho, escolhi, após longa consulta, sete leigos de grande prestígio e de experiência notável em São Paulo. Com eles, eu e o procurador da Mitra – bispo responsável pelos assuntos administrativos da arquidiocese – nos reuníamos a cada dois meses, nos sentindo tão à vontade, que nenhum segredo relativo à administração era ocultado. Nessas reuniões percebi a importância da participação ativa de leigos preparados para garantirem os meios indispensáveis à ação da Igreja em todos os campos. Todos compreendiam que não se tratava de aplicar à arquidiocese as regras de uma firma comercial ou industrial e, menos ainda, de uma empresa multinacional. A ação pastoral ditava as regras para todos os planos administrativos. Talvez fosse interessante assistirmos a uma reunião do Conselho de Assuntos Econômicos, junto com o arcebispo, o procurador da Mitra e dois ou três padres encarregados do auxílio diário ao procurador.

Após a oração inicial, havia, como de costume, a leitura da ata da sessão anterior, sua crítica e possivelmente a retomada de algum ponto não bem definido no último encontro, dois meses antes. Logo a seguir os representantes da administração diária da Arquidiocese de São Paulo apresentavam a lista das entradas e saídas e explicavam o que era menos transparente para os conselheiros, que sempre se mostraram competentes em seu ramo e felizes por estarem servindo gratuitamente à Igreja.

Terminada essa fase, vinham as propostas para as grandes questões que sempre surgem numa arquidiocese como a de São Paulo. Entre elas posso citar a transferência da sede da Cúria Metropolitana, porque a antiga edificação da Praça Clóvis Bevilacqua, concluída por dom Duarte Leopoldo e Silva, fora abalada com a construção do metrô e interditada para as reuniões normais de nossa organização. Tivemos que transferir às pressas todos os documentos do Arquivo Metropolitano e todos os móveis que pudessem ser usados para a nova instalação situada à Avenida Higienópolis, 890, em imóvel usado até então pela Ação Católica.

Esse mesmo Conselho de Assuntos Econômicos nos orientou na construção de todos os edifícios levantados junto à Faculdade de Teologia, no Ipiranga, como também na permuta de casas ou propriedades que segundo o Direito Canônico exigiam aprovação do arcebispo metropolitano. Seguimos assim à risca o que manda a lei eclesiástica e nunca sentimos desinteresse em nenhum dos componentes desse grupo, que era fiel tanto em sua missão de evangelização quanto na obrigação de remunerar de maneira condigna todos os colaboradores, principalmente os leigos, no trabalho indispensável da Igreja. Só Deus sabe quanto ofereceram à nossa arquidiocese durante esses vinte e oito anos de dedicação, amizade e provas de competência em assuntos tão facilmente criticados e criticáveis na Igreja. Foram amigos, técnicos competentes e benfeitores de valor inestimável para o arcebispo e todos os fiéis da Igreja de São Paulo.

Para manter o relacionamento com todas as regiões episcopais e suprir suas necessidades mais indispensáveis, os representantes dos bispos regionais se reuniam a cada mês com o procurador da Mitra e seus colaboradores. Cada representante escolhia, ou mandava escolher, a pessoa mais bem informada da sua região para participar das assembléias. Nessas reuniões, de altíssima importância, discutiam-se a contribuição de cada paróquia para a manutenção dos padres doentes ou necessitados e a colaboração de todos na formação do futuro clero, como igualmente as despesas inesperadas que tantas vezes ocorrem numa organização dinâmica como a Igreja de São Paulo. Nunca tive que intervir, porque o procurador – nos últimos tempos era sempre um bispo – prestava contas ao colégio episcopal e resolvia a contento os problemas regionais tão diversificados em São Paulo.

A maior dificuldade se revelou na busca dos terrenos para os centros comunitários, porque, além dos cinco milhões de dólares provenientes da alienação do Palácio Pio XII, ainda recebíamos constantemente auxílios por vezes vultosos das organizações da Europa. Tudo era dividido fraternalmente e as queixas, resolvidas em plenário ou com a ajuda desse conselho. Poucas vezes tivemos necessidade de expor as dificuldades daí provenientes ao Conselho de Assuntos Econômicos ou ao colégio episcopal.

Não posso deixar de mencionar as visitas constantes que recebíamos de representantes das organizações de ajuda aos países pobres, que tinham sua sede principalmente na Europa central – Alemanha, Suíça e diversos outros países. Eles examinavam nossas obras e sentiam-se inteiramente à vontade para fazer uma apreciação objetiva e corrigir eventuais falhas. Sem essas visitas, talvez tivéssemos tido menos rigor na aplicação dos recursos existentes dentro e fora da arquidiocese.

Sou grato tanto pelos conselhos quanto pela ajuda, e ainda mais pela possibilidade que nos proporcionavam para agradecer o auxílio e prestar contas em público aos benfeitores, em geral pessoas muito simples dos países considerados ricos no mundo, mas muitas vezes também pobres em sua população cristã que colaborava para equilibrar as rendas indispensáveis no mundo. Certa vez, na Alemanha, celebrei missa para um grupo de pessoas e na homilia falei da nossa realidade na periferia paulista. Ao final da missa, uma por uma, elas vieram me trazer o dinheirinho que haviam reservado para a condução, lastimando que eu não voltasse no dia seguinte para poderem contribuir com um pouco mais. Só Deus sabe o bem que essa população católica do mundo europeu proporcionou a dioceses bem mais pobres do que a nossa, assim como a ajuda que nos deram em alguns desafios quase insuperáveis. Minha oração deve suprir a palavra que não consegui transmitir a cada um de nossos benfeitores.

15 *Direitos humanos: pastoral prioritária*

No dia em que o governo militar surpreendeu a nação com o Ato Institucional nº 5, veio-me viva a lembrança do que havia acontecido na Europa nos anos anteriores aos meus estudos que, como já relatei, começaram em 1947 e terminaram com o doutorado na Sorbonne e com a defesa da tese em 3 de maio de 1952. Durante esses cinco anos, os colegas de estudo e os confrades do convento que haviam participado da guerra fizeram um relato bem minucioso a respeito do que haviam sofrido, tanto eles quanto o povo alemão. O Brasil não devia repetir tragédia semelhante, pois ela aniquilara seis milhões de judeus inocentes e milhares de cristãos ativos na defesa dos princípios evangélicos. Sempre de novo surgia a pergunta: por que o povo alemão não participou com os heróis da resistência ao sistema de Hitler?

A resposta aparecia múltipla: primeiro, por falta de informação, exatamente como poderia acontecer entre nós. Em segundo lugar e como conseqüência, por causa do isolamento das pessoas e a rapidez e crueldade do sistema empregado pelos nazistas.

Essas conclusões se tornaram mais vivas e cruciais quando, em janeiro de 1971, dom Hélder Câmara e dom José Maria Pires, arcebispo de João Pessoa, com um grupo de leigos de Minas e de outros estados se reuniram em minha casa logo depois de os métodos e a intransigência do sistema militar se manifestarem. Nessa ocasião, aconteceu a prisão de um padre e de uma assistente social da região sul, Giulio Vicini e Yara Spadini.

Na pausa do meio-dia, eu me revesti de todas as insígnias de arcebispo e, sem avisar aos colegas que discutiam a maneira de reagir, fui com o vigário episcopal da região sul, monsenhor Angelo Gianola, à prisão que então se situava à Avenida Tiradentes. Encontrando o portão de ferro fechado, batemos com muita força, até que aparecesse um jovem da região norte, que, ao me reconhecer, exclamou: "O senhor por aqui?"

O pedido imediato para abrir o portão assustou o jovem, e ele, sem tempo nem ânimo para pedir licença a seus superiores, foi logo abrindo. Assim, nos achamos dentro da prisão, eu e o responsável pela pastoral da cidade na região sul, cercados por militares espantados com a ousadia de dois estranhos que estavam ali sem licença especial das autoridades competentes.

Eu levava no bolso da batina a Constituição brasileira ainda em vigor e li o artigo que possibilitava a todo preso receber assistência religiosa quando o desejasse.

Depois de alguma discussão, abriram-se as demais portas e nos vimos no recreio dos presos, pois era a hora do descanso depois do meio-dia e o período em que lhes era permitido tomar algum sol.

O leitor pode imaginar que os detentos, de imediato, reconheceram a autoridade religiosa pelas vestes e alguns também pelas feições. Logo pudemos verificar os efeitos da tortura em diversas partes do corpo de alguns presos políticos. O padre Giulio Vicini e a assistente social Yara Spadini se aproximaram, o primeiro mostrando algumas marcas de feridas que não pareciam tão graves. Outros prisioneiros, porém, completaram o quadro de horror contando tudo o que lhes acontecera e prevendo que o mesmo sucederia aos novos presos.

Depois de uma hora e pouco de conversa, retornei ao Palácio Pio XII, onde se encontravam dom Hélder Câmara, dom José Maria Pires, os mineiros de Belo Horizonte e alguns outros convidados. A todos relatei o que havíamos visto e ouvido e recebi deles o pedido de fazer um protesto público, analisando sobretudo o que acontecera com aquelas pessoas, por terem distribuído folhetos de informação sobre a situação brasileira. Com o auxílio de dom Hélder e de outros amigos, elaboramos um manifesto em onze pontos, que foi impresso na primeira página do jornal da arquidiocese *O São Paulo*. Conseguimos com rapidez, naquele sábado, entregar os exemplares nas igrejas mais importantes da cidade, pedindo que os vigários recortassem esse manifesto e o afixassem na porta exterior de seus templos.

Na manhã seguinte, a cidade inteira estava informada do que acontecera a esses e a tantos outros prisioneiros. A reação por parte dos católicos foi em geral muito positiva, embora houvesse algumas reclamações que julgamos naturais numa situação nova do país. O arcebispo de Olinda e Recife, dom Hélder, ao celebrar a missa de domingo em minha capela, comentou a tempestade que surpreendeu os discípulos ao passarem pelo lago de Genesaré, e como Jesus sempre aparece na hora decisiva para fortalecer ou ao menos acalmar os seus discípulos. Sermão que muito nos impressionou e até surpreendeu diversas pessoas ainda não informadas a respeito da divulgação dos atos ilegais e cruéis que estavam acontecendo em nossas prisões.

Foi também por isso que, na reunião seguinte da Conferência Nacional dos Bispos do Brasil, em Belo Horizonte, fui convidado a relatar tanto esse fato como outros que haviam chegado a meu conhecimento. Até dom Geraldo de Proença Sigaud, bispo considerado inteiramente favorável ao regime militar, me chamou para dizer que considerava correta tanto a maneira não violenta de reagir em São Paulo quanto a de relatar aos colegas do Brasil o que estava sucedendo.

Tive então a impressão de que a população informada não se conformaria com as medidas propostas pelo Ato Institucional nº 5, mesmo que o regime militar apresentasse resultados positivos na economia do país. O que importava era a felicidade do povo e a tranqüilidade autêntica da nação.

Este fato provocou novas visitas aos prisioneiros em geral e também nos trouxe o apoio dos capelães das prisões, que, daí para a frente, nos informavam a respeito dos novos métodos de prisão, tortura, desaparecimento e demais atos violentos e ilegais.

Quando aconteceu a primeira reunião geral da arquidiocese, destinada a promover as ações pastorais necessárias para a cidade, perguntamos a uns quinhentos membros leigos presentes quais seriam as prioridades que eles assumiriam junto com bispos e padres nos próximos quatro anos. A quase totalidade dos participantes, após reuniões em grupos e através de oradores inscritos, elegeu a defesa dos direitos humanos em primeiro lugar como tarefa não apenas da Conferência Nacional dos Bispos do Brasil e dos padres em seus territórios, mas de todos os cristãos.

A essa altura – estávamos em fins de novembro de 1975 –, os cinco bispos regionais assumiam junto com o povo as quatro prioridades indicadas, mas davam ênfase especial ao folheto que havíamos publicado em outubro de 1973 enumerando os trinta artigos da famosa Declaração da ONU sobre os direitos fundamentais da pessoa. Os fiéis se sentiam ajudados a sempre basearem suas ações nos textos da Bíblia e nas declarações formuladas tanto pela Igreja Católica quanto pelas igrejas que haviam aderido à ação ecumênica.

A questão assumiu nova face em 1979, no momento em que foi morto o líder operário Santo Dias da Silva. Naquela hora diversos juristas e sobretudo o pastor presbiteriano Jaime Wright nos propuseram que a luta em favor da dignidade da pessoa humana e de seus direitos figurasse como uma das pastorais de nossa arquidiocese e tivesse a sede no próprio secretariado de pastoral da Cúria Metropolitana.

Para essa pastoral precisávamos de um preparo todo especial. Com a ajuda de diversos países, conseguimos contratar de três a cinco advogados e organizar a infra-estrutura para socorrer as pessoas dos mais diversos lugares da arquidiocese. O grupo – chamado Comissão Arquidiocesana de Direitos Humanos e composto de membros voluntários das diversas regiões – se reunia com o arcebispo uma ou duas vezes por mês e todas as vezes em que a nova pastoral não sabia como resolver os problemas.

Nesta hora quero também lembrar o apoio que recebemos particularmente da Alemanha, que em tempos anteriores fora vítima da dureza de um sistema semelhante ao nosso. Muitos amigos colaboraram para que pudéssemos sustentar, com o mínimo necessário, toda a infra-estrutura para uma ação eficiente em favor do povo e sobretudo das crianças abandonadas das praças da Sé, da República e de outros lugares. Essa ação por vezes contou até com o auxílio de policiais bem informados e simpáticos à ação da Igreja, mas em geral a nossa luta se travava com forças desiguais, porque tínhamos pouca gente para socorrer os muitos casos de prisões arbitrárias e de espancamentos.

Dedico especial reconhecimento aos trabalhos e ao grande talento dos doutores Hélio Bicudo, Luiz Eduardo Greenhalgh, Mário Simas, Teresa Brandão, Fermino Fecchio, padre Roberto Grandmaison, irmã Michael, padre Agostinho Duarte de Oliveira, como também aos representantes das diversas regiões que nos traziam informações e muitas vezes sugeriam medidas mais adequadas para a solução dos problemas.

Não posso esquecer a colaboração intensa e inteligente do reverendo Jaime Wright, que assumia com muita prudência e com toda a sua experiência os casos mais difíceis. Foi ele como também outros leigos e até padres e irmãs que não só apoiaram, mas deram nova vida ao Centro Santo Dias de Direitos Humanos que até os dias de hoje continua sua missão.

Embora seja impossível aquilatar os méritos de todos os componentes dessa organização, como os do Dr. Benedito Mariano, o Centro Santo Dias nos incentivou a criar uma série de pastorais que defendiam os direitos humanos em outros campos, como no da moradia, do salário justo e das greves para casos extremos.

A classe média não podia faltar nessa luta pela liberdade e a justiça. Encontramos na pessoa do monsenhor Dario Bevilacqua o homem indicado para reunir vinte e cinco ou mais membros de alta projeção e de influência indiscutível nas áreas que a sociedade ou o governo lhes confiava. Por diversas vezes fui chamado a ouvir suas sugestões e percebi que a classe média exercia papel indispensável, tanto nas horas de crise quanto nos momentos de transição para uma nova forma de participação do povo, que deseja exercer em plenitude a sua cidadania.

Foi assim que esse Vicariato dos Construtores da Sociedade, constituído em 11 de maio de 1992, cumpriu sua missão, sob a direção competente de monsenhor Dario, nessa hora crítica de nossa história.

A essa altura também não faltaram as equipes indispensáveis para a liturgia, a catequese, o ecumenismo e sobretudo para as vocações leigas, religiosas e sacerdotais. Todas essas organizações recebiam o incentivo do generoso grupo de padres, freiras e leigos que trabalhavam na Cúria Metropolitana e me visitavam sempre, mantendo-me a par de suas atividades e convocando os membros das comissões quando surgiam novos casos de desocupação de casas ou de violação de outros direitos humanos. Tudo isso era freqüente no dia-a-dia e, no entanto, não consta de nenhum relatório qüinqüenal – prestação de contas minuciosa sobre suas atividades, que as dioceses fazem ao Vaticano –, porque os casos se avolumavam por causa da dureza do sistema sob o comando do general Emílio Garrastazu Médici e, um tempo ainda, do general Ernesto Geisel.

Aqui quero lembrar, e o faço apesar da certeza dos protestos de algumas pessoas, a ação generosa do general Golbery do Couto e Silva, que se tornou meu amigo e resolveu diversos casos que poderiam ter provocado reação nacional e até internacional. Tanto ele como eu achávamos que o diálogo é a arma mais eficiente para todas as situações críticas e mesmo para aquelas que parecem insolúveis.

Também devo ressaltar que a presença dos bispos regionais se revelou especialmente eficiente para a proteção dos leigos e para a sua orientação evangélica nas mais diversas circunstâncias.

As pastorais sociais e religiosas de fato se misturavam de tal maneira, que, como já relatei, numa ação policial contra a moradia, uma senhora muito simples conseguiu sustar um grupo de policiais apresentando-lhes a Bíblia e obrigando-os a escutar a voz do povo através de uma pessoa inspirada por Deus. Só assim podemos explicar que a greve dos trabalhadores, tanto do ABC quanto de São Paulo, tenha produzido efeito tão evidente para a volta à democracia, ou seja, do governo do povo nas coisas que são do povo.

16 *Rompendo o silêncio da censura*

A lei do silêncio estava embutida no Ato Institucional nº 5. Não havia possibilidade de transmitir notícias publicamente sem que a censura nos impedisse de antemão ou fizesse ressalvas depois. Os jornalistas que cercavam a cúria desde o início do meu trabalho como arcebispo de São Paulo procuravam meios de transmitir as novidades por entrelinhas e por vezes de modo bem criativo. Também o responsável pela nossa comunicação entre 1971 e 1974, dom Lucas Moreira Neves, manifestou todas as suas qualidades de bom mineiro que sabe se comunicar sem falar. Continuei, no entanto, a divulgar o "Encontro com o Pastor" como artigo em *O São Paulo* e pela Rádio Nove de Julho, até a sua cassação, em 1973. Em 30 de maio de 1976 fui surpreendido pelo jornalista Dauro Cavallaro, que me concedeu a carteira de jornalista militante da ABI na própria catedral de São Paulo, bem ao final de uma celebração comum. O ato foi criticado por um jornal de grande circulação na cidade de São Paulo.

A minha simpatia pelos jornalistas cresceu no momento em que eles sofreram o mais terrível golpe com a morte do diretor da TV Cultura: o jornalista de origem judaica Vladimir Herzog. Naquele momento não percebi o alcance de uma frase de dom Hélder, que assistiu à cerimônia de sétimo dia concelebrada na catedral pelo rabino Henry Sobel, o pastor Jaime Wright e por mim. Dom Hélder Câmara, que estava de passagem no Rio, veio a São Paulo explicitamente para o ato e foi durante sua celebração que proferiu, com a modéstia costumeira, a seguinte profecia: "Meu caro 'sobrinho', neste momento se abala de maneira definitiva o regime totalitário."

Só mais tarde é que me lembrei da palavra que eu repetia de vez em quando: "Os meios de comunicação abrem ou fecham todos os demais canais pelos quais a humanidade se comunica. Televisão, rádio e jornais formam a base da opinião pública." De fato, mais de mil jornalistas então se comprometeram por escrito a denunciar todo ato de tortura e de violação da Declaração Universal dos Direitos Humanos.

Naquela hora – estávamos em 1975 – já não importava recordar a censura ao jornal arquidiocesano *O São Paulo* nem a supressão da Rádio Nove de Julho pelo governo ditatorial, mas talvez conviesse dar realce todo especial à adesão progressiva de padres, religiosas, religiosos e leigos à defesa da Declaração dos Direitos Humanos. E essa prova tornou-se visível em nossas reuniões de rotina e também pela formação de grupos especializados em diversos setores e mesmo paróquias da arquidiocese.

A explosão do descontentamento do clero com a ação daqueles que me atacavam violentamente pela mídia se manifestou num documento intitulado "Carta aberta aos padres da Arquidiocese de São Paulo e ao Povo de Deus de nossas comunidades", elaborado em outubro de 1984 por alguns padres, mas depois assinado por seiscentos sacerdotes ligados à Arquidiocese de São Paulo, no qual eles reafirmavam seu compromisso com a linha pastoral desenvolvida nos então quatorze anos do meu governo, protestavam contra "os ataques maldosos, contra as calúnias, as meias-verdades e as insinuações malévolas" que "nos últimos tempos têm aparecido em alguns órgãos da imprensa" e defendiam, sobretudo, a Pastoral dos Direitos Humanos, "tão incompreendida, mas marcadamente evangélica".

Apesar de criticado por certos jornalistas e também por programas cotidianos de algumas rádios de nossa capital, eu me sentia inteiramente seguro do apoio da população e da estratégia acertada para a mudança de regime.

O cônego Antônio Aparecido Pereira, que assumiria anos depois a chefia de redação de nosso semanário arquidiocesano *O São Paulo*, preparou em Roma uma tese muito apreciada sobre os tempos da censura no jornal da Igreja de São Paulo. A ele devo os constantes incentivos que recebi para manter o pequeno mas corajoso semanário, que passou a ser apreciado em muitas partes do Brasil e do exterior.

Em comemoração ao seu 25º aniversário começamos a distribuir a Declaração Universal dos Direitos Humanos em 26 de outubro de 1973, por meio de uma primeira edição de duzentos mil exemplares, trazendo o texto original acompanhado de citações bíblicas para cada artigo e as declarações mais veementes do Conselho Mundial de Igrejas e da Igreja Católica. A terceira edição saiu em inícios de 1978 com quinhentos mil exemplares, e as edições foram se multiplicando, não só por iniciativa das igrejas unidas no trabalho da proclamação do Evangelho, mas também pela de muitas organizações que souberam unir os anseios mais profundos de comunicação da pessoa humana com os destinos da pátria brasileira. Em dezembro do mesmo ano de 1978, em meio a verdadeira explosão na demanda, era lançada a quarta edição do famoso caderno ecumênico com a expressiva tiragem, agora, de um milhão de exemplares.

Em 22 de agosto de 1982 circulou na cidade uma edição falsificada de *O São Paulo* trazendo na primeira página um grande retrato meu, com a manchete: "*Mea culpa*". Os responsáveis pela Conferência Nacional dos Bispos do Brasil e eu particularmente éramos vítimas de difamações. Algumas emissoras de rádio distorciam os fatos em seus programas diários para transmitir a idéia de que eu era defensor de criminosos.

Algumas iniciativas artísticas arrojadas, como *Jesus Cristo Superstar* e *Missa Leiga*, encenadas em palcos de São Paulo, apesar de independerem da Igreja, provocaram reações escandalizadas nos católicos mais tradicionais. Causou também impacto negativo em alguns setores a imagem de Jesus Cristo de gravata, no cartaz da Campanha da Fraternidade de 1972 – "Descubra a alegria de servir".

Todos esses fatos ocorreram justamente nesses anos de turbulência, prejudicando por algum tempo nosso relacionamento com a grande imprensa. No entanto, apesar da turbulência que causaram, essas manifestações artísticas contribuíram para a conscientização do povo.

Para mim, o que mais importava era a união do povo e a preparação do movimento em favor da cidadania que despontava ao longe. Por isso mesmo tínhamos que retomar toda publicação em favor da Igreja e da política de maneira mais sistemática, como aliás o fizemos. Foi nessa hora que contamos com o gênio e a equipe de nosso amigo professor Paulo Freire e de todos os recursos que ele colocou à nossa disposição. A Comissão Justiça e Paz realizou, nesse tempo, admirável trabalho de formação política em todos os níveis e sobretudo junto às lideranças de nosso povo. As publicações se difundiam através de folhas simplesmente mimeografadas e pela edição de fitas de vídeo enviadas aos maiores centros de difusão que solicitavam nossa colaboração. Os jornalistas eram quase unânimes no apoio às iniciativas concretas e constantes para que o povo tomasse consciência de que a democracia não é só um governo pelo povo, mas também um governo construído lentamente por ideais populares difundidos nos mais diversos meios influentes da sociedade.

Já não nos considerávamos vítimas da ditadura na hora em que o regime militar prometeu uma lenta e gradual democratização, mas nos sentíamos responsáveis por essa caminhada junto com os comunicadores oficiais da grande, média e pequena imprensas. Gostaria de realçar a importância da imprensa "nanica", porque a sua missão entre o povo mereceu justamente nesse momento um congresso em Campinas, no qual tomei parte, e uma reunião nos Estados Unidos, em que os nossos diretores de imprensa tiveram influência marcante.

Desde aquele momento até o dia de hoje agradeço a Deus por ter marcado todas as fases de minha formação intelectual e pastoral pelos contatos com os comunicadores, dedicando a esses profissionais grande parte de meu tempo e toda a nossa afeição que eles transferiam ao povo com fidelidade e amizade. Para tanto concorreu decididamente a habilidade dos comunicadores oficiais da arquidiocese.

Convém lembrar aqui os méritos do então cônego Amaury Castanho e especialmente a experiência comprovada do padre Luís Viegas, que viera de Minas para colaborar em São Paulo. Quando, em seguida, organizamos o Serviço de Comunicação (SERCOM), fomos sempre devidamente apoiados e informados pela eficiente equipe do saudoso amigo cônego Francisco de Assis Gandolpho (1930-1993).

Especial menção merece o trabalho constante do nosso então bispo auxiliar dom Lucas Moreira Neves, que estabeleceu o costume de reunir semanalmente os jornalistas interessados na ação da Igreja de São Paulo. De quando em vez me convocava também para comunicações mais amplas ou mais discutidas. Consideramos esse período de fundamental importância para a orientação de todos os que se interessavam por um Brasil mais justo e mais igualitário.

Foi esse período que nos levou a criar, em 1992, o Vicariato Episcopal da Comunicação, sob a orientação competente de monsenhor Arnaldo Beltrami.

Ao falar da comunicação, não posso esquecer que o ecumenismo é a maneira mais segura de levar o Evangelho e o interesse da Igreja simples, sempre à espera de uma orientação. O pastor Manoel de Melo se tornou nosso amigo para os momentos mais críticos da censura e chegou a convidar, como já lembramos antes, o secretário-geral do Conselho Mundial de Igrejas, Philip Potter, a uma visita ao Brasil em 1973 para inaugurar, comigo, o grande templo construído em São Paulo, no bairro da Água Branca. A partir daquela hora o Conselho Mundial se tornou incentivador invulgar do nosso trabalho em favor da liberdade de expressão, sobretudo da difusão evangélica.

Quando decidimos publicar a obra *Brasil Nunca Mais*[1] com o relato objetivo das torturas, e conseguimos, para tanto, a cópia de quase todos os processos julgados pelo próprio sistema militar, Philip Potter teve a coragem invulgar de escrever comigo o prefácio e de arcar com os custos que a nossa Arquidiocese de São Paulo jamais poderia assumir naquela hora.

---

[1] Para detalhes sobre o trabalho que resultou na coleção *Brasil Nunca Mais* cf. a biografia *Dom Paulo Evaristo Arns – Um homem amado e perseguido*, publicada pela Editora Vozes em 1999, de autoria de Evanize Wydow e Marilda Ferri, que dedica um capítulo inteiro ao assunto.

Assim, o nome dele e o do Conselho Mundial de Igrejas permanecerão unidos a nós no relato mais objetivo de toda a história brasileira, dos imensos sofrimentos daqueles que lutaram em favor de um Brasil democrático.

Em 1980 houve um congresso de teólogos do terceiro mundo em nosso Instituto Paulo VI. Sabíamos que devíamos contar com a firme oposição da TFP – sociedade Tradição, Família e Propriedade –, que tentara uma aproximação comigo em 1971 que fracassara devido à persistência dessa organização em manter-se no passado, em vez de preparar o futuro.

Também devo incluir em minhas considerações a oposição que vinha de uma parte do episcopado brasileiro, mas que nunca partiu da direção da Conferência Nacional dos Bispos do Brasil. Através da CNBB nos sentíamos ligados tanto aos fiéis do Brasil quanto ao Santo Padre e aos fiéis do mundo inteiro. Posso até afirmar que as vozes vindas do exterior transmitiam com maior clareza o apoio à nossa luta do que muitas expressões publicadas entre nós.

Em diversas ocasiões celebrei as nossas lutas tanto na Catedral Metropolitana quanto em outras igrejas ou reuniões populares.

As viagens ao Paraguai e ao Chile, mencionadas em outro capítulo, me trouxeram grande conforto por saber que elas ajudaram a apressar a democratização naqueles países.

A comunicação com nosso povo atingiu um nível de grande repercussão quando o prefeito Olavo Setúbal reinaugurou a Praça da Sé. Isso aconteceu em fevereiro de 1978, em momento crítico da passagem de poder presidencial do general Geisel para um sucessor que provocava reações no próprio exército: o general João Baptista Figueiredo. Tanto as cerimônias da semana santa solenemente celebradas na Praça da Sé, com a interpretação viva de algumas estações da via-sacra, como a Missa da Terra Sem Males, de 22 de abril de 1979 – pela passagem do Dia do Índio –, reuniram verdadeira multidão de fiéis na catedral e arredores para uma apresentação talvez nunca igualada em nosso tempo de crise. O próprio ministro do Interior, Mário Andreazza, chegou a participar de uma parte da celebração da Missa da Terra Sem Males e aceitou o meu pedido de empenhar-se em favor de condições novas para os nossos indígenas.

Na catedral, Deus tinha a casa mais vistosa da grande família. Desde a primeira infância eu ouvira meu pai repetir que a igreja devia ser o prédio mais bonito do lugar, e hoje ainda escuto muitas vezes o mesmo desejo expresso pelo povo nas periferias.

Nosso templo maior se transformava em verdadeira devoção quando aos domingos, às dezoito horas, momento de minha celebração eucarística, eu via o povo mais pobre e mais simples da cidade cantando, rezando e se informando no recinto majestoso. Eu pensava: talvez a casa do Pai seja a única casa elegante onde o povo entre com criança e pipoca e se sinta bem, cantando com liberdade e acreditando no Deus da história que distribui bênçãos, força e esperança para a semana toda.

Também quero lembrar minha viagem ao Chile, em 1978, a convite da Seção dos Direitos Humanos da Organização das Nações Unidas. Ela me fez descobrir todos os desmandos do governo Pinochet e da ditadura chilena que até hoje divide a nação tão amiga do Brasil. A *Vicaria de la Solidaridad*, organizada pelo cardeal Silva Henríquez, me facilitou, naquele momento, muitos contatos com o povo e possibilitou certas alocuções nas igrejas e em outras circunstâncias favoráveis à esperança que eu levava ao povo chileno.

A comunicação com o povo foi facilitada pela suspensão da censura à imprensa, aceita no começo com algum temor e com grande prudência. Embora eu fosse considerado sócio da ABI desde os tempos de frade em Petrópolis, recebi o título de "militante" em minha carteira da ABI em maio de 1976, como já lembrei antes, e assim podia celebrar tanto as missas dos sábados na paróquia de São Dimas da Vila Nova Conceição, transmitidas pela TV Record, quanto as dos domingos, irradiadas pela Rádio América, na paróquia de Santo Inácio da Vila Mariana. Podia também divulgar com maior apoio as notícias indispensáveis para o comportamento do nosso povo em época de eleições e também no que se propalava a respeito da Teologia da Libertação.

A esse respeito convém acrescentar o episódio que se deu em Roma, por ocasião de minha visita *ad limina* de 1986. Eu já fora advertido pelo secretário-geral da CNBB, que era o nosso bispo auxiliar dom Celso Queiroz, de que Roma estava mal informada a respeito de minhas atitudes e de meu relacionamento com as organizações papais. O encontro com o secretário de estado do Vaticano, cardeal Agostino Casaroli, confirmou a advertência: ele perguntou se eu notara alguma diferença de tratamento durante essa visita às congregações romanas e ao próprio Papa. Foi nessa ocasião, como já relatei, que ele me lembrou que todas as organizações romanas estranhavam que eu desse o *nihil obstat,* que significa a aprovação da Igreja, à coleção de livros da Editora Vozes *Teologia da Libertação.* O leitor já conhece minha resposta.

De fato havia em Roma e no Brasil pessoas interessadas em diminuir o prestígio da Arquidiocese de São Paulo e de seu arcebispo naquele momento tão crucial para o país e para a Igreja, e numa hora em que nos empenhávamos tanto para manter nossos fiéis na linha evangélica, sobretudo em relação ao regime ditatorial que ainda iria prolongar-se por algum tempo.

Eu poderia acrescentar que o saudoso cardeal dom Avelar Brandão Vilela, que passara alguns meses em São Paulo para tratar com recursos mais avançados o câncer que o levaria à morte em 1986, me advertira de que se armava uma "tempestade" contra mim em Roma e que ele rezava e oferecia seus sacrifícios para que isso não prejudicasse nem a Igreja do Brasil nem a de São Paulo. Até hoje sou grato a ele, como também ao senador Teotônio Vilela, seu irmão, por todo o carinho que recebi de ambos durante longos e penosos anos.

Aliás, a Cúria Metropolitana de São Paulo, centro de relacionamento do cardeal e das organizações que me auxiliavam no atendimento a ser prestado aos presos políticos e a todas as demais pessoas perseguidas, provaria a minha fidelidade total às normas emanadas pela Santa Sé.

As pessoas que vinham me procurar nos dias em que eu estava na cúria apelavam para a Igreja Católica como amiga fiel e defensora da verdade, da justiça e da solidariedade humana. No momento em que chegavam à cúria, antigamente tão temida, eram acolhidas por três secretárias de insuperável amabilidade: Anna Maria Wey, Esther Paraventi e irmã Maria Arminda Nogueira preparavam o encontro com tamanha cordialidade e compreensão, que a conversa com o cardeal se iniciava com a maior naturalidade e confiança.

A cúria tornou-se assim, no período que vai de 1970 a 1986, um centro de informações da mais alta credibilidade e do empenho mais ativo e seguro dos leigos e religiosos em nossa arquidiocese. Nosso saudoso auxiliar reverendo

Jaime Wright já diversas vezes mencionado neste livro, costumava descrever a Cúria Metropolitana de São Paulo como o "guarda-chuva" de todos aqueles que a procuravam, mesmo que não fossem católicos ou cristãos.

A dignidade da pessoa humana, como tantas vezes os papas haviam declarado, se tornara ponto de referência para as nossas quatro organizações em defesa dos direitos humanos e para o clero e os bispos de São Paulo.

Eu queria apenas que a imagem de Deus, tão bem retratada em cada mulher e homem, fosse respeitada como nos ensinam a Bíblia e a tradição judaico-cristã.

17 *Luta e presença no ensino*

O cardeal dom Carlos Carmelo de Vasconcellos Motta, antes mesmo de tomar posse da Arquidiocese de São Paulo em 1944, já havia declarado que a cidade precisava de um grande centro de cultura, particularmente jurídica, a fim de formar a juventude católica. Mesmo depois de fundar a Universidade Católica, em 1946, ele reunia os estudantes, sobretudo os líderes da Ação Católica – JUC (Juventude Universitária Católica) – em sua própria casa, para manifestar-lhes seus sonhos relativos à cidade e ao Estado de São Paulo.

Numa das primeiras visitas que lhe fiz como bispo auxiliar de São Paulo, depois de sua transferência para Aparecida, ele me confidenciou, com extrema simplicidade, que diversas vezes havia pensado em meu nome para ajudar a orientar esses centros de estudos devido à experiência fora do comum nesse campo adquirida na Sorbonne, por ser a França considerada mestra sobretudo em ciências humanitárias.

Eu tivera pouca possibilidade de aperfeiçoar-me no estudo superior, porque ensinara apenas durante dois anos na Faculdade de Filosofia, Ciências e Letras de Bauru e sete anos na Universidade Católica de Petrópolis. Foram duas boas experiências que se somaram à minha participação por três anos na nova experiência do Ministério da Educação, através da CADES, que preparava professores para os lugares no Brasil em que não havia institutos organizados de estudo superior.

Além disso, eu me interessava constantemente pela Universidade Católica da Itália, fundada e dirigida pelo confrade franciscano padre Agostinho Gemelli. Sempre, porém, me voltava à mente a advertência de São Francisco, lembrando que seus filhos, nascidos da esposa Pobreza, deviam dedicar-se, em primeiríssimo lugar, aos pequeninos, ou seja, aos que ainda não haviam podido servir-se dos estudos para integrar-se, como tinham direito, à sociedade.

Por outro lado, não podia deixar de levar em conta o que o Papa João XXIII tanto realçara em sua encíclica *Paz na Terra:* que o trabalhador, os países novos e a mulher eram os sinais de um tempo que estava para mudar e deviam receber a alma da Igreja para evoluir no sentido autêntico.

Na primeira visita que realizei à Pontifícia Universidade Católica de São Paulo reuni-me com os membros de seu conselho e lhes disse que os cursos normais de graduação não deveriam constituir a meta principal da universidade. Para o bem do Brasil e de São Paulo, ela deveria voltar-se, sobretudo, para a pós-graduação, formando professores ou orientadores para outros cursos no Brasil.

Creio que essa visita impressionou bem os nossos conselheiros, porque, anos depois, chegamos a ter perto de três mil pós-graduandos, enquanto que o número de estudantes cresceu normalmente, mas sem procura extraordinária.

Nesse tempo eu não imaginava que um instituto de ensino superior pudesse constituir alvo especial para o regime totalitário, como experimentei no ano de 1977. Eu me encontrava em Roma, para uma missão especial, quando fui chamado ao telefone por dom Benedito de Ulhoa Vieira, então um dos bispos regionais, exigindo meu regresso imediato, porque a Pontifícia Universidade Católica estava sendo invadida sob o comando do coronel Erasmo Dias, secretário estadual da Segurança Pública.

Providenciei imediatamente o bilhete de volta, indicando à cúria de São Paulo a hora de minha chegada a Congonhas. Aí fui recebido por um grupo de jornalistas que precisavam saber de mim, na posição de grão-chanceler da instituição brasileira e pontifícia, o que achava do ataque direto ao nosso maior instituto de educação em São Paulo. Na hora respondi o que me passara pela cabeça durante a noite, na viagem de volta: "Pela lei brasileira e universal, só entra na faculdade e na universidade quem é preparado e presta exame vestibular. Espero que isso também seja regra suprema para nós em São Paulo."

No mesmo dia fui verificar o que acontecera no *campus* das Perdizes. Realmente, ato de vandalismo. Móveis quebrados, diplomas jogados por terra, até instrumentos musicais inutilizados, e o próprio refeitório completamente desfigurado. O governador do estado, Paulo Egydio Martins, naquela mesma noite aparecia em todas as estações de televisão para justificar o ato que nós considerávamos vandalismo e que ele apresentava como sendo de limpeza da universidade. Colocava à vista do espectador os milhares de livros retirados da PUC, apresentando-os como comunistas, embora entre eles figurassem a Bíblia e tantos outros livros de cultura universal.

O governador perguntava ainda, pela televisão, ao vice-reitor, padre Edênio Valle, se esses livros não provavam à saciedade que a Universidade Católica de São Paulo vinha deformando a mente de seus alunos. O vice-reitor, com a fineza e a inteligência que lhe são próprias, retrucou que ninguém sabia de onde vinham tais livros, porque eles não tinham sido retirados da biblioteca obedecendo às normas do estatuto de nosso ensino superior aprovado pelo Ministério da Educação. Acrescentou ainda com muita propriedade que uma universidade que se preze deve ter a biblioteca mais ampla e diversificada para estudos comparativos, tanto das ideologias quanto das ciências e técnicas modernas.

Não sabíamos, porém, que a maldade ainda procurava novos caminhos para prejudicar a formação de nossa juventude. Tivemos que experimentá-la, e de maneira trágica, no dia 25 de setembro de 1984, quando foi incendiado por duas vezes o TUCA – Teatro da Universidade Católica –, lugar privilegiado para a apresentação de grandes peças e excelentes artistas.

Foi no TUCA, antes do incêndio, que o Dr. Alceu de Amoroso Lima e, mais tarde, nosso grande amigo e herói dom Hélder Câmara haviam recebido seus títulos de Doutor Honoris Causa.

O mesmo teatro acolhera, em julho de 1977, a assembléia anual da SBPC – Sociedade Brasileira para o Progresso da Ciência –, entidade conhecida e venerada, que até hoje apresenta os melhores trabalhos científicos da juventude. Essa organização tivera que humilhar-se antes, porque não fora acolhida em universidades federais ou estaduais de grande renome.

A essa altura, a PUC estava sendo dirigida pela professora e doutora Nadir Kfouri, certamente a primeira mulher a dirigir um instituto pontifício no Brasil. Como a indicação de reitor necessita sempre da aprovação do Papa, eu enviara o nome da doutora Nadir Kfouri a Roma, com certa hesitação, mas recebi imediatamente a aprovação da Santa Sé para instituí-la como reitora. É importante lembrar que, na gestão seguinte, ela foi a primeira reitora eleita pelos professores, estudantes e funcionários da PUC, alcançando vitória muito festejada por todas as mulheres que ensinavam na instituição superior e também pelo povo, que apreciava uma assistente social na direção da universidade.

Uma vez que estou falando de reitores, devo mencionar outra tentativa realizada no dia 18 de fevereiro de 1988 e que honra a cidade de São Paulo. O reitor da USP – Universidade de São Paulo –, professor José Goldenberg, em companhia do nosso reitor Luiz Eduardo Wanderley, da PUC, me propuseram uma possibilidade real de promover o trabalhador e sobretudo os nossos estudantes da periferia para a formação na Universidade Católica. Naquele tempo – não sei se ainda hoje – era destinada uma quantia bastante elevada pelo governo à USP, que fazia o seu orçamento através de comissões especializadas.

Dizia-me então o reitor da USP e grande especialista em física que a Igreja Católica tinha possibilidades de preparar bons candidatos para o ensino superior porque estava presente em quase toda a periferia de São Paulo e, assim, poderia acompanhar os estudantes e incentivá-los para o exame vestibular. Para começar, ele propunha destinar dez por cento de seu orçamento para que a PUC não só admitisse esses candidatos especialmente preparados, mas também os levasse a completar o curso.

No meu entender era essa a forma de a Igreja acolher os sinais dos tempos e promover, além da mulher, também o trabalhador jovem, preparando-o para uma existência mais digna e elevada.

Infelizmente o governador Orestes Quércia não concordou com o ponto de vista do insigne pesquisador e reitor da USP.

A PUC de São Paulo já naquele tempo exercia função importante em nossa pastoral da periferia. Introduziu métodos novos para a formação de nossa gente simples e foi apoiada por institutos do exterior para continuar seu trabalho, que se distinguia pela seriedade, continuidade e pelos resultados positivos. Até os estudantes da PUC se entusiasmaram, assumindo em diversos bairros carentes da cidade a assistência jurídica, médica e psicológica, para levar a população a ter mais confiança no futuro.

Fui por diversas vezes chamado para visitar essas iniciativas, mas também convidei os habitantes da periferia a virem ao *campus* da PUC, onde celebramos uma missa para mais de cinco mil pessoas, incluindo parte de nossos alunos e professores.

Eu tinha certeza de que essa universidade, que nos causara grande preocupação pela falta de apoio monetário durante a ditadura, agora poderia atrair a atenção das nações mais ricas e favoráveis ao equilíbrio da sociedade para um trabalho altamente promissor, no sentido da solidariedade e da paz no mundo.

Em nenhuma ocasião os institutos católicos superiores se livraram da angústia provocada pela situação financeira. O fundador da PUC, cardeal Motta, conseguira grandes subvenções do estado, mas elas nos foram todas retiradas no tempo da ditadura, fazendo com que os professores nem sempre entendessem a repercussão de nossa situação financeira na remuneração condigna do corpo docente.

Embora tenha mencionado pouquíssimos nomes de heróis na luta pelo ensino em São Paulo, quero afirmar que a Pontifícia Universidade Católica me proporcionou imensas alegrias. A Igreja e sua universidade são eternamente devedoras aos seus funcionários, professores e grande reitores.

A PUC até hoje leva a marca das feridas de diversas alunas no momento da invasão de 1977 pelo exército e a polícia de São Paulo, e apresentará sempre um altíssimo saldo positivo em favor da ciência, da formação de lideranças católicas em todos os ramos da ciência, não excluindo a política.

Que Deus, Senhor das ciências, continue a inspirar e a promover nossa PUC de São Paulo, recompensando a todos que dão parte de sua vida – e talvez a melhor parte – para que a juventude possa aspirar sempre a um Brasil mais preparado para os seus desafios.

18 *Catedral da Sé – Espaço de esperança e liberdade*

A minha relação com a Catedral da Sé é especialmente forte. Lá tudo acontecia, as grandes e pequenas celebrações – litúrgicas, ecumênicas, até mesmo artísticas, algumas históricas. Os jornalistas me procuravam após as missas, padres, bispos e personalidades do Brasil e de fora para lá se dirigiam aos domingos, por saberem que me encontrariam celebrando a missa das dezoito. Políticos e lideranças da sociedade vinham pedir conselhos e comunicar decisões.

Mas nada se igualava à presença do povo simples que comparecia em massa, lotando a igreja e me comovendo ao expressar alegria e participar com sua forte religiosidade das celebrações, aguardando ansiosamente a bênção final. Após o "Vamos em paz e que o Senhor nos acompanhe", o povo prorrompia em aplausos. Quando eu me dirigia para a sacristia, mães e pais se aproximavam, estendendo-me seus filhos para que recebessem uma bênção individual. Posso lhes afirmar: o amor que dedico à Catedral da Sé, como igreja-mãe da cidade de São Paulo, é semelhante ao que experimentei nas favelas de Petrópolis, no contato com o afeto, a solidariedade e a esperança do povo mais simples.

Mal havia sido indicado como bispo auxiliar de São Paulo, quando um padre visitante, no Convento de Santo Antônio do Rio de Janeiro, veio congratular comigo, acrescentando, para minha surpresa: "Senhor Bispo, o senhor me deixa dar um conselho? O senhor deveria celebrar todos os domingos na catedral, porque nós estamos sob censura e só assim o povo pode ficar sabendo o que é que o bispo pretende comunicar."

Lembrei-me dessas palavras por diversas vezes ao ter que conferir ordens sacras na catedral, ou mesmo presidir a alguma celebração mais solene, a convite do cardeal dom Agnelo Rossi ou de seu encarregado.

A Catedral de São Paulo apresentava uma acústica tão deficiente, que os sons se misturavam mesmo antes de chegar aos primeiros bancos do centro da construção. Mas era maravilhosa no momento em que os corais – e havia bons corais em São Paulo – se exibiam no tempo de Natal ou da semana santa.

Dois fatos me integraram na utilização freqüente da Catedral da Sé. O primeiro deve ser atribuído ao extraordinário prefeito de São Paulo, Dr. Olavo Setúbal, que mandou limpar todo o exterior da catedral e arrumou de tal maneira a Praça da Sé, que ela se tornou o ponto nevrálgico de todo o sistema de transporte por metrô em nossa capital. No primeiro dia após a inauguração, em 1978, a nossa catedral estava de tal maneira lotada, que não havia possibilidade de passar por entre o povo para distribuir a comunhão.

O acesso dos fiéis ao seu pastor estava assim inteiramente facilitado, e o encontro do bispo com o povo ficou marcado para as dezoito horas de todos os domingos.

Outro fato que me reconciliou com as estruturas da catedral foi a reforma empreendida no sistema de som, que me parecia tão deficiente, que eu trazia sempre por escrito o que desejava comunicar ao povo para a eventualidade da presença de algum jornalista que talvez fizesse a caridade de levar a mensagem até o coração de minha gente. Essa gente gostava da catedral e, diariamente, ao meio-dia, costumava encher os bancos do centro da nave, a ponto de instalarmos ali alguns núcleos de catequese, orientados pelo jesuíta Jack Vessels, que também celebrava com outros padres as missas exigidas pelo povo que vinha fazer o seu descanso de hora do almoço na casa do Pai do Céu.

Não bastava porém o amplo espaço da catedral. A Praça da Sé contribuiu muitíssimo para reunir o povo de todas as regiões, tanto das que já dispunham de metrô como das que continuavam com o sistema de transporte tradicional. A Praça da Sé abarcava ao menos cinco a dez vezes mais pessoas do que a própria catedral, que, apesar de imensa, é sustentada por colunas que encobrem a vista das pessoas interessadas sempre em ver quem fala e como fala.

As principais celebrações havidas nesse grande templo se baseavam todas no Evangelho e no exemplo de Cristo, tendo normalmente como fundamento político a Declaração Universal dos Direitos Humanos.

Devo acrescentar aqui que, na minha primeira visita ao cardeal Motta, quando lhe apresentei a edição dos trinta artigos dos Direitos Humanos, com sua fundamentação bíblica e as declarações mais contundentes do Conselho Mundial de Igrejas e de nossos papas mais recentes, ele me deu uma resposta que indica bem o seu julgamento e a sua apreciação de mineiro habituado à fidelidade de seus concidadãos: "Senhor Cardeal, para nós e nosso povo bastam os dez mandamentos, que, aliás, encerram esses trinta artigos preparados depois da guerra, porque Deus fala com mais clareza do que os homens."

A expressão era semelhante à de Paulo VI quando lhe apresentei, durante o Sínodo de 1974, uma declaração de direitos humanos que atingisse os pontos mais fundamentais e talvez fosse a expressão mais resumida e direta do que a humanidade precisava naquele momento. Conforme contei antes, quando o cardeal americano Kroll terminou a leitura de minha declaração, ainda não proposta aos bispos sinodais, o Sumo Pontífice, numa reação espontânea e em termos bem solenes declarou: "Esta manifestação do sínodo eu não só aprovo, mas quisera subscrever, porque ela parte do coração do Evangelho e exprime o que a humanidade, no dia de hoje, mais precisa."

Quando essa apreciação tão positiva de Paulo VI foi comunicada ao plenário do sínodo, todos os bispos, sem exceção, se apressaram em subscrevê-la. É pena que, no Brasil, ela não tenha podido ser suficientemente divulgada e comentada, por causa da situação em que vivíamos, embora recebesse menção em alguns de nossos grandes veículos de comunicação. Pude, no entanto, publicá-la por inteiro, como já relatei, no meu livro que comenta aquele extraordinário evento de 1974, o Sínodo da Evangelização, e gosto de referir-me com freqüência a essa declaração tão espontânea do Papa e de representantes dos bispos do mundo inteiro.

De fato, eu falava da experiência e não apenas de uma profunda aspiração do povo brasileiro.

Todos se lembram da imensa repercussão que teve o assassinato do estudante da USP Alexandre Vannucchi Leme e da celebração soleníssima que fizemos, a 30 de março de 1973, na catedral inteiramente tomada por estudantes e cercada por inúmeras pessoas que não conseguiam entrar. Na terceira parte deste livro voltarei a falar com mais detalhes desse acontecimento.

Logo depois tivemos que experimentar o amargor que causa toda traição aos direitos humanos, sobretudo quando ela atinge um homem considerado amigo e de grande qualidade como comunicador. Falo do jornalista Vlado Herzog que, além de todos os seus predicados, ainda ostentava o título de diretor de jornalismo da TV Cultura em São Paulo. Naquele momento, em 31 de outubro de 1975, a catedral parecia o coração de toda uma população paulistana ávida de liberdade ou por dizer "basta!" aos torturadores de nossos jovens idealistas.

Cada uma dessas manifestações, no entanto, era essencialmente religiosa e não remetia diretamente ao endereço dos torturadores e dos responsáveis pela tortura em nossa terra.

A catedral, assim, além de aglutinar o povo de São Paulo, foi se tornando porta-voz de todo o Brasil.

No momento de uma das reuniões de bispos em Itaici, quando uma parte deles resolveu dar uma ênfase especial, solenizando a denúncia contra os nossos índios, que nunca chegaram a sentir-se irmãos dos demais brasileiros, houve uma dessas celebrações memoráveis. Dom Pedro Casaldáliga havia composto, junto com alguns artistas, a chamada "Missa da Terra Sem Males", e me perguntou se não podíamos levá-la à Catedral de São Paulo como verdadeira celebração e purificação dos males causados aos primeiros proprietários de nossa terra.

Para tanto, alugamos três ônibus e organizamos, da maneira mais simples, a vinda dos bispos que quisessem livremente, sem nenhum constrangimento, participar dessa missa que não era nem denúncia nem protesto, e sim a grande utopia que o cristianismo veio trazer para todos os homens, inclusive os nossos indígenas.

Noite igual à de 22 de abril de 1979 dificilmente experimentaremos entre nós, porque o coração, a mente e todos os nossos anseios se reuniram para uma expressão única diante de Deus, pedindo justiça e amor.

Outro momento de profunda emoção se deu na Catedral de São Paulo, em 21 de abril de 1980, quando os líderes operários, tanto do ABC quanto de nossa cidade, foram presos sem nenhuma ordem judicial e sem nenhuma ação que justificasse sua reclusão. Mal chegaram à cadeia, apareceram o presidente e o ex-presidente de nossa Comissão Justiça e Paz que os saudaram com o abraço costumeiro. A expressão foi quase unânime: "Dom Paulo mandou vocês para cá!"

Infelizmente, os dois grandes líderes da defesa dos direitos humanos, doutores Dalmo Dallari e José Carlos Dias não compareciam como defensores, e sim como companheiros de prisão de todas as lideranças operárias de São Paulo, pois estavam igualmente presos. Isso não os impediu de passarem a noite inteira dando instruções aos operários sobre como comportar-se diante dos interrogatórios e preparando-os para outras surpresas que pudessem aguardar os líderes detidos.

Eu mesmo, quando fui visitar esses meus irmãos trabalhadores, pude ouvir, da parte do delegado Romeu Tuma, que tanto os operários quanto os presidentes da Comissão Justiça e Paz deveriam ser libertados o quanto antes. Havia dois motivos para isso: o primeiro, a repercussão no mundo inteiro, através dos jornalistas – mais de cinqüenta – que acompanhavam a reação paulistana contra o regime totalitário. O segundo, igualmente apresentado por Tuma, era que todos aqueles que apareciam nas fotos e imagens incendiando carros e quebrando vitrines tinham o cabelo raspado, sendo, portanto, soldados e não operários. Felizmente tinham sido fotografados de perto por gente nossa.

Preparamos, então, na catedral um encontro de oração em que pude contar os fatos que inocentavam os operários e mostravam a fraqueza do regime militar, que já adotava o uso de mentiras e de enganos para seduzir o povo que aos poucos se afastava de seus ideais. Foram estas as palavras textuais da abertura do ato:

"Aqui nos congregamos em nome de Cristo e de seu Povo.

Com ele, queremos descobrir os caminhos da paz.

No momento, esses caminhos da paz estão obstruídos, como em outras horas graves de nossa história.

Nossa oração há de alcançar luz para os corações e as inteligências dos primeiros responsáveis na crise atual; nossa meditação nos apontará caminhos para nossa própria ação em favor da paz em São Paulo e no Brasil.

Que todos se sintam bem na casa do Pai e na companhia dos irmãos."

Nessa celebração, como de costume, proclamávamos a palavra do Evangelho e convidávamos representantes de diversas denominações cristãs e mesmo das religiões mundiais. Estes não se recusavam a participar, porque sabiam do efeito imediato desses atos públicos sobre a opinião mundial e também sobre a divulgação dentro do próprio Brasil.

Aqui seguem algumas expressões usadas por mim na homilia ao final do ato e diante do povo reunido:

Às autoridades *que decretaram a intervenção e prenderam tantas pessoas lembramos, no dia do mártir brasileiro da liberdade, Tiradentes: essa liberdade é tão decisiva para cada homem e para a nação, que se transforma em aspiração suprema para todos os que quiserem viver com dignidade. Em vez de tolher arbitrariamente a liberdade das pessoas que lutam por seus direitos, tentemos promover a comunhão de liberdades. A reconciliação, o diálogo e o compromisso com honra e respeito.*

Nosso apelo, formulado sob o olhar de Deus e na esperança da superação dos conflitos, é este: criem novas possibilidades para negociações. Para tanto, soltem quanto antes os líderes operários.

Abram espaços para reuniões pacíficas, como o estádio de Vila Euclides, onde os trabalhadores, resguardando-se das violências e das infiltrações, possam discutir livremente a volta ao trabalho, no mais breve espaço possível.

Estimulem as lideranças para a retomada imediata de negociações, em nível de igualdade, para não haver vencedor nem vencido.

Aos irmãos empresários *lembramos que a Pátria brasileira é maior que suas empresas. Na hora em que os trabalhadores saírem humilhados de um conflito, o bem comum, que é o da maioria, deixou de ser respeitado. E é este bem comum que deve encarnar-se nos locais de trabalho e nas fontes de abastecimento do país.*

O que pedimos não é demais, nem mesmo é muito: sentem-se à mesa para negociar, mas desta vez desarmados até da vitória aparente que obtiveram no tribunal, não porém na consciência do povo.

Rezamos e continuaremos a rezar por eles, suas famílias e pela família ampliada da qual fazem parte, como nós todos.

Aos nossos irmãos trabalhadores *também desejamos dirigir a palavra. Admiramos seu esforço de excluir toda e qualquer infiltração. É o momento histórico de a consciência operária se manifestar com liberdade, sem extremismos.*

A Igreja lhes pede igualmente que continuem a manter o clima de não-violência, que supõe a união de todos e a firmeza permanente.

Lutaremos, com todos os meios ao nosso dispor, para que lhes seja assegurado o direito de defesa e de diálogo. É este o fundamento da paz social, do pacto verdadeiro, da reconstrução da unidade tão indispensável ao povo humilde e bom."

Por ocasião desse ato na Catedral de São Paulo recebemos mensagens de apoio irrestrito de todos os estados do Brasil e de onze países do mundo inteiro, todas conservadas em nosso arquivo. A quantidade de telegramas, cartas e abaixo-assinados é de tal monta, que, por curiosidade, colocamos seu conjunto sobre a balança para verificar o peso: atingiu a marca de cinco quilos e oitocentos gramas.

Em 1983, os dominicanos nos pediram para trazer de volta ao Brasil os restos mortais do nosso queridíssimo irmão frei Tito de Alencar, tão barbaramente torturado pelo delegado Sérgio Paranhos Fleury, a ponto de sentir que em tudo deveria obedecer a este, e nestas circunstâncias é que foi encontrado morto, na França, em 1974. De frei Tito guardo até hoje, com carinho, uma carta de próprio punho, que me enviou de Paris, em maio de 1973:

"Caro D. Paulo: aproveito a ocasião para desejar-vos feliz Páscoa. Fiquei contente em saber de sua nomeação a Cardeal de São Paulo. Confio enormemente no senhor, creia-me; confio sobretudo na vossa alma franciscana. Li vossa entrevista no jornal Opinião. *Gostei demais. Aos poucos, descobrimos, na prática, o que é evangelizar no Brasil de hoje. Até hoje guardo uma excelente recordação de vosso sermão*[1] *quando na posse em sucessão ao Cardeal Agnelo Rossi. Gostaria de tê-lo em mãos. É profundamente histórico e cheio da seiva geradora do Reino de Deus: a Igreja que se purifica na perseguição, sobretudo quando quer viver, integralmente, os valores evangélicos: a paz, a verdade, a justiça, a fraternidade e o amor entre os homens."*

Após indicar-me o endereço para a remessa do texto solicitado, enviou "*um grande abraço ao Mário Carvalho de Jesus, caso estejais com ele, assim como ao padre Corbeil do Colégio Santa Cruz"* e assinou, *"com muita amizade"*, aquela que seria a sua última mensagem a mim.

Seus colegas do Brasil, os irmãos e familiares desejavam trazê-lo de volta para São Paulo e o Ceará, sua terra natal, no Nordeste tão ligado à nossa cidade. Preparamos então uma memorável celebração na catedral, para o dia 25 de março daquele ano, 1983: cerimônia despojada, mas profundamente vivenciada por todos aqueles que haviam acompanhado os momentos de tortura e sobretudo algumas insinuações contra o ato do suicídio. Posso afirmar aqui que frei Tito foi morto por ordem do delegado Fleury, porque o trauma da tortura que sofreu foi de tal forma grave, que Tito vivia como que "possuído" pela presença do policial, não conseguindo mais resistir a seus desmandos.

Certamente, hoje, frei Tito de Alencar será o protetor de todos aqueles que defendem a integridade da pessoa humana diante de tantas tentativas de destruí-la.

Outro momento de profunda emoção se verificou em São Paulo quando foram descobertas centenas de ossadas de desaparecidos no cemitério, então clandestino, de Perus. A convite de inúmeras pessoas que pensavam poder encontrar os restos mortais de seus parentes "desaparecidos", fui lá celebrar a missa de Finados, no dia 2 de novembro de 1990, a pedido também da então prefeita de São Paulo, Luíza Erundina. Seria inimaginável transferir essa celebração, naquele momento, para a catedral. Afinal, era o dia da visita aos cemitérios.

---

[1] Ver Apêndice II.

Pouco depois, quando a UNICAMP identificou, de maneira segura, as ossadas de diversos de nossos heróis jovens que haviam sido lançados em valas comuns naquele cemitério, transferimos esses restos mortais para a catedral e celebrei por todos aqueles que ainda fossem identificados, ou que jamais poderiam ser identificados, mas que certamente estariam junto a Deus implorando em favor de um Brasil pelo qual haviam dado a sua vida.

Perus ficou para mim um marco indelével da história de São Paulo, mas também uma espécie de prolongamento das celebrações na queridíssima catedral da mesma cidade. Senti ali, na carne, o que os bispos de São Paulo proclamaram de viva voz no sesquicentenário de nossa independência: "Não oprimas teu irmão." E aos parentes todos nós poderíamos afirmar, com a máxima humildade, mas também franqueza: o Deus da História une os sofrimentos suportados na escuridão e na solidão à cruz de Cristo no alto do Calvário. O Brasil pode de novo olhar para o seu futuro e dizer: na hora do sacrifício nós não trouxemos nem prata nem ouro, mas oferecemos o sangue de nossos filhos pela liberdade da pátria.

No final dessas recordações sobre a catedral, gostaria de acrescentar que a Praça da Sé produziu tamanhas emoções entre o povo, que já se tornara impossível realizar a semana santa, como também a festa da união de toda a arquidiocese, no dia de Corpus Christi, sem partirmos dela ou chegarmos a ela. Nesses momentos, nós nos tornamos um só povo na expressão dos grãos reunidos na hóstia sagrada e no sangue de Cristo derramado por nós até a última gota.

Em 1º de novembro de 1970 eu havia entrado nessa catedral e prometido que ela seria missionária e inteiramente devotada ao povo em nome do Evangelho. Foi por isso que as grandes celebrações, como as ordenações episcopais de nossos bispos auxiliares, revelaram a catedral como centro de toda a nossa ação evangélica.

Além das ordenações dos bispos, ainda tivemos momentos de profunda impressão religiosa, como na ordenação conjunta de oito diáconos diocesanos, em 28 de outubro de 1979, todos eles bem preparados e desejosos de serem consagrados, como sacerdotes, à Arquidiocese de São Paulo, naquele lugar sagrado onde Deus se manifestara tantas vezes em favor do povo. De fato, no ano seguinte, quatro deles foram ordenados padres na mesma catedral e no mesmo dia, e os outros quatro, em suas respectivas comunidades.

Ninguém há de esquecer a ordenação do saudoso padre Benedito de Jesus Batista Laurindo, o popular padre Batista da catedral, em 22 de abril de 1984. A cerimônia foi filmada pela TV Cultura e, mesmo após a morte prematura desse sacerdote negro, o vídeo circulou em todas as nossas reuniões de movimentos afro-brasileiros e em diversos países do mundo.

A morte do padre José de Anchieta, beatificado em Roma em 1980, teve duas comemorações extraordinárias: uma no Pátio do Colégio – praça situada ao lado da Praça da Sé –, a que compareceram visitantes de diversos países da Europa. Outra, ainda mais solene, na Catedral da Sé, em 6 de junho de 1997, quando o Presidente da República Fernando Henrique Cardoso, grande número de senadores e deputados e uma imensa multidão participaram da primeira apresentação da belíssima missa *2IHU Kewere*, composta por Marlui Miranda sobre versos tupis de autoria do padre José de Anchieta e executada, na sua parte musical, com a perfeição e mestria da Orquestra Jazz Sinfônica, Coral Sinfônico do Estado de São Paulo e Coral IHU, que honram nossa história.

Como arcebispo metropolitano, presidi ao ato solene, introduzindo algumas orações em língua tupi. Um professor da USP me preparou carinhosamente para tanto. No final, todos confessavam que uma experiência como essa, numa celebração da santa missa, excedia a tudo o que o coração humano pode desejar quando pensa no futuro de nossa terra e na união de todos os brasileiros em favor de uma pátria nova.

Não posso encerrar este capítulo sem dizer que a Catedral Metropolitana não conquistou somente o coração e a inteligência do primeiro responsável pela Igreja de Deus em São Paulo, mas levou o povo a apresentar a Deus o que tinha de mais profundo em seu coração e em suas orações.

A Catedral de São Paulo não é apenas o coração da cidade, é também o nosso coração.

19 *Revitalizando o presente e o futuro*

Durante dezesseis anos e meio a Providência Divina me concedeu a grande graça de trabalhar na formação dos futuros padres. Sempre me voltava à memória a verdade de que a família entrega os filhos para continuarem a missão que recebeu na Terra. Jesus Cristo deixa bispos e superiores de ordens e congregações para tomarem as mesmas providências em favor do futuro da sua Igreja. Por tudo isso, o Espírito Santo me levou a rezar, dezenas de vezes por dia, oração em favor do Papa e dos superiores religiosos de todo o mundo encarregados de zelar pelo futuro de nossa queridíssima Mãe, a Igreja.

No ano que passei em Rio Negro, antes dos estudos na França, entusiasmei-me pela juventude, tanto em suas manifestações de classe quanto também nas exibições artísticas em dias de festa. Terminei o ano de 1946 naquela cidade paranaense com verdadeira admiração pela juventude, particularmente aqueles que iriam, um dia, suceder-nos na evangelização do Brasil e na vida de São Francisco.

Quando assumi o cargo de arcebispo, fui sem demora visitar os seminários da arquidiocese, que se compunham de um prédio onde moravam nove candidatos ao sacerdócio, que cursavam teologia, e mais dois formadores encarregados de orientá-los na vida cotidiana de futuros padres. Também procurei saber como estava a direção da Faculdade de Teologia e quais eram os mestres, sobretudo os mais apreciados naquela instituição tão venerada pelos padres que por lá passaram.

Como eu conhecia bem as universidades romanas, decidi, junto com o Conselho de Presbíteros, escolher os candidatos mais aptos a fazer especialização, para se tornarem professores na nossa Faculdade de Teologia. Como já relatei, percebi logo que o título de Seminário Central já não correspondia ao que se passara em épocas gloriosas, anteriores ao Concílio Ecumênico. Enquanto não decidia o que fazer, depois das consultas costumeiras, indiquei o nome dos padres Martin Segú Girona e Laerte Vieira da Cunha para formadores dos seminaristas.

Depois de alguns meses, esses padres, muito fiéis à arquidiocese e ciosos do futuro da Igreja, foram bem radicais ao aconselhar-me que fechasse, durante alguns anos, a casa de formação e enviasse os candidatos que aceitassem às paróquias mais vivas e ativas de nossa arquidiocese. O acerto e a eficiência dessa medida alegraram a todos.

Crescia o nosso entusiasmo pela pastoral na periferia e em todos os outros campos mais promissores da Igreja, e apresentavam-se candidatos que perguntavam pela possibilidade de se tornarem sacerdotes. Lembro-me ainda que o saudoso padre José Alves Pereira, o padre Zezinho, atendia duas vezes por semana na catedral, e no fim do primeiro ano me apresentou a lista incrível de duzentos e noventa e dois candidatos que haviam trabalhado em paróquias e agora vinham informar-se sobre as condições para chegarem ao sacerdócio.

O padre norte-americano Thomas Ramson Giles enveredou por outro sistema, convidando franciscanos, beneditinos, jesuítas e padres de outras ordens a trabalharem no sentido da formação indicada pelo Vaticano II para os sacerdotes do novo tempo. O Espírito Santo foi tão generoso, que nos presenteou, no final de alguns anos, com verdadeira floração de jovens muito bem dispostos e por vezes também suficientemente preparados para iniciarem os cursos de filosofia que se realizavam na FAI – Faculdades Associadas do Ipiranga –, instituto dirigido por padres diocesanos.

Lembro-me bem do entusiasmo com que tanto os bispos quanto o Conselho de Presbíteros saudaram a ordenação dos primeiros oito candidatos em 1980, quatro deles na catedral e os demais em suas respectivas paróquias e comunidades. Foram seguidos por mais dois, o nono ordenado pelo Papa no Rio de Janeiro, e o décimo optando por ser ordenado em sua paróquia, onde melhor levaria o povo a participar de sua vocação.

Poucos anos depois, no retiro do começo do ano, apresentaram-se cento e doze candidatos à teologia para a Arquidiocese de São Paulo, enchendo-nos de gratidão para com a largueza e a generosidade do Espírito divino.

É bom lembrar, nesta hora, que enviávamos, todo ano, alguns padres à Europa para se especializarem nas diversas matérias indispensáveis ao curso de uma faculdade teológica pontifícia. Chegamos a ter doze estudantes simultaneamente em Lovaina, Roma e Paris. Todos eles nos proporcionaram muitas alegrias, porque tomaram a sério a missão de formar padres, com a segurança de métodos adaptados ao talento deles e aos novos tempos.

Foi para esses padres que imaginamos a remodelação da Biblioteca Dom José Gaspar da Faculdade de Teologia e do Arquivo Metropolitano Dom Duarte. Examinando a planta original do seminário, extraordinariamente bem construído no bairro histórico do Ipiranga, verificamos que as alas à esquerda deveriam ter correspondentes no lado direito que nunca chegaram a ser concluídas. Poderia ser acrescentada, agora, a parte que faltava.

Para isso pedi ao arquiteto da Mitra Arquidiocesana que completasse a planta original, elaborando o projeto para a biblioteca e para o arquivo. Para este, tive a sorte de poder consultar uma arquiteta especializada em Paris – Eloíse Amado Fiuza – e habituada a introduzir todos os requisitos para a conservação de documentos facilmente destrutíveis pela umidade ou pelo calor. Ela orientou também a introdução do uso dos modernos meios de reprodução no arquivo.

Para concluir essas duas obras, contamos com o auxílio generoso de nossos amigos da Europa, sempre interessados em formar um clero bem preparado para o futuro da América Latina.

Também o Cabido Metropolitano de São Paulo, aliviado pelo novo Código de Direito Canônico de diversas tarefas que passaram à jurisdição do Conselho de Presbíteros, deu a sua colaboração. Pude confiar aos nossos queridos amigos cônegos a tarefa de zelar pela história e pela arte na Arquidiocese de São Paulo. Assumiram ambas as missões com a competência e o zelo esperados.

Naquele tempo consegui que o dedicado cura da catedral, monsenhor Sylvio de Moraes Mattos (1908-1993), elaborasse a história da paróquia inicial de São Paulo, como também das diversas igrejas que serviram como catedrais provisórias. Como esse saudoso amigo tinha o costume louvável de anotar diariamente não só todos os fatos que ocorriam como também os que lhe eram confiados, obtive uma descrição exata dos rumos que tomou a Catedral Metropolitana desde o início de sua construção, em 1912, até o seu término parcial e inauguração em 1954.

Mas não pararam aqui o zelo e o amor de monsenhor Sylvio à nossa Igreja de São Paulo. Como fora designado secretário particular do primeiro arcebispo, dom Duarte Leopoldo e Silva, no momento da criação de nossa arquidiocese, em 1908, ele me garantiu que poderia escrever com simplicidade a história da vida de dom Duarte se eu lhe desse um lugar no Arquivo Metropolitano.

Foi o que fiz, podendo acompanhar bem de perto o esforço desse ancião para colocar no papel tantas e tão preciosas lembranças de seu amigo e superior dom Duarte, que também se distinguira pela qualidade de arquivista notável e escritor primoroso.

Quando monsenhor Sylvio me entregou os manuscritos dessa obra monumental, eu os confiei ao diretor do Arquivo Metropolitano, cônego Francisco de Assis Gandolpho (1930-1993), que era também um dos diretores da FAI, para, junto com os colegas especializados, examinar a proposta de lançar essas obras de imediato ao público.

Infelizmente a proposta não foi aceita pela equipe de especialistas que se restringiu mais à forma e ao contexto do que aos fatos relatados com absoluta precisão. Estão, pois, aí duas obras que precisam ser completadas, para que a nossa biblioteca e o nosso arquivo as projetem, perenizando desta forma as virtudes do primeiro e grande arcebispo de São Paulo, dom Duarte Leopoldo e Silva.

Enquanto monsenhor Sylvio trabalhava numa obra capaz de ter repercussão nacional, o Cabido Metropolitano confiou toda a remodelação do arquivo ao cônego Francisco de Assis Gandolpho, que, por sua vez, consultou o maior especialista no assunto, o professor e doutor Sebastião Witter, então diretor do Arquivo do Estado e, em seguida, do Museu Paulista. A dedicação do cônego Gandolpho merece a gratidão de todas as gerações futuras, porque ele entrou para a direção do arquivo exatamente quando este era transferido do centro da cidade para as dependências do Seminário do Ipiranga.

Gostaria também de registrar o elogio que recebi da parte do arquivista oficial e professor Witter a respeito do trabalho iniciado e ampliado pelo primeiro arcebispo de São Paulo, dom Duarte. Disse-me ele, numa conversa particular, que, percorrendo inúmeros arquivos em países adiantados na cultura, nunca encontrara um sistema tão simples e tão eficiente como o que fora implantado por dom Duarte Leopoldo e Silva em São Paulo, na primeira metade do século vinte.

O cônego Gandolpho soube valorizar esse trabalho e organizar, de maneira bem prática, o uso desse material insubstituível para a história de São Paulo e do Brasil. Por toda a vida haverei de lastimar que doença fatal nos arrebatasse tão cedo o primeiro diretor do arquivo nomeado pelo Cabido Metropolitano. Pensei muitas vezes que a vida do cônego Francisco de Assis Gandolpho deveria ser escrita e guardada nesse arquivo, para futura memória.

Mas também quero acrescentar que seu sucessor no cargo, cônego Antônio Munari, é igualmente eficiente e empreendedor. Ele tem demonstrado, até o momento e como o fez em todos os cargos que ocupou, amor insuperável à história de nossa Igreja de São Paulo e à organização de tudo o que lhe é confiado. Devo registrar ainda que, nos longos anos de seu trabalho, jamais recebi qualquer queixa a respeito da conservação e do uso constante dessa fonte da história que é o Arquivo Metropolitano Dom Duarte.

O mesmo posso afirmar a respeito da Biblioteca Dom José Gaspar, cuja direção é sempre confiada a um professor indicado pelo diretor da Pontifícia Faculdade de Teologia Nossa Senhora da Assunção. Tanto em nossa biblioteca quanto no arquivo só colhi elogios e satisfação durante os vinte e oito anos em que fomos organizando e completando o que os meus predecessores haviam iniciado com tanto empenho e tão bons resultados.

Mais uma vez quero afirmar que não posso esquecer o generoso auxílio financeiro recebido de organizações européias durante a construção e remodelação do arquivo e da biblioteca, tão preciosos para uma Igreja como a de São Paulo.

Um dia a Igreja da América Latina receberá os maiores especialistas em história da Igreja, e eles exultarão ao ver bem conservado o que há de essencial na história de nossos dias e do passado, tanto em documentos escritos como em fotografias, vídeos e outros meios modernos da arquivística.

20 *Pagando dívidas inadiáveis*

Na qualidade de franciscano eu me acostumara, tanto pelo estudo da História quanto pela experiência pessoal, com a idéia de que era totalmente supérfluo preocupar-me com a velhice e os incômodos que as doenças podem trazer. Um dia, porém, em conversa franca, um provincial franciscano me confiou que havia em sua província dez ou mais padres descontentes por já não poderem servir às comunidades em que moravam e precisarem do auxílio médico de que o Brasil não dispunha naquelas circunstâncias.

Respondi-lhe de imediato que, em Paris, os padres idosos me haviam falado da imensa satisfação com que passavam seus dias num convento tão bem instalado para pessoas de idade. Acrescentavam que a presença de padres novos lhes oferecia a oportunidade de transmitir suas próprias experiências e de valorizar o seu passado, principalmente nas missões no Vietnã e em outras partes do mundo.

Tornei-me tão amigo dessa equipe de confrades, que, naquela época, pensei que a mesma experiência poderia se reproduzir em nossa província franciscana do Brasil. Por isso pedi ao padre provincial que, sem perda de tempo, alojasse todos os confrades de idade no andar térreo, que se comunicava facilmente com a capela e o refeitório.

Foi o que aconteceu. Com o auxílio de estudantes voluntários, pude satisfazer a todas as exigências de pessoas de idade avançada que na vida nunca tiveram socorro nem para os momentos de lazer nem para as necessidades imediatas de sua saúde. O irmão enfermeiro, frei Jordão, sabia orientar tanto a mim como aos confrades novos no serviço aos beneméritos heróis missionários de todas as partes dos estados do sul do Brasil.

Quando me tornei arcebispo de São Paulo, imediatamente percebi que alguns padres idosos do clero chamado secular sentiam a solidão e a falta de recursos para uma vida tranqüila e a convivência indispensável com colegas. Muitos deles tiveram a coragem de sugerir a um bispo auxiliar da época que convencesse as autoridades a se empenharem em favor dos padres aposentados, cansados ou até impossibilitados de continuarem a exercer sua missão.

Consultei diversos padres, e todos me apontaram a Irmandade de São Pedro como a melhor solução encontrada até aquele momento. De fato, essa irmandade custeava tanto os remédios quanto as consultas médicas, e ainda ajudava, sem nenhum alarde, as pessoas que se sentiam constrangidas a pedir esmola no momento que consideravam o final da existência.

O presidente do cabido, monsenhor José de Castro Bueno Nery (1901-1972), chegou um dia à Cúria Metropolitana conduzido por generosa enfermeira para dizer-me com uma convicção que animava suas palavras: "Excelentíssimo Senhor Arcebispo, eu, monsenhor Castro Nery, dei a minha vida, a saúde, os talentos e toda a existência à Arquidiocese de São Paulo desde que fui por ela convocado para as funções que meu amigo e colega dom José Gaspar de Affonseca e Silva me confiou. Hoje não posso mais realizá-las como gostaria. Mas também lhe digo com toda a franqueza: não aceito viver de esmolas, nem que venham da Irmandade de São Pedro."

Levantei-me, fui ao seu encontro e disse, com toda a simplicidade: "A Igreja não pode fazer injustiça a uma pessoa que foi por tantos anos presidente do Tribunal Eclesiástico, além de arcediago do Cabido Metropolitano. O senhor combinará seu salário com seu grande amigo dom Benedito de Ulhoa Vieira, agora procurador da Mitra, e peço que ele não seja inferior ao do próprio arcebispo metropolitano."

Duas grandes lágrimas desceram pelo rosto do famoso orador sacro, tão admirado na época de seu apogeu, que se contraiu todo para concluir: "Tive três grandes amigos na vida: o senhor bispo Nery, de Campinas, de quem adotei o nome; dom José Gaspar, que foi meu colega em Roma e amigo até a morte; e, agora, Vossa Eminência, que reconhece os meus serviços à Igreja de São Paulo."

O caso parece singular e, no entanto, retrata os sentimentos de todos os padres, como também dos leigos que acompanhavam de perto os sofrimentos causados pela falta de elementos indispensáveis à velhice.

Voltava-me sempre essa lembrança quando falava a grupos de padres e aos bispos auxiliares da necessidade de levantarmos para os idosos um lar chamado "Casa do Padre", que não fosse isolado da arquidiocese nem da convivência com padres mais jovens. Finalmente, numa dessas reuniões sempre extraordinárias dos bispos, dom Celso Queiroz propôs uma área no Ipiranga para se erguer uma moradia destinada aos sacerdotes que haviam servido à arquidiocese durante toda a vida.

A planta, longamente discutida e apresentada numa reunião geral dos padres da arquidiocese, foi muito aplaudida. O arquiteto Dr. Sérgio Vaz chegou a acrescentar, após a reunião: "Desejo colocar nessa construção toda a arte da arquitetura, mas também a minha admiração pelos padres que dedicam a vida aos fiéis, sem terem o consolo da família e a garantia de um cuidado especial na velhice."

No momento de benzer a pedra fundamental da construção, esse grande arquiteto da Cúria Metropolitana se colocou à minha frente: "Dom Paulo, a construção, pelos meus cálculos, vai custar um milhão de dólares. Eu que trabalho na cúria sei que dificilmente entram, pelas vias habituais, cem ou mil dólares. Quando é que o senhor vai poder iniciar e terminar essa construção?" Respondi com tranqüilidade: "Ela foi proposta, não para ser uma obra de caridade do futuro, e sim como um dever de gratidão ao passado. Sei que Deus é sempre mais generoso do que nós quando contempla o trabalho exaustivo dos padres diocesanos em São Paulo."

Semanas depois, Valentim Diniz, pai do empresário Abílio Diniz, ao vir agradecer a minha intervenção no ato da libertação de seu filho no rumoroso seqüestro de 1989, me disse, com lágrimas nos olhos: "Só Deus e meu arcebispo poderiam dar este consolo ao velho pai do Abílio. Gostaria de provar a minha gratidão colaborando substancialmente com uma obra que seja de Deus e do arcebispo." Respondi, com simplicidade: "Meu velho e bom amigo Valentim, estou querendo construir uma casa de repouso e recuperação para os beneméritos padres da sua e minha arquidiocese, e não disponho de recurso algum para tanto. O senhor, na sua generosidade, poderia animar tanto o arcebispo quanto a arquidiocese?" Ele, de imediato, ofereceu duzentos e cinqüenta mil dólares em moeda brasileira, afirmando: "Isso é apenas um sinal exterior para lhe provar a gratidão interior de toda a família."

Daí por diante, iniciou-se um movimento de colaboração: os padres da arquidiocese aceitaram colaborar com rifas, e os padres de outros países, como a Alemanha, que ganham boa remuneração por parte dos governos, se uniram à Cúria Metropolitana para completar no mais breve espaço possível a casa que veio a chamar-se "São Paulo". Essa casa, abençoada e inaugurada em 25 de fevereiro de 1993, serviu para o bem de todos os padres idosos e para a convivência dos professores padres de nossa arquidiocese.

Os frades franciscanos da *Missionszentrale* da Alemanha sempre me perguntam a respeito da casa que, em grande parte, foi construída com a ajuda extraordinariamente generosa daqueles que tanto amam os padres, porque receberam do pai São Francisco o exemplo e o incentivo.

Sofri algumas críticas, recebi muitas provas de gratidão, e hoje continuo rezando em favor daqueles que souberam manifestar a generosidade numa obra pouco valorizada pelos meios de comunicação e até pelos próprios fiéis de nossas comunidades. Convém sempre trazer à memória a palavra de Cristo Sumo e Eterno Sacerdote: "Todo poder me foi dado no Céu e na Terra. Ide pois e ensinai a todos os povos, batizando-os em nome do Pai, do Filho e do Espírito Santo."

Ninguém transmite o que não tem. Cristo garantiu que os padres poderiam transmitir a presença da Santíssima Trindade ao íntimo de cada pessoa a quem evangelizassem e batizassem.

A eles, a nossa gratidão.

Era a festa do Natal e dois padres, espontaneamente, vieram participar de minha celebração de homenagem ao Menino Jesus, na missa da meia-noite da catedral. Um deles, padre Júlio Lancelotti, me pediu que permitisse trazer para junto do altar alguns moradores de rua que descansavam e dormiam esperando a chegada do Menino Jesus, talvez como os pastores de Belém.

Na hora do sermão pensei que o Menino Jesus precisava de um lugar decente para vir morar entre nós. Num impulso, que foi certamente obra do Espírito Santo, criei, naquele momento, em conversa com o concelebrante, sem consulta à minha assessoria nem qualquer preparação especial, o Vicariato do Povo da Rua, pedindo que aqueles pobres mendigos vigiassem em torno do Menino Jesus, que sempre corre perigo, sobretudo numa cidade tão agitada quanto São Paulo.

Quando voltei à sacristia, padre Júlio, que, com essa nomeação durante a missa já se transformara em monsenhor Lancelotti, me disse, com muita simplicidade: "O povo da rua de fato não anda à procura de um teto, nem mesmo na favela. O que precisa, como tantas vezes já ouvi, é de um lugar onde possa comunicar-se livremente com Deus sem causar a rejeição das pessoas asseadas e bem-vestidas que freqüentam normalmente as igrejas."

Poucos meses depois, em abril de 1994, eu empreendia a segunda viagem a Tóquio, no Japão, acompanhado de minha irmã mais nova, Zélia Arns Straube da Cunha. Passamos primeiro por Nova York, onde me submeti a rigoroso exame médico de vista e onde recebi igualmente a prova mais evidente de que a pobreza franciscana pode reviver numa comunidade inteira, como acontece entre os franciscanos da Reconciliação, em Graymoor. Presságio para tudo o que iria acontecer no final de nossa viagem, quando me entregariam o Prêmio Niwano da Paz.

Nossa experiência na capital japonesa provou o quanto a disciplina pode unir-se à solidariedade humana e oferecer novo clima para a convivência. Dias antes de receber o Prêmio Niwano da Paz em cerimônia soleníssima, fui levado a todas as instituições da Fundação Niwano, onde as pessoas são preparadas, em regime de internato, para serem mensageiras da paz e mestras na vida de comunhão entre os seres humanos.

Maior festa foi a visita ao arcebispo de Tóquio, dom Peter Shirayanagi, logo depois elevado ao cardinalato. Ele me preparou um jantar ao ar livre em que pude conhecer os católicos locais, que manifestaram sua gratidão pela visita de um cardeal de sua Igreja, trazendo-lhes as mais cordiais saudações dos numerosos católicos entre os imigrantes japoneses no Brasil.

Chegou afinal o dia da festa. Entre os oradores que me saudavam, duas pessoas especialmente devotadas se fizeram presentes: o ex-secretário do Conselho Mundial de Igrejas, Dr. Philip Potter, que havia sido distinguido com o mesmo prêmio em 1986, e o núncio apostólico dom Aquin Carew.

Todas as personalidades chamadas a dar realce à cerimônia da entrega do Prêmio da Paz lembraram o Projeto Brasil Nunca Mais e a nossa luta em favor dos direitos humanos e das pessoas mais humildes em nossa terra. Durante essas exposições me surgiu na mente a imagem dos homens e mulheres das ruas de São Paulo descansando nos degraus do presbitério da Catedral da Sé, no Natal anterior.

Foi certamente um apelo do Menino-Deus que o prêmio da paz fosse inteiramente dedicado a essas pessoas que passam todas as noites sem teto, assim como Maria, José e o Menino Jesus na noite de Belém.

Ao retornar a São Paulo, chamei monsenhor Júlio Lancelotti, perguntando o que os pobres mais desejariam que nós fizéssemos com os duzentos mil dólares recebidos como prêmio. A catedral do povo de rua que resultou dessa consulta já é do conhecimento do leitor, pois o episódio está narrado na primeira parte deste livro.

Dentro de poucos anos, o Deus de misericórdia que, espero, seja sumamente complacente comigo, inevitavelmente me fará esta pergunta: "Estive nu em São Paulo e você não me cedeu senão o palácio episcopal? Não vai dar-me agora o dinheiro recebido pelo prêmio da paz?"

No dia do lançamento da pedra fundamental daquela obra que se intitulou "Casa de Oração do Povo da Rua" ainda ressoava aos meus ouvidos a frase dita por monsenhor Julio Lancelotti: "O povo da rua tem um grande coração, porque sabe perdoar. Mas também tem um grande sonho, que é o de Deus perdoar aqueles que lutam por riquezas quando o único bem é o amor."

A genialidade do arquiteto conseguiu erguer no bairro da Luz, no centro da cidade de São Paulo, um edifício sólido, moderno, digno e de baixo custo. No dia 28 de junho de 1997, inauguração desse edifício surpreendente, esteve presente, em primeiro lugar, a memória de Nenuca Castelvecchi, fundadora das Oblatas de São Bento em São Paulo, que se dedicavam inteiramente ao serviço do povo da rua.

Monsenhor Julio explicou a todos os convidados que o cerimonial simples, mas bem festivo, exprimia a dedicação desse espaço às pessoas que só tinham o mundo como sua casa e não conheciam paredes para a sua solidariedade.

Que Deus alargue os espaços da caridade foi a oração constante do maior teólogo da antiguidade, assim como o julgamento final da História se exprimia através do maior orador do oriente cristão. Santo Agostinho e São João Crisóstomo encontraram-se na catedral do povo da rua e aí perpetuaram o desejo de São Francisco de Assis de viver na pobreza e ensinar que o serviço aos pobres é programa, mas também felicidade dos cristãos nas grandes cidades.

21 *Mulher: nova influência na pastoral*

O bem-aventurado Papa João XXIII tocou num ponto muito sensível da evolução da humanidade quando lembrou que, além dos operários e das nações novas, as mulheres iriam ocupar lugar muito mais importante, tanto na Igreja quanto na sociedade civil. No momento em que me foi comunicado que três de minhas irmãs se consagrariam à vida religiosa, dando todo o seu entusiasmo à ação da Igreja em favor da formação humana e religiosa dos jovens, comecei a interessar-me de modo todo especial pela condição da mulher e seu lugar dentro da Igreja. Aliás, a convivência de cinco anos na universidade me revelara o quanto a mulher pode interferir em nossa formação, aguçando a sensibilidade para pontos essenciais no relacionamento com o povo.

Ao ser designado para celebrar todos os dias a santa missa num convento dominicano de Paris, fui informado da influência da mulher na evolução da pastoral da Igreja, que se preparava então para o Concílio Vaticano II. Ao voltar à nossa terra, continuei a observar como a formação religiosa masculina precisava ser completada por uma série de experiências e influências, tanto na interpretação da Palavra de Deus quanto na pastoral direta com as diversas organizações da Igreja.

Nos dez anos e meio que consagrei à pastoral nos morros de Petrópolis contei com a ajuda constante de mulheres empenhadas em levar tanto a paz quanto o progresso para dentro das famílias, das escolas, da saúde e de todos os demais problemas dos pobres. As três religiosas que se ocupavam da formação especial para a primeira eucaristia e para a Ação Católica me abriram perspectivas que pareciam novas descobertas num mundo em que o poder feminino ainda não se revelara em toda a sua pujança e possibilidades.

Ao iniciar meu trabalho de bispo em São Paulo, procurei, como já lembrei anteriormente, reunir as religiosas de todas as congregações. Percebi então que mais de uma centena estavam dispostas a dar o melhor de sua contribuição para despertar o espírito religioso e missionário entre a juventude e junto às famílias. Além de nossas reuniões mensais para a discussão tanto da espiritualidade religiosa quanto da formação pastoral das freiras, ainda programávamos dias de excursão a fim de termos mais e novos elementos para a nossa ação conjunta. As irmãs insistiram e acabaram por eleger uma equipe que acompanhava o bispo em sua visita às comunidades para descobrir o carisma, quer dizer, a motivação mais forte para a consagração de cada grupo à Igreja e, por conseqüência, à nossa região norte de São Paulo.

Todo esse despertar para a ação nas comunidades, excitante como as descobertas da infância, me entusiasmou de tal sorte que cheguei a formar, no Colégio Marillac, em Santana, mais de uma dezena de grupos dirigidos por lideranças religiosas. Elas aprofundavam o Evangelho e revelavam todas as conseqüências da ação de uma Igreja que assumira de maneira decidida a ação missionária, num momento crítico de nossas relações políticas e religiosas após o concílio e o golpe militar que nos afligia.

Também devo acrescentar que as religiosas contemplativas – já agora no tempo de arcebispo – me pediam constante orientação para sentirem a ação da Igreja e se motivarem para uma espiritualidade que incluísse tanto a relação com Deus quanto os sacrifícios e as orações em favor da juventude e da evolução do trabalho religioso. Todos os anos, durante a Campanha da

Fraternidade, eu visitava os mosteiros femininos para celebrar a santa missa quaresmal e, depois dela, explicar às irmãs enclausuradas o que suas colegas e o povo santo de Deus realizavam naquele ano em favor da comunidade, da paz e da participação nas missões do Povo de Deus. Eram momentos de grande intimidade e de visível participação daquelas mulheres que nos representavam junto a Deus enquanto enfrentávamos a dureza da vida ao lado do povo.

Chegou o momento, porém, em que emergiu o que já se esperava: a existência de muitas mulheres intelectual e espiritualmente preparadas que não podiam, ou não queriam, entrar na vida religiosa, mas sabiam que a felicidade é feita da entrega ao mais profundo impulso do amor que nos move.

Foi naquela hora que surgiu, dentro da Igreja, um novo decreto do Papa Paulo VI abrindo perspectivas e possibilidades. Tratava-se do decreto de 31 de maio de 1970 sobre a consagração das virgens. Este decreto, muito antigo e dirigido originalmente apenas às monjas, após a reforma litúrgica determinada pelo Concílio Vaticano II permitia ao bispo aceitar uma consagração semelhante também de mulheres que levavam vida secular, ou seja, de moças leigas.

O trabalho da mulher na Igreja renovaria, daí por diante, o fervor da primeira geração cristã, pois esta se dedicara tanto à vida espiritual quanto à pregação nos países mais distantes e desconhecidos. A França, por exemplo, conta até hoje que as irmãs Marta e Maria, junto com Lázaro, poderiam ter sido as primeiras evangelizadoras do que então se chamava Gália.

Depois de dedicar várias reuniões para estudar o decreto da consagração da mulher à Igreja – que só veio a ser divulgado no Brasil em abril de 1972 –, fiz diversas consultas à Congregação para o Culto Divino, querendo sentir o alcance dessa inovação dentro da Igreja. Talvez nem devesse falar de inovação, porque a Igreja, em seus inícios, soube apreciar de tal forma a disponibilidade feminina, que o próprio Cristo apareceu, em primeiro lugar, a Maria Madalena para que ela comunicasse a Pedro a ressurreição, fato mais importante de toda a história da humanidade. A mulher, portanto, devia também ser convocada para as maiores missões dentro da Igreja que se expandia pelo universo.

Iniciamos pois a preparação das candidatas leigas para essa nova fase da consagração da mulher ao trabalho exclusivo da Igreja. A primeira consagração, realizada em São Paulo em 31 de maio de 1972, nos revelou que o cerimonial se assemelhava muito ao da ordenação sacerdotal. Faltava apenas a imposição das mãos e a unção do Espírito Santo junto com a missão que a Igreja confia exclusivamente, até o dia de hoje, aos sacerdotes. O fato de o cerimonial litúrgico reservar ao próprio bispo a consagração da mulher e de insistir que essa consagração fosse pública, e até se possível realizada na catedral, parecia revelar que se abriam imensos horizontes para a ação feminina fora das congregações e dos estatutos costumeiros aprovados por Roma.

O bispo e seus padres, a quem a Igreja confiava uma porção do Povo de Deus, podiam contar, a partir de então, com as inspirações e a ajuda constante do gênio feminino, tão necessário para entender muitas passagens da Bíblia e muitíssimas situações da história da humanidade.

Havia uma multiplicidade de organizações femininas na Arquidiocese de São Paulo e eu sabia que todas elas precisavam de um incentivo constante para entender o novo tempo aberto pelo Concílio Vaticano II. Para isso, organizei um pequeno grupo, constituído por três freiras, uma psicóloga e duas educadoras, que se reuniam às quintas-feiras à noite, preparando as visitas, às sextas-feiras, aos conventos de freiras espalhados por toda a cidade. Quanta novidade, quanta iniciativa e quanto impulso para mim e para minha equipe emergiam desses encontros e do que neles era tratado!

Chegamos ao mesmo tempo à conclusão de que a especialização exigia novas orientações após o Vaticano II. Assim, as religiosas dedicadas ao ensino poderiam comunicar-se mais facilmente com os pais dos alunos e alunas e com todas as pessoas interessadas em acompanhar a evolução da Igreja em tempos novos. Tanto a Associação de Educação Católica – AEC como as nossas universidades e instituições se prontificaram a fornecer-nos elementos para sempre progredirmos num trabalho unido à Conferência Nacional dos Bispos do Brasil, sobretudo através do Conselho Nacional de Educação, órgão federal.

Atenção especial merecia igualmente o trabalho pela saúde. São Paulo, apesar da pujança que revela como cidade industrial brasileira, pode considerar-se um grande hospital onde se ocultam os fracos e os doentes, os pobres e desajudados, que devem, na medida do possível, ser descobertos pela Igreja e por ela ajudados.

Tanto as irmãs formadas para o trabalho na área da saúde como as comunidades fixadas na periferia de nossa cidade nos advertiam constantemente que a Igreja precisava preencher os espaços vazios da ajuda aos doentes e levar remédios e conforto para as pessoas portadoras de vários tipos de deficiência, recolhidas em suas casas, sem meios para participar da vida plena da cidade.

As reuniões das quintas-feiras em favor de toda a cidade se deslocaram, difundindo-se, porque as regiões episcopais organizavam de maneira mais eficiente e mais próxima o trabalho junto às mulheres do povo. Agradeço ao padre Júlio Munaro por sua dedicação especial à formação de homens e mulheres ministros da saúde, que se reuniam uma vez por semana, durante o ano inteiro, para receberem a formação necessária à abordagem e ao encaminhamento dos pobres que solicitavam ajuda. O primeiro grande congresso desses ministros da saúde revelou que mais de dez mil haviam passado pela escola de saúde e ali recebido motivações e técnicas indispensáveis ao tratamento dos doentes. Que Deus recompense aqueles que já em vida ouviram a palavra de Jesus: "Eu estive doente e você me visitou."

Em 1972, o Papa Paulo VI pediu aos bispos do mundo inteiro que fizessem uma sondagem sobre os ministérios que as mulheres poderiam realizar no contexto de cada igreja particular.

A comissão pastoral da arquidiocese sugeriu a criação de um grupo misto. Ele foi formado por um casal do Movimento Familiar Cristão, um casal operário de ministros da palavra, mulheres profissionais em psicologia, serviço social, enfermagem, nutrição – algumas pertencentes a institutos seculares –, uma representante da Renovação Carismática, uma provincial religiosa, um vigário episcopal e dois teólogos.

Esse grupo bem diversificado reuniu-se na PUC de São Paulo durante vários meses. Depois de estudar mais profundamente os ministérios leigos, chegou a algumas conclusões e sugestões:

– o critério dos ministérios leigos não é o gênero, mas o carisma, a formação e a capacidade de cada pessoa;

– certos traços característicos da mulher acabam se tornando um carisma importante para a comunidade, ou seja, sua maneira de formar e sustentar grupos e o atendimento pessoal, especialmente dos doentes;

– em relação aos ministérios leigos em geral, as profissionais chamaram a atenção para o fato de que, na indústria, não havia comunicação completa entre engenheiros e operários, o que exigia a formação e atuação de técnicos de nível médio. Da mesma maneira, o ministro leigo torna-se o elemento de ligação entre o clero e o povo, capaz, portanto, de ativar a vida do conjunto eclesial;

– finalmente, o grupo chamou a atenção para o fato de que o ministério das mulheres na Igreja não é uma concessão, mas um direito que surge do batismo. Para a Igreja, a posição da mulher não pode ser periférica, mas sim manifestação concreta de sua capacidade de viver o Evangelho. À medida que a Igreja for capaz de assimilar a contribuição feminina, ela será mais espiritual no seu conjunto.

O Papa Paulo VI não viveu para realizar tudo o que desejava com os ministérios femininos. Mas, sem dúvida, nestes vinte e oito anos, as mulheres católicas de São Paulo deram contribuição essencial para a Igreja no Brasil e no mundo.

Poderia ser longo e cansativo descrever toda a preparação das mulheres na Igreja em favor da nova missão que o Concílio Vaticano II abria diante da humanidade tão castigada pelas doenças, pela falta de consideração à pessoa humana e pela ausência de perspectivas novas para o futuro. Onde o mundo se omite, através dos governos e outros responsáveis, a Igreja é chamada a suprir não só as deficiências, mas a abrir novos caminhos para realizações concretas, conforme nos ensinou o Mestre Profeta e Amigo Jesus.

A esta altura de minha apreciação sobre as contribuições femininas não posso esquecer o essencial. Quando iniciamos a Operação Periferia foram as religiosas, muitas vezes, as primeiras a apresentar-se para orientar as comunidades eclesiais de base. Durante a semana, passavam o tempo visitando as famílias e instruindo-as a viver e a sustentar-se dentro do ambiente novo para elas, que era a grande cidade de São Paulo. Além disso, acolhiam pela manhã as crianças, a fim de que as mães pudessem estar livres para seu trabalho profissional ou caseiro. Muitas vezes também abriam escolas para ensinar os adolescentes e as crianças a viver na cidade e a formar-se, não apenas pelas letras, mas também pelo espírito e, assim, terem possibilidade de crescer de maneira saudável e promissora dentro de São Paulo.

O momento alto de sua atividade costumava se dar nos sábados à tarde e no domingo todo. Era então que essas missionárias, enviadas especialmente pelo bispo às comunidades, revelavam todo o seu amor, ensinando o Evangelho e organizando as celebrações. Quantas vezes tive ocasião de comparecer, sem anúncio prévio, a essas reuniões ou assembléias e verificar como as irmãs eram jeitosas em unir a Palavra de Deus com a convivência humana. Sempre que comparecia a alguma dessas celebrações eu aprendia mais do que ensinava. Bastava estar presente numa delas para sentir como o ato penitencial era levado a sério. Todas as faltas da semana chegavam até o coração misericordioso do Pai para um grande perdão. Depois desse perdão, costumava reboar pelo pequeno recinto das comunidades de base o glória e a oração preparatória para receber as mensagens de Deus.

A Sagrada Escritura, ou seja, a Palavra de Deus não era apenas proclamada. Era assumida, discutida e proposta para a prática dentro dessa comunidade que, aos poucos, se parecia com uma família de Deus na caminhada para o bem, a verdade e o amor.

Depois das leituras sagradas e as orações comunitárias, o ofertório se revestia de muita originalidade. Tudo o que se apresentava a Deus era depois distribuído entre os mais pobres, particularmente os remédios e os alimentos não perecíveis. Na hora do "Santo" acontecia a grande surpresa. Quando a religiosa aparecia trazendo a eucaristia que buscara na matriz, era recebida com grande salva de palmas e com o canto "Santo, Santo, Santo". Como era gostoso saber que o amigo dos amigos, o companheiro da caminhada e o Deus da História vinha para dentro dessa pequena comunidade e, após o pai-nosso e a preparação próxima, era servido como alimento espiritual para a grande caminhada da semana! A chamada "missa sem padre" era a grande realização do encontro com Deus e, ao mesmo tempo, motivação indispensável para um trabalho comunitário sempre difícil de realizar quando a esperança não acorda em todos os corações.

Era a religiosa que trazia essa esperança, não só por sua dedicação à comunidade, mas também por sua identificação com Cristo, amigo do povo e intérprete da vontade de Deus. As religiosas que tiveram ocasião de viver ou trabalhar em pequenas comunidades hão de cantar eternamente a gratidão ao Deus que as fez assumir o lugar de seu próprio Filho numa comunidade que se gloriava de chamar-se Povo de Deus. Nunca saberemos avaliar os sacrifícios feitos pelas irmãs, mas Deus reserva para a eternidade a grande recompensa por terem salvo tantas vidas e orientado tantos corações para o infinito.

22 *Deus liberta e salva*

Eu cursava apenas o segundo ano ginasial quando fui designado, com o grupo de seminaristas franciscanos, para cuidar do jardim ao lado do seminário. Como era tempo de férias, fazíamos o nosso trabalho pela manhã. Certo dia, numa hora de descanso, o colega Arcanjo Berri me explicou que os franciscanos têm que imitar a pobreza do fundador e cuidar sempre dos pobres. Não digo que tenha sido novidade para mim, mas a hora e o modo de expor se gravaram tão profundamente em meu espírito, que, por dias a fio, procurava ler tudo o que eu encontrava sobre a pobreza em São Francisco.

Recebi nessa mesma ocasião um Novo Testamento completo que me encantou sob todos os pontos de vista. Nele fui procurar as passagens mais impressionantes sobre o Cristo pobre, nascido num estábulo em Belém, até o Cristo Redentor, despojado de suas vestes e dando a última gota de sangue no alto da cruz. A pobreza em Cristo levara São Francisco a fazer a opção radical por uma vida austera e pelo trabalho entre os mais necessitados. Impressionante que um jovem de quatorze anos quisesse ligar de tal maneira Cristo e Francisco, que eles se tornassem um só ideal em sua vida. Particularmente a cena em que São Francisco se despojava de suas vestes ricas devolvendo-as ao pai e cobrindo-se com o manto do bispo. Foi nessa ocasião que ele deve ter dito, com a maior sinceridade e devoção: "Daqui por diante, meu pai já não é Pedro Bernardone, mas meu Pai que está no Céu."

Esta convicção se firmou sobretudo nos anos de teologia, quando o grande mestre frei Constantino Koser nos falava do maior teólogo franciscano, Duns Escoto.

O cerne da doutrina de Duns Escoto se resumia, em meu coração, à convicção de que Cristo também teria nascido pobre e dado a vida pela humanidade, mesmo que o homem não tivesse pecado. Tudo partia do amor do Pai, que devia ser glorificado por uma criatura que é o homem Cristo, e este, por sua vez, receberia o amor das criaturas humanas, entre elas e em primeiro lugar a grande afeição da Mãe de Deus, que podia nascer e viver sem jamais ser atingida pelo pecado.

Lembro-me ainda da expressão latina então empregada por Duns Escoto: *"Deus potuit, decuit, ergo, fecit"* ("Deus podia, convinha que o fizesse, logo fez"). Assim, todas as criaturas humanas que praticam o bem se unem a Cristo para a glorificação do Pai.

Pobreza significa, portanto, a entrega total a Cristo, sem outras compensações terrenas que não fossem a glorificação do Filho de Deus e a homenagem total do universo a Jesus, centro de toda a criação.

É essa a base da espiritualidade que eu julgava dever abraçar, à imitação de São Francisco, por toda a vida.

Semelhante a essa primeira conversão para a pobreza foi a leitura dos documentos de Medellín, onde o episcopado latino-americano, em 1968, discutiu os projetos mais decisivos para uma América Latina livre e cristã.

Como não fui escolhido para integrar a delegação de bispos brasileiros que viajariam à Colômbia, passei a reunir regularmente, no meu pequeno apartamento próximo ao Colégio Santana, na região norte da cidade, alguns jornalistas, para receberem as novidades que nos vinham da reunião extraordinária aberta pelo próprio Papa Paulo VI e compartilhada por bispos e leigos de toda a América Latina. Muitas reflexões iniciadas naquelas noites de 1968 acabaram por transformar-se em projetos de pastoral para o futuro da Arquidiocese de São Paulo.

A primeira impressão poderia resumir-se nesta idéia, que me parece fundamental: em Roma, durante o Concílio Vaticano II, os bispos do mundo inteiro falaram com muita franqueza e liberdade sobre a relação da Igreja com a evolução da humanidade. Agora, na América Latina, a reunião convocada oficialmente pela Igreja concedia liberdade ao povo para manifestar-se a respeito de todas as grandes questões que constituíam o desafio histórico para o continente. De fato, muitos leigos haviam ajudado na preparação dos textos a serem analisados nessa assembléia de 1968 e diversos deles estavam presentes na discussão dos temas então apresentados. O primeiro dos dezesseis documentos surpreendeu não só pelo título, mas pelas exigências em favor da justiça para com todas as pessoas, desde as mais pobres até as mais influentes. Medellín indicava, com muita clareza, a direção e também as iniciativas que a Igreja da América Latina deveria tomar em favor dos cristãos.

A terceira influência decisiva para a nossa ação pastoral em São Paulo veio da Assembléia Episcopal Latino-Americana de Puebla, em 1979. A expectativa aumentara com a eleição do novo papa, vindo de um país comunista para uma América Latina dominada pela ditadura capitalista.

Durante a assembléia distribuíram os temas e, como arcebispo de São Paulo, eu me decidi pelo trabalho a ser empreendido em favor das lideranças. Na primeira reunião fui escolhido como coordenador do grupo, tendo como relator e secretário um bispo do Paraguai. Em nossas reuniões todos se exprimiam com plena liberdade e achavam que a Igreja devia convidar, a exemplo de Cristo, os ricos a passarem "pelo fundo de uma agulha", porque se iniciava um tempo novo de reflexão sobre valores autênticos e duradouros na América Latina.

Essas reflexões voltavam a repercutir em mim quando me lembrava que em São Paulo, sobretudo na capital, as pessoas mais aquinhoadas eram consideradas "novos-ricos", o que, para mim, significava que ainda não se haviam acomodado à situação de poder e mando, nem de exploração dos pobres e dos novos imigrantes. Além disso, impressionava-me o fato de muitas famílias ricas haverem tratado com extrema delicadeza os escravos e a gente pobre em tempos pouco remotos. Também é certo que o Cristo, em sua extrema pobreza, cultivava a amizade com Marta, Maria, Lázaro e com muita gente da classe média que admirava a vida e as obras do Salvador.

Mais me impressionava, no entanto, a presença em Puebla de uma centena de teólogos que concentravam suas reflexões, orações e ensino na Teologia da Libertação. Como não haviam sido convidados para assessorar os bispos na assembléia, reuniam-se nas vizinhanças e nunca se negaram a prestar ajuda aos que a pediam. Todos os dias, frei Gilberto Gorgulho, meu assessor, trazia, com simplicidade e modéstia, a própria colaboração e a de seus colegas para os diversos bispos do Brasil.

Mesmo depois de trinta e poucos anos, considero essa ajuda dos teólogos da libertação um auxílio valioso para evitarmos certas incongruências e para aprofundarmos temas indispensáveis à ação episcopal em congressos.

Naquele tempo eu me perguntava por que alguns bispos estranhavam a teologia nascida da alma do povo e tão bem fundamentada sobre a palavra de Deus e o exemplo de Cristo. Além disso, já experimentara o quanto podemos aprender dos pobres quando sintonizamos com seu pensamento e sua interpretação da palavra divina. Lembro-me ainda de ter ouvido, em Puebla, a grande verdade de que os pobres não são apenas os privilegiados da pastoral por causa da opção dos bispos, mas também são mestres de nossa caminhada com Deus.

Essa idéia, mais tarde, foi mal interpretada pela expressão “Igreja Popular”, título da obra de um bispo brasileiro que criticava a ação de muitos colegas que costumavam reunir o povo ansioso por mudanças e prepará-lo para assumir as prioridades mais indispensáveis por ele indicadas.

Por outro lado, eu ouvira do grande mestre em teologia, o padre peruano Gustavo Gutierrez, que a Teologia da Libertação nascera dentro da Igreja, respeitando a situação do povo pobre da América Latina. Esse povo, por muitos anos, já meditava a Bíblia e nela descobria o plano divino para os tempos modernos. Era evidente que a formulação acadêmica só poderia vir através de teólogos bem formados e sintonizados com a situação desse povo sofrido.

As relações com as congregações e instâncias romanas se deterioraram, sem eu saber, a partir do momento em que a Editora Vozes implantou novo departamento editorial em São Paulo, isentando assim o bispo de Petrópolis do dever de aprovar os livros publicados pelos teólogos da libertação e passando para mim esta incumbência. Como já contei, eu estabelecera a condição de só confiar o exame dos textos a teólogos de confiança entre nós depois que esses textos houvessem sido revistos e por vezes emendados ou completados pela Comissão de Doutrina da Conferência Nacional dos Bispos do Brasil. Volto a repetir: jamais concedi o *imprimatur* sem que os textos fossem aprovados por essa comissão e declarados em consonância com a doutrina católica. Nunca pensei que esta nova atribuição do arcebispo de São Paulo viesse a provocar dificuldades com a Cúria Romana.

O que importava, agora, era implantar a pastoral que refletisse com segurança essa doutrina, mas não interrompesse a caminhada da América Latina junto com toda a Igreja. Para tanto, eu costumava reunir o povo disperso e garantir-lhe a minha presença nas maiores dificuldades da vida e da convivência. Foi assim que nasceram as comissões de defesa e do serviço da justiça, como também as reuniões do povo desejoso de caminhar com a Igreja nos tempos novos. Tanto a defesa dos direitos humanos como a Operação Periferia, ou ainda as comunidades eclesiais de base unidas ao apoio dado ao mundo do trabalho constituíram passos definitivos para a consciência da Igreja e o desafio de cada cristão convocado à participação efetiva na difusão do Evangelho de Cristo.

Não houve propriamente padronização para a formação da cultura popular, e sim escolas de formação bíblica, tanto do Antigo quanto do Novo Testamento, em muitas comunidades maiores ou em setores da arquidiocese. Foi nesse momento que nasceu em São Paulo a Faculdade de Teologia noturna, justamente no tempo da Assembléia de Puebla, com o objetivo de dar a todos os nossos colaboradores leigos o instrumental para a luta pela justiça, solidariedade, verdade e paz. Assim, a nova evangelização anunciada por João Paulo II não nos iria encontrar despreparados, e a comemoração do Jubileu do ano 2000, em preparação para o terceiro milênio, iria constituir o mais belo fecho para a colaboração de todos os cristãos na sua vocação de missionários e responsáveis pelo Evangelho de Jesus Cristo.

A nossa atitude pastoral na arquidiocese tomou em consideração os avisos que me foram dados por parte de Roma, que publicou, em agosto de 1984, a "Instrução sobre alguns aspectos da Teologia da Libertação". Não posso ocultar, neste momento, que as objeções levantadas no décimo capítulo, sob o título "Uma nova hermenêutica", causaram certa inquietação em todo o país. Eu sempre quisera estar na mais perfeita consonância com a orientação do Santo Padre e da Igreja da qual faço parte pela fé e pelo coração.

Aliás, era essa a atitude de toda a Igreja do Brasil, cujos bispos se reuniram em Itaici, no ano seguinte, para tratar do mesmo tema – "A Liberdade e a Libertação" –, de forma sistemática, para a orientação das comunidades e de sua pastoral organizada.

Em 31 de outubro de 1984 a Conferência Nacional dos Bispos do Brasil recebeu da Nunciatura Apostólica o seguinte pedido: *"Esta Congregação para a Doutrina da Fé não pretende tratar aqui o vasto tema da Liberdade Cristã e da Libertação em si mesma. Propõe-se fazê-lo num documento posterior, no qual porá em evidência, de maneira positiva, toda a sua riqueza, tanto para a doutrina como para a prática."*

Foi a partir dessa recomendação que o secretário-geral da CNBB, dom Luciano Mendes de Almeida, pediu aos bispos, no dia 13 de novembro do mesmo ano: *"Que enviem suas sugestões ao presidente do respectivo Regional, que as enviará para a próxima reunião do Conselho Permanente, em data de 26 de novembro. Contribuições posteriores poderão ser enviadas diretamente ao secretário-geral, em Brasília. A Comissão Episcopal de Doutrina procurará dar sua colaboração específica."*

Apesar de o prazo ser brevíssimo – treze dias –, reunimos os professores de nossa Faculdade de Teologia para essa contribuição indispensável. O documento não pôde receber toda a perfeição e acabamento necessários em sua redação final, devido à pressa exigida por Roma. Por isso mesmo chamou-se "Notas sobre a Libertação e a Igreja na América Latina".

A resposta definitiva de Roma veio datada de 22 de março de 1986, no documento da Congregação para a Doutrina da Fé intitulado "Instrução sobre a Liberdade Cristã e a Libertação".

Nossas sugestões, embora um tanto apressadas, mereceram o louvor do cardeal-arcebispo de Malines-Bruxelles, Bélgica, talvez forte candidato a papa neste momento em que escrevo este livro. Em carta dirigida a mim em 24 de dezembro de 1984, o cardeal Godfried Danneels diz o seguinte: "*Vosso documento me parece fornecer uma contribuição da maior importância à reflexão atual da Igreja sobre a Liberdade e a Libertação Cristãs; nele aprecio ao mesmo tempo o tom firme e sereno e o rico conteúdo, e espero que ele seja tomado em boa consideração por Roma."*

O Papa João Paulo II, por sua vez, nos enviou a memorável "Mensagem ao Episcopado do Brasil", datada de 9 de abril de 1986. Ela veio pelas mãos do cardeal-prefeito da Congregação dos Bispos, Bernardin Gantin, pregador de nosso retiro naquele ano, e foi entregue fechada ao presidente dom Ivo Lorscheiter, que a abriu e leu diante da assembléia. No final da leitura irromperam os aplausos dos bispos, que duraram por diversos minutos e causaram imensa satisfação a todos os presentes. Da mensagem destacamos a seguinte passagem:

"Estamos convencidos, nós e os Senhores, de que a Teologia da Libertação é não só oportuna, mas útil e necessária. Ela deve constituir uma nova etapa – em estreita conexão com as anteriores – daquela reflexão teológica iniciada com a tradição apostólica e continuada com os grandes padres e doutores, com o magistério ordinário e extraordinário e, na época mais recente, com o rico patrimônio da Doutrina Social da Igreja, expressa em documentos que vão da Rerum Novarum *à* Laborem Exercens" (nº 5).

Logo no nº 6 o Papa acrescenta: "*Por outro lado, os Senhores – e com os Senhores toda a Igreja no Brasil – mostram-se prontos a empreender, em seu setor próprio e na linha do próprio carisma, tudo aquilo que deriva, como conseqüência, da libertação soteriológica. É, aliás, o que a Igreja, desde os seus albores, sempre procurou fazer por meio de seus santos, seus mestres e seus pastores, e por meio de seus fiéis engajados nas realidades temporais.*"

A essa altura o leitor terá certamente a curiosidade de saber qual a posição expressa pelos nossos teólogos de São Paulo e assinada por mim, como arcebispo, em 8 de dezembro de 1984. Por considerarmos esse documento de suma importância, decidimos publicá-lo, pela primeira vez, na íntegra, no apêndice I deste livro. Nele estão condensados os princípios fundamentais da Teologia da Libertação. Para muitos que tiveram acesso ao documento, ele foi um instrumento que informou e esclareceu, e por isso quis levá-lo ao conhecimento de um número maior de pessoas.

23 *Alegrias na caminhada*

Um grande amigo e confrade franciscano me confidenciou um dia: "Estou acompanhando a sua vida e percebo que o senhor poucas vezes realiza o que planeja, mas tem sempre que obedecer às surpresas da hora." Lembrei-me, nessa ocasião, de ter lido belíssima poesia sobre a vida sacerdotal, revelando que a vida do sacerdote depende das necessidades e urgências do povo e pouquíssimas vezes de suas próprias previsões.

Isso aconteceu no momento em que fui chamado a assumir o encargo de bispo auxiliar de São Paulo. Depois de vinte e sete anos de convivência quase diária com os escritores cristãos da antiguidade, eu me retirara para uma paróquia tranqüila e, durante dois meses, comecei a pôr no papel aquilo que me passara pelo coração e pela inteligência ao estudar a história da Igreja desde os Atos dos Apóstolos até o sexto século da era cristã.

Estava quase na metade de minha elaboração quando, de surpresa, fui convidado pelo vigário-geral da ordem franciscana a fazer parte de uma comissão preparatória para a adaptação dos estatutos da ordem às normas do Concílio

Ecumênico Vaticano II. Carreguei comigo os manuscritos, que já atingiam centenas de páginas, pensando que na Europa iria encontrar clima favorável para terminar essa obra que me era tão cara e que poderia prestar, quem sabe, bons serviços aos estudos eclesiásticos em nossa terra. Rasguei os manuscritos quando fui nomeado bispo auxiliar do cardeal dom Agnelo Rossi, em São Paulo.

Nova surpresa, e dessa vez estonteante, quando ouvi o núncio apostólico me comunicar por telefone que o Papa me escolhera para suceder dom Agnelo Rossi como arcebispo de São Paulo. O Palácio Pio XII, residência oficial do arcebispo, foi mais um impacto do que uma surpresa, e a decisão de vendê-lo e de viver na simplicidade franciscana da residência do Sumaré, destinando o resultado da venda do palácio aos pobres e imigrantes, trouxe-me profunda alegria.

Quando eu era bispo auxiliar da região norte, cuidava de minha casa, com extrema delicadeza, irmã Adélia Cotta, membro da Congregação das Irmãs Franciscanas da Ação Pastoral.

Como não podia levar comigo essa irmã, já que por contrato eram as Missionárias de Jesus Crucificado que deviam servir ao cardeal-arcebispo de São Paulo, tive que dispensar a religiosa e, em troca, pedi à superiora-geral das Missionárias que escolhesse três irmãs para me acompanharem à nova residência adquirida por dom Benedito de Ulhoa Vieira no bairro do Sumaré, próxima à Igreja de Nossa Senhora de Fátima, da Avenida Doutor Arnaldo. Junto a elas iria trabalhar a secretária leiga Maria Angela, que já me acompanhara da região norte para o palácio e iria continuar a servir à arquidiocese no alto do Sumaré.

Outra surpresa que me trouxe alegria como franciscano foi conseguir, em 1972, a aprovação romana da nova Congregação das Irmãs Franciscanas da Ação Pastoral, que haviam sido separadas de sua congregação original – Franciscanas da Terceira Ordem Seráfica – pelo conselho-geral situado em Au-am-Inn, pertencente à Arquidiocese de Munique, na Alemanha. Para tanto tive a ajuda de excelentes colaboradores juristas em São Paulo e o entusiasmo da imensa maioria das irmãs, ainda jovens, trabalhando em São Paulo, Goiás, Mato Grosso e Santa Catarina. A elas devo imensa gratidão, tanto por terem facilitado o trabalho como também por virem a assumir, mais tarde, em 1987, e sob a coordenação da abnegada irmã Maria Angela de Castro, a orientação doméstica da residência arquiepiscopal, que passou a situar-se à Rua Alfredo Maia, no bairro da Luz, com a venda da antiga casa do Sumaré.

Quando, a partir de 1998, me tornei arcebispo emérito e me mudei para o Jardim Guapira, bairro residencial no alto do conhecido Jaçanã, elas me acompanharam, garantindo, com sua delicadeza e eficiência, o conforto e o cuidado da casa onde vivo atualmente e desdobrando-se no serviço às comunidades pobres das proximidades.

A confiança chegou a ponto de o então prefeito da Congregação dos Religiosos me encarregar também de outras congregações femininas que preparavam os estatutos e precisavam da aprovação dos bispos, sobretudo daqueles em cujas dioceses se fixara a casa-geral da nova instituição. Devo dizer que fui feliz em todos os casos.

No período de 1980 a 1986 experimentei diversas alegrias que foram compartilhadas com toda a Igreja do Brasil.

Em 1980 fui participar, em Roma, da cerimônia de beatificação do padre José de Anchieta, figura ímpar do início de nossa história. Como o cardeal-arcebispo de Salvador e primaz do Brasil, dom Avelar Brandão Vilela, não se encontrava em Roma para apresentar ao Papa o pedido de beatificação de nosso primeiro e maior catequista na primeira fase de evangelização do Brasil, fui convidado a apresentar, em português e na majestosa Basílica de São Pedro, os motivos que nos levavam a pedir ao Santo Padre essa declaração tão esperada e tão honrosa para nossa pátria. Foi um momento de grande emoção e, quase diria, uma explosão de alegria para o povo de São Paulo e para todos os devotos do grande jesuíta.

Uma segunda alegria semelhante a esta se deu na segunda viagem do Papa João Paulo II à nossa terra, em 1991, quando fui convidado por Roma para ser o intérprete da Igreja do Brasil, que esperava a beatificação da madre Paulina, fundadora da Congregação das Irmãzinhas da Imaculada Conceição. O mesmo momento que vivenciara no solene rito de beatificação para o padre Anchieta, em Roma, se deu em Florianópolis e foi o ponto alto dessa viagem tão auspiciosa do Sumo Pontífice naquele momento histórico.

O coração de todos os paulistanos, como também o meu, custou a assimilar a grande novidade do término do processo de beatificação do franciscano frei Antonio de Sant'Ana Galvão, nascido em Guaratinguetá, em São Paulo, e conhecido sobretudo na capital paulista e no vale do Paraíba. Dessa vez tive a honra de reiniciar todo o processo, com a ajuda indispensável da irmã Célia Cadorin, das irmãzinhas da Imaculada Conceição, levando até ao termo todas as fases indispensáveis e tão rigorosas para o novo ato de beatificação que, dessa vez, tinha um religioso nascido no Brasil e não apenas um missionário em nossa terra na honra dos altares.

A festa, em 1998, foi completa e intensamente compartilhada pela ordem franciscana, embora eu mesmo estivesse impedido de viajar a Roma por motivos de saúde.

Minha gratidão ao Santo Padre excedeu todas as palavras que possam exprimir a minha veneração e mesmo a identificação com os bispos de São Paulo e com o Papa, quando este nos recebeu na visita *ad limina* de 1995 e exprimiu a satisfação de poder glorificar a Deus, por meio dessa personalidade tão marcante quanto querida do povo simples de São Paulo, que é o bem-aventurado frei Galvão. Imaginava, por vezes, estar na pele de nosso fundador e pai inimitável Francisco, quando exprimia a sua veneração e seu amor ao sucessor de São Pedro e ao representante de Cristo Jesus em nosso tempo.

Que Deus seja louvado por tantas alegrias e recompense o Papa João Paulo II por todos os sofrimentos que ofereceu em favor da Igreja inteira e com particular afeição à América Latina.

Parte 3

Igreja em tempos de ditadura

Parte 3

Igreja em tempos de ditadura

1 *Igreja e o golpe 1964-85*

Em 30 e 31 de março de 1964, eu vivia em Petrópolis. Angustiava-me o desfecho e autêntico fracasso do governo de Jânio da Silva Quadros, em que todos nós votáramos como presidente. Circulavam fatos e boatos de bebedeira, isolamento e orgulho de Jânio. Queria ser ditador.

Após a renúncia – ato destinado a provocar reação popular em favor de seu retorno com amplos poderes e sem o Congresso – não me convencera a respeito da capacidade do vice João Goulart como autêntico líder.

Contavam-se mil casos a respeito de sua frouxidão e falta de comando. Por outro lado, eu apreciava teses como reforma agrária e dignificação do trabalhador. Além do mais, Jango era tido como herdeiro do ditador Getúlio Vargas. O fato de estar em viagem a país comunista, na hora da renúncia de Jânio, assustava. Apesar de tudo, votei no parlamentarismo, sabendo que Jango seria o presidente e que o primeiro-ministro, sem apoio partidário, nada faria. Escolhido presidente, recebeu o apoio do cunhado Leonel Brizola, considerado também caudilho.

Quando o governador de Minas, Magalhães Pinto, decidiu revoltar-se e marchar de Belo Horizonte para o Rio, Carlos Lacerda lá o esperava e defendia o golpe.

Com a notícia do avanço das tropas de Minas pelo Estado do Rio, pedi ao superior de minha comunidade para ir-lhes ao encontro. Meu objetivo era verificar se haveria ou não derramamento de sangue. Ao chegar a Pedro do Rio, parei, entrei num bar e perguntei: "Vai haver derramamento de sangue?" Os soldados e caboclos olharam para mim, que estava vestido de frade, e responderam mineiramente: "Soldado daqui não é bobo. Se os mineiros quiserem passar, todos abrem espaço e vão se esconder na capoeira. Morrer para que e para quem?"

De lá voltei com a convicção de que Goulart, o presidente, estava sem governo, sem tropas, nem povo.

O cardeal dom Jaime de Barros Câmara contou-me, poucos anos depois, que o cardeal Motta o havia convidado a visitar o Presidente João Goulart no Catete, palácio presidencial do Rio, e o advertira, dizendo: "Quando os boatos e fatos têm como origem o próprio palácio, o senhor não terá mais garantia alguma."

Afinal, quando as tropas de Minas entraram no Rio, foi escolhido como presidente o marechal Humberto de Alencar Castello Branco, de cuja austeridade eu esperava o melhor, apesar de não admitir um governo imposto por golpe militar.

Mais tarde, como presidente do Senado, confidenciou-me Magalhães Pinto que fizera um voto a Deus de não aceitar a presidência nem qualquer vantagem do golpe, temendo derramamento de sangue. Arrependeu-se, como deixou transparecer, dizendo-me que a sucessão de Castello Branco por Costa e Silva, de quem aliás foi ministro, fora o maior erro. Não só se perpetuaria o autoritarismo, mas também a incompetência dos militares em política.

Já o marechal Castello Branco provou falta absoluta de sensibilidade para com o povo e a lei quando, por decreto, sem processo, foi cassando Jânio, Juscelino, junto com senadores e deputados da melhor estirpe: dez anos de perda da cidadania, na base do princípio de que a revolução é fonte de lei com autoridade que, por si só, justifica qualquer ato. Como exemplo, contou-me o ministro Magalhães Pinto que o general Costa e Silva, sucessor imposto a Castello Branco, queria declarar o núncio apostólico dom Sebastião Baggio *persona non grata* porque este estaria envolvido em negócios – jamais provados – com pedras preciosas e obtendo vantagens com a importação de carros estrangeiros.

Entendi o grande erro dos militares no governo quando, no dia da queda de Ademar de Barros, vim a São Paulo como bispo auxiliar em julho de 1966.

Embora o dia-a-dia de São Paulo nos consumisse na ação pastoral, particularmente na Missão do Povo de Deus, cada reunião de bispos da Comissão Central da CNBB, à qual comecei a pertencer como secretário do setor Educação, me revelava novas imposturas do governo central dirigido por militares e no interesse de militares, não do povo.

Eram sintomáticas as cassações já no tempo do Presidente Castello Branco. Costa e Silva, uma vez empossado, mostrou-se fraquíssimo, sem formação e sem jogo de cintura. Prevíamos que a marcha dos estudantes em 1968 no Rio, e a movimentação no país, contrária ao regime, sofreriam a repressão mais sádica e radical.

Conhecia o ex-governador de São Paulo, Lucas Nogueira Garcez, de nome e referências. Elogiosas, sem exceção. Como professor, governador e administrador inatacável.

Não esperava que me viesse visitar junto com meu médico, cunhado dele. Menos ainda imaginava que fosse para me pedir um favor: parente chegado a ele fora preso, embora tivesse fama de juiz impecável no tratamento dos presos do Carandiru.

De fato armara-se uma trama para destituir o juiz. Sua incomunicabilidade começava a preocupar, senão a apavorar o nosso ex-governador e demais familiares.

O que me pediam? Tentar uma visita ao preso. Como bispo, eu talvez o conseguisse.

Como nem o cardeal Rossi nem o vigário-geral, dom Lafayette, estivessem na cidade, fui sozinho ao quartel-general do 2º Exército. A batina, faixa, cruz e solidéu me abriram as portas.

Um major me orientou: "Vão mandá-lo de uma instância a outra se não obtiver audiência com o general-comandante." O calvário para chegar até o chefe levou quase cinco horas. A conversa foi rapidíssima, mas muito firme: "É preso perigoso. Melhor não tocar no assunto." Eu afirmei com convicção: "Tenho todas as informações. Os senhores estão cometendo um equívoco de graves conseqüências." Ele deu a sentença final: "O senhor será chamado a ouvir os depoimentos e a mudar de opinião."

Dois dias depois, parava um carro oficial diante de minha residência, sem qualquer aviso prévio. Informei a quem pude que eu estava sendo levado e a quem se deveria dar notícias, caso não voltasse.

Recebeu-me o coronel encarregado do inquérito. Depois de tentar impressionar-me com o relato das "monstruosidades" que o juiz cometera, advertindo que eu estava sendo "inocente útil" na questão, arrematou: "O senhor vai ter a prova e já."

Não se passaram dois minutos, quando entra um senhor, que, sob comando, começou a depor contra o juiz, dizendo que ele deportara presos, soltara, prendera. Lembrei-me, de imediato, da cena bíblica de Daniel argüindo os anciãos que acusavam Suzana do que ela não fizera, e me dirigi ao senhor: "Meu amigo, como vê, sou bispo e aqui estou em nome de Deus. O senhor foi ou não foi forçado a contar isto que acabou de dizer?"

O homem começou a tremer, a balbuciar e a se desdizer. O coronel mandou retirar o preso e voltou-se para mim: "O senhor com esta batina e esta voz mete medo." Minha resposta foi imediata: "Talvez a consciência fale muito mais forte, porque estou sendo suave, como percebe."

Entrou nova testemunha. O coronel o pressionou: "Diga ao bispo o que você me falou sobre o juiz." Desta feita, nem precisei abrir a boca, porque o homem se antecipou: "Eu conheço o senhor que é bispo daqui e rezou a missa para nós já algumas vezes. Eu não queria não, mas o senhor sabe..."

O coronel mandou retirar também essa testemunha e tentou intimidar-me. Mas eu lhe falei com firmeza: "Senhor coronel, se conheço pouco de subversão, sei alguma coisa de psicologia. Os senhores, com esses métodos, estão desacreditando o governo e perdendo todo e qualquer apoio do povo. Suas testemunhas são falsas e o juiz é inocente, até que se prove o contrário." O coronel insistiu com arrogância: "Ele é que tem que provar." Com serenidade, afirmei: "Desculpe. Sua atitude é contrária ao artigo 11º da Declaração Universal dos

Direitos Humanos: *Todo homem acusado de um ato delituoso tem o direito de ser presumido inocente até que sua culpabilidade tenha sido provada de acordo com a lei, em julgamento público, no qual lhe tenham sido asseguradas todas as garantias necessárias à sua defesa.*

Meses depois, o juiz voltou ao convívio dos seus. Não, porém, sem as marcas indeléveis do processo.

Tal como no episódio anterior, eu era bispo auxiliar quando o cardeal Rossi, meu superior hierárquico, me incumbiu de visitar os primeiros religiosos presos pelos militares. Já narrei os detalhes da visita no final da primeira parte deste livro. O certo é que saí das prisões de "alta segurança" convencido de que nossas forças armadas, que combateram o nazismo, eram tão cruéis quanto ele. E não parecia haver saída a curto prazo. Em uma hora percebi todo o horizonte dos próximos anos e a fragilidade da reação popular.

No exterior, o conhecimento da ferocidade com que eram tratados os presos brasileiros provocou a vinda ao Brasil do presidente da organização internacional Pax Christi, cardeal-arcebispo holandês Bernard Alfrink, de Utrecht, que concedeu entrevista a repórteres, sobretudo estrangeiros, com ampla repercussão.

Anos mais tarde, quando ele já estava aposentado, fui visitá-lo na Holanda e me surpreendi com sua lembrança viva dos horrores que presenciara no Brasil e com o que ele próprio conseguira comprovar a respeito do assunto. Ainda então mostrava-se fortemente impressionado pela desumanização a que leva uma ditadura como a nossa. Convém lembrar que Alfrink sofrera, com o povo holandês, a invasão nazista.

Minha primeira obrigação em relação aos presos, como bispo auxiliar e vigário episcopal da região norte, se restringia a visitar e prestar assistência na Penitenciária do Estado, no presídio feminino e na Casa de Detenção, todos eles situados no Carandiru, bairro bem conhecido da região. Como contei na primeira parte do livro, eu ia quase semanalmente à penitenciária e ao presídio feminino. A penitenciária, apesar de anacrônica, tinha bons diretores. No presídio feminino, as irmãs do Bom Pastor – verdadeiras samaritanas – me revelaram que a maioria das presas, menos uma ou duas portadoras de distúrbios psiquiátricos, poderiam e deveriam ser soltas e acompanhadas, pois lá estavam por crimes passionais e de defesa da própria honra. Na Casa de Detenção, a situação parecia bem diferente. Padre Ismael, o capelão salesiano, ia todas as semanas algumas vezes aos tribunais para a revisão de processos defeituosos.

Os presos me recebiam como grande amigo. No dia em que fui nomeado arcebispo de São Paulo ainda realizei a última reunião de reflexão bíblica com os presos, em companhia de legionários de Maria e outros agentes de pastoral da região norte.

A Igreja do Brasil mostrou poucas reações seguras contra torturas, desaparecimentos e mesmo prisões arbitrárias. De uma, no entanto, me recordo com orgulho: o Presidente Costa e Silva viria à capital dos paulistas a fim de entregar a medalha de mérito ao cardeal-arcebispo local, dom Agnelo Rossi. Monsenhor Benedito de Ulhoa Vieira, então pároco da PUC, advertira o cardeal e seus bispos auxiliares de que esse gesto seria um insulto aos jovens estudantes e um possível rompimento deles com a Igreja. A medalha foi desencomendada e o gesto teve ampla repercussão.

O general Emílio Garrastazu Médici vinha do Rio Grande do Sul, impressionando por seu físico avantajado e natureza taciturna. Aos poucos, revelou também ausência total de finura no trato. Falava monossílabos, quase grunhidos. Contou-me o presidente do Senado e ex-governador de São Paulo, Carvalho Pinto, por ocasião de um almoço na casa de dom Paulo Rolim Loureiro, em Mogi das Cruzes, que na viagem presidencial a Portugal, sentado a seu lado, não conseguira arrancar de Médici uma só frase. Embora reservado e prudente, o senador Carvalho Pinto não hesitou em emitir a opinião: "Provavelmente ele nunca sabe o que dizer."

Seus discursos, patrióticos e carregados de esperança, tinham, por algum tempo, excelente redator, segundo se dizia, um ex-seminarista. Depois foi endurecendo, encerrando-se numa carranca que por si só apresentava mensagem sinistra. Prova disso me deu espontaneamente meu motorista da época, ao contar que as crianças pediam para desligar a televisão quando o presidente falava em rede nacional.

No início de seu governo foi morto um dirigente de multinacional sueca, na rua. Contavam, de fontes insuspeitas, que esse diretor pagava militares "disciplinadores" e assim adquirira o direito de assistir às torturas, "deliciando-se" ao lado de outros empresários. Embora tal empresário não fosse católico, monsenhor Expedito Marcondes, em nome do ex-arcebispo, cardeal dom Agnelo Rossi, aceitou celebrar missa em sua memória na Basílica do Carmo, da Rua Martiniano de Carvalho. Diante de minha reclamação, ouvi do monsenhor, secretário de dom Agnelo, que o fato do envolvimento do industrial não lhes era conhecido.

Fui obrigado a objetar: "Por que não me notificaram antes? Teriam recebido as informações."

Causou impacto o assassinato violento do americano da CIA em plena rua. Diziam que ele era o instrutor de nossos torturadores. Quando anos depois perguntei ao Presidente Carter, em visita ao Rio (1978), se isso era possível, ele me respondeu, após um tempo de reflexão: "Possível, sim." Mas já estávamos na era Geisel, e outra mentalidade, mais favorável, ia se instalando.

Por toda parte pipocavam as reações contra a ditadura e os esforços para romper a censura total e o uso faccioso dos meios de comunicação social.

Em todo o tempo do governo autoritário, tentei manter o diálogo, onde e quando possível. Normalmente só ele desfaz as tensões.

Nesse meio tempo, eu fora eleito presidente do regional Sul-1 (dioceses do Estado de São Paulo) dos bispos da CNBB, com o primeiro mandato valendo de 1971 a 1975. Apresentando aos bispos, em sessão privativa, provas de tortura e testemunhos recolhidos junto às vítimas, alguns bispos forçaram a resolução de que eu, como presidente do regional, deveria levar oficialmente as provas à mais alta esfera, ao Presidente Emílio Médici.

Eu já havia recorrido ao presidente do Senado, Carvalho Pinto, pedindo-lhe que nos ajudasse na luta contra as clamorosas injustiças que vinham ocorrendo, mas ele achou difícil, apesar de manifestar toda disponibilidade.

Aceitei a contragosto a incumbência dos colegas bispos.

Consegui como pretexto para a audiência a entrega de um belo documento pontifício. Era a encíclica de Leão XIII, *Rerum Novarum*, em edição luxuosa confeccionada por um artesão de São Paulo. Dom José Newton, arcebispo de Brasília, conseguiu-me a custo a audiência. Prova de fé e de fogo.

Esperei hora e meia ou mais. Quando entrei na sala e apresentei a Médici o presente, este foi recusado com gesto brusco e um seco "não aceito".

Tentei explicar que estava ali em nome de todos os bispos do Estado de São Paulo. Argumentei que eles não acreditavam que o presidente do Brasil estivesse informado sobre os desmandos do esquadrão de terror que operava na cidade e no estado. Foi como o detonador de uma bomba. A autoridade suprema da nação, até aí carrancuda mas silenciosa, começou a tremer em todo o corpo, socando a imensa mesa com seus punhos cerrados e elevando a voz ao nível da ameaça: "Não arredaremos um só milímetro na luta contra os terroristas! O senhor vem defender os bandidos que matam inocentes, seqüestram embaixadores e ameaçam ministros. Seu lugar é na sacristia." E lá vieram outras expressões que revelavam a distância que nos separava. Nada adiantou argumentar com serviços que queríamos prestar à nação. O presidente levantou-se e acrescentou: "Com seu predecessor, eu me dava bem. Espero que o senhor mude de opinião."

A mesa ainda tremia quando me levantei também, com a costumeira afirmação: "Lamento, senhor presidente."

Ao sair da sala, só uma idéia me fazia conter a emoção. Eu tentara cumprir um dever. Ficou claro para mim o quanto é perigoso concentrar nas mãos de um só o poder de dispor da vida e da sorte de tantos cidadãos. Não havia mais luz nem saída nesse túnel cavado pela Lei de Segurança Nacional.

A entrevista – que se deu em 5 de maio de 1971 – não durara mais de cinco minutos. O suficiente para me convencer de que a nau brasileira era levada por um comandante capaz de afundá-la.

Na noite do mesmo dia, e já em São Paulo, falando no Seminário Anglicano, eu estava de tal forma indignado, que transformei a conferência "A Missão do Bispo", que me havia sido encomendada, em apelo veemente à união de todas as forças para livrar o país da situação calamitosa em que se encontrava e retornar à democracia.

De 6 a 8 de junho de 1972, os bispos do regional Sul-1, reunidos em Brodósqui, São Paulo, discutiam que, daí a pouco, teríamos que tomar posição para a comemoração do Sesquicentenário da Independência do Brasil. Como presidente da Comissão Representativa, coloquei em pauta o problema das prisões arbitrárias, das torturas e do desaparecimento de pessoas presas.

Discussão difícil. Para tudo havia provas. Mais testemunhos orais do que escritos. Assim mesmo, alguns médicos do Hospital das Clínicas e de outras partes prometiam passar-nos as provas, caso fosse indispensável.

Afinal constituímos a comissão de redação do documento Testemunho de Paz, denunciando a situação de terror entre nós. A comissão não chegou a um texto que conseguisse maioria. Entregou então o material ao bispo de Jundiaí, dom Gabriel Paulino Bueno Couto, reconhecido como bem moderado. Ele assumiu a redação, que foi aprovada. O texto insistia nas palavras do décimo quarto capítulo do Evangelho de Mateus, em que João Batista, ao ser preso por Herodes, diz: "Não te é lícito... prender sem ordem judiciária, torturar, matar..."

Nenhum órgão de imprensa pôde divulgá-lo. Em São Paulo imprimimos cinqüenta mil exemplares para distribuição após as missas, com os cuidados indispensáveis. Ainda prescrevemos um dia de jejum total aos fiéis das dioceses paulistas. Um padre capuchinho teve a coragem de ler o texto do Testemunho de Paz durante uma missa no Clube Militar. Evidentemente sob protestos.

Naqueles anos, dom Aloísio Lorscheider e dom Ivo Lorscheiter, respectivamente presidente e secretário-geral da CNBB, levavam adiante a tentativa de diálogo entre militares e a cúpula da CNBB na chamada Comissão Bipartite. Em 25 de julho de 1972 fui convocado para esse diálogo. Como cheguei cedo ao aeroporto, acabei embarcando antes do previsto. No Rio não me esperava ninguém, porque me antecipara ao horário da chegada. Quando entrei na sala, percebi certo sobressalto entre os militares. Mais tarde, contou-me o major-médico Dr. Luís que estavam planejando um "acidente" para mim entre o aeroporto e a sede da CNBB, o que seria facílimo de realizar se eu tivesse chegado na hora do *rush* carioca.

Nunca investiguei, nem quis investigar a versão do Dr. Luís, hoje já falecido, homem íntegro como tantos militares graduados que conheci.

Na hora em que o general Antonio Carlos da Silva Muricy, comandante do 5º Exército, abriu a sessão, responsabilizou-me pelo documento dos bispos, Testemunho de Paz: "O senhor sabe que pode ser processado por causa do documento Testemunho de Paz, porque ele acusa as forças do governo de torturar e matar?"

Aceitei a responsabilidade: "Seria de fato útil processar-me, desde que se desse acesso livre à imprensa internacional. Tenho provas para tudo o que os bispos do Estado de São Paulo afirmam. Costumamos dizer: 'A verdade vos libertará.'"

Em seguida, ele me perguntou se era verdade que dali a poucas semanas, em 7 de setembro, durante a missa comemorativa do Sesquicentenário da Independência, eu iria derrubar o altar em plena Praça da Sé. A essa monstruosidade limitei-me a responder: "Trouxe o programa impresso. Aí o senhor verá que tal ato não faz parte da liturgia, portanto não será realizado. Aliás, sobre o altar vai figurar a imagem de Nossa Senhora Aparecida, que presidirá a missa de ação de graças. O celebrante principal será o presidente da CNBB, dom Aloísio Lorscheider, que está a seu lado."

Durante minha resposta, percebi que nenhum dos presentes dera fé a mais esse boato, absurdo como tantos outros que percorriam o país.

Não convém esquecer aqui alguns episódios, como a trasladação das cinzas de dom Pedro I ao Mausoléu do Ipiranga e sua inumação no dia 6 de setembro. A volta dos restos mortais do primeiro imperador foi golpe publicitário. Transportaram suas "cinzas" por todos os quadrantes do país sob o pretexto de comemorar o sesquicentenário da Independência do Brasil. No final elas deveriam permanecer em mausoléu monumental à frente do Museu do Ipiranga.

Como quisessem dar tonalidade religiosa ao ato, as coisas começaram a complicar-se. O golpe assumido pelos militares apresentava-se, sob o aspecto geopolítico, como defensor da civilização cristã contra o perigo comunista. Daí o direitismo extremado e a mistura de cristandade com política, buscada pela Escola Superior de Guerra em centros de treinamento americanos.

Para a solenidade, o cerimonial da presidência da República já convidara o festejado orador sacro, dom Antônio de Almeida Morais Júnior, arcebispo de Niterói. O núncio apostólico me contou que fez ver aos organizadores que a lei da Igreja determinava que toda ação pastoral-religiosa em São Paulo deveria obedecer a seu arcebispo metropolitano, se quisesse manter o caráter católico. Conseqüência: não houve diálogo algum comigo sobre possíveis cerimônias. Assisti, de um palanque distante da presidência e junto com o arcebispo-patriarca de Lisboa, dom Antonio Ribeiro, ao ato puramente material e civil de colocar a urna dentro do mausoléu preparado.

Só anos depois, em presença do governador do estado e do secretariado, sob pretexto de reforma e remanejamento, benzi solene, mas discretamente, o local e a urna, como prescreve o cerimonial eclesiástico. Aliás, com a vinda dos despojos de dona Leopoldina, a imperatriz, de Petrópolis para São Paulo, realizei as cerimônias na Catedral da Sé, para evitar nova bênção no Ipiranga, porque lá estavam as personalidades da presidência.

O sesquicentenário da Independência devia, no entanto, ser comemorado religiosamente naqueles dias. Não podendo realizar cerimônias nas verdes relvas do Ipiranga, ocupadas pelos militares, decidimos fazê-lo em frente à catedral, na Praça da Sé. A festa começou na tarde do dia 1º de setembro, uma sexta-feira, e se encerrou na noite do domingo, dia 3. Para essa comemoração, a CNBB, presidida por dom Aloísio Lorscheider, estendeu o convite a todos os bispos do Brasil. Compareceram cerca de cento e vinte.

Para dar caráter nacional à festa, trouxemos da basílica nacional de Aparecida a imagem da padroeira do Brasil. Ela chegou solenemente na sexta-feira, dia 1º, às dezoito horas, na Praça da Sé. A notícia da vinda da imagem não pôde ser divulgada, pois a imprensa se encontrava sob censura. Mesmo assim, o povo afluiu em massa. Naqueles três dias de festa, cada região episcopal se ocupava, por algumas horas, das orações, celebrações, leituras bíblicas, em uma liturgia digna do Concílio Vaticano II.

A missa principal, muito bem preparada e realizada na manhã do domingo, dia 3, transcorreu normalmente na Praça da Sé lotada de gente, enquanto as cerimônias civis no Ipiranga poucos atraíram, coisa que só não aconteceria à noite do dia 7, quando orquestra, corais e fogos celebraram dignamente os cento e cinqüenta anos da Independência do Brasil. A nossa missa foi concelebrada também pelo cardeal-patriarca de Lisboa, dom Antonio Ribeiro, que nos apoiou com sua presença e seu estímulo de amigo e irmão. Ao final, tomaram a palavra dom Hélder Câmara, arcebispo de Olinda e Recife, dom Avelar Brandão Vilela, arcebispo recém-transferido para Salvador, e eu mesmo, como arcebispo de São Paulo. O povo saiu satisfeito.

Não se falou mais no processo com o qual o general Muricy me ameaçara. O povo e seus pastores muito rezaram por um novo sistema no Brasil. Afinal, Nossa Senhora, em longa e forte tradição religiosa, é chamada Estrela da Manhã.

No primeiro semestre de 1973 eu chegava de Roma, como cardeal. O governo brasileiro, por meio do embaixador no Vaticano, me comunicara que pagaria minhas vestes cardinalícias, já que aos cardeais anteriores custeara as viagens e demais despesas. Quando cheguei em Roma, o embaixador, muito constrangido, me chamou à parte para avisar que fora precipitação dele oferecer-me o enxoval. Respondi-lhe que não se incomodasse, pois eu reduzira ao mínimo o conjunto das vestes necessárias e tinha quem me custeasse as despesas.

Em troca, disse o embaixador que poria à minha disposição e à de meu secretário, cônego Geraldo Majela Agnelo, um Mercedes-Benz da embaixada. Logo, porém, na primeira viagem, o motorista me confidenciou que ele e o carro eram da embaixada do México.

Também, após minha volta a São Paulo, estranhei a ausência dos chefes militares locais, embora monsenhor João Pheeney de Camargo e Silva, conhecido capelão militar-chefe na Segunda Guerra Mundial, estivesse na comissão de recepção do novo cardeal de São Paulo.

Mal tivera tempo de interpretar a infração do protocolo pelos militares, quando chegou à minha residência do Sumaré, por meio de um grupo de mais de vinte representantes de diretórios acadêmicos da USP, o caso de Alexandre Vannucchi Leme, nascido em Sorocaba, mas residente e estudante em São Paulo. Como já lembrei, fora este jovem covardemente assassinado pelo poder instituído, alegando-se fuga e tiroteio.

Disseram-me os estudantes que na cidade universitária achavam-se reunidos mais ou menos sete mil colegas que se diziam dispostos a romper o cerco e partir para um quebra-quebra noturno, caso eu não fosse até lá.

Após muitas negociações, comprometi-me a celebrar missa soleníssima na catedral em sufrágio do estudante. Insisti que a missa não fosse no *campus* da universidade – todo cercado de policiais –, mas na Catedral da Sé. Marcamos dia e hora: às dezoito e trinta da sexta-feira, 30 de março de 1973. O Conselho de Presbíteros aderiu por unanimidade e o bispo de Sorocaba da época, dom José Melhado, se dispôs a presidir a celebração.

Durante o dia procurei movimentar-me, como de costume. Estanislau, meu motorista lituano, me advertiu de que estávamos sendo seguidos naquela tarde, mesmo no percurso para a "hora santa" do clero das dezesseis horas, que realizávamos todos os meses na paróquia de Santa Ifigênia do centro velho, sempre com a presença do arcebispo. Não foi a primeira nem a última vez que fui seguido.

Todos os membros do Conselho de Presbíteros, sem exceção de um só, concelebraram com dom Melhado. Preguei em tom forte,[1] denunciando o assassínio oficial e a versão mentirosa. Durante a celebração, entrou a equipe da TV Globo para documentar, mas todos os estudantes diante dos quais desfilava a câmera filmadora cobriam automaticamente seus rostos com a folha de cânticos distribuída na entrada.

A prisão dos membros do CEBRAP – Centro Brasileiro de Análise e Planejamento – me surpreendeu durante a preparação do Sínodo dos Bispos de 1974. Como não conseguia tempo e tranqüilidade para estudar o assunto em São Paulo, convidei alguns assessores a auxiliar-me no sítio Remanso, das irmãs de São José de Chambéry, em Atibaia. Fomos interrompidos pela visita inesperada da superiora religiosa de minha casa, irmã Lourdes, com o grito de socorro que ouvira do professor Cândido Procópio Camargo, intelectual que, anos mais tarde, investigando o tema suicídio, iria infelizmente cometer esta violência contra si mesmo.

---

[1] A íntegra da homilia pode ser encontrada na biografia *Dom Paulo Evaristo Arns – Um homem amado e perseguido*, de Evanize Sydow e Marilda Ferri, Editora Vozes, 1999.

Instado a intervir para salvar as vidas dos pesquisadores Vinícius Caldeira Brant, Paul Singer e outros, voltei de imediato a São Paulo. Em minha sala de visitas me aguardavam os professores Fernando Henrique Cardoso e Cândido Procópio. De outros, não me lembro. Convenceram-me a comunicar-me, pessoal e energicamente, com o general-comandante do 2º Exército, Ednardo d'Ávila Mello. Já era tarde, quase vinte e três horas daquele sábado, quando me deixaram. O leitor pode imaginar que dificilmente eu conseguiria conciliar o sono naquela noite. Tomei calmante para dormir e raciocinar ao mesmo tempo. Só conseguia imaginar à minha frente torturadores e torturados. Às duas da madrugada levantei-me. Fui ao escritório e redigi carta enérgica ao comandante, acusando-o da responsabilidade por esses atos atrozes, que seriam comunicados a todos os centros de difusão da Europa e dos Estados Unidos. Lembro-me de que a letra me saía um tanto trêmula e desfigurada, como acontece quando estou cansado ou interiormente perturbado.

O efeito da carta, entregue sob protocolo ao general na manhã seguinte, em pleno domingo, dia 22 de setembro de 1974, surtiu efeito instantâneo. Ednardo veio pessoalmente à minha residência, acompanhado apenas por um oficial, e negou qualquer tortura ou dano aos prisioneiros. Provei-lhe, de imediato, que o pesquisador Vinícius Caldeira Brant, torturado horrorosamente, estava nas últimas, e entreguei-lhe a lista de outros nomes já sob tortura ou com ameaça de sofrê-la. Todos esses intelectuais me eram muito caros porque a maioria havia sido expulsa da universidade e alguns foram acolhidos pela PUC de São Paulo, com imensa honra para nós. Mais tarde, eles iriam publicar os livros *São Paulo 1975 – Crescimento e Pobreza* (Edições Loyola, 1976) e igualmente *São Paulo: Trabalhar e Viver* (Editora Brasiliense, 1989). Ednardo não me perguntou como eu pudera obter informações tão exatas. Eram porém rigorosamente verdadeiras. No mesmo dia, à tarde – às quinze horas mais ou menos –, alguém gritou pelas salas de interrogatório e de torturas: "O chefe manda suspender o trabalho." Depois ouvi que fora a hora certa para salvar o Dr. Vinicius e talvez outros.

Nos dias seguintes foi lançada uma bomba na casa alugada onde funcionava o CEBRAP. Este fato e outras ameaças obrigaram os cientistas a alugar um andar bem mais alto num arranha-céu da Avenida Paulista, onde os vi trabalhar como heróis após uma batalha, mas esperançosos de ganharem a guerra.

Também sofri ameaças por cartas, com assinaturas cifradas, dizendo que não chegaria a ler a quarta missiva. Li duas e continuei vivendo, mas preparado para o que viesse. Comuniquei o fato ao governador Paulo Egydio, que me confidenciou também estar recebendo semelhantes mensagens. Curiosamente, os timbres postais sempre indicavam as proximidades da Rua Tutóia, onde funcionava a Operação Bandeirantes – OBAN, principal sede da tortura do 2º Exército –, ou as agências de correio vizinhas dos lugares de tortura conhecidos.

O livro *São Paulo 1975 – Crescimento e pobreza*, encomendado por nós aos cientistas do CEBRAP, sobre análise da situação da cidade de São Paulo, foi publicado com algum risco pela editora dos padres jesuítas em 1976 e teve o mérito de alertar os incautos sobre as injustiças praticadas contra o operariado, mal pago, a proteção às multinacionais e as manhas do governo estadual e sobretudo federal.

Foi, então, iniciada a construção das usinas nucleares de Angra dos Reis, fracasso quase total, além de constante ameaça ao meio ambiente. Surgiram os projetos de inundação das Sete Quedas do Iguaçu, para a análise dos quais não foram levadas em consideração propostas que salvariam da invasão das águas as melhores terras do Paraná, além das belezas naturais. Elaborava-se Carajás e tomavam-se emprestados dólares, a ponto de nossa dívida subir de 3,5 a 4 bilhões de dólares antes do golpe para 110 bilhões de dólares. Esbanjou-se dinheiro a tal ponto, que uma CPI daquele tempo nos faria corar a todos de vergonha. Com a censura total, nem chegamos a descobrir, pois o Presidente Geisel fechou o Parlamento só o tempo suficiente para tomar de empréstimo os 30 a 40 bilhões que nos custaram os aparelhos nucleares importados da Alemanha.

A partir de 1976 abriram-se as nuvens pesadas da censura à imprensa para permitir ao céu lançar as angústias e os ecos de algumas verdades, nem sempre edificantes. Foi assim que pude denunciar à opinião pública, tanto do Brasil quanto de fora, os desmandos cometidos pela polícia do então secretário da Segurança Pública, coronel Erasmo Dias, na famosa "invasão da PUC" de 1977, descrita na segunda parte deste livro.

Tal foi a violência dos soldados e tão vergonhoso o episódio, que as filhas do secretário estadual dos Transportes, conforme relato feito a mim pelo próprio pai, Thomas Magalhães, arrumariam suas malas e partiriam de casa se ele não pedisse imediata demissão do cargo ao governador Paulo Egydio Martins. Este, como lembrei anteriormente neste livro, nos acusara pela TV mostrando material "subversivo" e exigindo que o vice-reitor da PUC confirmasse que tudo pertencia à universidade, depois de a polícia ter manipulado o acervo! Ridículo, espantoso, degradante, ofensivo à cultura e à dignidade paulistana!

O assunto das relações entre o governo, o operariado e a Igreja também era pouco ou mal transmitido pela imprensa no tempo da ditadura. Por isso, creio ser meu dever registrar os seguintes fatos:

No início do governo Castello Branco, em 1964, a JOC – Juventude Operária Católica – foi colocada sob suspeita e, logo após, duramente perseguida. Dom Cândido Padin, que acabara de ser nomeado bispo para dar assistência à Ação Católica, lançou-se com extrema coragem em sua defesa. A qualificação e o tino de advogado lhe valeram grandes e importantes vitórias, tanto na defesa da JOC quanto da JUC – Juventude Universitária Católica – e da ação de toda a Igreja do Brasil no campo social.

O Presidente Castello Branco, reservado nas declarações, não hesitara em qualificar dom Hélder Câmara como por demais "vermelho", ou seja, comunista. Toda ação em favor ou junto aos operários era assim rotulada. Eu mesmo o experimentara como assistente – não oficial, mas muito real – da Juventude Operária Católica, na diocese de Petrópolis, que tinha sua sede no bairro do Itamarati, minha capela, dependente juridicamente da catedral. Quando explodiu o golpe, fui logo procurado por uma funcionária do correio petropolitano que me apresentou uma série de telegramas do que ela chamava de "minha" JOC, dando apoio a atos do governo Goulart. Foi preciso insistir e ameaçar para ela não entregar todo o meu grupo, denunciando-o como comunista.

A psicose anticomunista tomava conta de todas as cabeças de tal forma, que os militares não se deixaram sensibilizar pelo fato de que um leigo do nosso grupo tivesse sido eleito delegado em uma assembléia da JOC em Roma pouco tempo antes.

Felizmente não ousaram tocar nos membros – aliás excelentes e muito respeitados – deste meu núcleo jocista. Alguns deles me haviam advertido de que o nome de frei Evaristo Paulo Arns figurava, para ser eliminado, em duas listas de suspeitos que circulavam nos meios militares: uma de "comunistas", outra de "anticomunistas".

Como bispo auxiliar assisti, por diversas vezes, a depoimentos prestados por líderes operários nas reuniões arquidiocesanas das quartas-feiras, nas quais estavam presentes os vigários episcopais – bispos e não-bispos. Não me dava conta da tempestade que se armava contra os operários, nem tampouco adivinhava que o eixo de todo o regime militar se chamava conflito capital-trabalho. O primeiro devia, a todo custo, prevalecer sobre o segundo.

Anos mais tarde, essa questão se tornou explícita para mim. Um comandante do 2º Exército, católico praticante que me consultava em casos de consciência, me abordou da seguinte forma: "Senhor cardeal, fui promovido ao Superior Tribunal Militar, para surpresa minha, antes do prazo previsto. Gostaria então de fazer ali a sua defesa, como também junto a colegas que o consideram elemento perigoso. Para tanto, preciso de uma declaração explícita sua dizendo que o senhor é a favor do capitalismo como única solução para o Ocidente e o mundo."

Respondi-lhe, com muita firmeza e tranqüilidade: "O senhor pode afirmar que sou contra o comunismo e contra o capitalismo, pois ambos nos privam dos quatro esteios da sociedade, indicados por João XXIII, papa de feliz memória: Justiça, Verdade, Solidariedade e Liberdade. Temos que encontrar outro modelo ou terceira via." A declaração espantou o comandante, que ainda lamentou o fato de eu não me alinhar à opinião básica dos responsáveis pelo governo.

Embora a primeira fase do golpe de 1964 se dirigisse, com precisão e violência, contra líderes políticos, intelectuais e liberais interessados na justiça social, não poupou lideranças operárias, como já lembrei no caso da JOC e como relatei no capítulo "Trabalhadores: fidelidade e esperança", na segunda parte deste livro.

No dia 25 de janeiro de 1974 compareci ao Pátio do Colégio a fim de presidir à missa comemorativa da fundação da cidade. As autoridades costumavam estar presentes em palanque especialmente montado e guardado. Como o general-comandante Ednardo assumira o comando da 2ª Região Militar na minha ausência, subi os degraus. Cumprimentei as autoridades e chamei-o à parte, dizendo que iria denunciar o fato da prisão e da tortura de operários, e desistiria da celebração caso ele não me prometesse intervir de imediato em favor dos presos. Prometeu fazê-lo a partir do dia seguinte. Infelizmente, não foi fiel nem a esta nem a outras promessas.

Na visita ao DOPS, ao tentar visitar os operários torturados, fui atendido, como já contei, pelo seu diretor, delegado Vieira, que gostava de mencionar o fato de ser sobrinho e afilhado do célebre jesuíta padre Arlindo Vieira. Ao saber disso, não pude deixar de exclamar: "Uma razão a mais para despertar a ira divina se continuar com a profanação que se chama tortura!"

Nas muitas horas que tive de espera, conversando com os cinco delegados de plantão, lembro-me de que todos confessaram que mandavam torturar, mas que não era por maldade. Um havia estudado no Carmo, outro com jesuítas, outro com salesianos, um se formara na PUC. Quando eu perguntava a cada um: "O senhor nunca sentiu que Deus não o deixaria impune?", respondiam relatando seus dramas pessoais e familiares. Nem um só estava impune diante de Deus e da consciência.

Depois de diversas idas e vindas, consegui ver alguns presos. Ameaçara denunciar seus nomes à imprensa mundial caso os funcionários do DOPS demorassem mais a me apresentar as vítimas. Waldemar Rossi veio, se arrastando, entre dois delegados. Perguntei-lhe se podia ajudá-lo em alguma coisa, e ele respondeu, baixo e tranqüilamente: "Remédios, dom Paulo."

Encarei os delegados, que baixaram o olhar.

Depois me trouxeram a professora e educadora de Campinas Maria Nilde Mascellani, presa havia cinqüenta dias numa cela separada. O Dr. José Carlos Dias, que também me acompanhava, percebeu que haviam instalado um aparelho de escuta ao lado de nossas cadeiras, dizendo: "Estejam à vontade. Vamos deixá-los a sós." Ele nos convidou então, em silêncio, a falarmos baixinho em lugar mais distante do aparelho. Em menos de um minuto apareceu um policial pedindo que nos assentássemos como ele propusera. Quando declinamos, ele permaneceu de pé, ouvido encostado à nossa conversa. Diga-se de passagem que os policiais haviam tentado difundir o boato de que aquela professora era minha amante, ela que me revelara a própria consagração pessoal a Deus e somente uma vez na vida estivera em minha casa!

Já contei que fui obrigado a interromper minhas férias no Paraná, onde fora visitar minha mãe gravemente enferma, para atender a um chamado urgente de São Paulo. Ao retornar a Curitiba, ela veio a falecer dois dias depois, no dia 11 de fevereiro de 1974, festa de Nossa Senhora de Lurdes. Na manhã seguinte, o diretor do DOPS fez subir os presos à sua sala para comunicar-lhes com um sorriso sarcástico: "Quero avisá-los de que a mãe do cardeal dom Paulo morreu. Podem retirar-se."

Um jornalista preso me contou esse fato publicamente, anos depois.

Em janeiro de 1976 morreu na tortura o operário Manuel Fiel Filho, o que ocasionou – foi a última gota – a deposição do comandante Ednardo d'Ávila Mello.

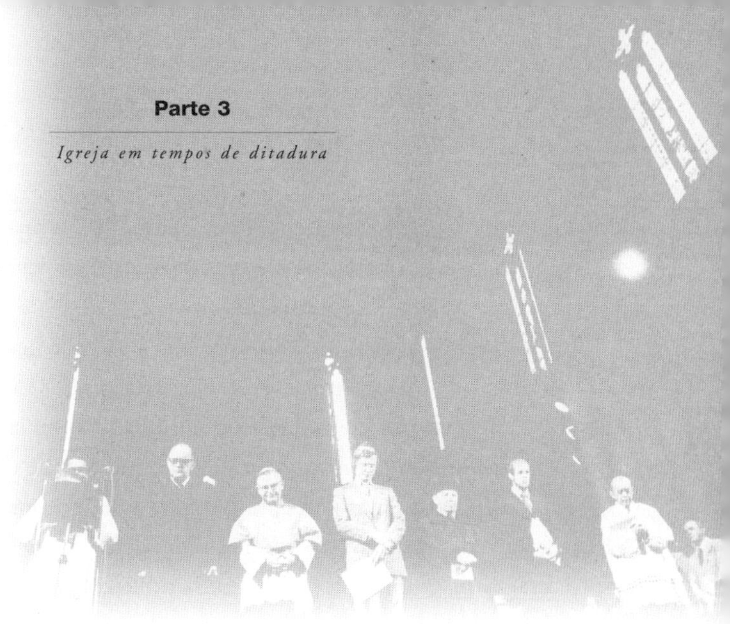

2 *Tentativas de diálogo*

O marechal-do-ar Eduardo Gomes era tido por nós, em Petrópolis, como símbolo de retidão e patriotismo. Os estudantes de teologia, curiosos como todos os jovens, vinham contar a mim, seu professor e educador, sempre que o marechal estava na igreja. Eles interpretavam sua presença e a devoção com que rezava como perigo se aproximando. Sempre que alguma nuvem ameaçava o céu brasileiro, ele, que era um homem reservado e de poucas palavras, passava uma, duas ou mais horas na Igreja do Coração de Jesus da Rua Montecaseros e nos anunciava, assim, algum futuro tenebroso para o Brasil.

Era o que acontecia também quando Eduardo Gomes vinha encomendar missas, sempre em grande número, em favor dos pilotos acidentados da nossa aeronáutica. Em seguida acrescentava uma espórtula para os pobres que recorriam à nossa comunidade e uma contribuição para a biblioteca dos estudantes. Quem o acolhia no convento e lhe prestava contas era o professor de Sagrada Escritura e antigo provincial frei Mateus Hoepers. Quando este foi transferido de Petrópolis, Eduardo Gomes me chamava e sempre exigia que eu registrasse numa folha, com muita clareza, quantas eram as missas, qual a espórtula e a quantia para a biblioteca teológica.

Depois que me tornei arcebispo de São Paulo, Eduardo Gomes, escolhido para ministro da Aeronáutica, veio algumas vezes visitar-me, sempre informando o endereço da hospedagem e indicando a igreja onde diariamente assistia às cerimônias litúrgicas. Eu esperava que ele me dissesse alguma coisa a respeito do governo, mas jamais alguma palavra indiscreta feriu os seus lábios. Para ele eu era arcebispo e superior religioso a quem devotava o maior respeito, mas nada confiava a propósito da política.

Foi por isso motivo de grande surpresa quando ele adoeceu e se transferiu de Petrópolis para um apartamento na Praia do Flamengo, no Rio de Janeiro. Um telelefonema da residência dele convidou-me para um colóquio durante uma tarde inteira, sem mencionar as pessoas que iriam participar desse encontro. Era janeiro de 1972. Quando subi ao apartamento, encontrei nada menos que alguns organizadores do novo governo de 1968. Encontravam-se todos reunidos numa sala munida de uma câmera de filmagem. Fui conduzido primeiro ao quarto onde o marechal Eduardo Gomes repousava. Ao ver-me, dirigiu-se a mim: "Dom Paulo, estão todos aqui à sua espera." Voltando-me para a irmã do marechal, que me acompanhava, brinquei: "Pois é. Os revolucionários à minha espera. Muito cuidado com eles, são homens perigosos."

Em seguida, Eduardo me confidenciou, com a seriedade costumeira, que eu iria conversar com os responsáveis pela situação que eu encontrara como arcebispo de São Paulo e que talvez não estivesse entendendo inteiramente.

Fui conduzido novamente à sala onde se encontrava o grupo que iria ouvir as minhas queixas e interpretar o que chamávamos de fase obscura e mais dura de todo o regime militar. Entrou, então, o próprio Eduardo Gomes para dizer: "A dom Paulo Evaristo os senhores podem contar tudo, e peço igualmente que escutem com atenção o que ele tem a lhes dizer."

A câmera filmadora fora provavelmente instalada para transmitir ao próprio marechal o conteúdo do nosso diálogo, dando-lhe a possibilidade de ouvir os dois lados e, quem sabe, tomar alguma resolução necessária. Nossa conversa foi muito realista, mas igualmente respeitosa. Depois de três ou quatro horas, eu havia contado os casos mais pungentes da perseguição à nossa gente de São Paulo. Eles poucas explicações me deram a respeito, mas escutaram com a maior atenção o que eu lhes expunha. A certa altura da conversa, o marechal Eduardo Gomes entrou lentamente no aposento em que estávamos e perguntou apenas se o diálogo fluía com a sinceridade e a simplicidade necessárias.

Nunca soube se essa conversa franca e aberta teve alguma conseqüência para o regime militar. Só me lembro de que, ao ser acompanhado até a condução que me levaria ao aeroporto, um membro da comissão do AI-5 se manifestou dizendo: "Agradeço-lhe a franqueza e sobretudo a apresentação de fatos e não de teorias a respeito do movimento militar."

Só posso dizer que a figura do marechal Eduardo Gomes pairava sempre diante de meus olhos quando eu tinha que dialogar com as diversas pessoas que julgava responsáveis pelas injustiças cometidas em nossa cidade de São Paulo.

Venero até hoje o grande patriota que organizou o Correio Aéreo Nacional e nutria tamanha afeição aos companheiros da aviação militar, que mandava celebrar missas por eles e por todos os seus parentes e amigos. Nós o admirávamos como grande técnico, patriota e cristão excepcionalmente ligado a Deus e à história de seu povo.

Neste mesmo contexto devo colocar as conversas freqüentes com o antigo governador de Minas, Magalhães Pinto, que ajudara a detonar o golpe de 1964 contra o governo João Goulart.

Quando ele deixou o governo de Minas, chegou a ocupar diversas posições de destaque na orientação dos militares, e foi nessa época que ele me procurou como cardeal-arcebispo de São Paulo para dar explicações.

Em todas as visitas, ele buscava justificar a sua posição, apesar de saber que a minha insatisfação ia crescendo à medida que os membros da Ação Católica e as pessoas mais respeitadas deixavam o Brasil ou se sentiam perseguidas por defenderem os quatro elementos da democracia: a justiça social, a solidariedade, a honestidade e a liberdade.

Já revelei ao leitor o episódio em que o Presidente Costa e Silva quis declarar *persona non grata* o núncio apostólico na época, dom Sebastião Baggio.

Magalhães Pinto, como ministro das Relações Exteriores, fez ver ao presidente da República, com a diplomacia de bom mineiro, que não havia provas para tanto. E também acrescentou, com muita insistência, ao Presidente Costa e Silva, que se apresentava como católico, que o núncio Sebastião Baggio certamente seria chamado a Roma, feito cardeal após certo tempo e candidato muito provável a suceder Paulo VI. Qual não seria o prejuízo, para não dizer a vergonha do Brasil, por ter tido uma atuação tão negativa na vida de uma pessoa destinada a reger a Igreja Católica no mundo inteiro e assim ser venerada como pai da cristandade no Brasil?

Costa e Silva desistiu da idéia de declarar o núncio apostólico *persona non grata,* e o governo militar aproveitou a primeira ocasião para homenageá-lo de maneira toda especial, embora insólita, em Brasília. Foi quando Baggio veio de Roma como representante oficial do Papa Paulo VI no Congresso Eucarístico Nacional de 1975, em Manaus. O próprio cardeal Baggio me perguntou se eu sabia o motivo desse tratamento especial – banquetes e homenagens –, mas eu não podia, para não magoá-lo, confiar-lhe o que o ministro Magalhães Pinto me havia transmitido em segredo na minha própria residência.

O mesmo cardeal Baggio acompanhava com interesse especial a evolução do movimento chefiado pelos militares e conduzido sem o preparo necessário para governar um país que se dizia democrático, apesar da mão de ferro que o dominava.

Quando nas instâncias governamentais começaram a surgir militares tidos como menos "duros", veio visitar-me José Sarney, o futuro presidente, para perguntar se a fundação de um partido como o PFL poderia servir de transição para um regime que fosse confiável aos militares e aceito pelos civis em nossa terra. Minha posição era em princípio favorável à formação de um partido, desde que fosse capaz de promover a volta à democracia sem derramamento de sangue.

Felizmente, durante as tentativas de diálogo com as autoridades das forças armadas, nem todo carvão era brasa.

Entre os colóquios que ultrapassaram os limites da própria Arquidiocese de São Paulo, indo atingir pontos julgados "intocáveis" pelos militares, situam-se as conversas com o general Golbery do Couto e Silva.

O primeiro encontro se deu no momento em que o general Geisel preparava a sua equipe no Rio de Janeiro para assumir o governo. Foi no Rio, na casa de um amigo comum ao qual o Brasil mais deve do que imagina: o secretário executivo da Comissão Nacional Justiça e Paz, professor Cândido Mendes de Almeida.

Não havia pressa. Nem limitações. Menos ainda intimidação.

Quando eu narrava algum fato irregular ocorrido em São Paulo, o homem considerado misterioso por uns, pouco confiável por outros, não só concordava com o que eu dizia, mas reforçava meu argumento ilustrando-o com exemplos da sua experiência pessoal. A certa altura me pareceu que buscávamos saídas para situações que se prolongavam ou se estratificavam. Desmandos provocavam condições para desmandos ainda mais inadmissíveis, e a espiral da violência ameaçava as famílias que procuravam defender as pessoas perseguidas.

Como acabar com aquele estado de coisas?

Algumas qualidades do chefe da casa civil de Geisel aparecem em todos os relatos e por isso passo apenas a mencioná-las: era homem muito inteligente, informado e curioso, com uma conversa informal agradabilíssima. O que era novo para mim é que ele procurava interlocutores na Igreja, que ele considerava mais bem informada do que o próprio SNI, criado por sua influência.

A reunião começou um pouco antes do almoço e foi terminar pelas três ou quatro da tarde. Golbery logo se revelou totalmente contrário às torturas e chegou a contar pormenores de casos horripilantes passados no Rio com o método embrutecido do grupo escolhido para arrancar segredos aos presos por causa de sua ideologia. Confessava claramente que aceitava nossa luta contra a tortura e as prisões arbitrárias. Pedia no entanto algum tempo para que o seu governo, quer dizer, o governo do general Geisel, que daí a pouco assumiria, pudesse encontrar respaldo na reação contra tais desordens e as graves falhas contra o direito e a justiça.

Na hora da despedida, convidou-me a entrar em seu carro e acompanhá-lo até o escritório do general Geisel, futuro presidente, caso ali não houvesse jornalistas naquele momento.

Não foi possível, porque os militares sempre viviam cercados de repórteres ainda habituados a reproduzir só o que o governo e não o povo desejava exprimir.

Esse primeiro diálogo suscitara esperanças. Iríamos experimentar a realidade dentro em breve.

Novo encontro se deu naquele mesmo ano, num almoço em Brasília, com a presença do professor Cândido Mendes. Quando este foi chamado ao telefone – o que se repetia muito –, perguntei de surpresa ao chefe da Casa Civil por que eles não preparavam as condições para abolir a censura. O remédio não poderia começar com a dose mínima de liberdade para a imprensa escrita?

A resposta de Golbery foi imediata: "Seria muito melhor para nós, mas os grupos militares fortes temem a publicação de irregularidades que possam escandalizar o público."

Propus então que aproveitasse a ocasião única que se avizinhava: o centenário de fundação do jornal *O Estado de S. Paulo*. Este atacava o governo com versos de Camões, mas também não poupava a Igreja. Seria ótima ocasião de deixar correr as notícias, porque a autocensura do próprio jornal garantiria o êxito da medida e o começo de uma nova era. O governo não censuraria a edição do centenário e a partir daí suspenderia de vez a censura no *Estadão.*

O general Golbery advertiu: "O senhor não conhece essa gente da linha dura, dom Paulo. Eles não vão permitir." Mas eu mantive minha convicção: "Eles vão permitir, general, porque o *Estadão* combate a Igreja."

A idéia pareceu agradar e de fato a censura foi abolida a partir daquela ocasião, embora deixassem explicitamente fora da medida o modesto jornal da arquidiocese, o semanário *O São Paulo*, e dois outros jornais cariocas de menor tiragem.

Nem sei se os diretores do tradicional matutino paulista ficaram sabendo dessa nossa interferência.

Novo encontro com o general Golbery, durante um almoço em 7 de agosto de 1974, em Brasília, ocorreu no meu regresso de uma visita à igreja-irmã de Itacoatiara, no Amazonas. Creio que lhe preparei uma grande alegria, porque propus que ele mandasse examinar os terrenos cultivados pelos índios em Urucará, município daquela prelazia amazônica, embora eles não possuíssem a titulação necessária. Os tuxauas (caciques) me pediram, naquela visita, que falasse ao presidente da República, porque – eles haviam aprendido noções de protocolo em cerimônias presidenciais – um cardeal está acima dos governadores e equivale a vice-presidente da República, assentando-se, portanto, ao lado do mais alto mandatário da nação, podendo assim evitar que os "maus paulistas nos tirem as terras que já estamos cultivando em comunidade".

O general Golbery quis saber exatamente a situação e as condições do lugar. Eu lhe trouxera um belo mapa confeccionado por voluntários italianos que lá trabalhavam, indicando o lugar exato das plantações de arroz e de feijão nas proximidades de Urucará. Ele me pediu todo o material e, ao sairmos da casa, voltou para retomar o mapa e as indicações que eu lhe deixara.

Alguns meses mais tarde o general Golbery me comunicou que as minhas informações eram absolutamente exatas e que o governo iria tomar a iniciativa mais adequada em favor dos índios. De fato, poucos meses mais tarde, recebi uma carta datilografada pelo padre de Urucará com o nome de todos os tuxauas e a impressão digital de cada um deles ao lado do nome. Agradeciam ao cardeal de São Paulo o fato de agora possuírem terras e poderem cultivá-las em favor de suas tribos, e bendiziam a solução pacífica do problema.

Ficou gravada em mim a expressão do fundador da polícia mais secreta do Brasil: "A Igreja é a única a ter ramificações capilares em todo o território nacional. Suas informações são preciosas."

Pensei: "Preciosas, mas nem sempre bem aceitas. Poderíamos ter impedido tantas tragédias e evitado tanto sofrimento!"

Na mesma ocasião o general Golbery me perguntou quais as minhas relações com o bispo dom Pedro Casaldáliga, do Mato Grosso. Respondi imediatamente que ele era conhecido não só no Brasil, mas em todos os países, sobretudo da Europa, e desfrutava de alto conceito junto ao Papa Paulo VI, como eu próprio ouvira dos lábios do pontífice.

Ele me confidenciou então que o decreto de expulsão de dom Pedro já estava sobre a mesa do presidente da República, que hesitava em assiná-lo. Perguntou-me logo a seguir se eu conhecia alguma pessoa que pudesse intermediar o diálogo entre ele – Golbery – e dom Pedro. Apontei-lhe, sem titubear, o padre Virgílio Uchoa, lotado na sede da Conferência Nacional dos Bispos do Brasil, em Brasília.

Nunca soube se houve alguma comunicação ou se o decreto desapareceu misteriosamente, como alguns outros, da mesa do presidente, assim como misteriosamente ali eram colocados.

Quando foi morto sob tortura o admirável jornalista Vladimir Herzog, seu companheiro Mino Carta pediu que eu ligasse, se possível, para o general Golbery. O atendimento foi imediato, e a secretária até me disse que ele aguardava alguma notícia de minha parte.

Quando lhe contei que Vlado havia sido morto, ouvi um murro junto ao telefone e a frase: "Foi uma traição!" Perguntei: "E agora?" Ele respondeu: "Pena. Agora é tarde e nada se pode fazer."

Mesmo nessas circunstâncias, o general Geisel veio a São Paulo para inaugurar o Centro Campestre do SESC na zona sul, e o governador Paulo Egydio Martins procurou evitar minha presença na Catedral de São Paulo por ocasião da cerimônia ecumênica realizada naquele dia 31 de outubro de 1975, sétimo dia após a morte do jornalista.

Dois amigos meus, que eram secretários do governador, me procuraram em casa tentando me dissuadir de celebrar a missa. Depois de usarem os mais diversos argumentos, apelaram para uma razão extrema: "Vai haver derramamento de sangue." Respondi com convicção: "Lá estarei para evitar mortes. O pastor não abandona o seu rebanho quando há uma ameaça." Decidi realizar aquele comovente ato inter-religioso com o coração voltado para Deus e para a liberdade no Brasil.

Talvez tenha sido por esse motivo que o general Geisel, algum tempo depois, concedeu uma entrevista a um pequeno grupo de jornalistas – porque não costumava falar à grande imprensa nem conceder entrevistas oficiais aos comunicadores. Nessa conversa com repórteres foi citado, entre outros, o meu nome, e o general Geisel, que agora não contava mais com Golbery como chefe da Casa Civil, afirmou com muita ênfase que o cardeal de São Paulo ainda iria sentir a sua mão forte contra ele.

Acontece que um desses jornalistas era amigo íntimo do cardeal de Fortaleza, dom Aloísio Lorscheider, e lhe passou essa informação. Dom Aloísio tomou o primeiro avião e veio confiar-me, em São Paulo, que eu deveria precaver-me contra alguma ação muito forte.

Nunca soube qual teria sido essa ação, nem quais as precauções que eu deveria tomar para que elas não chegassem a tornar-se realidade deprimente.

Talvez o general Golbery tenha ainda chegado a avisar o presidente Geisel que eu levara para Brasília, tempos antes e sem alarde, cerca de quarenta familiares de pessoas torturadas, desaparecidas ou condenadas, e que passara com ele e o advogado José Carlos Dias uma tarde inteira na sede da CNBB, onde cada uma delas expôs com clareza o que acontecera a seu parente ou amigo. Nomes de militares e civis se misturavam, e as situações eram mais do que dramáticas.

Os resultados foram minguados. Mas, no final, ao fechar a porta do carro, ouvi a expressão de lamento: "Dom Paulo, não pensei que tanta coisa ocorresse em nosso governo. É lastimável que tais fatos aconteçam ainda e justamente em São Paulo, onde o povo tem uma sensibilidade especial para a cidadania e a justiça no governo."

Ao concluir este breve relato, devo confirmar que o general Golbery esteve presente nas bases do golpe militar, mas também ajudou a preparar um final menos desastroso do que temíamos para a terrível ditadura que sofremos.

Que Deus leve isso em conta.

3 *Esforços renovados de intermediação*

Nos mais diversos encontros que mantive com o general Golbery do Couto e Silva e com outras autoridades, nunca pude perceber quem era a favor da tortura, das prisões arbitrárias e do extermínio de todos os que se opunham ao sistema militar introduzido no Brasil.

O próprio general Golbery me falava da "linha dura", e diversas autoridades procuravam justificar prisões e até mesmo arbitrariedades. Um comandante do 2º Exército chegou a dizer, na minha casa: "Compreendo a sua situação, que é a do samaritano. Mas eu queria que o senhor também aceitasse a minha posição, que é a de guerra contra todos os amigos do comunismo."

É por isso que o encontro com os generais se tornou sempre mais urgente, porque eu percebia que os grupos de torturadores se protegiam mutuamente, mas também se eliminavam quando alguém desertava ou procurava outro posto na vida.

General Canavarro Pereira

Como bispo auxiliar de São Paulo (1966-70) sempre ouvia que o comandante do 2º Exército, embora pessoa muito culta e disciplinada, era o principal responsável, na região militar de sua jurisdição – os Estados de São Paulo e do Mato Grosso –, pelas prisões arbitrárias, as torturas e os desaparecimentos das pessoas contrárias ao regime.

Na visita protocolar que lhe fiz em novembro de 1970, como novo arcebispo de São Paulo, ele me recebeu com muita cordialidade, embora eu soubesse que no quartel-general corria a versão de que o "mais subversivo" dos bispos fora escolhido sucessor de dom Agnelo Rossi. Essa versão se deveu, sem dúvida, ao fato de eu ter visitado os presos dominicanos e ter relatado a tortura na assembléia nacional dos bispos, em Belo Horizonte.

Apesar de termos convivido nos respectivos cargos apenas poucos meses em São Paulo, nossos encontros foram freqüentes e sempre marcados pelo respeito mútuo. Um dia, porém, o general em pessoa telefonou-me marcando uma reunião de nós dois no Palácio Pio XII, residência arquiepiscopal da época. A conversa foi longa. Passamos em revista o Brasil, São Paulo e as tensões políticas, além da situação intolerável dos presos e a possibilidade de respeitarmos a justiça e a solidariedade humanas. A certa altura da amigável conversa, o general Canavarro me surpreendeu com a afirmação que reproduzo com as palavras que guardei desde aquele tempo: "Nestes dias de despedida do cargo, tive mais tempo livre e li, com crescente interesse e pela primeira vez, o Evangelho de Jesus." Depois acrescentou, com discreto sorriso: "É incrível. Cristo foi bem mais subversivo do que os senhores. Começo a entender por que tantos católicos citam a Bíblia quando são interrogados e quando justificam sua ação em favor dos mais pobres."

Em novo encontro, o comandante Canavarro me informou que seu sucessor seria o general Humberto de Mello e Souza. Acrescentou que este era membro da religião batista e certamente iria querer "mostrar serviço" em São Paulo, o que servia de advertência para eu me resguardar no relacionamento com ele. "É bom tomar cuidado", foi o aviso do general Canavarro.

No dia da chegada do novo comandante, general Humberto, compareci à cerimônia de recepção oficial no aeroporto, como era costume antes do governo Geisel. Na fila de autoridades que o aguardavam, colocaram-me logo após o prefeito municipal – porque eu ainda não era cardeal e protocolarmente não tinha o direito de figurar nos primeiros lugares.

O general Canavarro então deixou seu lugar ao lado do tapete vermelho que receberia a nova autoridade e veio buscar-me para ficar ao lado dele e do governador.

Os jornalistas que cobriam o ato verificaram que o novo comandante, Humberto de Mello e Souza, ao passar, saudou calorosamente seu predecessor general Canavarro e, no momento de estender-me a mão para o cumprimento, voltou o rosto para o lado contrário, o que acabou sendo interpretado como gesto de pouca consideração para com a autoridade religiosa.

General Humberto Mello e Souza

O primeiro incidente de que me lembro se deu por telefone. Liguei do Palácio Pio XII, e pedi para falar diretamente com o general, propondo que me recebesse em audiência. Respondeu que não dispunha de tempo para tanto. Então apresentei escusas e disse por telefone o que me levava a solicitar esse encontro. Eu verificara pessoalmente os maus-tratos aos presos que visitara no sábado anterior e gostaria muito que a justiça fosse estendida a todos os cidadãos e também àqueles que cuidavam dos pobres e procuravam um regime favorável ao povo.

O general Humberto, desde as primeiras palavras, tratou-me com extrema aspereza, terminando por dizer que eu próprio estava ameaçado, desligando abruptamente o telefone.

Poucos dias depois, um jornalista credenciado no quartel veio trazer-me a notícia de que escutara uma conversa do general com o ministro do Exército – que era irmão do futuro Presidente Ernesto Geisel. Em tal conversa e em revelação posterior do próprio general ao jornalista, tomei ciência de que Humberto de Mello e Souza pedira ao ministro que me confinasse no Palácio

Pio XII, minha residência, e cercasse aquela zona do bairro do Paraíso com tropas do Exército. Ao mesmo repórter o general Humberto confiou que o ministro Orlando Geisel não só rejeitara a proposta como acrescentara que uma ação dessas só poderia partir da autoridade mais alta do país, o presidente, e ordenou que o comandante não ousasse tocar na minha pessoa. Fui aconselhado a tomar cuidado para evitar acidentes provocados.

Apesar disso, os ataques verbais do general Humberto – cujo apelido era Jumbo – se tornaram públicos e sempre mais freqüentes. Até corria a versão de que o Presidente Médici colocara propositalmente esse comandante em São Paulo porque o havia escolhido para "pisar com bota a orgulhosa fronte paulista".

Era o tempo da humilhação de todo o povo e não apenas dos prisioneiros políticos.

Assim mesmo, tentei por diversas vezes organizar um encontro com o comandante Mello e Souza em minha residência ou, ao menos, no quartel dele, no Ibirapuera.

Não foi possível e, até o final de seu tempo de comando, sofremos mais do que em outras ocasiões.

Mais tarde nos confiaram o triste fim desse homem violento, em condições de isolamento impostas pelo próprio Exército.

General Ednardo D'Ávila Mello

O início do período de comando deste general foi um tanto tumultuado porque as prisões de operários e de jornalistas nos deixaram feridos em nosso brio de defesa dos mais perseguidos.

Não estive presente à sua posse, mas ele se apresentou no palanque das autoridades em frente ao altar durante a missa comemorativa do dia 25 de janeiro de 1974, quando eu celebrava os 420 anos de fundação da cidade de São Paulo. Antes de dirigir-me ao altar para a celebração, subi ao palanque para cumprimentar as autoridades presentes. Aproveitei o momento histórico para comunicar ao novo comandante, general Ednardo, que não poderia celebrar a missa programada porque acabara de receber a notícia de que quase setenta operários, jornalistas e outros líderes haviam sido presos e estavam sendo torturados. O comandante respondeu-me com muita delicadeza, pedindo que eu não revelasse o caso ao público, uma vez que ele apenas acabara de tomar posse e iria imediatamente providenciar a solução do problema.

Apesar disso, durante o sermão, falei que a Igreja sempre é perseguida, como o apóstolo São Paulo o fora no início do cristianismo. Não fiz porém alusão ao fato de grande número de operários, jornalistas e outros estarem naquela situação, aguardando solução rápida para o caso.

Na tarde do mesmo dia tive a honra de presidir a cerimônia litúrgica de consagração do novo abade do Mosteiro de São Bento, dom Joaquim Zamith. No final da homilia lembrei, diante de um público numeroso e seleto, que os mosteiros deveriam voltar ao exercício da caridade do tempo das perseguições. Naquela hora citei o caso dos presos em São Paulo, que se encontravam em situação humilhante e degradante.

Como já relatei antes, quando eu estava no Paraná, festejando os oitenta anos de minha mãe, recebi a visita do padre Cosmo Maestri e da irmã Michael Nolan, vindos de São Paulo para me pedir que os acompanhasse, porque, como disseram, "os presos não agüentam a tortura". Objetei que encarregara meu bispo auxiliar dom Lucas Moreira Neves de acompanhar o caso. Eles, porém, insistiram que queriam o cardeal, para que se evitasse o pior.

Na manhã seguinte, como é do conhecimento do leitor, fui ao DOPS revestido de todas as insígnias cardinalícias e contatei o diretor. Acabei conseguindo conversar com um dos presos, o líder operário Waldemar Rossi, todo machucado.

Repito este caso e o caso dos presos do CEBRAP porque eles merecem, e merecerão sempre, menção especial.

No final da visita que me fez naquele domingo, em resposta à minha carta veemente da madrugada, o general Ednardo me disse, com absoluta frieza: "O senhor cumpre o dever de defender como samaritano os presos e eu tenho a incumbência de conduzir a guerra até o fim."

A partir daquele dia, 22 de setembro de 1974, Ednardo d'Ávila Mello procurou empregar nova estratégia para apressar a sua ação. Era o assim chamado arrastão, quer dizer, a prisão de um número elevado de indivíduos da mesma profissão que pudesse facilitar a escolha daqueles que deveriam ser submetidos a inquérito especial. Naquele mesmo momento também eu tinha a certeza de que o general – aliás de trato elegante na conversa – não respeitava nem a ética nem a religião, pois um dia eu o interroguei sobre este assunto e Ednardo me confessou que levava a esposa e a filha à igreja, mas as aguardava no carro, lendo os jornais do dia.

Por isso mesmo, numa outra circunstância, não me admirei quando ele veio à minha casa propondo, com certa euforia: "Desta vez lhe trago um plano que deve ser do agrado do arcebispo de São Paulo: vamos iniciar uma campanha contra a pornografia que está sendo publicada sobretudo pelas editoras judaicas Bloch e Abril."

Reagi na hora, respondendo: "O que o senhor propõe fazer não é uma campanha contra a pornografia, mas sim um movimento anti-semita. Desculpe, jamais poderá contar comigo."

Quando ele insistiu na necessidade de "limpar" as bancas de jornais das publicações que classificava como "indecentes", eu lhe disse: "O senhor jamais poderá atribuir isso ao povo judeu ou a seus representantes nas comunicações. Cristo, o maior comunicador na Terra, foi judeu, e seus apóstolos, que difundiram a doutrina cristã, todos eles eram judeus também, inclusive o apóstolo Paulo. O senhor não só não poderá contar comigo nessa campanha, mas também saiba que empregarei todos os meios para denunciar aquilo que aconteceu nos estados totalitários da Europa e que tanto enxovalhou a história da humanidade."

Depois dessa afirmação indignada, o general se levantou e concluiu com a frase que me deixou um tanto apreensivo: "A partir de hoje não há mais conversa entre nós."

De fato, os diplomatas que iam visitá-lo me confiavam, por vezes, que o comandante dissera palavras bem pesadas contra o arcebispo de São Paulo, o mesmo que muitos haviam considerado como sendo um espírito universal e favorável à luta anticomunista.

Todos nós sabemos qual foi o desfecho das duas mortes – a de Vladimir Herzog e de Manuel Fiel Filho – que provocaram imensa reação em São Paulo:

o general Ednardo foi demitido e substituído por alguém que se tornaria meu amigo e, às vezes, colaborador em situações difíceis, o general Dilermando.

General Dilermando Gomes Monteiro

O primeiro encontro com ele veio precedido de comentários favoráveis. Considerado amigo íntimo do Presidente Geisel, teria sido nomeado chefe da Casa Militar em Brasília caso não tivesse sofrido um acidente. A missão de Dilermando parecia resumir-se na palavra que os jornalistas imediatamente valorizaram: comandante pacificador ou homem da paz. Foi também este adjetivo que eu empreguei na primeira entrevista e que marcou a imagem e a ação do comandante.

Alertei-o para as dificuldades que nos causavam o coronel Erasmo Dias e seus comandados, por ordem do governador Paulo Egydio. Lembrei-lhe até que pedira ao governador, antes de sua posse, que não conservasse naquele posto um militar, porque a polícia se sentia humilhada e nós todos sofríamos com as manifestações grosseiras do secretário de Segurança.

O próprio general comandante do 2º Exército chegou a se referir ao coronel Erasmo Dias como "flor que não se cheira", exatamente na hora em que eu fui procurá-lo para liberar os estudantes de direito cercados no Largo de São Francisco. Pedi que permitisse uma passeata, pois os universitários me haviam prometido que não prejudicariam nem as lojas nem o trânsito, muito menos os monumentos e os transeuntes. Cinco líderes desses estudantes me garantiram que passariam o microfone um para o outro, sem deixar inflamar-se a turma dos que poderiam causar desordem. O comandante prometeu chamar o coronel Erasmo, assegurando-me que poderia impor ao secretário a sua própria autoridade, pois afinal era militar e superior hierárquico do secretário de Segurança.

A mesma medida pedi ao comandante quando se anunciou a manifestação pela anistia ampla, total e irrestrita, lançada na catedral e visando sobretudo à volta dos dez mil brasileiros exilados na Europa, cansados com exílio tão injusto. Estávamos em maio de 1977.

Em 16 de junho daquele ano, o coronel Erasmo Dias mandou prender um estudante que se refugiara na igreja de Santa Ifigênia, em pleno centro da cidade, coisa que não acontecia nem mesmo na antiguidade anterior a Cristo, onde os templos eram refúgio seguro para qualquer pessoa.

Por duas vezes o comandante Dilermando me fez sentir como lhe faziam bem as boas relações que mantinha com a Igreja. Minha confiança chegou a tal ponto que, um dia, eu lhe pedi que me levasse a visitar os antigos lugares de tortura, porque corria o boato de que eles estavam sendo novamente aparelhados. O general me garantiu que jamais iria tolerar torturas junto a seu quartel, pois recebera ordem expressa para acabar com esse tipo de ultraje à pessoa humana. Retruquei que possuía o mapa de todas as dependências do quartel e poderia assim até antecipar-lhe os locais de tortura, uma vez que o arquiteto daquela edificação fora preso e me entregara a planta, que estava em meu poder.

A segunda demonstração de confiança foi muito maior do que a primeira. Fui convidado a dirigir-me, certa manhã, à residência do general Dilermando e não ao quartel-general, como de costume. Confiou-me então que quatro dos cinco comandantes do Exército eram contrários à nomeação do general João Baptista Figueiredo como sucessor de Ernesto Geisel na presidência da República. Mostrou-se de tal modo inconformado que precisou chamar sua esposa para relatar-me fatos que desabonavam a figura do general Figueiredo para a missão que poderia lhe ser confiada naquele momento. Dilermando queria prevenir qualquer levante na esfera militar, pois dizia que apenas o comandante do Rio Grande do Sul – aliás, o mais importante de todos – estaria a favor dessa passagem de comando na presidência brasileira a um general como aquele proposto pelo Presidente Geisel. Pediu que eu me mantivesse atento o dia inteiro a uma notícia que ele poderia enviar-me de Brasília, caso conseguisse demover o Presidente Geisel de seu propósito. Mais tarde, explicou-me que a manobra fracassara por causa da ida direta da autoridade militar mais importante, o comandante do Rio Grande do Sul, à presença do presidente.

A grande imprensa noticiou, em abril de 1980, que o Presidente João Figueiredo acusara o cardeal-arcebispo de São Paulo de incitar à greve os metalúrgicos do ABC, o que jamais poderia acontecer naquelas circunstâncias em que os sindicatos se sentiam absolutamente livres. Eis os termos publicados por um dos matutinos de nossa capital em 24 de abril de 1980: "Não conheço dom Paulo Evaristo Arns. Nunca tive contato com ele, mas pelas informações que tenho, ele está incitando à greve." Minha resposta não tardou: "Conheço pouco o general Figueiredo e certamente o conheço melhor do que ele a mim. Quanto à sua declaração, ela não teria sido feita pelo coronel Erasmo Dias?" Continua o jornal: "Figueiredo disse que a Igreja se conduz mal. E dom Paulo confirmou o apoio aos grevistas do ABC."

Quando se aproximava o final de seu tempo de comando, o general Dilermando veio pessoalmente à minha casa convidar-me para participar, mesmo que passivamente, das comemorações de 31 de março, data que a imprensa chamava da revolução ou do golpe. Lembrei-lhe então que poucas semanas antes, na ausência temporária do comandante, haviam feito explodir a célula considerada comunista na Lapa – Rua Pio XI –, explosão que causara mortes e prisões. Também lhe disse que o próprio cônsul-geral dos Estados Unidos, Frederic Chapin, me avisara que o acontecimento traria conseqüências imprevisíveis para a política externa. Aliás, esse diplomata costumava ajudar-me o quanto podia em situações críticas dos nossos prisioneiros. Não hesitava em ir oficialmente à cúria, nem teve dúvidas em convidar-me para uma homenagem especial do corpo diplomático, em 6 de junho de 1974. Tratou-se de um almoço organizado pela Sociedade Consular de São Paulo, a que compareceram representantes dos mais diversos países, até mesmo dos comunistas, e onde fui condecorado com a medalha de "mérito pessoal e relevantes serviços".

Outra noite, o general Dilermando telefonou e veio, em seguida, à minha casa para uma conversa que ele julgava sumamente importante. Logo de início me surpreendeu com a pergunta: "O senhor poderá confessar que as comunidades eclesiais de base são realmente células comunistas?" Respondi-lhe de imediato: "Como o senhor veio à paisana, nós poderemos sair agora mesmo em meu carro e ir na direção que o senhor indicar. Ali encontraremos comunidades de base reunidas e executando seus programas de costume. Em no máximo duas horas o senhor se convencerá, através de sua experiência, que o povo reza, canta, talvez até receba a eucaristia, mas certamente estará lendo a Bíblia e comparando-a com a realidade em que eles próprios vivem. Em seguida, prestam conta de seus serviços a doentes, pobres e outros amigos do grupo."

O comandante Dilermando se contentou em objetar: "Mas os pobres não podem conhecer a própria realidade. Isso será motivo de revolta e reivindicação!" A essa observação, eu lhe respondi: "Caro general, quando o senhor percebe algum erro ou falha no quartel, não procura remédio para tal situação?" Ele ainda tentou esclarecer-me que era outra a situação do Exército em relação à do povo pobre, repetindo: "O povo não pode saber da miséria em que vive, porque vai revoltar-se." Minha resposta foi imediata: "Sinto exatamente o contrário: o povo pode mudar a situação para melhor e deve fazê-lo o quanto antes."

Foi pena que o general Dilermando Gomes Monteiro não aceitasse minha proposta naquela noite e não pudéssemos, assim, visitar comunidades, algumas até de classe média, organizadas a partir da paróquia de Nossa Senhora do Rosário da Vila Pompéia. Apesar disso, ainda apanhei um exemplar do Novo Testamento, localizei os Atos dos Apóstolos, que considero o primeiro livro da história da Igreja, e abri-o diante do comandante no segundo e quarto capítulos, porque aí se encontra exatamente o que se fazia no início do cristianismo.

"Atos dos Apóstolos?" – perguntou o general. "Era então no tempo de Jesus?"

Na hora de passar o comando em São Paulo a seu sucessor, Dilermando avisou-me que viria despedir-se em minha casa. O leitor pode imaginar a legião de fotógrafos, repórteres e cinegrafistas que cercaram a minha casa para registrar esse momento de separação entre dois amigos.

No interior de minha residência, mostrei-lhe a Bíblia de Jerusalém e perguntei se a aceitava como presente e lembrança de nosso trabalho em comum.

Talvez tenha ocorrido ao general Dilermando o mesmo pensamento que teve o primeiro comandante, general Canavarro: ler o Evangelho de Nosso Senhor Jesus Cristo e perceber, em nosso tempo, o quanto ele é atual.

Dos demais comandantes do 2º Exército guardo lembrança muito vaga e sei que nem eles nem eu tínhamos muito interesse em encontrar-nos, depois que

Culto ecumênico por Vladimir Herzog,
Catedral de São Paulo, 31/10/75.
Foto Agência Estado.

Acima:
Dom Paulo e Mário Covas, São Paulo, 30/11/95.
Foto Douglas Mansur.

Dom Paulo e o presidente Fernando Henrique Cardoso, Brasília, por ocasião do ato que restituiu a Rádio Nove de Julho à Arquidiocese de São Paulo (decretada nula a perempção de 1973), 09/07/96.
Foto do fotógrafo oficial da Presidência, oferecida como presente a Dom Paulo.

Dom Paulo negociando com os seqüestradores do empresário Abílio Diniz.

Foto Abril Imagens.

Ao lado:
Dalai Lama e Dom Paulo na Catedral de São Paulo (9 de junho de 1992).
Foto Douglas Mansur.

Abaixo:
Dom Paulo e Ernesto Cardenal, Ministro da Cultura da Nicarágua, no Sumaré, 02/06/82.
Foto Ir. Lourdes Schramm.

Acima:

Dom Paulo em meio à Comissão Independente Internacional da ONU para Questões Humanitárias.

Foto enviada pela secretaria da Comissão para o arquivo pessoal.

À esquerda:

Dom Paulo e o General Dilermando na Cúria. Sem data.

Arquivo pessoal.

Visita do Papa João Paulo II a São Paulo, 3/07/80.
Estádio do Morumbi, encontro com os operários.
Waldemar Rossi, líder operário, faz a saudação.
Foto Felici, Roma.

Dom Paulo e Dom Hélder Câmara no culto ecumênico por Vladimir Herzog, 31 de outubro de 1975.

Foto Amilton Vieira, Abril Imagens.

fora liberada a imprensa e declarada a anistia ampla, total e irrestrita para os que se envolveram no golpe de 1964, que tanto prejudicou o nome e a situação de todos os brasileiros.

Gostaria de lembrar apenas três episódios que marcaram a passagem do comandante do 2º Exército, general Milton Tavares de Souza, em 1980.

O primeiro foi o ato da entronização da imagem de Nossa Senhora Aparecida no quartel-general de São Paulo, sem avisar o cardeal-arcebispo da cidade, mas convidando para tanto o responsável pela basílica da padroeira do Brasil situada na Arquidiocese de Aparecida. Este ato desagradou a todos os que haviam sido presos naquele local, como também aos que desejavam desvincular a religião de qualquer ato de crueldade ou de justificação de perseguições políticas.

O segundo fato se deu por ocasião da chegada do Papa João Paulo II a São Paulo, em julho de 1980. Na noite anterior ao evento, tão importante para a cidade, vieram os dois padres encarregados da organização do encontro do Papa com as religiosas no Ginásio do Ibirapuera comunicar-me que o comandante queria levar o Sumo Pontífice ao quartel-general do 2º Exército, a fim de fazer uma oração diante da imagem de Nossa Senhora Aparecida ali entronizada, dando assim destaque especial à visita papal aos militares.

Como essa cerimônia não fora prevista no roteiro previamente acertado entre os generais, os representantes do governo do Estado e os do Vaticano, sentei-me ao lado do motorista do papamóvel e exigi que ele não fizesse a escala de última hora no quartel, mas se dirigisse diretamente ao local programado oficialmente, que era o Ginásio do Ibirapuera. Já estávamos atrasados e era preciso evitar qualquer ato que significasse desobediência ao que fora acertado entre as partes citadas. De fato, consegui que o Papa fosse levado diretamente à reunião com as religiosas, onde se encontravam até as irmãs de clausura, e proporcionasse, assim, grande alegria e conforto a todas e todos que se dedicam totalmente à religião.

O terceiro fato poderia ter ocasionado uma crise. Na sexta-feira anterior à chegada do Papa a São Paulo, os representantes da empresa encarregada pelo governo estadual de preparar as instalações para a solenidade pontifícia no Ginásio do Ibirapuera e no Estádio do Morumbi chegaram à cúria com uma notícia totalmente inesperada: o secretário estadual de Esportes e Turismo, na época Francisco Rossi, havia acabado de lhes comunicar que o governo estadual não arcaria com as despesas para os equipamentos dos dois locais, indispensáveis à manifestação de João Paulo II.

Para o Ginásio do Ibirapuera, nosso grande amigo e artista Roberto Carlos sem demora ofereceu toda a montagem e ornamentação que sua equipe havia preparado para o *show* anual, que seria no domingo seguinte. As religiosas e religiosos puderam assim se alegrar naquele encontro único com o Papa. Cuidaram para que todos os detalhes fossem dignos da presença do Sumo Pontífice no local e ficaram devendo gratidão a Roberto Carlos por seu gesto amigo e generoso.

A questão do Estádio do Morumbi no entanto parecia quase insolúvel. Era o final da tarde da sexta-feira, e a empresa contratada já havia encomendado todo o material necessário ao funcionamento do som e à colocação do palanque onde o Papa se apresentaria. Perguntei aos funcionários da empresa qual a soma necessária para a montagem de tudo o que havia sido projetado e acrescentei: "Os senhores estariam dispostos a cobrar apenas o material e os custos com os operários?" Responderam de pronto que sim, mesmo que isso acarretasse algum prejuízo para a firma. Até acrescentaram que se contentariam com um terço do estabelecido pelo contrato com o governo, caso a cúria lhes pagasse à vista. Como infelizmente não dispúnhamos da quantia, telefonei na mesma hora para o banqueiro e ex-prefeito Olavo Setúbal, perguntando se ele poderia adiantar-nos a soma necessária. Relatei-lhe todo o imprevisto e ele, no mesmo instante, mandou sacar a importância na agência mais próxima do banco que dirigia. Até acrescentou que eu só precisaria devolver o dinheiro na hora em que a Mitra Arquidiocesana estivesse em condições favoráveis para fazê-lo.

Muitos ficaram sabendo desse fato e protestaram abertamente contra o governador Paulo Maluf, que tinha criado tais obstáculos para a realização dos eventos, por ter sido um dos primeiros a se apresentarem para comungar das mãos do Papa na missa celebrada no Campo de Marte, diante de todos os jornalistas e comunicadores presentes. Ficara determinado que receberiam a comunhão das mãos do pontífice apenas as pessoas designadas por algum bispo, e certamente o governador não era uma delas.

Apesar das dificuldades, as cerimônias previstas para os dois locais se realizaram em plena harmonia, embora o operário Waldemar Rossi – designado para saudar o Papa – tivesse que reduzir a extensão de seu pronunciamento, um tanto agressivo no original. Tal medida foi sugerida pelo secretário do papa, que recebera antecipadamente uma cópia do discurso.

Naquele dia 3 de julho de 1980 o tempo era frio e chuvoso. Mas a chuva não chegou a atrapalhar a manifestação, por causa do entusiasmo e da alegria dos operários e da multidão, tão achegados ao papa, que também fora operário na sua mocidade. O próprio Pontífice João Paulo II me confessou, naquele momento, que estava habituado a tal clima afetivo em sua pátria, a Polônia.

São Paulo soube homenagear o Sumo Pontífice pela presença maciça do povo, que chegou certamente a mobilizar-se cerca de três ou mais milhões de pessoas, levando a cidade inteira e a sua arquidiocese a prestar a homenagem mais entusiástica de que se tem notícia em toda a história de São Paulo.

4 *Convivência com governadores e prefeitos*

Em 1970, quando assumi a Arquidiocese de São Paulo, o governador Roberto de Abreu Sodré veio visitar o cardeal Agnelo Rossi e a mim no Palácio Pio XII. Poucos dias depois, sentindo-me na obrigação de realizar minha visita protocolar, fui ao palácio dos Bandeirantes, e o governador me perguntou se havia algum esquema de governo elaborado. Respondi-lhe apenas que a minha obrigação era de servir ao povo mais sofrido e que esperava para tanto a colaboração dele.

Pouco tempo depois voltei ao palácio para denunciar as torturas que se tornavam clamorosas no presídio da Avenida Tiradentes. Quando ele, como de costume, tentou negar a minha afirmação, lancei-lhe o repto de ir comigo àquele presídio em que se encontravam os presos políticos e surpreender os torturadores em sua ação macabra. Argumentei ainda que o estabelecimento era do estado, não federal, por isso ele tinha todo o direito – como eu também – de entrar a qualquer hora para verificar se os detentos necessitavam de algum conforto jurídico ou religioso.

Quando o governador percebeu que não poderia demover-me de minha tentativa de acompanhá-lo à prisão, confessou que a "espada de Dâmocles" pairava sobre sua cabeça e certamente ele seria substituído por outro menos acessível do que ele, caso se envolvesse na questão das torturas.

Dias depois, quando eu embarcava para Roma, mandou levar ao aeroporto uma carta dirigida ao secretário de Estado do Vaticano louvando minha ação em favor dos pobres e dos perseguidos. Na mesma época organizou um banquete no Palácio dos Bandeirantes e não teve dúvida de me colocar à mesa ocupada unicamente por generais e por sua senhora, a primeira dama dona Maria Sodré, extremamente hábil para evitar qualquer conversa que pudesse provocar incidentes. No discurso, não deixou porém de elogiar, como era de praxe, o governo federal e sobretudo o exército nacional.

Causou imensa decepção um depoimento do governador Abreu Sodré em favor do esquadrão da morte, então muito ativo entre nós e combatido por poucas pessoas, entre as quais se destacava o jurista Hélio Bicudo.

Igualmente foi censurado o comportamento do governador no livro *São Paulo 1975 – Crescimento e pobreza*, cujo texto o aponta como um dos maiores responsáveis pela situação calamitosa dos trabalhadores no estado e sobretudo em nossa capital.

O governador Laudo Natel, indicado pelos militares para dirigir São Paulo, era extremamente temeroso e totalmente submisso ao regime vigente.

Um dia, frei Betto, no Presídio Tiradentes, apontou para um preso que me saudava através das grades da janela fazendo sinais e disse: "Este vai morrer na próxima semana se o senhor não fizer nada. Vão simular fuga, luta, tiroteio, e ele será apresentado como um dos grandes bandidos aprisionados pela revolução."

Chegando à cúria, logo após a visita, convidei o bispo auxiliar dom Benedito de Ulhoa Vieira a acompanhar-me à presença do procurador-geral do estado, para denunciar o fato. Percebendo a indiferença dessa autoridade, pedi audiência ao próprio governador Laudo Natel, que me garantiu perfeita lisura em tudo.

Poucos dias depois, no entanto, apareceu nos jornais a fotografia desse preso em meio a uma poça de sangue, relatando que, para a defesa dos que o perseguiam, ele havia sido apanhado no Horto Florestal e morto.

Fui de imediato ao governador, que mandou um delegado contar-me uma longa história. Como eu mesmo havia tomado conhecimento, poucos dias antes, na prisão, de que ele seria a próxima vítima, percebi logo que a versão do delegado era totalmente inventada. Escrevi então carta ao governador Laudo Natel denunciando o covarde procedimento.

Recebi resposta em quatro linhas altamente ofensivas, que continuam a figurar no meu arquivo.

Era o ano de 1973.

Não procurei relacionar-me muito com esse governador, que, aliás, se mostrava bem educado e participava, de quando em quando, das missas que eu celebrava na Penitenciária do Carandiru. Também teve a coragem e a fineza de receber-me nas escadarias da catedral quando, em 19 de março de 1973, eu voltava de Roma como cardeal e era aí saudado oficialmente pelo povo e pelas autoridades.

Quando o presidente da República, general Ernesto Geisel, indicou Paulo Egydio Martins para governador de São Paulo, imaginei que iríamos começar um tempo novo de relacionamento entre governo e Igreja, pois Paulo Egydio, que tinha sido ministro do governo militar, ajudara a fundar a ADCE – Associação de Dirigentes Cristãos de Empresa – e igualmente as Equipes de Nossa Senhora na Arquidiocese de São Paulo.

Ainda antes de sua posse, exatamente em 1º de março de 1975, ele me convidou a viajar ao lado do Presidente Geisel para inaugurar parte do metrô de São Paulo. Na mesma ocasião insistiu para que no dia 16 daquele mês eu celebrasse missa no salão do Palácio dos Bandeirantes, no Morumbi, para a sua posse solene. Respondi-lhe com tranqüilidade que a missa não deveria ser considerada ato político ou social. Por isso lhe pedi que ela fosse celebrada sem a presença da imprensa e só com os secretários e suas famílias, antes da solenidade civil. Paulo Egydio aceitou a proposta.

Para esta celebração fui acompanhado pelo padre Luís Viegas e por frei Gilberto Gorgulho. Dirigi-me diretamente ao local onde o altar estava preparado.

Encontrei o salão repleto de pessoas, em plena euforia de posse de governo, cercadas por um batalhão de repórteres devidamente munidos de equipamento de televisão e rádio.

Mandei uma mensagem para o governador, que estava reunido com seu secretariado e outras pessoas no segundo andar, lembrando que a missa fora encomendada só para os seus íntimos. Não demorou nem cinco minutos para o chefe de cerimônias se dirigir ao microfone e avisar que todos os demais, por ordem do cardeal, deveriam retirar-se, porque a missa seria privativa. O silêncio que se fez imediatamente me permitiu ir ao mesmo microfone afirmar que toda missa é ato público em favor da humanidade e especialmente, desta vez, em favor do Estado de São Paulo. Ninguém se retirou, mas todos respeitaram meu pedido de não gravar o que eu disse nessa celebração.

Poucos instantes depois desceu o governador com todo o seu secretariado e foi devidamente saudado e aplaudido pelos presentes. A missa se realizou como de costume até a hora do Evangelho. Naquele momento, frei Gilberto Gorgulho, com sua voz penetrante e firme, proclamou o texto reproduzido por São Mateus no capítulo 25, em que Jesus Cristo descreve o juízo final.

Logo em seguida comecei a homilia. Tomei em mãos o microfone e, após saudar a todas as pessoas e esperar que se acomodassem, pedi que escutassem em silêncio o que seria anunciado. Nesse momento propus que o julgamento de Jesus não fosse adiado até o final dos tempos, mas tivesse início no dia 16 de março de 1975. Cristo, Senhor da História, iria perguntar a cada secretário e ao governador o que fariam em favor daqueles que estavam nus, sedentos, famintos e presos, além de doentes e descuidados por outros governos. Acrescentava apenas que era melhor prevenir do que remediar.

Passei então o microfone ao secretário da Fazenda, Dr. Nelson Gomes Teixeira e perguntei o que ele iria priorizar em favor dos mais necessitados. O secretário se saiu muito bem, lembrando que os pobres, de fato, mereciam o primeiro cuidado. Em seguida, passei o microfone ao Dr. José Bonifácio Coutinho Nogueira, secretário da Educação, e perguntei o que ele faria em favor da instrução e formação dos pobres. Ele respondeu com muita precisão e elegância que iria dar preferência ao povo da periferia, que tanto necessitava de escolas e possibilidades novas para se formar. Depois de passar por mais dois secretários, achei que estava na hora de confiar o microfone ao governador, porque o silêncio na sala se tornara um tanto pesado e constrangedor, e todos os jornalistas se haviam assentado nos lugares que ainda restavam.

O governador não hesitou em dizer: "Prometo ao Presidente Geisel e a Cristo que irei trabalhar em favor do povo mais necessitado."

Após esse compromisso público, retomei a celebração, e devo acrescentar que não foi mais necessário pedir silêncio ou empenhar-me para manter o interesse por parte dos presentes. Também é preciso dizer que nunca mais fui convidado para celebrar um ofício religioso no palácio do Morumbi enquanto Paulo Egydio Martins foi governador de São Paulo. O repórter muito popular naquele tempo, Tico-Tico – o saudoso José Carlos de Morais –, me confessou, logo após a celebração, que jamais assistira a cena tão semelhante às que são contadas a respeito de Jesus nos Evangelhos.

Essa celebração não me impediu de ser recebido, alguns meses após, no gabinete do governador Paulo Egydio, por um motivo muito particular. Eu fora visitado, na Cúria Metropolitana, por dois coronéis da Polícia Militar, que me relataram cenas horripilantes de tortura, seguidas da morte de dois companheiros. Entregaram-me, na ocasião, uma lista de mais de setenta membros da corporação que haviam passado pelos horrores da tortura e que aguardavam, de alguma maneira, ajuda da minha parte.

O governador Paulo Egydio me fez esperar uma hora ou mais para ser atendido. Quando entrei na sala, me recebeu dizendo: "O senhor certamente está vindo fazer queixa contra torturas a uns trinta policiais revoltosos." Respondi-lhe de imediato: "Seus números não batem com os meus." Ele retrucou: "Acaba de sair de meu gabinete o secretário de Segurança, Erasmo Dias, que certamente está bem informado sobre o que acontece na corporação que dirige." Tirei imediatamente do bolso a lista dos mais de setenta nomes que me fora entregue pelos dois coronéis da Polícia Militar do Estado de São Paulo.

"Senhor governador: sejam trinta, mas certamente são setenta os torturados, todos eles precisam de uma satisfação nesta hora da parte do governador do estado. Eles estão subordinados à autoridade de Vossa Excelência e são meus irmãos, como todos os demais homens que vivem neste estado, sobretudo na capital. Convido Vossa Excelência para irmos à prisão e verificarmos o que aí se passa."

Quando o governador se escusou, dizendo que não poderia entrar na prisão sem o consentimento dos generais, eu lhe disse: "Em outra ocasião, fui informado aqui mesmo de que este telefone vermelho liga o governador diretamente ao presidente da República. Se Vossa Excelência não quiser fazer uso dele, permita ao cardeal-arcebispo de São Paulo fazê-lo da maneira mais objetiva."

Apesar de todas as insistências não consegui um só gesto em favor dos militares da polícia, embora ela fosse subordinada diretamente a ele, o governador do Estado de São Paulo.

Outro fato ocorrido durante a gestão de Paulo Egydio Martins me entristeceu ainda mais e deixará marcas para a eternidade. Foi a invasão da PUC pela polícia em 1977, quando, estando em Roma, fui convidado a voltar imediatamente, interrompendo todos os meus compromissos para socorrer estudantes e instalações pontifícias, ambos sagrados pelo devotamento dos cardeais Motta, Rossi e tantos outros professores, padres e servidores, além das irmãs Cônegas de Santo Agostinho.

O que mais me doeu nesses episódios foi o fato de a religião cristã ser superada por ambições políticas numa pessoa que tudo recebera de Deus e tudo deveria devolver, com juros, ao Criador. Foi isso que me ocorreu também durante as cenas já lembradas em outra parte do livro, quando foram sacrificados os nossos caríssimos irmãos operários Santo Dias da Silva e Manuel Fiel Filho.

Que Deus não nos julgue pelos atos de covardia, mas Ele nos aceite pelo sangue e pelas dores oferecidos por suas filhas e filhos nos momentos de sacrifício em favor da pátria e de um regime adequado ao povo brasileiro.

Apesar de todo o sofrimento das pessoas que procuravam construir um Brasil mais justo e lutavam pela honestidade, nunca tive coragem de condenar os militares que iniciaram um movimento para o qual não estavam preparados e que certamente vinha inspirado pelos aliados da guerra, sobretudo pela América do Norte, como já deixei entrever em outras ocasiões.

Outro episódio que atraiu a atenção do país foi a acusação feita publicamente ao arcebispo de São Paulo pelo general José Luiz Coelho Neto, chefe-de-gabinete do Ministério do Exército em 1982. Naquele ano, o tema do papa para o Dia Mundial da Paz (1º de janeiro) foi a declaração contra a indústria bélica e a venda de armas a países em conflito.

A CNBB, por sua vez, em fevereiro daquele mesmo ano e por ocasião de sua 20ª Assembléia Geral havia declarado: *"Nós, os bispos do Brasil, unidos ao Santo Padre o Papa em suas declarações repetidas em favor da paz e do desarmamento, recolhemos igualmente as apreensões hoje expressas por políticos, cientistas e pelo povo, que, freqüentes vezes, se manifestam nas mais diversas partes do mundo."*

Naquele tempo publicava-se, dentro e fora do país, que o Brasil ocupava o quinto lugar na produção e exportação de armas. Assim declarava o documento da CNBB, concluindo: *"Concorre desta forma para acelerar a corrida armamentista, sobretudo no Terceiro-Mundo, tão castigado pela fome e as doenças."*

A partir desses fatos, o general Coelho Neto, em conferência pronunciada em 12 de março de 1982 na Vila Militar do Rio de Janeiro, afirmou que a exportação de material bélico era altamente necessária, acrescentando: "Só quem não entende isso é aquele moço de São Paulo, chamado Evaristo Arns, que começou uma campanha contra a venda de material bélico. Ele é mau brasileiro."

Interrogado pelos jornalistas, afirmei, como de costume: "Jamais respondo a injúrias e, portanto, não direi nenhuma palavra contra a parte injuriosa das declarações do general Coelho Neto."

O general, conforme relato da *Folha de São Paulo* de 13 de março de 1982, ainda reforçou a acusação dizendo: "Se nós não vendemos, outros vendem. Mas é aquele negócio: quem não entende do assunto não tem que meter o bedelho. É querer ensinar missa e o pai-nosso ao vigário. Ele (dom Paulo) é mau brasileiro, aliás, nem sei se ele é brasileiro."

Mais tarde, segundo a mesma reportagem, afirmei: "Apesar de agredido, fico contente e até agradeço ao general Coelho Neto por ter reaberto o debate sobre a fabricação de armamentos. Como se sabe, é programa da Igreja levar o povo a participar de tudo o que a ela toca e, portanto, está aberta a oportunidade para que se realize uma ampla discussão sobre o tema."

De fato, as manifestações de apoio, tanto nacionais quanto estrangeiras, foram imensas e muito favoráveis às minhas declarações como arcebispo de São Paulo, às da CNBB e do Papa João Paulo II.

Um dia, porém, pude comprovar o que me parecia teoria aceitável para explicar os desmandos do regime militar.

O general José Fragomeni, comandante do 2º Exército, costumava visitar-me em minha própria residência, além de convidar-me para colóquios prolongados sobre religião. Dizia-se ele católico praticante, junto com a esposa, e concordou com a observação que me fizera anos antes o general Golbery, de que a maioria de nossos militares graduados só havia recebido formação religiosa até a primeira comunhão, quer dizer, até os oito ou nove anos de idade. Ambos, aliás, lastimavam essa situação do exército no Brasil.

Na hora da despedida, o general Fragomeni, nomeado para o Superior Tribunal Militar, me disse que admirava a posição da Arquidiocese de São Paulo e gostaria de convencer os colegas de que de fato eu procurava a mesma finalidade que eles, isto é, que o Brasil adotasse o regime capitalista e evitasse todo e qualquer esquerdismo que pudesse desviá-lo desse caminho. Respondi-lhe, como era evidente, que a Igreja Católica era contra toda e qualquer ditadura, tanto a comunista quanto a de direita e, por isso, não poderia aderir ao sistema capitalista, que excluía a maioria do povo de uma vida digna do ponto de vista material, intelectual e espiritual. Os "excluídos" não poderiam ser abandonados por nenhuma nação, e muito menos por nossa nação cristã.

Para minha surpresa, ele respondeu: "Lastimo ouvir essa declaração de sua parte e não poder defendê-lo junto aos meus colegas."

Hoje, este bondoso e correto comandante certamente ouvirá do próprio Cristo que Deus ama os pobres com um amor de predileção quando estes cumprem como podem sua missão na Terra.

Talvez seja esta uma maneira nova de considerar o golpe de 1964 e os anos do governo militar no Brasil.

A partir do governo Paulo Egydio, todos os demais governadores de meu tempo como arcebispo de São Paulo foram eleitos pelo povo.

O primeiro será certamente o mais lembrado, pois desde o início de sua carreira política como vereador sempre procurou defender os princípios mais justos e cristãos em sua ação política: André Franco Montoro se tornou símbolo de governador e procurou favorecer o estado onde este mais precisava.

Na educação e na saúde, soube sempre levar novas esperanças para a população empobrecida durante o regime militar. Pena que não sejam lembradas como deveriam suas grandes iniciativas para tornar navegável o rio Tietê e para asfaltar as centenas de estradas vicinais no Estado de São Paulo. Franco Montoro foi respeitado mesmo por seus adversários e há de ser sempre um nome lembrado na Pontifícia Universidade Católica de São Paulo, da qual foi co-fundador; na Ação Católica, onde exerceu a função de presidente, e sobretudo na política, por sua permanente defesa da liberdade, justiça social, solidariedade e paz.

A essa altura nos ocorre sobretudo o fato de ele se empenhar pessoalmente, junto comigo, na condição de arcebispo de São Paulo, para processar o governo militar por haver cassado os direitos da Rádio Nove de Julho, emissora pertencente à arquidiocese, sem motivo algum e sem possibilidade de defesa.

Nessa e em outras ocasiões, Franco Montoro foi discípulo fiel de Tristão de Athayde, o maior pensador brasileiro do nosso século, que levou Montoro a dedicar-se de corpo e alma à política como dever de cristão e de pessoa preparada para a mais nobre tarefa.

Na luta pelas eleições diretas, ele foi uma das pessoas mais destacadas e corajosas para levar novamente a pátria ao coração do povo e o amor do povo ao coração da pátria.

O que convém realçar é que Franco Montoro, tendo sido professor de ética na universidade, soube aplicá-la de maneira insuperável em todo o seu tempo de político e de amigo do povo. Sua figura há de permanecer como exemplo para todo o futuro do Estado de São Paulo e, quem sabe, para o Brasil e a Igreja Católica.

Orestes Quércia, como governador, não nos prestou grande auxílio, mas foi correto em seu relacionamento com as autoridades religiosas. Dolorosa foi a visita que lhe fizemos com os reitores da Universidade de São Paulo e da

Pontifícia Universidade Católica. Como já contei, ele não nos permitiu, infelizmente, vencer a discriminação contra os estudantes negros e os pobres.

Seu sucessor, Luiz Antonio Fleury, fora secretário da Segurança Pública e participou, por isso, no episódio da minha intervenção para liberar o empresário Abílio Diniz, em 1989. Nada lhe devo em especial, mas sempre recebi dele o tratamento costumeiro que é dispensado pelos chefes políticos do estado. Pesa infelizmente sobre Luiz Antonio Fleury, até o dia de hoje, o cruel assassinato dos cento e onze presos da Casa de Detenção do Carandiru, crime que começa a ser julgado no momento em que termino de redigir estas anotações.

Com o governador Mário Covas posso dizer que começou uma era nova para o relacionamento entre a Igreja e o estado. Sempre fui atendido de maneira fidalga nas situações mais difíceis para o governador e para nós.

Entre outras coisas, sou-lhe grato pela nomeação do ouvidor da polícia e a escolha, para o cargo, de nosso secretário do Centro Santo Dias de Direitos Humanos, Dr. Benedito Mariano.

Lastimo, no entanto, que Covas não tenha posto em prática o ensino religioso ecumênico desejado por todos os bispos do Estado de São Paulo para as escolas estaduais e tão necessário para a formação religiosa e ética de nossos futuros cidadãos.

Apesar de suas condições de saúde, teve a gentileza de sempre comunicar-se comigo quando as questões tocavam a Igreja e o estado. Para ambas as instituições, a pessoa humana é o centro de todas as atenções, qualquer que seja a situação do Brasil e do mundo.

Em dezembro de 2000, quando estivemos doentes e internados em quartos vizinhos no Instituto do Coração, me pediu o governador Covas que celebrasse missa pelo Estado de São Paulo. Foi o que fiz no seu próprio quarto hospitalar, tendo ele, a família e alguns enfermeiros participado do ato.

A Providência Divina também me permitiu estar presente, no final de fevereiro de 2001, por ocasião do agravamento da saúde do governador licenciado, e poder ministrar-lhe os sacramentos da Igreja com sua expressa anuência e total lucidez.

Fomos muito amigos, enquanto ele era prefeito e governador. Tanto ele quanto eu procuramos socorrer, na medida do possível, o povo mais sofrido de São Paulo, e nos sentimos gratos a todas as pessoas que colaboraram para levantar o ânimo de nossa gente tão estimada na cidade e no estado. A lembrança da generosidade e da energia de Mário Covas há de confortar muitos brasileiros em sua luta contra a corrupção e a desigualdade.

Durante os 28 anos em que a Igreja me pediu para pastorear a Arquidiocese de São Paulo tive que lidar com dez prefeitos totalmente diversos em sua concepção de vida.

O primeiro foi Paulo Salim Maluf, que procurou agradar em tudo ao regime militar e dificultou, quando governador, em 1980, a vinda do Papa João Paulo II a São Paulo para encontrar os operários no Estádio do Morumbi, como já foi relatado.

Seu sucessor na prefeitura (primeiro mandato) tornou-se grande amigo meu, porque era extremamente objetivo e não seguia qualquer ideologia que contrariasse os ideais cristãos. José Carlos de Figueiredo Ferraz, da mesma cidade natal de dom Benedito de Ulhoa Vieira – Mococa, São Paulo –, chegou a colaborar para fazermos justiça às famílias que vinham sendo desapropriadas para a construção do metrô.

Pedi-lhe, em nome das pessoas injustiçadas, que a avaliação dos terrenos e das casas desapropriadas fosse feita tanto por peritos da companhia do metrô como por especialista designado pelos proprietários que haviam sido injustiçados nos anos anteriores. O prefeito concordou de imediato e até o final de seu mandato continuou me consultando e dispondo-se a ser consultado por mim. Foi ele também que, como engenheiro de grande prestígio, examinou em 1972 as edificações do Palácio Pio XII e me assegurou que elas não tinham valor histórico ou artístico que justificasse sua conservação.

Ele próprio teve que se resignar diante das dificuldades que encontrava para exercer honestamente o cargo de prefeito. Seria longo enumerar todas as decepções que um homem do prestígio do prefeito Figueiredo Ferraz me relatou, durante uma tarde inteira, depois de deixar o cargo.

O prefeito Miguel Colassuono foi impecável em seu relacionamento comigo e pediu meu auxílio a fim de convencer os proprietários dos altos edifícios em São Paulo para realizar reformas e adotar providências de segurança contra incêndios, que, aliás, deixaram marca perpétua na cidade por ocasião das tragédias do Andraus (1972) e do Joelma (1974).

Tive sempre excelente relacionamento com Colassuono, como também com seu sucessor.

Ao final de seu mandato, o prefeito Olavo Egydio Setúbal declarou diante de todas as emissoras de São Paulo que agradecia à Igreja pelo trabalho que esta vinha realizando na periferia com tanto êxito e abrangência. Acrescentou até que os funcionários da prefeitura, mesmo remunerados com salários especiais, não perseveravam naquele trabalho, certamente sacrificado, mas sumamente grato ao coração da Igreja.

Na festa da cidade, em 25 de janeiro de 1978, cheguei a afirmar, durante o sermão, que a população iria lembrar-se por muito tempo ainda de Olavo Setúbal, pela sua capacidade e persistência em defender o povo.

Quando foi anunciado que Reynaldo Emigdio de Barros seria o sucessor de Setúbal, recebi a visita do ex-governador Lucas Nogueira Garcez, que me garantiu que o candidato merecia todo o nosso apoio porque sempre se portara com honestidade e realizava os projetos com muita eficiência.

Foi por isso que acompanhei o povo da periferia para pedir ao prefeito que estendesse as redes de água e esgoto também às regiões mais afastadas. O prefeito estranhou que o povo viesse em tão grande número e tão ordenadamente e me perguntou como poderia enfrentar a situação. Respondi que a maneira mais simples seria dar-lhes o mínimo de conforto necessário para, em seguida, colher sua gratidão, em vez de reclamações constantes.

O próprio prefeito veio à minha casa contar-me, mais tarde, que instalara água e esgoto em diversos bairros e que encontrara até funcionários da prefeitura morando na periferia mais abandonada. Contou-me também da alegria do povo no momento da inauguração e confessou que a cidade não era tão ingovernável quando prefeito e população, dentro do possível, tinham os mesmos objetivos.

A gestão do prefeito Antônio Salim Curiati foi muito breve, não chegando a haver entre nós nem desencontros nem colaboração mais aprofundada.

O contrário, no entanto, devo dizer a respeito de seu sucessor, Mário Covas, nomeado prefeito de São Paulo pelo primeiro governador eleito, André Franco Montoro.

Não havia calamidade na cidade onde Covas não fosse o primeiro a chegar e a convidar o povo e os funcionários a restabelecer a ordem, levando todos a ter novas esperanças. Esteve sempre muito próximo à população em suas dificuldades e também foi firme nas negociações de transportes, greves e distúrbios. Mostrou-se extremamente atencioso com relação às propostas da Igreja em favor dos munícipes, como, por exemplo, no caso do lixão de São Mateus que tanto incomodava a zona leste, aumentando diariamente o desconforto dos moradores, bem como nas questões de moradia, água e luz. Muitos foram os problemas enfrentados por um prefeito que dava o exemplo de trabalhador incansável e de compreensão das angústias de nossos cidadãos. Entendeu que não se pode transferir favelas e criar duas cidades, uma central e limpa, outra favelada e desordenada. Humanizar as favelas tornou-se, a partir de então, senha para todos.

Mário Covas mereceu o apoio de todas as pessoas que amam São Paulo e que sofrem com as constantes enchentes e a superpovoação de uma cidade despreparada para sofrer um acréscimo de 52% em sua população em menos de dez anos.

De Jânio Quadros nada temos a dizer, senão que ele continuou, na prefeitura de São Paulo, a governar da mesma forma que o fizera com o Brasil, naqueles tempos tempestuosos que acabaram por gerar o regime militar indesejável.

Antes de chegar à prefeitura, Jânio Quadros, cada vez que empreendia uma viagem, costumava vir depois relatar-me o que encontrara de interessante para o Brasil e para o futuro de nossa história. Seriam visitas de suma importância e interesse se não passassem de simples divagações de turista bem informado e pouco prático. Até ousaria acrescentar, de pessoa pouco ligada à nossa história, como me confessou sua própria filha.

Além da simpatia que Jânio Quadros demonstrava para com alguns padres, como o padre Batista Laurindo, da catedral, ele também defendeu-me quando a revista *O Cruzeiro* – da qual ele era conselheiro – prometeu abrir campanha contra o cardeal de São Paulo. Bastou um telefonema de Jânio à redação para que a ameaça se diluísse na areia da praia.

Jânio tinha momentos de entusiasmo e de aversão que se revezavam sem motivo aparente, a ponto de ele, quando empossado como prefeito de São Paulo, em janeiro de 1986, avisar a imprensa que não encontrara tempo para fazer a visita protocolar ao cardeal-arcebispo que jamais o atacara ou ofendera.

Jânio Quadros certamente foi um gênio, mas, como todos os gênios, foi, no dizer de Rui Barbosa, um meteoro nem sempre útil ao nosso povo.

Como cardeal-arcebispo de São Paulo, presidi, em fevereiro de 1992, seu enterro e a missa de sétimo dia, a pedido de sua filha Dirce, que depois doou os objetos religiosos do pai, aliás de pouquíssimo valor artístico, ao Museu de Arte Sacra de nossa cidade.

De Luíza Erundina posso afirmar que foi uma das pessoas mais preparadas para assumir a prefeitura de São Paulo. Além dos longos anos em que dirigiu, em João Pessoa, na Paraíba, as organizações sociais católicas, no momento da eleição para a prefeitura era professora da PUC de São Paulo e estava bem inteirada dos grandes problemas sociais que nos afligiam.

Como nordestina, sabia acolher os cidadãos que vinham em massa daquela região e comunicava-se muito bem com todas as pessoas interessadas em resolver os casos mais urgentes da população pobre. Infelizmente, seu partido nem sempre lhe deu o apoio necessário e a classe média da cidade não soube entendê-la nas questões mais decisivas para o progresso de nossa metrópole.

A ela devemos mais gratidão do que a muitas pessoas que a criticaram e precederam no governo da cidade.

O último prefeito de meu tempo como arcebispo em São Paulo foi Celso Pitta, de quem acompanhei os primeiros passos e que defendi quando era discriminado por ser da raça negra e apresentado pelo ex-prefeito Paulo Maluf.

A todos os cidadãos que tentaram orientar positivamente a história de São Paulo gostaria de exprimir a minha gratidão e dizer-lhes que a Igreja nunca desejou outra coisa senão que o governo fosse favorável ao povo, particularmente aos excluídos como cidadãos em nossa capital de São Paulo.

Sobre a atitude e as ações dos políticos durante o regime militar, convém lembrar que eles eram mais cerceados em sua ação do que a própria Igreja. Muitos deles me manifestavam sua simpatia e até mesmo sua revolta contra tudo o que vinha acontecendo pelas cassações, torturas, exílio de cidadãos e até mortes.

A propósito eu poderia citar um artigo profundamente injurioso contra o arcebispo de São Paulo publicado pelo *Correio Braziliense* em 30 de julho de 1980 e assinado por Oyama Teles, jornalista assessor do então ministro da Justiça, Abi-Ackel. O artigo era intitulado "O Estado Teocrático de Dom Arns".

Não querendo resumir todo o artigo, reproduzo aqui apenas alguns trechos e expressões. Tenho certeza de que o ministro e a maioria dos responsáveis militares não o aprovaram: *"Este cardeal já ultrapassou de muito a condição de sacerdote, para se converter num propagandista da rebelião popular e que por isso deve merecer o repúdio da consciência cristã. Um cardeal que vai a tanto já não é quem fala, é o próprio Satanás que já se apossou de sua alma, do mesmo modo que o diabo se apossou de Iscariotes quando entregou Jesus pelos trinta dinheiros. (...) Quando um bispo se apaixona pelas coisas da Terra, está evidentemente desligado das coisas do Céu. De regra em regra, de teoria em teoria, dom Arns chega já à formulação acabada de seu estado teocrático. (...)"*

A meu pedido, o próprio ministro esclareceu logo em seguida por telegrama: *"(...) compreenderá Vossa Eminência que livre exercício referido mister (jor-*

nalismo) independe meu endosso ou censura. Respeitosamente, Ibrahim Abi-Ackel, Ministro Estado Justiça."

A CNBB lançou nota de desagravo e pessoas de nosso estado e do Brasil, como do mundo inteiro, manifestaram estranheza e repulsa diante do abuso do jornalista e assessor do gabinete de um ministro do governo.

Enquanto durou a censura total à imprensa, as reações eram sempre abafadas pelos gritos que nos vinham dos porões e das prisões em todas as partes do Brasil. Só Deus saberá fazer justiça a uma situação tão cruel para com as pessoas amigas do povo e impedidas de agir em favor dele.

5 *Relacionamento com autoridades nacionais e internacionais*

Ao iniciar este capítulo, devo informar de imediato que a escolha dos nomes se tornou extremamente difícil e talvez injusta.

Começo com uma pessoa que me recebeu pela primeira vez quando eu, arcebispo recém-empossado, ainda fazia as visitas de cortesia aos jornais e demais meios de comunicação. Quando cheguei à direção da *Folha de São Paulo*, quem aí estava para me abraçar era o deputado federal Ulysses Guimarães. Com ele e com o redator-chefe Cláudio Abramo conversei longamente sobre a situação constrangedora de todos os nossos meios de comunicação.

Ulysses foi um homem fiel até o seu desaparecimento, no ano de 1992. Lembro-me bem da última palavra que ele me disse em tom enfático: "O Papa João Paulo II será lembrado em toda a história por ter quebrado a hegemonia do império russo, tanto na Polônia quanto no mundo. Não sei por que ele proíbe aos padres do Brasil a possibilidade de participarem como políticos, tanto federais quanto estaduais e municipais. Jamais poderemos agradecer ao senador-padre Mário Calazans e ao deputado-padre Antônio Godinho o auxílio que nos prestaram nas questões de ética e de religião. Confesso mesmo que os líderes das bancadas costumavam aconselhar-se com eles e nunca se decepcionaram." Foi esta a última palavra que ouvi desse homem sábio, experimentado e tão querido do povo de São Paulo e do Brasil.

O mesmo devo afirmar do senador Teotônio Vilela.

Com ele firmei uma amizade perene quando viajamos lado a lado no avião que nos levava a Roma, em 1973, para a cerimônia de minha investidura cardinalícia. Seu irmão, o arcebispo de Salvador e primaz do Brasil, dom Avelar Brandão Vilela, me colocou propositalmente na poltrona ao lado do senador para discutirmos os problemas religiosos e políticos do Brasil.

Após essa viagem, o senador Teotônio Vilela vivia mais em nosso estado do que em sua terra natal. Acompanhou de perto o movimento operário das greves do ABC e soube sempre dizer a palavra exata no momento oportuno.

Infelizmente o câncer o impediu de desenvolver toda a sua prática política e o seu dom de reanimar os lutadores pela libertação do Brasil. Fui visitá-lo, a primeira vez, no hospital, quando já lhe haviam aplicado quimioterapia, com todas as suas conseqüências. Uma segunda vez fui convidado por um telefonema de seu irmão da Bahia, indicando-me o endereço secreto e o telefone para uma visita ao senador, já então marcado pelos sinais da doença. Escolhi um belíssimo crucifixo que me dera o próprio Papa João Paulo II e, ao entrar no aposento em que se encontrava o doente, entreguei-lhe o presente do Papa, que ele beijou mais de vinte vezes, dizendo a palavra impressionante: "Como eu gosto de Jesus! Como eu gosto de Jesus!" Depois de lhe dar a bênção e a absolvição, retirei-me e nunca mais tive ocasião de vê-lo.

Minhas relações com Tancredo Neves foram sempre muito práticas e objetivas. Dizia-me ele, com aquela habilidade mineira, o que julgava mais importante empreendermos na hora em que o Brasil vivia abafado pelo AI-5.

Quando ele foi transferido de Brasília para São Paulo, nas últimas tentativas para salvar-lhe a vida, mandou pedir-me os sermões da semana santa e certamente influiu para que sua esposa, dona Risoleta, comparecesse à missa que celebrei no hospital no dia da Páscoa. Como todo o Brasil, eu esperava sempre o milagre da ressurreição para este homem tão indispensável à transição de um regime autoritário para um regime democrático.

Fui convidado por dona Risoleta a assistir os últimos momentos da vida do Presidente Tancredo Neves e a celebrar a primeira santa missa na manhã seguinte, no Instituto do Coração de São Paulo. A esposa teve a tranqüilidade de escolher os textos bíblicos para serem proclamados durante o emocionante ato litúrgico concelebrado por diversos bispos e do qual participaram vivamente os amigos mais íntimos.

Acompanhei os restos mortais no mesmo avião até Brasília, onde percebi o quanto a nação perdera com a morte desse político experimentado, numa hora tão decisiva do país. Todos choravam e eu também não podia conter as lágrimas.

O relacionamento com Fernando Henrique Cardoso foi iniciado de maneira dramática, quando uma noite ele veio com o presidente do CEBRAP, professor Cândido Procópio, procurar-me para intervir junto ao comandante da 2ª Região Militar. Tal fato já foi mencionado em outra parte deste livro e marcou a minha vida até o dia de hoje.

O líder Leonel Brizola, de início, não nos inspirava grande confiança. Só depois de sua estada no exterior, particularmente na América do Norte, é que nosso relacionamento se estreitou e ele recorreu mais de uma vez a mim como arcebispo de São Paulo em horas importantes.

A primeira visita que Brizola me fez após o regresso do exterior provocou um equívoco que fez reunir dezenas de jornalistas e policiais diante de minha casa no Sumaré.

Correra o boato de que havia uma bomba colocada em minha residência, que estaria prestes a explodir.

Nada mais atraente para a imprensa e mais decisivo para a polícia do que prevenir-me e examinar a casa. Nela se encontrava o doutor Leonel Brizola com sua netinha, e não havia nenhum sinal de anormalidade dentro ou em torno da residência.

Interrompemos, porém, a nossa conversa e fomos ao encontro dos jornalistas, a quem eu transmiti a novidade: a bomba seria certamente a presença de Leonel Brizola na residência do cardeal-arcebispo de São Paulo.

A pesquisa da polícia não revelou outro segredo.

Quando governador do Rio de Janeiro – estado onde trabalhei dezesseis anos e meio –, Leonel Brizola me convidou para receber, em fevereiro de 1985, no Teatro Municipal carioca, o Prêmio Governador do Estado do Rio, pela responsabilidade assumida em favor do povo e em favor da normalização de nossa política.

Ao falar de Lula, devo confessar que só fui conhecê-lo durante as greves do ABC, que me marcaram profundamente pela morte do líder operário Santo Dias da Silva.

Daí para a frente, durante anos, acompanhei o líder Lula preso, com muita simpatia e com a anuência do então bispo do ABC, dom Cláudio Hummes. Frei Betto, conselheiro e amigo de Lula, costumava ser o porta-voz dele junto à Arquidiocese de São Paulo. Tive até a satisfação de falar com Lula no DOPS, com a permissão do diretor Vieira, quando alguns operários foram detidos por causa de uma agitação provocada pelos militares que os confundiram com outros desordeiros em São Paulo. Advertido pelo então delegado Romeu Tuma de que os operários certamente seriam libertados por causa desse equívoco tão bem documentado por fotografias, consegui falar a sós com Lula, como me foi permitido pelo diretor da casa.

Mais profundo foi o meu relacionamento com o atual senador Eduardo Suplicy, que também se filiara ao PT. O general Dilermando Monteiro contou-me um dia que mandara cercar a residência de Suplicy por causa dos muitos carros ali reunidos, mas fora avisado pelo coronel comandante da missão de que estavam presentes também representantes graduados da *Folha de São Paulo,* entre eles os próprios donos do jornal, a família Frias. Foi então que o general acrescentou: "Não posso entender como um homem de tantas posses seja capaz de unir-se ao PT e à baderna causada pelo partido."

Por aí se pode verificar quanto incomodava ao general o relacionamento da Igreja com todos os partidos, inclusive com aqueles considerados de esquerda.

Gostaria de comentar o relacionamento com inúmeras pessoas que vinham à cúria ou à minha residência para oferecer-me apoio e incentivar os padres a sempre defenderem o povo pobre, simples, e particularmente a classe operária, tão oprimida pelo regime militar.

Menciono apenas neste momento uma que me é especialmente cara, tanto pela ação equilibrada quanto pelo trabalho realizado por seu pai, que pertencia ao mais alto escalão do Poder Judiciário. Trata-se de Plínio de Arruda Sampaio.

Embora desterrado de nosso Brasil por longos anos, ele sempre procurou trabalhar em favor dos operários do campo e da cidade, mesmo nos postos que ocupou no exterior.

Depois de voltar ao Brasil, foi não só meu conselheiro constante, mas também o amigo de todas as pessoas mais necessitadas e oprimidas em nossa terra. Pena que não fosse suficientemente conhecido quando se candidatou ao cargo de prefeito de São Paulo.

Sabe ele, no entanto, que os que o conhecem o estimam como político experimentado e benfeitor inigualável nesta cidade.

Com ele gostaria de encerrar este capítulo de relacionamento com as autoridades brasileiras, embora muitas outras não sejam nomeadas como mereceriam. Só Deus sabe avaliar a coragem e a fidelidade dos amigos de São Paulo e assim da Igreja de nossa terra.

Em janeiro de 1983 tive a sorte de me encontrar com o Papa João Paulo II e apresentar a ele uma lista de desaparecidos da Argentina, contendo 7.921 nomes. Todas as organizações que colaboraram conosco examinaram também os nomes, a data de nascimento, a profissão, o dia em que desaparecera a pessoa e algum outro dado importante.

O Papa não só recebeu essa lista, mas a folheou na minha presença e louvou o trabalho feito pelo *CLAMOR* com tanto esmero e minúcia, pois indicava até os lugares das prisões secretas e todos os demais dados que podiam ser recolhidos naquele momento.

Eu soube, mais tarde, que essa mesma lista fora solicitada pelo próprio governo argentino que sucedeu à ditadura. Ela serviu de fonte para descobrir não só nomes, mas também atividades que não puderam ser colhidas em outras fontes à disposição da nova era do país vizinho.

Também soube que alguns bispos daquele país discordavam da minha ação em favor dos perseguidos de outros povos. Recebi até uma longa carta do presidente da conferência dos bispos argentinos reclamando contra um ato ecumênico, muito bem elaborado, e por isso mesmo muito equilibrado, sobre a violação dos direitos humanos na Argentina, realizado na Igreja da Consolação em 4 de setembro de 1979, com grande afluência de povo.

Todos estávamos convencidos, e ainda estamos, de que a polícia brasileira informou a desse país vizinho sobre os novos métodos e também sobre os diversos sistemas de tortura que vêm mencionados no livro *Brasil nunca mais.*

Outro fato que impressionou a nossa sociedade foi a vinda a São Paulo da equipe de Daniel Ortega Saavedra, líder político da Nicarágua, para participar do Congresso de Teólogos do Terceiro-Mundo, em 1980. Nada houve de extraordinário, a não ser as informações que me foram transmitidas e depois confirmadas pelo ex-ministro Ernesto Cardenal, em 2 de junho de 1982, com pormenores e o entusiasmo que caracterizava esse poeta, profeta e grande benfeitor do povo da Nicarágua. Com ele e com o futuro ministro Miguel D'Escoto pude discutir livremente e em clima de total liberdade os projetos de formação e de transformação do pequeno país da América Central e da grande pátria brasileira na América do Sul.

Três anos depois, Daniel Ortega, já então eleito presidente de seu país, voltou a São Paulo para pedir voluntários que ajudassem a levantar o ânimo do povo nicaragüense e o treinassem para as soluções mais práticas e rápidas das dificuldades. Essa visita, realizada em 21 de março de 1985, me pareceu muito prática e confiante. Pena que aquele governo não se tenha mostrado suficientemente coeso para realizar os planos tão bem propostos mas infelizmente mal realizados.

Não posso, no entanto, ocultar minha simpatia por todas essas pessoas que nos uniam tão estreitamente à sorte da Nicarágua, país cuja situação também fora debatida na reunião dos bispos em Puebla, em 1979, e fazia parte dos nossos grandes sonhos para a América Latina e para a *terceira via* na solução de seus problemas.

Meu relacionamento com o líder salvadorenho dom Oscar Romero se estreitara durante a Assembléia Episcopal de Puebla. Passamos longas horas nos corredores trocando idéias e comparando a situação de países sob regimes militares tão diferentes e assim mesmo tão dependentes uns dos outros.

Foi durante uma dessas conversas que chegou a mensagem de El Salvador chamando de volta seu arcebispo, porque a situação se agravara. Ao nos despedirmos naquele momento, eu pensava que nunca mais iria vê-lo ou ouvi-lo. Três dias depois de seu assassinato violento durante a celebração da santa missa no dia 24 de março de 1980, tomei conhecimento de que o grande arcebispo Oscar Romero tinha rezado pelo Brasil. Alguns dias antes do terrível atentado, ele me havia escrito um cartão que entregou em mãos do jornalista José Maria Mayrink, dizendo que nunca esquecia o Brasil e as vítimas do governo ditatorial em suas preces e particularmente em sua missa.

O ofertório de dom Oscar Romero foi, portanto, também um ofertório de São Paulo e do Brasil.

Fidel Castro talvez seja a figura mais discutida e menos aceita pelo público brasileiro. Eu estava informado a respeito de sua revolução e também da violência que marcara o início de seu governo. Interessava-me no entanto o progresso do povo de Cuba, sobretudo em questões de educação e saúde, como igualmente a tentativa de criar um sistema novo que beneficiasse o povo todo e não apenas uma parte dele, como acontecera até então naquela ilha tão célebre.

Diversas vezes, por ocasião de encontros internacionais, conversei com o arcebispo de Havana e propus aos padres e religiosos brasileiros que desejavam ir a Cuba que se unissem estreitamente ao episcopado local, sem, no entanto, contrariar a evolução evidente do povo cubano.

Por diversas vezes o líder cubano teve a gentileza e a audácia de convidar-me para uma visita a seu país. Prometeu mesmo consagrar-me o tempo necessário para explicar os seus ideais e as dificuldades que encontrara no caminho. Num acidente doméstico que sofri na Suíça em outubro de 1987, fui socorrido por excelente médico cubano posto à minha disposição pelo vice-presidente de Cuba, que lá participava da reunião da Comissão Sul-Sul. Agradeço até hoje a presteza e a eficiência com que fui socorrido no momento em que se deslocaram algumas costelas de meu lado direito. Tanto o médico suíço quanto o holandês que prosseguiram o tratamento tiveram palavras de elogio para com o médico que, com meios tão caseiros, remediara uma queda que poderia ter tido consequências mais graves no futuro.

Anos mais tarde, quando descobriram que um câncer ameaçava não só meu olho esquerdo como também minha própria vida, tornei a receber convite insistente e muito amável de Fidel Castro para fazer o tratamento em Cuba. Felizmente os nossos médicos, neste ponto como em tantos outros, ocupam posição de ponta nos progressos da medicina moderna. Resolveram, portanto, meu caso a contento.

Ao falar de cuidados com a saúde, sinto necessidade de registrar a gratidão perene que guardo para com pessoas que se dedicaram sem limites ao meu atendimento. Penso nas irmãs Franciscanas Hospitaleiras, Normélia e Aurélia, da Beneficência Portuguesa; Alfreda Vilela Rocha e Congregação de Santa Catarina, do mesmo hospital; os padres Avelino Bernardo Panni, Júlio Munaro e Hospital São Camilo; e João Mildner, do Hospital Emílio Ribas e complexo hospitalar HC/INCOR, sem contar o padre Pedro Fenech e a direção do Hospital Sírio e Libanês.

Escrevi diversas cartas a Fidel Castro sem propostas definidas, mas sempre desejando uma aproximação dele com a Igreja Católica. Frei Betto, nosso grande amigo, com a aprovação de seus superiores religiosos e o apoio dos bispos locais, encarregou-se não só de apresentar essas cartas, mas também de informar o líder cubano a respeito das semelhanças e diferenças entre as situações do Brasil e de Cuba. Uma dessas cartas, exatamente aquela que foi escrita para o 30º aniversário da revolução cubana, foi publicada com minha licença em Cuba e levantou ondas de protesto em Miami, nos Estados Unidos, e junto a católicos conservadores em nossa terra.

Nada fiz sem informar também ao Santo Padre quando julgava que a questão ultrapassava o simples limite da cortesia entre duas pessoas de diferentes tendências, mas de utopias semelhantes.

Se cultivei o diálogo com os generais do Brasil que torturavam e ainda ensinavam as técnicas de tortura a outros países, certamente tinha o direito de tratar de questões importantíssimas com o líder cubano que mereceu mais tarde a visita do próprio Papa João Paulo II e de tantos outros líderes eclesiásticos.

Por diversas vezes participei da Comissão Internacional para Questões Humanitárias da ONU. Quatro anos de contatos, estudos e experiências com o coordenador (*chairman*), príncipe Saddrudin Aga Khan, com o príncipe Hassam, herdeiro da Jordânia, e mais de vinte membros extraordinários de países, profissões e ideologias diversas. Eu era o único religioso, ao lado de McNamara, ex-presidente do Banco Mundial e ex-secretário de Defesa dos Estados Unidos. Essa comissão foi o fórum mais eficiente de que já participei, em nível internacional. Estudamos a questão dos refugiados, a das crianças abandonadas e a da desertificação do mundo, entre outras.

Devo lembrar também que o grande líder africano Julius Nyerere – presidente da Tanzânia – compareceu em minha casa em março de 1987, convidando-me insistentemente para participar de uma comissão que ele chamava Sul-Sul (South Commission).

Não recusei de imediato a minha participação, porque sabia do imenso mérito que esse líder africano acumulara pelos esforços de paz que desenvolvia na África do Sul. Tanto ele quanto os demais participantes, sobretudo o conhecidíssimo economista e político brasileiro Celso Furtado, me cumularam de gentilezas na primeira reunião, realizada na Suíça.

Embora não me fosse possível participar de outros encontros, sempre fui informado a respeito de todas as iniciativas do Presidente Nyerere, até o momento de sua morte, que se deu há pouco tempo. Era um grande idealista e homem respeitado em todos os meios pela sua dedicação e por sua habilidade diplomática colocadas a serviço da paz. Eu teria tido imenso prazer de continuar apoiando os países pobres no seu esforço de agregação, se não me sentisse tão sobrecarregado com os trabalhos de arcebispo, que, numa cidade como São Paulo, jamais pode ausentar-se por longo tempo ou por freqüentes reuniões no estrangeiro.

Até hoje sou grato pelos contatos que pude manter com o doutor Celso Furtado, que eu conhecia pelos trabalhos realizados em favor do Nordeste e que então me impressionou por sua modéstia e capacidade de dizer as coisas complicadas em linguagem simples e prática.

Entre os políticos mais destacados que nos deram a honra de sua visita e da discussão dos problemas latino-americanos distingue-se o rei Juan Carlos I, da Espanha, que passou por São Paulo em 19 de maio de 1983 e me convidou a integrar o Comitê Honorário da Campanha Européia pela Interdependência e Solidariedade Norte-Sul do Conselho da Europa.

Igualmente o chanceler da Alemanha, Helmut Khol, que aqui esteve em 1991 e 1992. Ambos se interessaram pela situação em nosso continente e lembraram o quanto é importante a América Latina para o equilíbrio do mundo inteiro. Chegaram, aliás, à mesma conclusão que o ex-presidente do Chile, Eduardo Frei, tão interessado no relacionamento entre o Brasil e o Chile, depois dominado pela ditadura Pinochet.

Todas as conversas com essas personalidades fizeram crescer cada vez mais meu interesse e desejo de que a democratização do Brasil se realizasse de maneira ordenada e com a pressa necessária para que não se perdesse mais uma geração de jovens que talvez passassem a vida se desinteressando pela sorte do povo brasileiro.

Grande honra e imensa satisfação me causaram também duas autoridades máximas religiosas que aceitaram celebrar uma cerimônia muito concorrida na Catedral Metropolitana de São Paulo. Em 9 de junho de 1992, o Dalai-Lama, Prêmio Nobel da Paz e pessoa de projeção mundial, que não se contentou apenas com uma exposição, mas trouxe um grupo de monges que iriam se afeiçoar de tal maneira a São Paulo, que tornaram a apresentar-se mais tarde no Mosteiro de São Bento, ao lado do admirável coro beneditino de nossa cidade.

A segunda foi o arcebispo anglicano e primaz de Canterbury, Dr. Robert Runcie, que me surpreendeu em maio de 1990 pedindo que lhe preparasse um auditório no centro da cidade, pois desejava expor o movimento favorável que o ecumenismo preparara para a união dos corações daqueles que divergiam em alguns pontos da fé. Foi também uma noite maravilhosa aquela do dia 21, em que recebi uma cruz que passou de mão em mão, significando assim que os continentes se irmanavam no mesmo propósito de união das religiões em favor da paz.

Em outros tempos eram os próprios habitantes de São Paulo que buscavam refúgio na casa de Deus contra a opressão de um sistema militar que acabara por prejudicar toda a nação.

Hoje são os dirigentes políticos e religiosos que vêm trazer idéias e projetos para que a América Latina não fique isolada nem seja explorada pelas grandes nações do mundo. A busca constante da paz é o eco dos anjos que cantam na noite de Belém e da palavra sagrada de Cristo, que saúda os seus apóstolos no dia da ressurreição: "A paz esteja convosco! A paz esteja convosco!" Foi neste sentido também que o Prêmio Nobel da Paz Adolfo Pérez Esquivel nos visitou repetidas vezes e recebeu acolhida das mais calorosas em São Paulo, contrariando o antigo costume de considerar o Brasil como rival da Argentina.

Ele até procurou, em 1988, os meios mais adequados para que o Prêmio Nobel da Paz fosse conferido a um brasileiro, que poderia possivelmente ser o arcebispo de São Paulo, por causa do meu empenho na luta pela paz do Brasil e do mundo. Enviou carta de apresentação da candidatura ao Comitê Nobel em Oslo, em 25 de dezembro de 1988, e lançou na capital paulista, a partir de março de 1989, ampla campanha que se estendeu por vários meses. Outros detalhes sobre essa especial mobilização estão narrados na biografia *Dom Paulo Evaristo Arns – Um homem amado e perseguido.*

Considero Adolfo Esquivel verdadeiro irmão, porque juntos sofremos em nome de Cristo pela mesma causa da liberdade e da solidariedade, condições indispensáveis para a paz na América Latina e no mundo inteiro.

Quanto ao Prêmio Nobel da Paz de 89 para o arcebispo de São Paulo, tanto no Brasil quanto na Europa mobilizaram-se os mais diversos grupos. O amigo holandês, engenheiro Francisco Mooren, que acumulara notável experiência nesta área quando dom Hélder Câmara foi candidato, chegou a imprimir os convites para a recepção que organizaria em sua residência, em Leiderdorp, na Holanda, no dia do anúncio, 10 de outubro, tão certo ele estava da minha premiação. Chegou até a providenciar a vestimenta mais adequada para o evento. Quando o Dalai-Lama foi proclamado o homem escolhido em Oslo, essa decisão alegrou imensamente o meu coração, porque, além da extrema admiração que ele me causa por sua postura e persistência na luta, achei fundamental esse prêmio para chamar a atenção do mundo para a causa do Tibet, tão esquecido pelas Nações Unidas.

Esse holandês amigo do Brasil, Dr. Francisco Mooren, nunca se deixa vencer em generosidade. Sempre presta ajuda às organizações caritativas de nossa terra, como às obras assistenciais de seus amigos, sem contar o apoio financeiro que angariou na Europa em favor de nossos padres que foram se especializar no exterior. Na minha despedida formal na Catedral da Sé em 1998, chegou a surpreender pela quantidade de tulipas trazidas da Holanda e que ornamentaram a nave central da grande igreja, como nunca acontecera até aquele dia. É um gênio, um amigo e um grande benfeitor de nossa terra.

Durante a Assembléia Episcopal Latino-Americana realizada em 1992 em Santo Domingo, na República Dominicana, o presidente dos bispos da Guatemala propôs que se convidasse Rigoberta Menchú, Prêmio Nobel da Paz, para exprimir-lhe o reconhecimento por tudo o que ela fizera para merecer essa distinção internacional.

Apesar de apresentar argumentos convincentes e ter o apoio da grande maioria dos membros da reunião, o pedido não mereceu a atenção que me parecia mais do que justificada. Por isso, quando se abriu uma brecha para intervenções livres dos representantes de todos os países, levantei-me e pedi que a presidência reconsiderasse a decisão e convocasse a corajosa premiada, dando-lhe ocasião de expor rapidamente os motivos que a levaram a receber um prêmio tão cobiçado pelo mundo inteiro.

Também não tendo sido atendido meu pedido, tive que adiar a minha palavra de reconhecimento à corajosa defensora dos indígenas para o momento em que ela nos visitou em São Paulo e participou de uma missa que celebrei na Igreja de Nossa Senhora da Paz, no centro da cidade. Minha manifestação não causou apenas alegria a Rigoberta, mas a todos os presentes na missa que eu acabava de celebrar para os latino-americanos.

Este fato compensou, de alguma forma, as falhas da Assembléia de Santo Domingo, tão esperada e tão pouco produtiva, a ponto de hoje quase não ser lembrada por todos os bispos que citam com ênfase as assembléias anteriores realizadas em Medellín e em Puebla.

Devo aliás lembrar que nem cheguei a participar do final daquela assembléia por causa do grave acidente automobilístico que sofri em Santo Domingo, quando me preparava para uma visita dos cardeais brasileiros ao embaixador do Brasil na República Dominicana.

Embora o embaixador Paulo Vilas-Boas Castro atribuísse o fato a um simples acidente de trânsito, até hoje estou convencido de que tudo fora tramado para se concretizar o seqüestro de um cardeal latino-americano, como me fora confidenciado por membros importantes daquela reunião.

Passemos agora a um acontecimento mais agradável e importante para a história da América Latina:

Em São Paulo, fui encarregado pelo Alto Comissariado das Nações Unidas para Refugiados de receber as pessoas expulsas dos países do Cone Sul pelas ditaduras. Acolhemos centenas, senão milhares delas, vindas do Uruguai, da Argentina, do Paraguai e, sobretudo depois do golpe, os refugiados do Chile.

Assim mesmo foi com surpresa que recebi o convite para comparecer a Genebra, onde seria condecorado com a Medalha Nansen, que costuma ser atribuída aos que mais se interessam pelos refugiados e que mais mérito apresentam em sua defesa.

Numa sessão soleníssima ocorrida em 7 de outubro de 1985 no Palácio das Nações da importante cidade suíça, com a presença de quase todos os representantes dos países da ONU, me foi atribuída a Medalha Nansen com as seguintes palavras do Alto Comissário para Refugiados, Paul Hartling: *"A condecoração honra um homem de grande influência na defesa dos direitos humanos, por seus muitos anos de trabalho na proteção dos desamparados e por sua firme determinação em atacar as causas do problema."* Depois, acrescentou: *"A maior traição aos direitos humanos é deixar de divulgar a violação desses direitos. Dom Paulo teve a valentia de quebrar esse silêncio e denunciar a transgressão dos direitos humanos onde quer que isso ocorresse, tanto em seus sermões quanto em artigos e livros."*

A premiação me surpreendeu. No entanto, a presença de tantos embaixadores e dos membros da Comissão Internacional Independente da ONU para Questões Humanitárias, da qual eu fazia parte, foi o complemento dessa distinção inesperada, embora por muitos cobiçada, que é a Medalha Nansen.

Os refugiados dos países do Cone Sul, que acorriam às dezenas ou centenas à cúria, se alegraram comigo e manifestaram a satisfação de serem lembrados por uma distinção internacional.

A soma de dinheiro que acompanhava o prêmio já estava destinada aos refugiados da América Central. Concordei com essa resolução, que me causou nova alegria, pois sabia que era grande o número de famintos e conhecia suas outras carências, ainda maiores.

Pessoas generosas de outros países também costumavam enviar pequenas ou médias colaborações financeiras, que eram imediatamente encaminhadas às nossas periferias, sobretudo para os mais pobres e abandonados.

Entre estes convém lembrar as crianças e os imigrantes nordestinos castigados por constantes secas e pela inércia dos responsáveis de nosso país.

6 *Devolução da Rádio Nove de Julho*

A Rádio Nove de Julho estava sempre em nosso coração e em nossos lábios, desde o dia 30 de outubro de 1973, quando ela foi cassada por dois decretos do Presidente Médici. Prova disso foi o fato de eu pedir ao primeiro presidente civil, José Sarney, na hora mesma de sua posse, em 1985, que devolvesse imediatamente a emissora ao povo de São Paulo. A ocasião era favorável. Eu me encontrava ao lado do presidente quando terminaram os cumprimentos e se iniciou aquela pausa indispensável para o novo ato na sucessão presidencial. Assim comecei meu pedido:

"Senhor Presidente, permita que aproveite este momento de alegria geral para poder passar a São Paulo a satisfação de termos um presidente civil. O senhor precisa restituir a nossa Rádio Nove de Julho, que foi cassada pelo governo militar em 1973, sem nenhuma justificação, e para tristeza imensa do povo de São Paulo."

O presidente não estranhou o pedido e lembrou que ele tivera a mesma idéia antes da posse. Prosseguí: "A expectativa do povo de São Paulo é tão grande, que certamente o gesto da devolução levará o seu nome ao coração de muita gente simples que se comunica pela rádio, entre si e com Deus."

Foi assim que terminei minha conversa com o novo presidente, para poder, em seguida, recorrer às pessoas responsáveis pelas comunicações no seu governo. Mas o momento ainda não chegara.

A emissora acabou sendo devolvida por um outro presidente da República que experimentara o mesmo amargor conosco em São Paulo, quando fomos prejudicados em nossa comunicação constante com o povo da capital e de outras partes do Brasil. Fernando Henrique Cardoso, que trabalhara conosco durante longos anos, me chamou a Brasília para o ato da devolução em 9 de julho de 1996, e reuniu para tanto o ministro das Comunicações Sérgio Motta e as mais altas autoridades de seu governo.

Foi necessário recomeçar da estaca zero: sede, equipamentos, contratação de pessoal. A bênção para o tempo experimental das novas instalações da rádio foi dada em 19 de março de 1999 e a reinauguração oficial aconteceu em 23 de outubro do mesmo ano. O clero e o povo participaram vivamente de todas as fases da luta dramática para a Igreja de São Paulo ter de volta a sua rádio, luta que se prolongou por vinte e três anos, sempre andando de esperança em esperança.

Por que a Rádio Nove de Julho é tão querida pelo povo de São Paulo?

Em primeiro lugar, porque foi confiada à arquidiocese por ocasião do quarto centenário da cidade de São Paulo, em 1954, em concorrência pública vencida pelo cardeal Motta, tendo sido instalada em 3 de março de 1957 na Rua Venceslau Brás, no Palacete do Carmo, bem no coração da cidade. Sua potência era tal, que permitia que a Igreja de São Paulo se comunicasse diariamente com um público que abrangia ouvintes de outros países, que nos enviavam suas reações.

Em maio de 1970, o cardeal dom Agnelo Rossi abençoou e inaugurou as novas instalações dos estúdios da emissora na Rua Dr. Pinto Ferraz, 189, Vila Mariana. Aliás, naquele momento, celebrava-se a I Semana Arquidiocesana do Dia Mundial das Comunicações Sociais e os nossos amigos padres paulinos assumiam a administração da Rádio Nove de Julho e nela permaneceram até o momento da cassação por Médici.

Como explicar a cassação?

Em 1963 foi aprovada a Lei 4.117 do governo federal que instituiu o processo de revisão das outorgas dos meios de comunicação. Desta disposição legal se valeu o Presidente Médici para promulgar os decretos n°s 73.028 e 73.038 de 30 de outubro de 1973. Estes decretos declararam a perempção das duas ondas da Rádio Nove de Julho a partir de 1º de novembro de 1973.

Pelos jornais de 1º de novembro daquele ano, terceiro aniversário de minha posse como arcebispo de São Paulo, tomei conhecimento dessas medidas drásticas e injustas. Na tarde desse dia de Todos os Santos o clero se reuniu em grande número para a concelebração na catedral e ouviu, no final do sermão, meu protesto contra a medida inexplicável e extremamente dolorosa para todos os presentes. Foi o primeiro protesto público ainda irradiado pela Rádio Nove de Julho, que daí a quatro dias teria seus transmissores lacrados pelo DENTEL de São Paulo. Esse departamento governamental nos enviara o ofício nº 1.903-70 Juri Ex. 05.11.1973, assinado pelo seu delegado regional, tenente-coronel Ney Piedade Fleury. Eis o essencial do texto: *"Tendo em vista ter sido publicado no* Diário Oficial da União, *edição de 30 de outubro p.p., o decreto presidencial nº 73.038-73 pelo qual foi declarada perempta a outorga de concessão para utilização do serviço de radiodifusão em onda curta e onda média regional dessa emissora, é o presente para notificar a entidade desse ato, bem como para que a mesma promova a execução de providências decorrentes do cancelamento da referida outorga."*

Em 6 de novembro, dom Lucas Moreira Neves, nosso bispo auxiliar e vigário-geral para os meios de comunicação, publicou a seguinte nota oficial:

"A Arquidiocese de São Paulo lamenta informar que por dois decretos governamentais publicados no Diário Oficial *de 30 de outubro foi declarada perempta e não renovada a concessão de ondas curtas e médias da Rádio Nove de Julho. Na tarde de 5 de novembro foram lacrados seus transmissores.*

Embora alimente esperanças de que a medida não seja definitiva, a arquidiocese se escusa perante os ouvintes dessa emissora pela involuntária cessação dos serviços que vinha prestando.

Em nome desses mesmos ouvintes, agradece a todos os administradores da rádio, a seus técnicos e funcionários.

Exprime enfim a confiança de que o Senhor dará à sua Igreja sempre novos meios para não faltar à missão e tarefa de anunciar o Evangelho a todos.

São Paulo, 6 de novembro de 1973

† Lucas Moreira Neves

Bispo Auxiliar e Vigário-Geral para os Meios de Comunicação."

Nosso temor ainda crescia com a possível ameaça do regime militar de proceder da mesma forma com as demais cento e dezessete emissoras católicas existentes no país, como já o fizera com a nossa rádio e mais algumas: uma na cidade de São Paulo, outras no interior e em outros estados.

Em 8 de novembro, depois de participar da reunião da Comissão Central da CNBB no Rio de Janeiro, regressei a São Paulo com o presidente dom Aloísio Lorscheider para tomar providências relativas ao fechamento da Rádio Nove de Julho. Pela manhã nos reunimos com os padres paulinos, que administravam a emissora, e eles nos provaram que o DENTEL louvara, poucos dias antes, o relatório feito por eles e aprovado pelo arcebispo, que recebeu o mesmo louvor pela perfeição com que era orientada a Nove de Julho.

O principal, no entanto, era confiar o caso aos bispos auxiliares, vigários episcopais e ao Conselho de Presbíteros, na presença de dom Aloísio. Em reunião feita na tarde do mesmo dia ele leu a carta dos bispos participantes da reunião do Rio, carta esta amplamente divulgada pela imprensa e pelo jornal arquidiocesano *O São Paulo*. Entre outras afirmações importantes realçamos este breve testemunho dado pelos bispos:

"Tenhamos muita coragem. Talvez a Igreja de São Paulo irá sofrer ainda mais. Poderão contar sempre com o apoio contínuo da presidência da CNBB e de todos os bispos. As dificuldades que vêm se avolumando, especialmente desde o ano de 1968, se revelam muito benéficas. A tática de quem persegue a Igreja é procurar dividir, calando uns e favorecendo outros. Mas isto tudo tem efeito contrário: está criando mais união. Também a nossa presença junto ao povo é maior, e o povo assume mais responsabilidade. O Espírito Santo está mesmo tra-

balhando conosco. Preciso será que tenhamos grande disponibilidade, porque não sabemos o futuro."

Terminava dizendo: *"Esta arquidiocese é chamada a ser um sinal para a Igreja do Brasil e mesmo para a Igreja universal, sendo também a maior arquidiocese do mundo."*

Apelando para o clero, os bispos terminavam afirmando: *"Sejam dignos do vosso Pastor e o apóiem, porque, apesar da constante jovialidade, ele também é humano e sofre."*

A reunião extraordinária do clero proposta pelo conselho de padres em 15 de novembro de 1973 foi realizada no Instituto Paulo VI na manhã do dia 20 do mesmo mês. A esta reunião compareceram o próprio núncio apostólico e aproximadamente seiscentos padres, inclusive os capelães militares em seu traje especial. Todos aprovaram as seguintes resoluções do conselho, que contaram com o endosso do presidente da CNBB, dom Aloísio Lorscheider:

– Noticiar para o exterior, objetiva e claramente, o acontecimento, elucidando o sentido profundo das emissoras católicas.

– Mobilizar os fiéis e todas as pessoas para enviarem seu protesto e manifestação de pesar ao presidente da República, com cópias enviadas à cúria.

– Conseguir um boletim como meio de comunicação periódico, quando necessário.

– Continuar o programa "Encontro com o Pastor" em outra rádio, ainda que seja pago.

Pela habilidade de dom Lucas conseguimos espaço em bom horário na Rádio Tupi, com o patrocínio da Volkswagen. Mas a censura não me permitiu sequer transmitir a primeira mensagem, serena e religiosa.

Padres, irmãs e colaboradores de outras nações que trabalhavam em São Paulo se incumbiram, com grande empenho, da redação de mensagens a serem enviadas às diversas partes do mundo. Em inglês, italiano, francês e alemão, mandei cartas para os cardeais Julius Döpfner, da Alemanha, Franz König, da Áustria, François Marty, de Paris, Bernard Flahiff e Maurice Roy, do Canadá, Bernard Alfrink, da Holanda, John Heenan, da Inglaterra, Leo Suenens, da Bélgica, e Michele Pellegrino, de Turim, Itália, mais os arcebispos Leo Byrne e John Dearden, dos

Estados Unidos, além, obviamente, do presidente da Pontifícia Comissão do Vaticano para as Comunicações Sociais, monsenhor André-Marie Deskur.

Apoio irrestrito prometeram as irmãs da arquidiocese na reunião da tarde do dia 20, que contou com grande número delas, dispostas a colaborar para a volta imediata da rádio tão querida pelo povo e por elas.

No dia 24 conseguimos reunir as lideranças de todos os movimentos leigos – mais de quarenta. Comprometeram-se a colaborar de todas as formas para o retorno de nossa emissora. Por aí talvez se compreenda a observação que me fez o general Golbery do Couto e Silva algum tempo depois: "Se não devolvermos a Rádio Nove de Julho a São Paulo, nunca iremos ganhar a simpatia e os votos do povo. Temos a prova para tanto: o conhecido e acatado governador Carvalho Pinto acaba de perder a eleição para um prefeito (Orestes Quércia) desconhecido de Campinas."

A pressão no exterior foi tão grande quanto a de nosso povo em São Paulo. Por exemplo, o cardeal Marty, de Paris, publicou no periódico francês *O Peregrino*: *"A Igreja de São Paulo está amordaçada quando quer transmitir a mensagem de Cristo. A Palavra de Deus porém não está aprisionada, apesar de tentarem sufocá-la por todos os meios e por recursos sutis."*

Nessa hora dramática eu sabia que os funcionários da emissora, quase todos pobres, deveriam ser indenizados exatamente como mandava a lei. Por isso, cinqüenta e uma paróquias mais aquinhoadas da arquidiocese foram selecionadas, e seus párocos aceitaram o apelo encaminhado por carta de 12 de janeiro de 1974, com o pedido de contribuírem financeiramente para a arrecadação imediata da soma necessária. Foi um ato de comunhão eclesial exercido com inteira disponibilidade por aquelas cinqüenta e uma comunidades, também em nome das demais paróquias pobres, que se comprometeram a rezar na mesma intenção.

Tivemos, portanto, o imenso consolo de receber essa resposta positiva que permitiu que nenhum funcionário sofresse com o ato inesperado da demissão, pois todos receberam exatamente aquilo que prescrevia a lei trabalhista para casos semelhantes.

A Igreja de São Paulo não poderá também deixar de agradecer a todas as pessoas que se empenharam para apressar a devolução da Rádio Nove de Julho.

Em especial devo mencionar o governador Franco Montoro, como também os membros da Comissão Justiça e Paz e a direção nacional da CNBB.

Durante o governo Sarney, apelei por diversas vezes ao ministro das Comunicações, Antonio Carlos Magalhães, que não deixou de nos oferecer algumas alternativas, todas elas porém de pouca potência no alcance, não cobrindo assim a área de uma arquidiocese de dez milhões de habitantes. Por julgar suas propostas sempre insuficientes para reparar a injustiça e para comunicar-nos com o povo, recusei as ofertas daquele ministro e esperei tempos melhores, que chegaram afinal com o pranteado e querido ministro Sérgio Motta.

O que mais importa talvez seja a comunicação de tantas pessoas humildes com o Deus da História que quer acompanhá-las com a sua palavra e sua Igreja através de uma rádio da confiança total de todos. Gostaríamos de ser a voz de Deus para cada um daqueles que sabem apreciar os meios de comunicação como elo entre o céu e a terra.

Apesar da longa espera e das diversas decepções que amargamos durante anos, elevo meu coração à Providência Divina que inspirou tantos leigos, padres, irmãs, bispos e mesmo nações do mundo para fazer justiça à difusão do Evangelho na Arquidiocese de São Paulo. Esta será a primeira missão da nova Rádio Nove de Julho, reanimando o povo a assumir a sua missão na Igreja e na sociedade brasileira, como manda o Evangelho e propõe o novo arcebispo de São Paulo, dom Cláudio Hummes, com tão apreciada insistência.

Parte 3

Igreja em tempos de ditadura

7 *Direitos humanos e classe média*

Quando, como arcebispo de São Paulo, percebi que a violação dos direitos humanos se multiplicava de forma progressiva, achei que devia encontrar juristas e representantes da classe média para apoiar-me nas intervenções sempre mais freqüentes e por vezes delicadas. Apelei então para os diversos professores de nossas grandes escolas de Direito e para juristas católicos conhecidos na cidade. O primeiro a aceitar a incumbência de formar uma comissão para me assessorar foi o insigne professor Dalmo de Abreu Dallari.

O grupo formado veio a constituir a célebre Comissão Justiça e Paz, já mencionada na segunda parte deste livro.

Além da prisão de religiosos e de maus-tratos a eles infligidos, gostaria de lembrar três episódios que provam o quanto a classe média era perseguida por causa de suas propostas em favor de um regime democrático. Um deles é o conhecido caso dos estudantes da USP em 1973, a partir da morte de Alexandre Vannucchi Leme; outro é o dos jornalistas por ocasião da morte violenta de Vladimir Herzog em 1975.

Cheguei um dia, como já sabe o leitor, a perguntar ao comandante do 2º Exército qual era o sentido da estratégia do "arrastão", que atingia praticamente todos os profissionais da classe média. Eu sabia que sessenta a setenta eram presos a cada dois meses no tempo do general Ednardo d'Ávila Mello, profissão por profissão, para serem arrancados os segredos de alguns considerados líderes de movimentos anti-revolucionários.

O militar não negou o fato, mesmo quando eu lhe disse que estava informado de quais seriam as classes profissionais atingidas nos próximos meses.

Apesar dessa minha informação ao comando militar, o inquérito foi feito exatamente nos segmentos indicados por mim e até na ordem em que eu enumerara. Esse fato, porém, possibilitou que a Comissão Justiça e Paz preparasse a defesa, que era sempre difícil, porque as prisões costumavam realizar-se às sextas-feiras, quando as autoridades se retiravam da cidade para o final de semana. Aconteceu até que a sobrinha de um comandante do 2º Exército figurasse entre as presas e sua mãe viesse à cúria pedir minha intervenção em favor da jovem, que era portadora de problemas cardíacos.

Trabalhando em permanente contato com a comissão, eu costumava avisar de imediato os correspondentes da imprensa, tanto daqui quanto de fora, cada vez que se completavam as anotações e pormenores acerca das últimas prisões e desaparecimentos. Aliás, verifiquei desde logo que essa denúncia era a arma mais eficiente para proteger as vítimas contra a tortura.

Tanto no tempo da presidência do professor Dallari como no de seus sucessores José Carlos Dias e José Gregori, eu costumava reunir periodicamente toda a Justiça e Paz para avaliar as estratégias e prevenir todo o mal que pudesse acontecer tanto aos seus membros quanto aos clientes, quase sempre desconhecidos.

O mérito dos integrantes da Comissão Justiça e Paz era crescente, porque todos os dias algumas emissoras de rádio transmitiam programas incentivados por certos comunicadores de grande audiência, como Afanásio Jazadji, afirmando que a comissão e dom Paulo defendiam bandidos e abandonavam as vítimas.

Para ilustrar com um caso que se tornou célebre na cidade, no país e até no mundo, lembrarei o seguinte: pouco antes do Natal de 1983 o garoto Joílson de Jesus, pobre, mulato, franzino e arrimo de família, se tornou vítima de uma crueldade inimaginável em um país civilizado. Por causa de uma correntinha de ouro que ele roubou de uma senhora na Praça da Sé, foi perseguido, pisoteado e morto a pontapés por um procurador do estado. O programa radiofônico de Afanásio Jazadji tratou o caso com requintes de sensacionalismo, incentivando os ouvintes a irem à catedral no domingo seguinte a fim de perturbarem a celebração organizada pela Pastoral do Menor, em memória de seu assistido Joílson, e presidida pelo cardeal-arcebispo de São Paulo.

De fato, um grande número de pessoas compareceu à catedral e todos aplaudiram de pé o sermão que fiz, em vez de perturbar com gritos, cartazes e outras manifestações propostas pelo radialista. Aos poucos, o povo ia percebendo que a Comissão Justiça e Paz e dom Paulo trabalhavam em nome de Deus para a defesa da pessoa humana, centro de toda a criação.

Caso mais rumoroso ainda foi o do Cabo Bruno (ex-policial Florisvaldo de Oliveira), que assassinou cerca de cinqüenta pessoas na zona sul de São Paulo e confessou, em 1984, a repórteres da TV e da revista *Afinal* que não se arrependia do mal que causara a tantas famílias. Citou com ódio os defensores dos direitos humanos e acrescentou que mataria também o arcebispo dom Paulo, se tivesse condição para fazê-lo:

"(...) Esse dom Paulo é o único homem que eu não quero ver na minha frente porque, se um dia eu vir, e tiver oportunidade, eu mato ele mesmo. Por mais que ele seja um padre."

O caso repercutiu em todo o país e também no exterior, até mesmo na Austrália.

Respondi ao repórter da revista que me interrogava a respeito desse episódio horroroso entre todos que eu não estava nas mãos do Cabo Bruno, e sim nas mãos de Deus.

Mesmo esses casos, inimagináveis numa sociedade organizada, não intimidaram os membros de nossas comissões, a Arquidiocesana de Direitos Humanos e a de Justiça e Paz, porque, apesar das ameaças freqüentes, estávamos dispostos a defender sempre as vítimas da violência em todas as situações pelas quais passava o nosso país.

De fato, a mão de Deus foi mais poderosa do que as armas mortíferas dos assassinos. Meu dever na defesa dos inocentes e das vítimas foi assumido em nome do povo todo e do Senhor da vida, que me incumbiu de uma missão perigosa, mas indispensável, naquela hora.

Anos depois, quando o Cabo Bruno já se encontrava preso, chegou aos meus ouvidos que ele desejava "uma conversa particular com dom Paulo". Por diversas circunstâncias esta nunca se realizou, embora eu tenha afirmado que perdoava a todos os que manifestaram o desejo de se vingar das ações de nossas comissões e das minhas.

Também o secretário de Segurança, hoje deputado Erasmo Dias, foi reconduzido ao cargo pelo governador Paulo Egydio, apesar de minha advertência de que ele prejudicaria a imagem de todo o governo, mas principalmente a do governador do estado. Foi o que infelizmente aconteceu em tantos episódios que já narrei.

Por mais que eu me ocupasse das vítimas, e quase só das vítimas, havia pouca possibilidade de defesa através dos meios de comunicação no tempo da censura, como acontece até hoje, sobretudo por ocasião de fatos violentos ou capazes de gerar controvérsia.

O episódio do seqüestro do empresário Abílio Diniz, em 1989, comprova esta afirmação. Apesar de ter sido de amplo conhecimento, percebo que ficaram mal-entendidos que merecem ser esclarecidos.

Abílio Diniz foi seqüestrado quando ia para o trabalho. Depois de algum tempo, graças à prisão de um dos seqüestradores, descobriu-se que ele estava preso em uma casa situada na zona sul, perto de uma praça. No dia em que o localizaram, a família mandou me perguntar se eu aceitaria ser intermediário entre os seqüestradores e a polícia, em busca de uma solução. Eu o teria feito por qualquer pessoa no mundo e coloquei apenas como condição que os seqüestradores aceitassem minha intermediação. No dia 17 de dezembro de 1989, um domingo, quando eu me dirigia pela manhã a uma paróquia na região leste a fim de ordenar um padre, recebi um telefonema no carro dizendo que ambas as partes estavam de acordo e que chegara o momento da negociação. Celebrei a ordenação e fui pedir ao superior que ouvisse a minha confissão, porque achei que ia despedir-me da vida.

Embarquei no helicóptero enviado pela polícia e, quando cheguei perto do local, vi a praça cercada por policiais armados e tomada de gente que se aglomerava em torno do sobrado onde se encontravam Abílio Diniz e os seqüestradores. Meu olhar para o povo foi de despedida, pois eu estava convencido de que nunca mais iria ver São Paulo. Só desejava que não houvesse outras mortes, pois o risco de um tiroteio, ou mesmo da explosão da casa pelos seqüestradores, caso não se chegasse a um acordo, era grande.

Ao descer do helicóptero, fui levado para a casa e subi uma escada que dava acesso a um telhado, sobre o qual havia um militar e o futuro ministro Bresser Pereira, muito amigo da família Diniz. De cima do telhado, eu podia conversar com o argentino chefe dos seqüestradores, através do basculante de uma janela do segundo andar. Ali fiquei de dez e meia da manhã até as seis da tarde. Houve apenas uma interrupção: saí por meia hora para ir até à PUC votar no segundo turno para presidente da República. Os seqüestradores começaram pedindo trinta milhões de dólares, e eu argumentei dizendo ser impossível atender a essa exigência e aconselhando-os a negociar para serem mantidos vivos e não sofrerem maus-tratos. Cada proposta era discutida pelo chefe com os demais durante uma hora, até que finalmente concordaram em soltar o empresário em troca da garantia de não serem torturados. Eu me comprometi a garantir sua integridade e acompanhei cada seqüestrador da saída da casa até o ônibus que os levaria à prisão. Exigi com severidade que fosse tirado do ônibus um grande cartaz onde estava escrito "Lula" em grandes letras, evidentemente para comprometer sua candidatura na eleição disputada com Fernando Collor.

Abílio Diniz saiu cercado pelos seqüestradores e foi recebido com alegria pela família. Seu pai, como já contei, deu-me uma quantia que permitiu terminar a construção do prédio para os padres idosos. Sozinho, acompanhei os seqüestradores no ônibus até a prisão e no trajeto ofereci a assistência dos nossos advogados da Comissão Justiça e Paz, porque acredito que todo ser humano tem direito a uma defesa digna. Na cadeia, já nos esperava o Dr. Mário Simas, acompanhado de dois advogados, para garantir que o acordo fosse mantido.

Como entre os seqüestradores presos havia alguns chilenos, o Chile pressionou o governo brasileiro para extraditar seus cidadãos, querendo que cumprissem a pena em seu país, junto a seus familiares, mas o governo brasileiro não aceitou. Os familiares da moça canadense que participara do seqüestro pressionaram-me muitas vezes, pedindo a sua extradição. Fui uma vez a Brasília dizer ao presidente que houvera uma grande injustiça no julgamento, pois as responsabilidades eram diferentes e a pena fora igual para todos. O casal de canadenses tinha sido aliciado à última hora, e sua participação diferira fundamentalmente da dos demais, que realmente mereciam uma pena gravíssima.

A cobertura que a imprensa deu a meus atos passou a imagem, por vezes distorcida, de que os que protegem os direitos humanos estão do lado dos criminosos. Esquecem-se de que arrisquei conscientemente minha vida para salvar um empresário, porque não quero discriminar ninguém e porque acredito que o Evangelho de Jesus me obriga a dar a vida por nossos irmãos, tanto os inocentes quanto os culpados. Não fiz esse gesto movido por algum interesse terreno, mas sim orientado pelo Espírito de Jesus e pelo amor ao povo de São Paulo que tanto estimo.

O final feliz do episódio não me envaideceu, antes me lembrou que eu era pastor da Igreja de São Paulo, a quem consagrei minha vida até o último suspiro.

E aqui encerro essas memórias a que dei o nome de *Da Esperança à Utopia – Testemunho de uma vida*. Sempre considerei a esperança como sendo a mais difícil das virtudes teologais. A fé é um dom de Deus que ganhamos de presente, junto com o leite materno: eu a recebi de meus pais. O amor é um sentimento espontâneo, vem do coração humano. A esperança, não. Os inúmeros empecilhos, as muitas contradições da vida fazem às vezes com que seja extremamente difícil manter sempre a esperança, sobretudo andar de esperança em esperança. A esperança nasceu em mim no momento em que descobri que ela exigia um esforço humano muito maior do que a fé e o amor. Olhando para trás, constato que a esperança me acompanhou desde a infância, ainda que de forma inconsciente. No seminário, quando verifiquei que os colegas colocavam em mim a esperança de maior justiça, descobri que a esperança não é uma virtude para si, mas para a comunidade.

A utopia, por sua vez, tornou-se a meta do povo brasileiro: fazer do Brasil um país próspero, pacífico, democrático. Assim foi para meus pais, para meus avós e será para as gerações futuras: a participação do povo no governo, a consciência de que o país é do povo e de que os benefícios devem estar ao alcance de todos, para que cada um tenha os meios necessários para desenvolver seus talentos específicos, tal como Deus os deu. É preciso que as pessoas se unam em busca dessa utopia, através de soluções não-violentas. E é preciso esforçar-se, porque o esforço humano é condição para receber a graça de Deus.

A utopia é a união de todas as esperanças para a realização do sonho comum. Se realizarmos este sonho, teremos construído uma nova realidade.

Epílogo

Em 23 de dezembro de 1997 o jornal *O São Paulo* solicitou-me uma entrevista por ocasião do que achava ser "provavelmente o último Natal como arcebispo de São Paulo" – e realmente acabou sendo. A manchete, que ocupou toda a última página daquela edição especial de Natal, foi: "Quero ser lembrado como amigo do povo", diz o cardeal Arns.

Transcrevo aqui na íntegra os principais trechos da entrevista, selecionados pelos próprios editores para aquela publicação.

Dom Paulo, será mesmo este o seu último Natal como arcebispo de São Paulo?

~ Se fosse seguir os impulsos do meu coração, eu diria que nunca iria separar-me de São Paulo. A cidade transformou-se para mim no sentido mais profundo da vida, a simbiose entre o pastor e o seu rebanho, quer dizer, entre Paulo, o pequenino franciscano, e a cidade gigantesca que comove o mundo e impressiona o Brasil inteiro. Mas, como eu devo seguir as normas estabelecidas pelo Direito Canônico, espero a todo momento que o Papa João Paulo II nomeie um arcebispo para São Paulo que possa continuar o trabalho e aperfeiçoá-lo com maiores dons e maior capacidade.

Foi difícil para o catarinense Paulo Evaristo transformar-se em paulistano?

Eu sempre fui paulistano. São Paulo esteve sempre no meu coração, como uma vocação que Deus me concedeu desde o berço. Deus me deu o nome de Paulo e a missão de Paulo. O nome eu carrego com muita honra. Agora, a missão não pude cumpri-la com tanta perfeição como gostaria de ter feito.

Hoje, olhando a cidade, em que ela se diferencia daquela de trinta anos atrás?

Aquela de há trinta anos era uma cidade ameaçada de todos os lados pelo golpe militar de 64. Eu cheguei em 2 de maio de 1966 a São Paulo e logo me vi preocupado com a situação de repressão que sofriam, sobretudo a juventude idealista e a intelectualidade mais esclarecida. Hoje São Paulo sofre debaixo do desemprego, da falta de moradia, da violência e de tantas outras calamidades que nunca deveria ter de suportar, mas que vai carregando e transformando, quem sabe, a cruz em ressurreição, a dor em alegria futura.

O que mais o marcou no ofício de pastor na cidade?

Foi sem dúvida o trabalho pelos ministérios, criando desde a região norte os ministérios da palavra, da eucaristia e depois dos demais sacramentos. Convidávamos os leigos para participar junto com os padres, em comunhão perfeita pelo bem do povo.

Hoje vive-se um momento de desmobilização da sociedade e até da Igreja. A que o senhor atribui este fenômeno?

Este fenômeno é universal. Por toda parte reina o individualismo e se vêem as mesmas dificuldades. A globalização não nos trouxe a felicidade de vivermos unidos e sim a infelicidade de cada um pensar em si e não pensar na sua comunidade, no seu país e no mundo todo.

Isto explica a desmobilização das pastorais sociais e o crescimento de movimentos católicos despreocupados com a questão social?

Sempre que há uma divisão de caminhos para a vida, o cristão, como qualquer outra pessoa, deve decidir-se. São Basílio já dizia que, desde jovens, somos convidados a escolher o caminho mais difícil, mais pedregoso, porque é só na luta que se consolida a virtude. A virtude, infelizmente, neste momento não é a meta da maior parte das pessoas. E nós gostaríamos que toda essa energia, que é empregada para a realização pessoal, se transformasse em sintonia com os demais sofredores no mundo.

Que sonhos e projetos o senhor tem para quando deixar a arquidiocese?
O meu sonho é muito maior hoje do que no dia em que tomei posse, em 1970, como arcebispo, e em 1966, como bispo auxiliar na região norte. Os meus sonhos hoje são realmente sonhos paulistanos. Quer dizer, cada paulistano um dia deve poder dar a mão a seu vizinho ou a qualquer pessoa nessa cidade sem ter medo de ser assaltado, de ser enganado ou explorado. Porque São Paulo merece realmente um tempo de progresso e de entendimento. A democracia plena ainda não chegou. Ela só pode chegar dentro do espírito de solidariedade.

O que o senhor deixa de herança ao seu substituto? Que desafios ele terá pela frente?
O que eu deixo como herança talvez seja difícil dizer, mas eu poderia resumir em uma só proposição: um amor devotado ao povo, sobretudo aos que mais sofrem em São Paulo. Isto eu deixo como herança e como ideal.

E os desafios que o novo arcebispo terá pela frente?
São aqueles que o povo mesmo indica. Na última vez o povo indicou como desafios saúde, educação, moradia, a falta de emprego e a solidariedade para que haja justiça social.

O senhor ficou conhecido em São Paulo, no Brasil e no mundo como o "cardeal dos direitos humanos". Como o senhor gostaria de ser lembrado na história da Igreja?
Eu gostaria de ser lembrado como amigo do povo. Porque eu defendi os direitos humanos de todo o povo, sem olhar religião, sem olhar ideologia, sem olhar para as capacidades ou possibilidades das pessoas que eram perseguidas, mas sim para que todas elas tivessem seus direitos garantidos e a dignidade humana revelasse o amor divino.

Posfácio

Um grão de mostarda
Esperança e Utopia

Todo leitor, cristão ou não, que percorreu estas páginas viu o perfil e a obra do pastor que se fez conhecido e respeitado como o bispo amigo e defensor do povo.

Ao ler estas memórias nasce em nós a gratidão quando revemos e reconhecemos que o pastoreio de dom Paulo foi um testemunho profético das bem-aventuranças dos pobres, dos aflitos, dos famintos e dos perseguidos (Lucas 6,20ss).

O pastor da *"porção do Povo de Deus"* em São Paulo tornou-se o pastor da cidade.

Na defesa dos pobres e dos perseguidos, e na solidariedade com o povo, dom Paulo conseguiu evangelizar a metrópole pela força de seu corajoso testemunho profético.

Na Bula Pontifícia que designa seu sucessor como arcebispo de São Paulo, o Papa João Paulo II dá testemunho e o confirma com a autoridade do ministério petrino:

"À Mãe Igreja e a nós mesmos causou imensa satisfação apreciar tanta prosperidade de vida cristã e de obras, tanto vigor de fé e de ação cristã que o afeto franciscano do sagrado ministério e a busca franciscana do apostolado cotidiano trouxeram de forma tão clara ao amantíssimo e extensíssimo rebanho de São Paulo, no Brasil, que, por isso, não quisemos interromper tal governo episcopal.

Uma vez que o nosso venerável irmão Paulo Evaristo Arns, cardeal da Santa Igreja Romana, que por mais de vinte e sete anos ininterruptos regeu o mesmo clero e o povo fiel de São Paulo com o espírito e o esforço do Santo de Assis, depôs pessoalmente, não há muito, o grande múnus de governar a mesma arquidiocese, recorremos especialmente a ti, venerável irmão..."[1] dom Cláudio Hummes, para continuar o pastoreio de um filho de São Francisco de Assis.

Eu tive o privilégio, há trinta e cinco anos, de conhecer o jovem bispo dom Paulo Evaristo tomado pelo espírito renovador do Concílio Vaticano II. Ele chegou à região norte da cidade de São Paulo e foi ao encontro do povo disperso.

O bispo auxiliar de Santana começou a pregar a comunhão e a incentivar a participação de todo o povo na vida da Igreja e no enfrentamento dos problemas urbanos.

Através de assembléias, dos ministérios dos leigos e das comunidades eclesiais de base, vimos o trabalho da evangelização, realizado pelo próprio povo, transformar a dispersão em organismo vivo, em responsabilidade coletiva e em missão popular, que logo despontou como sinal promissor para toda a grande cidade.

Na mesma época vimos também um povo dilacerado nas prisões situadas naquela região norte de São Paulo. Jovens estudantes dominicanos, irmã Maurina Borges, outros padres e leigos foram presos, estavam sendo torturados e perdendo a esperança. Fui testemunha da defesa contínua e corajosa que dom Paulo fez dos presos perseguidos. Vi, na maneira de ele tratar essas vítimas da

[1] Bula Pontifícia de nomeação de dom Cláudio Hummes, dada em Roma, junto a São Pedro, em 25 de abril de 1998, 20º ano do pontificado do Papa João Paulo II, registrada por monsenhor Marcello Rossetti, protonotário apostólico.

tortura, da prisão, do banimento e da perseguição, o sinal visível da compaixão de Deus e da força do Espírito Divino, protetor e defensor dos injustiçados.

O testemunho profético de dom Paulo surgiu com força evangélica e se impôs como Testemunho de Paz,[2] como se constata desde o célebre Documento de Brodósqui.

Na periferia da região norte havia uma população pobre e excluída. Dom Paulo, junto com sua equipe mista de leigos e religiosos, foi ao encontro dos mais necessitados. Leigos e leigas se formaram como ministros da palavra. Foram agentes incansáveis da evangelização. Começaram a reunir os vizinhos da mesma rua para refletir sobre a vontade de Deus e os caminhos da evangelização na selva de concreto da grande metrópole.

No final de 1971, dom Paulo levou para a arquidiocese toda as colunas-mestras da ação evangelizadora. Começou a fazer do próprio povo o principal agente da evangelização da cidade.

Era preciso renovar e incentivar a igreja particular, imersa na megalópole com sua lógica perversa de "crescimento e pobreza":[3]

- a cidade tem que ser atingida pela "porção do Povo de Deus" que aí vive e atua;
- a evangelização da cidade consiste em anunciar e criar comunhão onde há dispersão, dominação e exclusão do povo. Se na aglomeração urbana não há povo livre, não se vê também o Povo de Deus em comunhão solidária no serviço recíproco;
- a evangelização da cidade tem por base a defesa da dignidade da pessoa humana, desde o nascimento até a morte;
- a evangelização da cidade consiste em imitar Jesus de Nazaré e fazer uma opção pelo povo pobre e marginalizado. É preciso tornar visível e coletivo o testemunho profético.

---

[2] "Testemunho de Paz", também conhecido como "Documento de Brodósqui", primeiro documento dos bispos paulistas contra a tortura, publicado ao final da Assembléia Ordinária do Regional Sul-1 da CNBB, realizada em Brodósqui, São Paulo, de 6 a 8 de junho de 1972.

[3] Foi este o título do livro citado por dom Paulo às páginas 359 e 390.

As conseqüências dessa evangelização foram muito concretas para reanimar o povo e abrir o caminho para a libertação do país.

A igreja particular de São Paulo tornou-se um sinal para a metrópole toda.

A força do Evangelho atingiu estruturas, organismos, pessoas e movimentos populares:

• a Pontifícia Universidade Católica foi chamada a colocar-se ao serviço do povo da cidade;

• o ecumenismo mostrou-se essencial, pois todos vivem e sofrem na mesma cidade, filhos e filhas do mesmo Deus de compaixão;

• os agentes de pastoral, leigos e leigas, seminaristas, religiosos e sacerdotes viram a necessidade da formação contínua, para preservar o elã e evitar o cansaço da rotina;

• para promover a dignidade humana, pretendida na criação, o anúncio da Palavra de Deus procurou atingir as estruturas da cidade: o mundo do trabalho e os sindicatos; os construtores da sociedade; os vizinhos perseguidos do Cone Sul; os negros, as crianças de rua, os migrantes, as mulheres marginalizadas; os torturados, os aidéticos e todos os que buscam a justiça.

Dom Paulo lançou a Operação Periferia logo no início de seu pastoreio da cidade. Centenas de sacerdotes e de religiosas deixaram colégios e obras internas para irem ao encontro do sofrimento do povo.

O Amparo Maternal – que recebe as mães grávidas mais pobres –, que desde 1939 vinha sendo sustentado, com imensas dificuldades, pela Igreja de São Paulo e pela abnegação das irmãs franciscanas e vicentinas, mereceu a simpatia e o apoio total de dom Paulo.

Surgiu também a Pastoral da Moradia e o trabalho nos cortiços.

O Vicariato do Povo da Rua foi ao encontro dos sem-teto e, juntos, construíram a Casa de Oração, no centro da cidade.

A Pastoral de Conjunto, com prioridades realizadas em espírito de colegialidade e de serviço recíproco, tornou-se sinal para as igrejas na América Latina e em outros continentes. Nas inúmeras vezes em que dei cursos nos Estados Unidos e na Europa, um fato sempre me impressionou: os coordenadores dos encontros costumavam anunciar com entusiasmo que o conferencista vinha da Igreja de São Paulo e era colaborador do cardeal Arns!

Um grão de mostarda

Quando era jovem presbítero, vi o bispo auxiliar dom Paulo Evaristo plantar um grão de mostarda na região norte da cidade de São Paulo.

Hoje aprecio a grande árvore que floresceu na maior e mais rica cidade do Brasil.

Em sua sombra vieram sentar-se intelectuais do CEBRAP, metalúrgicos do ABC, os grandes advogados da Comissão Justiça e Paz, os grupos de rua, os aidéticos, as mães solteiras, os menores abandonados, bispos e teólogos do mundo inteiro, jornalistas, um presidente dos Estados Unidos, estadistas daqui e de fora e um grande número de jovens "subversivos" para o regime militar.

Sob esta árvore ficaram, lado a lado, em plena igualdade fraterna e solidária, o rabino Henry Sobel, o reverendo Jaime Wright e o arcebispo de São Paulo rezando juntos diante da morte de Vladimir Herzog.

O pastoreio aqui descrito foi uma realização da Utopia do Reino de Deus, ativa por dentro do grão de mostarda que o pastor amigo e defensor do povo, dom Paulo, deixa como legado e transmite para as gerações futuras, proclamando com o livro do Apocalipse:

"É preciso profetizar, ainda!" (Ap 10, 11.)

Frei Gilberto da Silva Gorgulho, OP

GLORIA
SANTA
IGREJA

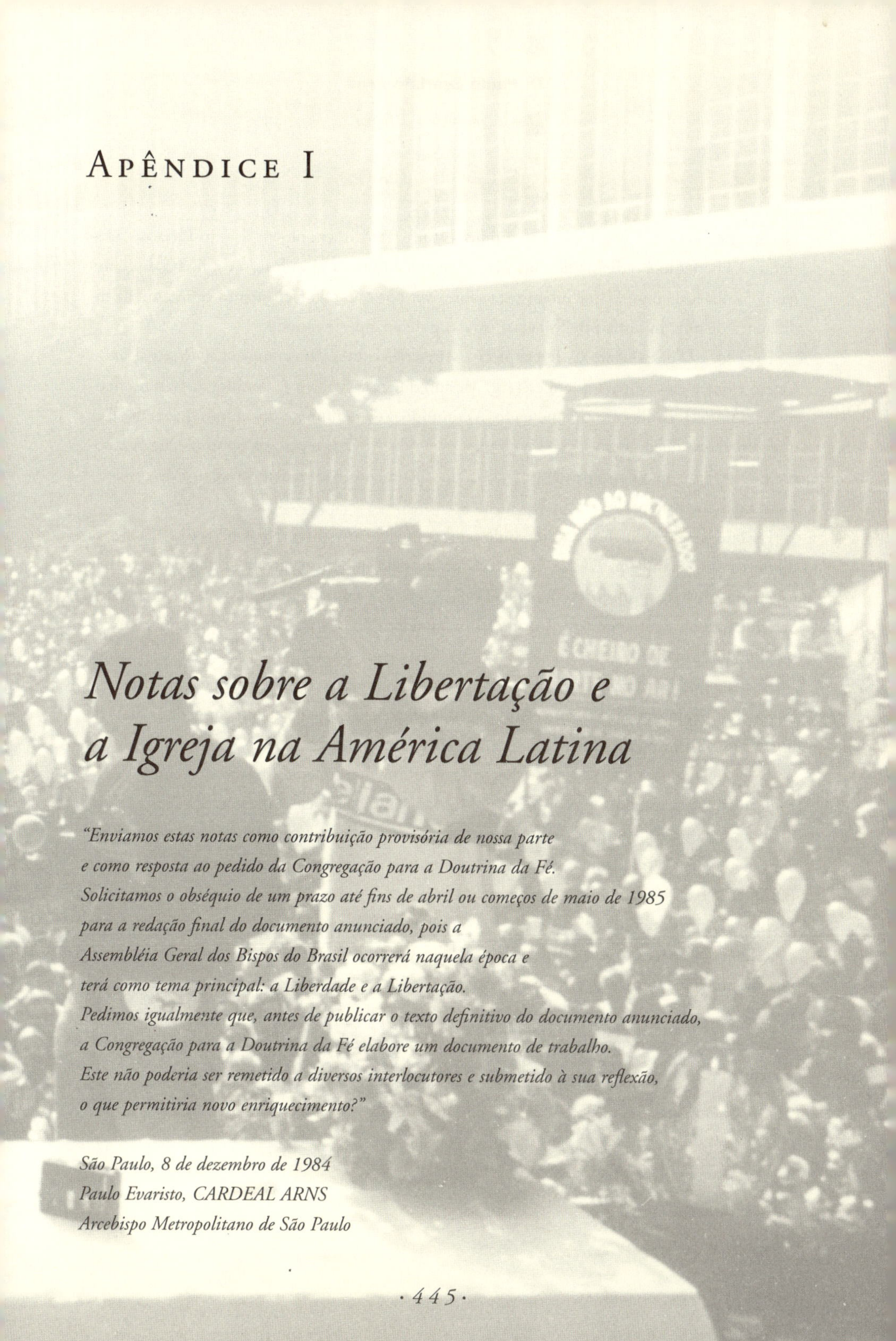

Apêndice I

Notas sobre a Libertação e a Igreja na América Latina

*"Enviamos estas notas como contribuição provisória de nossa parte
e como resposta ao pedido da Congregação para a Doutrina da Fé.
Solicitamos o obséquio de um prazo até fins de abril ou começos de maio de 1985
para a redação final do documento anunciado, pois a
Assembléia Geral dos Bispos do Brasil ocorrerá naquela época e
terá como tema principal: a Liberdade e a Libertação.
Pedimos igualmente que, antes de publicar o texto definitivo do documento anunciado,
a Congregação para a Doutrina da Fé elabore um documento de trabalho.
Este não poderia ser remetido a diversos interlocutores e submetido à sua reflexão,
o que permitiria novo enriquecimento?"*

São Paulo, 8 de dezembro de 1984
Paulo Evaristo, CARDEAL ARNS
Arcebispo Metropolitano de São Paulo

INTRODUÇÃO

Na América Latina, a libertação não é puro assunto acadêmico, objeto de considerações abstratas. A libertação é o drama de cada dia, o sangue, a fome, a humilhação e a honra de centenas de milhões de pessoas que lutam para sobreviver por causa do fechamento egoísta ou da indiferença de uma minoria privilegiada aliada às potências deste mundo.

Por isso, este documento da Igreja precisa ser escrito com a clara consciência do seu alcance. Quem é que escreve e para quem escreve. Mesmo que não venha a se destinar às grandes massas, será por elas conhecido e comentado. As multidões de famintos e oprimidos quererão saber o seguinte: esse documento será bom ou mau para nós? Aliviará o peso da opressão que pesa sobre nós ou aumentará esse peso? Os autores do documento não podem invocar o desconhecimento das circunstâncias.

De fato, esse documento será recebido também pelos opressores. Na América Latina eles se dizem católicos também. Eles se interessam muito pelo que diz a Igreja. Conhecem a arte de usar para proveito próprio as declarações da Igreja e a fazer delas armas contra os pobres. Selecionarão os argumentos que justifiquem a manutenção dos privilégios e que condenem os movimentos populares.

Se o magistério achar necessário ou indispensável condenar certas proposições de alguns teólogos, continuará suficientemente claro que essas condenações não afetarão em nada as lutas de libertação dos oprimidos e não prejudicarão a causa dos pobres?

Nossa preocupação não é a sorte dos teólogos e sim a das imensas massas de famintos e injustiçados. Por causa do sofrimento, os pobres são muito sensíveis. Sabem que a Igreja costumava apoiar os seus legítimos direitos até o momento em que essa posição entrava em conflito com os privilégios tradicionais dos ricos. Na hora em que estes últimos protestam, a Igreja se intimida e abandona os pobres à sua sorte. Acontecerá de novo a mesma coisa?

Este é o nosso temor. Por que temor? Porque as pessoas que irão redigir o documento não experimentaram na própria carne a situação dos oprimidos. Vivem numa situação cômoda, porque protegida. Situação, portanto, privilegiada. Não é esta a situação na qual se encontra a imensa maioria dos padres e religiosos? Quando se trata de situações humanas, a verdadeira objetividade supõe participação real na condição subjetiva das pessoas. Quem não vive em sintonia com aquele que sofre, como pode apreciar objetivamente seus comportamentos?

1ª PARTE: AS LUTAS DOS OPRIMIDOS PELA SUA LIBERTAÇÃO

1 – Ponto de partida: o desafio criado pelas lutas de libertação

O Concílio Vaticano II sentiu-se interpelado e incentivado pelas esperanças de libertação no mundo inteiro. *Gaudium et Spes* foi uma elaboração do cristianismo como resposta a essa interpelação. Uma formulação da esperança evangélica para os homens dos nossos tempos.

Na América Latina, essas esperanças de libertação apresentam aspectos específicos que impõem ao cristianismo um desafio ainda mais urgente e preciso.

As massas latino-americanas tornam-se conscientes da sua dignidade violada, da sua humanidade negada e destruída. Organizam-se para lutar em todos os planos: para receberem a justa remuneração do seu trabalho, para participarem na vida política das suas nações, para defenderem a sua cultura tradicional e o direito ao progresso da civilização. Do meio das elites, sobretudo entre os jovens, surgem muitas pessoas que não podem mais aceitar os privilégios que as favorecem e querem também uma transformação radical da sociedade. Pode-se concluir que está nascendo um novo povo latino-americano e, desta vez, como sujeito histórico.

Existe um processo de luta dos pobres e pelos pobres. As forças que se empenham por uma verdadeira libertação desses pobres estão, no entanto, longe de prevalecer: os movimentos de libertação não orientam a marcha dos acontecimentos. As minorias privilegiadas opõem-se ainda a toda sorte de mudança e lançam sobre os pobres o ônus de todas as crises econômicas. Por quanto tempo ainda? Neste confronto, deve a Igreja estar do lado dos mais fortes? Justamente porque as forças que lutam por libertação ainda são minoritárias e enfrentam tremendas alianças de forças conservadoras em situações estabelecidas, elas interpelam a Igreja, perguntando o que é que ela tem a dizer e a propor em tal circunstância.

Essa situação, que motivou a trágica história de cinco séculos de violência e desprezo dos vencidos, não foi inventada pela Igreja, menos ainda pelos teólogos. A Igreja não teve a iniciativa. Foi obrigada a viver num mundo que não escolheu. Agora, porém, os povos estão em marcha e interpelam a Igreja. Nós precisamos responder. O documento que se prepara será uma resposta. Será interpretado como resposta da Igreja à pergunta dos povos em luta de libertação.

2 – Os sofrimentos e as lutas do povo

As injustiças e os sofrimentos do povo latino-americano são bem conhecidos. Muitos documentos da Igreja o atestam, como, por exemplo, a *Populorum Progressio.* Os documentos de Medellín e de Puebla disseram tudo o que se pode verbalizar em uma síntese.

Os sofrimentos não estão, porém, diminuindo. Aparentemente, as denúncias e os apelos feitos pela Igreja tiveram pouco efeito. Nos últimos anos, ao menos, a dominação que exercem as potências desenvolvidas do mundo tem crescido, notadamente pelo mecanismo da dívida externa e pelas imposições do FMI e dos bancos mundiais. O desemprego aumentou, os salários baixaram e quem paga a conta pela recessão mundial são os mais pobres entre os pobres. A fome e a doença nunca fizeram tantas vítimas. Tudo isso é de tal forma conhecido, tantas vezes repetido, que chega a deixar de suscitar curiosidade.

Ora, o que os povos da América Latina esperam não é somente compaixão e assistência. Não é somente o reconhecimento teórico dos seus direitos. Não é apenas um protesto verbal, nem um apelo à consciência moral da humanidade. Tudo isso é ineficaz. Os documentos da Igreja proclamaram os direitos dos pobres, denunciaram as formas de opressão e nada mudou. O povo latino-americano, novo sujeito histórico, quer mais. Quer que a Igreja se defina e se situe frente às lutas de libertação. Quer saber se a Igreja se contentará com a atitude de pura espectadora ou de pura consciência moral que julga sem agir. Será que a Igreja está disposta a agir?

O povo oprimido quer saber se a Igreja está disposta a lutar a seu lado com os seus próprios recursos, sem se confundir com os movimentos partidários, sem recorrer aos meios temporais, que não lhe pertencem, mas agindo com todos os instrumentos que lhe são específicos.

3 – Os movimentos de solidariedade dos oprimidos

Na encíclica *Laborem Exercens nº 8*, o Papa João Paulo II mostra como os movimentos de solidariedade dos trabalhadores foram o motor de certas transformações, melhorando a condição dos demais trabalhadores do mundo desenvolvido. O Papa espera que apareçam novos movimentos de solidariedade de trabalhadores para enfrentar as novas formas de dominação do mundo do trabalho.

Pois bem, na América Latina, o que está surgindo e atuando são novos movimentos de solidariedade não somente de trabalhadores – categoria numericamente limitada –, mas também dos marginalizados afastados do mundo do trabalho ou mantidos em regime obsoleto de ocupação que não lhes permite subsistência digna. O desafio da Igreja na América Latina são esses novos movimentos de solidariedade ainda fracos, mas em pleno desenvolvimento, destinados a operar as transformações sociais tantas vezes reivindicadas e nunca realizadas.

4 – As lutas do povo latino-americano na atualidade

A América Latina guarda a memória das grandes esperanças populares que despertaram no fim da década de cinqüenta e nos anos sessenta. Naquele tempo houve muitas utopias, muita agitação desordenada, muitos movimentos desarticulados, muitas ilusões quanto às possibilidades de mudança das estruturas da "violência institucionalizada". A grande esperança de mudança encontrou seu eco na encíclica *Populorum Progressio* e nos documentos de Medellín. Pensava-se, naquele tempo, que as forças de transformação seriam suficientes para levar a bom termo as transformações reclamadas pela consciência moral. Pensava-se que a sabedoria e a consciência cristã dos grupos dominantes da sociedade seriam suficientes para que aceitassem a renúncia aos privilégios seculares e permitissem o acesso dos pobres a condições mais humanas.

O que aconteceu foi o contrário. As forças conservadoras procuraram apoio nos sistemas militares ditos de segurança nacional. Muitos cidadãos acreditaram que o perigo comunista era verdadeiramente iminente e aceitaram o sistema de segurança nacional, tapando os olhos diante de seus excessos, seus abusos e todas as violações sistemáticas dos direitos humanos.

O sistema de segurança nacional foi denunciado por Puebla. Conseguiu destruir grande parte das organizações populares; deixou as multidões pobres atomizadas diante de um Estado todo-poderoso, que recorre às armas de guerra como resposta às mínimas petições dos explorados. O custo humano do estado de segurança nacional foi imenso: a destruição do tecido social, o reino do terror, milhares de mortos e desaparecidos, ou seja, seqüestrados e eliminados sem deixar vestígios, a tortura adotada como sistema de comunicação entre o Estado e os cidadãos, o terrorismo do Estado como forma de governo, a delação universal, a supressão dos poucos direitos sociais que certas categorias de trabalhadores tinham conquistado, uma geração de lutas aniquilada e as portas abertas para a exploração multinacional.

No meio de provações indizíveis e superando uma situação de quase desespero, os povos latino-americanos reconstituíram pacientemente os embriões dos movimentos de solidariedade e, assim, os estados de segurança nacional tiveram que ceder terreno. Processos de abertura, liberalização ou democratização foram abrindo espaço na maior parte dos países, notadamente no Brasil, na Argentina, no Uruguai, na Colômbia, na Bolívia e, com dificuldades, na América Central.

Contudo, as esperanças de libertação foram tantas vezes desmentidas pelos fatos, promessas de libertação revelaram-se tantas vezes mentirosas que as massas continuam temendo que as repetidas promessas não sejam mais do que novas mentiras. Uma vez que sejam superados os abusos extremos dos estados de segurança nacional, será que a Igreja irá desmobilizar-se? Pensará que sua tarefa e responsabilidade para com a libertação do povo latino-americano estão esgotadas?

Pelo contrário, agora é que os pobres vão poder começar a se organizar e a aspirar por uma condição mais humana. As formas democráticas da sociedade se tornariam vãs se não permitissem aos pobres pôr em evidência sua extrema miséria. É agora que os pobres começam a agir. Com essas condições eles agora interpelam a Igreja e os cristãos: o que irão fazer nas atuais circunstâncias?

5 – A Igreja interpelada e movida para a reflexão e a ação

A Igreja latino-americana sentiu-se interpelada e provocada nas pessoas de seus bispos e respectivas conferências episcopais, religiosos, sacerdotes e leigos. Iniciou ela um movimento de reflexão para saber como haveria de responder, nascendo, assim, aquilo que, talvez pela falta de nome mais adequado, chamou-se "teologia": não a partir da reflexão dos teólogos, nem a partir dos cursos de teologia nos seminários e faculdades, nem mesmo a partir de documentos eclesiásticos oficiais. Nasceu ela da necessidade de responder às lutas de libertação do povo latino-americano. Por que não seria legítima semelhante reflexão?

Podemos objetar que bastaria que a Igreja tomasse como ponto de partida a sua própria "doutrina social" e que esta seria suficiente. A doutrina social da Igreja é universal e o desafio do povo latino-americano de hoje é preciso, novo, específico e único. Ora, uma resposta precisa e específica que a Igreja há de oferecer ao desafio não pode, pois, ser deduzida somente de sua doutrina social. Além disso, não se trata de oferecer uma "doutrina" como resposta a um pedido de ajuda concreta. Trata-se, isto sim, de saber qual será o engajamento concreto da Igreja, quer dizer, o engajamento do próprio Cristo e de Deus. Não estão eles engajados na libertação dos oprimidos?

A Igreja latino-americana apoiou-se naquilo que escreveu Paulo VI na *Octogesima Adveniens nº 4*: "É às comunidades cristãs que cabe analisar, com objetividade, a situação própria do seu país e procurar iluminá-la com a luz das palavras inalteráveis do Evangelho... A essas comunidades cristãs incumbe discernir, com a ajuda do Espírito Santo, em comunhão com os bispos responsáveis e em diálogo com outros irmãos cristãos e com todos os homens de boa vontade, as opções e os compromissos que convém tomar, para se operarem as transformações sociais, políticas e econômicas que se apresentam como necessárias e com urgência em não poucos casos."

A reflexão legitimada pela *Octogesima Adveniens* desencadeou todo um movimento dentro da Igreja. Os teólogos ocupam certo lugar nesse movimento, mas um lugar acessório e limitado. A teologia latino-americana da atualidade não é produto de teólogos. Ela se exprime em inumeráveis textos e discursos não originados dos teólogos como tais. Estes interpretam, cada um à sua maneira, os grandes temas da reflexão comum da Igreja, mas não conduzem o movimento. Eles o seguem; não o inventaram.

Queremos desmentir uma visão que certos polemistas tratam de divulgar: dizem que a teologia da Igreja latino-americana está seguindo os passos de alguns teólogos conhecidos. Esses teólogos, por sua vez, estariam seguindo os passos dos sociólogos, os quais estariam a reboque do marxismo e, desse modo, toda a Igreja latino-americana estaria em perigo de seguir, inocente ou ingenuamente, os passos dos marxistas, sem disso se dar conta. Somente polemistas bem ingênuos poderiam ter a capacidade de acreditar que centenas de bispos, milhares de padres e de religiosos e milhões de fiéis fossem a tal ponto ingênuos, sendo somente eles próprios cristãos conscientes.

2ª PARTE: O POVO LATINO-AMERICANO LÊ A BÍBLIA

6 – Os cristãos lêem a Bíblia

A maior parte dos pobres latino-americanos são cristãos. Querem lutar como cristãos e construir uma sociedade inspirada no seu cristianismo. Por isso eles se reconhecem na Bíblia. Após o Vaticano II, a Igreja reconhece aos leigos o direito de ler a Bíblia e de serem iluminados diretamente pela palavra de Deus. Os pobres não querem prescindir da ajuda que lhes vem da hierarquia, para ler a Bíblia à luz de toda a tradição cristã. Mas não querem apenas receber passivamente uma doutrina já feita. Querem entender a voz de Deus por eles próprios e descobrir pessoalmente o que ela lhes diz. É seu direito e mesmo seu dever de cristãos.

Aqui sucede um fato importante: na América Latina, não são os exegetas que ensinam aos pobres, mas os pobres que ensinam aos exegetas. Claro que os pobres não ensinam as técnicas científicas de leitura de um texto. Mas eles chamam a atenção para as intuições fundamentais e os conceitos de base. São eles que descobrem os eixos em torno dos quais circula toda a revelação bíblica, de tal sorte que o trabalho dos exegetas consistirá em dar forma àquilo que os simples e os ignorantes descobrem mais facilmente que os sábios.

A Igreja na América Latina acha que sua missão consiste em facilitar aos pobres a leitura da Bíblia, sem substituí-la por resumos de doutrina feitos por profissionais que não estão diretamente engajados nos movimentos de libertação. Acha que pode confiar no povo dos pobres, que também recebe a iluminação do Espírito Santo. Isso não elimina, mas, ao contrário, reforça a vigilância constante do magistério dos pastores.

7 – A leitura da Bíblia dentro de uma situação determinada

Os pobres lêem a Bíblia dentro da sua situação de oprimidos e dentro dos seus esforços e lutas de libertação. Eles procuram e descobrem na Bíblia resposta às suas preocupações. Quem está passando fome, o que é que lê na Bíblia? Quem está humilhado, expulso de sua terra e de seu país, preso ou num campo de concentração, ou que procura em vão um emprego, tendo que alojar a família num abrigo miserável, construído com dejetos abandonados pelos ricos, o que é que procura? Quem está procurando organizar seus irmãos negros, ou índios, ou camponeses sem terra, o que é que vai ler na Bíblia?

Sem dúvida, essa leitura será parcial. Não descobrirá tudo o que a Bíblia pode dizer a todos os homens de todos os tempos. Mas qual é a leitura que o poderia fazer? Trata-se de uma leitura situada e orientada. Deixará, por isso, de ser objetiva? Não é a Bíblia, igualmente, um livro orientado de maneira especial e que fala mais claramente a uns e menos explicitamente a outros? Leitura objetiva seria uma leitura indiferente, distante dos homens concretos e de suas angústias? Como uma igreja que vive no meio de um povo que geme debaixo da opressão poderia promover uma leitura da Bíblia que se contentaria em relembrar as angústias vividas no passado sem fazer alusão às presentes? A Bíblia fala apenas de israelitas de dois ou três mil anos atrás? Não fala nada dos homens de hoje?

8 – O que os pobres descobrem na Bíblia

Os pobres descobrem que a Bíblia foi escrita para eles: a partir deles, para chegar até eles. Nela há uma palavra que Deus quis dizer aos pobres e que somente eles podem entender: seu sentido está escondido aos sábios e poderosos e está aberto para os simples e os pequenos.

O que é que a Bíblia diz para os pobres? Ela lhes diz que Deus está com eles, que Deus não somente entende, mas promove a sua aspiração para a libertação e é solidário com a sua causa.

Essa descoberta é inspirada pelo Espírito Santo. Que a Bíblia fala para os pobres e lhes anuncia a libertação a Igreja o sabia desde sempre, mas não estava suficientemente consciente disso. Estimulada pela leitura dos pobres, relê ela a Bíblia, descobrindo o que sempre soube, sem no entanto lhe prestar a devida atenção. Os pobres, portanto, não descobrem na Bíblia algo desconhecido pela Igreja, mas sim um conteúdo do qual ela estava esquecida.

9 – Falsas acusações

Não faltaram calúnias e denúncias. Houve quem afirmasse que os pobres latino-americanos tinham inventado um Cristo guerrilheiro ou agitador político, ou selecionado o Êxodo como único livro da Bíblia, manual de guerrilha, e assim por diante. Na América Latina, desde o momento em que os pobres começam a tomar a palavra, estão sendo inundados por uma torrente de calúnias e difamações. Essas supostas "releituras" da Bíblia são inventadas pelos interessados em destruir todos os movimentos populares de libertação. Inspiram-se nos temas das revoluções estudantis do mundo capitalista dos anos sessenta, como se isso tivesse algo a ver com a libertação das multidões de oprimidos do terceiro mundo. Na América Latina quer se mostrar, por meio de calúnias, que o povo é e sempre será ignorante, incapaz, humanamente subdesenvolvido e que nada de bom pode vir dele. Trata-se de um reflexo inato dos privilegiados: "Tudo o que vem do povo é mau. Se ele fala de Deus, só pode ser para proferir heresias."

10 – Princípio de enfoque do Antigo Testamento

A Igreja – com exceção de determinadas épocas – sempre soube valorizar o conhecimento de que a Bíblia toda explicita um julgamento de Deus e que esse julgamento é, em primeiro lugar, a libertação dos pobres. Tudo, na Sagrada Escritura, será iluminado por essa perspectiva, assim como pela certeza de que os pobres são os que melhor podem entender a substância do livro.

Todos os livros do Antigo Testamento mostram que Deus intervém na história para formar um povo. Sua vinda liberta da escravidão e da dominação. Forma o povo no serviço, na partilha e na solidariedade. A promessa de Deus que vem libertar os pobres torna-se o eixo da história e se manifesta como Lei, Profecia e Sabedoria.

Na **Lei** – A lei é um sinal profético, a partir do grito dos pobres, para formar um povo livre e solidário, na força do julgamento de Deus. A lei, que concretiza os modelos de aliança, é uma pedagogia em vista da formação progressiva deste povo. Os pobres são os portadores do projeto da sociedade desejada por Deus (ver, por exemplo, Ex 22,18-31; Dt 14-18; Sf 2,1-3;3,12-14).

Na **Profecia** – Os profetas são os defensores dos direitos dos pobres. Para eles os ricos são os corruptores da Aliança de Deus e os pobres, os defensores. Basta citar aqui alguns exemplos: os profetas defendem a herança dos pobres contra a perversão que gera o espírito de lucro e o amor ao dinheiro (Am 4,1ss; 5,24; 8,1-4). Os pobres denunciam o espírito de "prostituição" que contamina os poderosos (Os 2, 18-24; 4-5; Ez 37). Isaías mostra que a defesa do direito dos pobres é a base moral da cidade justa e fiel (Is 1,10-17; 3,12-14; 1,20-27; 10,1-4; 28,14-20). Por isso o profeta rejeita os falsos projetos dos impérios (Is 30-33; 11,1-7). As promessas proféticas anunciam uma nova aliança cuja pedra fundamental é a libertação dos pobres (Jr 30-31; Is 52-55.61; Zc 9-11; Sl 82.85.72).

Na **Sabedoria** – A sabedoria é o discernimento a partir das necessidades da vida. Ora, qual é a regra que a sabedoria bíblica propõe ao discernimento? A busca da justiça a partir do direito dos pobres (Pr 11;15,33; 18,12ss; 22,4; Sf 2,1-3). A sabedoria é a defesa da causa dos pobres para a formação de um povo livre (Pr 29,1-7).

O justo é o que defende a causa dos pobres (Pr 29,1-7), o que discerne o Deus vivo como o libertador dos pobres (Pr 22,10; Jó 19,20-25). A sabedoria é o discernimento da justiça que dá vida e a restitui a um povo a quem a dominação levaria à morte (Sb 13-17).

11 – Princípio de enfoque do Novo Testamento

É sobretudo do Novo Testamento que os pobres da América Latina recebem iluminação e, em primeiríssimo lugar, dos Evangelhos. Nestes, eles lêem a promessa que Jesus lhes faz, bem como aos aflitos, famintos e a todos aqueles que as elites rejeitam sob a categoria de pecadores. A esperança do mundo está entregue às mãos dos mais pobres. Eles são os depositários das promessas do Reino para a formação de um mundo novo (Mt 11-12).

O eixo da passagem do Velho para o Novo acontece na imitação de Jesus. E o centro dessa imitação está no discernimento e na decisão de partilhar a vida e os bens com os pobres (Mc 10, 20-29).

Se a perspectiva dos pobres ilumina todos os textos dos Evangelhos, as comunidades cristãs primitivas encontram, na comunhão entre os mesmos pobres, ao mesmo tempo, sua liberdade, o triunfo sobre o velho mundo e o sinal de sua participação presente na ressurreição de Jesus Cristo.

Esta leitura não quer limitar a multiplicidade dos aspectos da novidade evangélica. Porém, a aceitação dessa perspectiva dos pobres não significa deformação subjetiva e pode ser confirmada com todos os recursos da ciência mais rigorosa. Por outro lado, não há nenhuma interpretação que seja mais do que esta em continuidade com a tradição da Igreja, dos santos, dos mártires, dos confessores, dos monges ou dos missionários de todas as épocas.

12 – Da Bíblia procede uma teologia

Pela leitura da Bíblia, o povo dos pobres chega a um tipo de teologia – simples e sem vocabulário técnico, sem dúvida, mas profunda – que atinge o essencial do conhecimento de Deus presente na Igreja. É falso que a teologia latino-americana derive só da sociologia ou de uma leitura sociológica dos acontecimentos. Ela procede da Palavra de Deus que está na Bíblia, lida na tradição cristã, sob a luz do Espírito Santo.

3ª PARTE: A PRÁTICA DA IGREJA

13 – A prática dos pobres de Deus

Na América Latina os pobres são, quase todos, cristãos. Assim, o povo latino-americano é também o Povo de Deus. O povo dos pobres é também a Igreja dos pobres. São numerosos os laços entre a luta dos movimentos de solidariedade e a prática eclesial dos pobres, que, aliás, não chegam mesmo a notar nenhuma diferença entre as duas. A Igreja dos pobres nasce no meio de suas lutas de libertação e são estas que vão fazer surgir uma nova prática de Igreja naquele meio.

A Igreja dos pobres se organiza na sociedade e também dentro dela própria. Os pobres – que são, ao menos, os 80% de batizados – começam a se reunir e associar. Não têm, todos os cristãos, afinal, o direito de formar suas próprias associações, que sejam por eles dirigidas, para realizar juntos sua vocação cristã? Para tanto, não devem eles esperar convocação do clero. Podem e devem tomar iniciativas. O próprio Código de Direito Canônico lhes reconhece tal direito. Assim procedendo, não estão rejeitando a jurisdição dos bispos e dos padres, tal como é definida no código. Os pobres, portanto, têm direito de fundar associações. Estas, por sua vez, não dividem mais a Igreja do que o fazem os institutos religiosos, sejam eles seculares ou de vida apostólica.

As comunidades eclesiais de base são, na sua imensa maioria, associações formadas pelos pobres. Elas não são fundadas ou dirigidas pelo clero, ainda que à sua jurisdição permaneçam submetidas, conforme prevê o Direito Canônico, nem são substitutivas, nem subdivisões das paróquias. Procedem elas da livre vontade de seus membros em vista de ajudar-se mutuamente para servir melhor nas lutas de libertação de seus irmãos. Elas gozam da mesma autonomia de que desfrutam todas as demais associações fundadas na Igreja. De fato, elas fundam e desenvolvem uma nova prática eclesial: a parte principal da ação concreta do Povo de Deus para a libertação dos pobres.

Na época da grande repressão, que ainda se prolonga em certos países, as comunidades dos pobres suportaram o peso mais intenso e pagaram o preço mais alto: foram denunciadas, caluniadas, perseguidas e martirizadas. Foi no meio delas que houve o maior número de mortos, de "desaparecidos", de torturados, violados, expulsos de sua terra, casa ou trabalho. Sobre elas a repressão podia abater-se sem restrição, pois, afinal, os pobres não têm nome e os meios de comunicação mundial não assumem sua defesa. São eles vítimas anônimas, formando lista de nomes encontrável apenas no Céu.

Entre os pobres encontram-se os servidores mais generosos e incondicionais do Povo de Deus. Não poucas vezes, diante da ameaça da perseguição, certos bispos, padres e religiosos se deixam mover por uma falsa prudência humana, afirmando que não querem comprometer a ação pastoral da Igreja por gestos ou palavras imprudentes. Por esse motivo, ficam calados ou falam de modo tão vago que ninguém se sentiria atingido. Por outro lado, na América Latina, os membros do clero gozam sempre de uma proteção mais intensa que os simples leigos. E foi entre os leigos mais pobres que as maiores "imprudências" foram cometidas.

Além disso, as calúnias nascidas do sistema de repressão acabam penetrando dentro da própria Igreja, bastando lembrar, por exemplo, quantas vezes, no próprio interior da Igreja, as comunidades populares foram acusadas de suspeitas, subversivas, irresponsáveis, ou, pior ainda, extremistas, marxistas e terroristas, chegando mesmo a acontecer que os que mais se sacrificaram pela Igreja acabassem sendo por ela rejeitados ou desprezados.

Não obstante, as comunidades eclesiais de base estão na frente da missão evangelizadora da Igreja na sociedade latino-americana, indo ao encontro dos mais duros desafios. Defendem elas a Igreja em ambientes que freqüentemente nela não mais confiam, recebendo, assim, golpes dos dois lados.

14 – Missão da Igreja: evangelizar

A primeira missão da Igreja consiste em evangelizar. A Assembléia de Puebla dedicou-se a este assunto. Por quê? Porque a Igreja sofre a tentação de abandonar o ministério da evangelização para se reservar aos seus assuntos internos.

O que é evangelizar? Anunciar uma boa-nova. Qual? E a quem anunciá-la? Jesus anuncia boa-nova aos pobres, aos doentes, aos perseguidos, aos que são tidos como pecadores. Anuncia-lhes que Deus está com eles e lhes reserva o seu Reino, não somente na outra vida. Jesus teria falado somente aos israelitas de seu tempo? A Igreja sempre acreditou que suas promessas valiam também para as gerações seguintes.

Hoje há ainda pobres, do mesmo jeito e mais que no tempo de Jesus. É difícil não enxergá-los na América Latina, apesar de todos os esforços envidados para escondê-los. São centenas de milhares, todos aguardando uma resposta ou um gesto da Igreja. Teria ela uma boa-nova para essa multidão?

Não pode a Igreja permanecer confinada nos seus edifícios, nem tampouco na linguagem hermética da sua teologia oficial. Deve falar de forma a ser compreendida. É preciso que ela anuncie a essas centenas de milhares algo que lhes diga respeito, que ilumine sua vida, que seja uma esperança como foi a passagem de Jesus entre eles.

15 – Compromisso na ação

Na América Latina, tradicionalmente, a política não desfruta do apoio da opinião pública. Entrar no mundo significa confrontar-se com a corrupção, a mentira e a violência. Por isso é melhor permanecer confinado no ambiente menos comprometedor e menos perigoso das casas eclesiásticas. Um "bom" católico não faz política. Muitos "bons" católicos preferem seguir os passos de seus padres: sob o pretexto de que estes últimos não podem se imiscuir em política, decidem, tais católicos, também abster-se dela. Por seu lado, muitos padres não vêem com bons olhos que alguns de "seus" leigos se percam no meio do mundo; prefeririam vê-los dedicados às obras da paróquia ou do convento como úteis auxiliares.

Reação a tal postura – da parte de pequenos grupos de católicos, sempre minoritários e freqüentemente mal compreendidos pelos outros, que permanecem prudentemente no redil – ocorreu somente nas últimas décadas.

Se é verdade que os bispos e os sacerdotes não podem assumir pessoalmente as funções de leigos no mundo, é igualmente verdade que não devem eles ficar indiferentes ao que os leigos fazem ou deixam de fazer. Devem, isto sim, exortar, estimular, encorajar, reconfortar, apoiar, abrir horizontes, conduzir em direção ao futuro. Os leigos devem sentir que seus padres estão com eles, que não os abandonarão nos momentos de desilusões ou perseguições, nem os trairão na hora das calúnias.

Durante os tempos da grande repressão, não poucas vezes a Igreja ofereceu refúgio e asilo aos perseguidos do regime, que eram os defensores da causa dos pobres. Assim procedendo, contribuiu ela eficazmente no combate pela libertação. Por outro lado, outros não ousaram tanto, preferindo uma prudência de pouco alcance ao perigo de serem acusados de cumplicidade com a "subversão". Chegamos ao momento de a Igreja ser julgada a partir de suas obras e eficácia, e não a partir de suas intenções ou lamentações estéreis.

Durante os últimos anos, não há dúvida de que a Igreja pôde reaver, em muitos ambientes, uma credibilidade que há muito havia perdido. Graças à colaboração de numerosos católicos com os movimentos de solidariedade e de libertação, alguns descobriram que o cristianismo não era apenas uma relíquia do passado, mas ao mesmo tempo mostrava-se capaz de produzir obras; que os cristãos também podiam ainda agir e não só venerar as lembranças de seus fatos relevantes de outrora. Isto foi uma surpresa para muitos de nossos contemporâneos, surpresa esta que oferece hoje novas perspectivas para a evangelização.

Os que, desde as igrejas da velha cristandade, criticam as iniciativas dos cristãos da América Latina, deveriam perguntar-se qual é a força de penetração e de evangelização nos meios não-crentes dos seus respectivos países e na juventude dos mesmos. Será que eles se contentam apenas com proteger os restos de uma cristandade que se extingue, ou conseguem reconquistar o mundo que deles se afastou? Na América Latina, a participação efetiva de diversos grupos de cristãos nos movimentos de libertação, com o apoio explícito de numerosos bispos e sacerdotes, restituiu credibilidade a uma Igreja muito marcada por seu passado histórico.

16 – Evolução contemporânea da Igreja

Durante a grande repressão, a Igreja latino-americana assumiu freqüentemente a tarefa de ser a voz dos que não tinham voz. Os pobres não podiam se exprimir. A censura reinava sobre todas as formas de comunicação. Somente a Igreja podia falar. Muitos bispos elevaram bem alto a sua voz para defender a causa das vítimas da injustiça, denunciando as violações dos direitos humanos, as torturas, as perseguições de inocentes, o terrorismo do Estado, as mentiras oficiais, as monstruosidades da doutrina de segurança nacional e a exploração sistemática dos trabalhadores entregues sem defesa à exploração dos poderosos. Nem todos, infelizmente, elevaram a voz. Mas o clamor de uns foi suficiente para fazer disfarçar o silêncio de outros.

Hoje em dia, na fase de liberalização relativa que reina por todo canto, existe o perigo de se ver a Igreja voltar a uma posição menos comprometida. Já não haverá mais violações tão flagrantes dos direitos humanos fundamentais. As classes superiores e médias poderão se exprimir e contar com certos órgãos de um Estado menos violento. Mas, e os pobres? A tortura desapareceu das prisões? Sabemos que não e, além disso, continua a tortura da fome e da subnutrição, dos milhões de crianças abandonadas nas ruas, da falta de emprego, desta civilização de dejetos em que se transformaram as periferias das grandes cidades, onde milhões de seres sem recursos se amontoam, porque foram expulsos de seus lugares de origem.

A abertura política abre caminhos novos para a organização e a ação social dos pobres. Porém a grande maioria deles é muito fraca corporal e culturalmente, mesmo para se reunir, pensar por si mesma e se organizar. Sem o apoio da Igreja, não se sentem capazes, nem animados a fazê-lo, pois sempre lhes foi dito que Deus queria que eles aguardassem com paciência a recompensa que não lhes faltaria no céu. Não se lhes ensinava que Deus criou os pobres para poderem servir aos ricos e que estes, sem os primeiros, teriam muitos embaraços na vida?

O compromisso da Igreja com os pobres não acaba na atualidade. Pelo contrário, no momento em que eles vêem renascer certa esperança, contam mais do que nunca com uma ajuda indispensável, também necessária como outrora, se bem que envolva outros aspectos da realidade. A solidariedade com os pobres, mais que nunca, necessita do apoio, do encorajamento e da constância da Igreja. Mais que nunca os pobres serão os portadores de um novo projeto de sociedade, embora seja provável que os mais favorecidos se contentem com os bens que a abertura política lhes traga e esqueçam os pobres, como é tão cômodo fazê-lo.

17 – A divisão na Igreja

Todas as divisões na Igreja são penosas e escandalosas. Mas há uma que, mais que todas, é incompatível com o Evangelho de Jesus Cristo: a dos cristãos que dominam, exploram ou perseguem outros cristãos. Na América Latina, os documentos da Igreja testemunham profundas injustiças institucionalizadas e desigualdades incompreensíveis. Ora, isto quer dizer que, na mesma sociedade, vivem seres humanos privilegiados e apegados a seus privilégios, apesar das injustiças que comportam e engendram ao lado de outros seres humanos bem mais numerosos, para os quais fecham-se todos os caminhos de uma condição digna da pessoa humana. O escândalo está em que uns e outros se apresentam como cristãos e católicos.

Durante os anos da grande repressão, não ocorria freqüentemente que os responsáveis pelos regimes de segurança nacional ousavam invocar a autoridade de Deus e a religião para a sua justificação? Uma confusão profunda penetrou então as massas dos pobres: se se invoca a religião para justificar a injustiça, não deveria a Igreja elevar a voz e denunciar tal impostura?

Por séculos, a Igreja permaneceu sob a proteção do Estado. Então, cada vez que missionários denunciavam abusos do regime de redução em escravidão de índios ou de negros, eram eles expulsos ou condenados ao silêncio. Uma vez reconquistada a liberdade, a Igreja teve que reaprender os seus caminhos, a audácia para denunciar as falsas justificações religiosas da opressão, bem como as virtudes da pobreza dos que devem suportar o peso da cólera dos poderosos.

A dominação e exploração de cristãos por cristãos foi a face obscura da história da Igreja na América Latina. A aparente unanimidade cristã foi obstáculo à clara percepção da real condição das grandes massas. Foi assim que a tomada de consciência de Medellín e de Puebla constituiu para muitos uma verdadeira novidade.

Muitos bispos, padres, religiosos e leigos descreveram em termos de verdadeira conversão as mudanças que ocorreram em suas vidas após a descoberta da verdadeira situação do povo latino-americano. Conversão de bispos que, em seu modo de vida, se aproximaram do modo de viver e de agir das grandes massas pobres. Conversão de padres que saíram do formalismo dos gestos convencionais para tomar parte na humilde vida cotidiana dos pobres. Conversão de religiosos que, para sua grande confusão, reencontraram a inspiração primeira de seus fundadores. E conversão de leigos que souberam sacrificar as vantagens de uma condição privilegiada para colocar suas capacidades a serviço dos mais abandonados. Em meio às multidões marginalizadas, núcleos mais e mais numerosos converteram-se de seu medo e de sua passividade, para descobrirem o valor da solidariedade e da organização, assim como do dever de lutar por sua libertação e a de seus irmãos.

Esta conversão encontra-se ainda num processo em movimento. Caminha lentamente, mais lentamente do que alguns o desejariam. Seu programa foi claramente definido em Medellín e em Puebla. Mas as palavras estão longe da realidade. É impossível considerar Medellín e Puebla como uma conquista. É, isto sim, um projeto da Igreja a ser retomado a cada dia, no concreto. O objetivo da teologia latino-americana encontra-se aí e não em outra parte.

4ª PARTE: IGREJA E TEOLOGIA

18 – O elo entre a teologia e a Igreja

Na América Latina, a teologia se desenvolveu em ligação com a pastoral descrita na 3ª parte e a serviço desta pastoral. Não é uma teologia exclusivamente a serviço do magistério. Não considera que sua função única ou central seja a definição da ortodoxia, pois esta é uma função do magistério enquanto tal. A teologia se entende ao serviço do Povo de Deus em todo o seu conjunto: hierarquia, clero, religiosos e leigos. No entanto, como a própria pastoral da Igreja, admite ela uma prioridade, que é sua opção pelos pobres.

Procura, então, o diálogo com as multidões pobres: retoma, para inspirar-se, as grandes intuições e descobertas do povo latino-americano em suas lutas de libertação, tais quais, aliás, são refletidas, retomadas e reelaboradas na pastoral da Igreja.

A teologia não tem por objetivo colocar em formato técnico a fé dos pobres. Mas ela pode, no entanto, ajudar a preservá-la e fazer seu valor ser reconhecido na Igreja. Pode a teologia inspirar-se na fé dos pobres para desmontar e submeter a uma crítica evangélica as construções intelectuais, campo em que, com muita freqüência, ela se deixou ficar à deriva, no passado e no presente. Bem longe de "reduzir" o Evangelho a um sistema filosófico, denuncia ela precisamente reduções à filosofia em muitas teologias do passado, cada vez que estas últimas abandonaram a causa dos pobres, por se deixarem seduzir pela cultura intelectual dominante. A teologia latino-americana quer libertar os pobres de uma teologia feita por intelectuais que se refugiam longe do mundo deles.

O motor desta teologia é a evangelização dos pobres, enquanto que, no passado, muitas vezes foi ele a curiosidade intelectual individual dos teólogos ou do ambiente universitário. A evolução teológica, no passado, foi muitas vezes conduzida e provocada pelo surgimento ou descoberta de novas filosofias. Na atualidade, o motor quer ser o desafio representado pela busca da ação em vista da libertação dos pobres e não o que é que o Evangelho diz diante de Platão, Aristóteles, Descartes, Hegel ou Heidegger.

Esta teologia busca o sentido da Palavra de Deus para os homens de hoje e, sobretudo e prioritariamente, para os pobres do tempo presente, evitando enunciar a verdade de uma forma que seria compreensível sempre e em toda parte. Para elaborar este sentido ela não se inspira em intuições pessoais, mas na leitura da Bíblia feita pelos pobres reunidos em igreja, e na teologia implícita na prática vivida na Igreja no decorrer das últimas décadas.

A teologia latino-americana concebe a verdade como o faz São João, ou seja, o resultado de uma luta contra a mentira. A mentira se esconde e a luta pela verdade desmascara a mentira. É nesta luta que se descobre, pouco a pouco, a verdade, mesmo porque não aparece ela de repente à simples leitura de um texto.

Ora, na América Latina, o povo dos pobres foi desde sempre impregnado de falsas teologias que lhe inculcaram uma religião deformada. Como seria tão injusta a sociedade latino-americana – ela, que nasceu sob o signo da Cruz – se não tivesse sido deformada por teologias falsamente cristãs, mas que passavam como sendo cristãs? Essas falsas teologias eram, aliás, mais implícitas que explícitas, uma vez que a mentira costuma se ocultar. Consistiam mais em silêncios significativos e omissões calculadas. Existe um certo falso cristianismo latente, na civilização latino-americana, fazendo dos pobres as suas vítimas, pois trabalhou ela sempre a favor dos privilegiados.

É por este motivo que, na América Latina, uma verdadeira teologia só pode ser aquela que liberte da falsa teologia. É encontrável também a ação de profetas que anunciam a verdade denunciando as mentiras dos falsos profetas, ou a ação de Jesus, que enuncia a própria verdade em contraste com a falsa teologia dos fariseus.

19 – Libertação e teologia

A teologia latino-americana não tem como objetivo, nem efeito, acrescentar alguns capítulos à teologia anterior. O que ela pede é uma mudança de perspectiva, partindo da pressuposição da existência de uma tensão permanente na História, entre o cristianismo vivido pelos pobres e as adaptações feitas pelas classes superiores, com a ajuda, quase sempre, das idéias e dos sistemas intelectuais que somente estas últimas conhecem e sabem manejar. A pressuposição prossegue da seguinte forma: os pobres não possuem uma teologia como sistema, mas se conservam fiéis às verdadeiras intuições do Evangelho. No entanto, o que eles possuem de conhecimentos explícitos corre o grande risco de ser uma versão distorcida de um sistema por si mesmo deformante, vivido pelos privilegiados.

O que se passou na América Latina não é, porém, um fato único na História, mas sim a exasperação de uma tendência encontrável em todas as épocas.

Nessas condições, a teologia latino-americana não consiste em acrescentar uma ciência nova às teologias anteriores, mas sim em revê-las à luz do antagonismo histórico entre a fé dos pobres e os sistemas religiosos montados pelos privilegiados, adaptando assim o cristianismo à sua condição. Em outras palavras, consiste ela em buscar a própria essência anteriormente aos revestimentos de falsas teologias que impregnam a cristandade. Afinal, não é este o trabalho que foi o de todas as grandes correntes renovadoras na história da Igreja?

Buscar a humanidade de Jesus não significa negar a sua divindade, nem renovar, no que quer que seja, o antigo nestorianismo. Significa, ao contrário, reencontrar o verdadeiro sentido da afirmação da divindade de Jesus. A teologia latino-americana consagra seus esforços na consideração do significado dos atos de Jesus porque está convencida de que o centro da revelação de Deus encontra-se na vida humana do próprio Filho de Deus. Por que existiriam os Evangelhos, se a vida de Jesus não contivesse precisamente o núcleo central da Palavra de Deus? Ora, é a vida humana de Jesus que nos conduz aos pobres e à sua libertação.

Todo mundo sabe que, nas teologias tradicionais, o Espírito Santo ocupa lugar reduzido. Isto se tornou lugar-comum para os teólogos contemporâneos, tanto que a vida cristã é concebida como aceitação passiva de um sistema religioso, onde o Espírito desempenha papel bastante restrito. Porém se o essencial consiste no dever de cada geração refazer, em seu mundo, o caminho percorrido por Jesus, o Espírito então reencontra sua atualidade, porque não pode tratar-se de uma imitação servil dos atos de Jesus, projeto, aliás, impossível. É o Espírito que guia os cristãos em sua busca. O Espírito possui seus métodos e seus critérios. O conhecimento do Espírito Santo torna-se, portanto, um imperativo. Nada pode ser deduzido de maneira puramente intelectual, e a inspiração do Espírito não está absolutamente em relação com as capacidades culturais das pessoas. O Espírito se manifesta em meio aos simples e pobres, inventando caminhos que sempre, no passado, conduziram de novo a Igreja de volta a eles.

No que toca à Igreja, o Papa João Paulo II, grande número de vezes, chamou-a de "Igreja dos pobres". Mas existe uma grande diferença entre esta definição, que é o projeto de Jesus, e as realizações históricas da Igreja. O que mais chama a atenção da eclesiologia latino-americana é exatamente essa distância entre o dogma e a História. Como a pastoral se inscreve na História, a Igreja é chamada a viver intensamente o conflito entre o Evangelho e a História. Qual é então o apelo que lhe é endereçado em favor da luta atual de libertação dos pobres? Em que, nesta hora, é a pastoral sinal dos tempos, hora de graça e de conversão para a própria Igreja e mudança na História?

A soteriologia toca evidentemente a América Latina. Se Jesus liberta os homens do pecado, a questão é a seguinte: onde está o pecado? Seria ele – como para os fariseus – o que permite aos cristãos colocar-se sempre em posição favorável, sendo "contra", enquanto os outros são "a favor"? O pecado seria o que nos permite condenar os publicanos e, com eles, todos os pobres que, afinal, tão mal observam os mandamentos? Jesus vem subverter a problemática do pecado, e é esta subversão que nos ocupa. Não serviu o pecado, sempre, de pretexto para adiar todas as mudanças? Qual é a função do pecado no cristianismo? E que fazemos dele, na prática da Igreja?

Poder-se-ia passar em revista todos os tratados de teologia clássica e se observaria que jamais se tratou de acrescentar-lhes novos conteúdos, mas de mudar as perspectivas. É exatamente isto que os teólogos devem aos pobres.

20 – Onde está a redução?

Por muitas vezes acusou-se a teologia latino-americana de reducionismo. Mas onde está a verdadeira redução da teologia? A teologia latino-americana apenas retomou uma série de temas bíblicos fundamentais que os escolásticos sucessivos progressivamente permitiram desaparecer.

Por exemplo, o que veio a ser o tema da opção prioritária pelos pobres, um dos eixos da Bíblia? Na escolástica, só é abordada a questão do homem universal, como se Deus não fizesse distinções. Os Evangelhos são, assim, esvaziados de boa parte de sua substância, em proveito de uma filosofia segundo a qual todos os homens são os mesmos.

Em que se transformou o tema da libertação, como resposta à miséria dos oprimidos? Foi reduzido ao desaparecimento de um pecado moralista e legalista muito semelhante ao pecado apregoado pelos fariseus.

Na Bíblia, o conhecimento de Deus está ligado à prática: é preciso praticar a verdade para conhecê-la. O que veio a ser, na teologia tradicional, esta prioridade da prática? Nada, porque, ao contrário, tudo aí insinua a superioridade dos intelectuais, não ocupando nenhum lugar nela o privilégio dos pobres na compreensão do Evangelho. Os argumentos de "razão" não invocam a razão dos simples, mas somente a dos filósofos.

Tomemos como exemplo a doutrina sobre Deus. Muito cedo, o conceito bíblico de Deus foi misturado aos conceitos de filosofia grega e, particularmente, ao conceito do "monoteísmo político" do Império Romano, resultando num Deus abstrato, mais cosmológico que histórico, que se dirige ao homem em geral e não se manifesta por atos históricos, mas sim pelo jogo da inteligência discursiva. Este Deus se identifica com o monoteísmo cósmico popular dos povos antigos. Chega-se assim a uma teodicéia, de onde foi afastado todo o conteúdo bíblico da figura de Javé.

Ora, o Deus da Bíblia se revela na História. Fez uma opção pelos pobres. Tomou parte nos acontecimentos humanos. É um Deus libertador, que salva os pobres das forças que os oprimem: a doença, a morte e o pecado. A partir dos oprimidos libertados forma-se um povo cuja característica é a liberdade na solidariedade.

No que se refere a Cristo, todos os movimentos espirituais cristãos sempre professaram que o caminho da salvação e que conduz a Deus é a imitação da vida humana de Jesus. Assim procedendo, não pensavam eles em nenhuma forma de negar sua divindade. Todavia a fé cristã de todos os tempos ensinou sucessivamente que o caminho da salvação não consiste simplesmente em professar a divindade de Jesus, mas sim em imitá-la, seguindo seu exemplo. A divindade de Jesus autentica o caminho por ele proposto. Se é o Filho de Deus, o caminho por ele proposto certamente vem de Deus e deve a ele conduzir.

Ora, em uma certa religião popular muito comum na América Latina e ainda melhor enraizada entre os ricos do que entre os pobres, o sentido da vida humana de Jesus desaparece completamente. Jesus torna-se um ser puramente celeste, que, de humano, possui só as aparências, ou seja, é uma imagem de Deus, uma apresentação figurada. É preciso adorá-lo, entregar-se a ele e esperar tudo dele, porém sua vida – no tocante à orientação concreta que cada cristão é chamado a imprimir à própria existência – nada inspira, além do preceito da caridade em geral. A libertação dos pobres nada tem a ver com Jesus e, de fato, muitos cristãos nunca encontraram nele motivações para se ocuparem da situação do mundo e do destino dos pobres.

Assim, a ligação entre salvação e História é mais e mais reduzida ao mínimo, parecendo que a salvação cristã em nada afeta a caminhada deste mundo, desenrolando-se num mundo paralelo a ele. É um supremo paradoxo para uma religião cujo Livro nada contém além de uma história e cujo fundador apresenta apenas uma filosofia. A História seria somente destinada a fornecer imagens e exemplos?

Que papel desempenham o homem e sua libertação na escolástica? Desaparece, diante da antropologia grega, com a primazia da inteligência, a concepção de alma espiritual e o esquecimento do corpo que formam a sua base. O homem da teologia não é este pobre corpo humilhado, desprezado e destruído que encontramos diariamente, corpo crucificado, que aguarda a ressurreição? O homem contemplado pela teologia será o filósofo, ou o trabalhador humilde, que serve a Deus através de suas mãos e de todo o seu corpo?

Por fim, o advento da liberdade não é a última palavra do Evangelho de Jesus e de Paulo? Que fizeram disto as teologias tradicionais? Fizeram desaparecer este Evangelho sob um palavreado de considerações filosóficas estranhas à questão.

Então, onde está a teologia reducionista? Onde está a teologia que cede à pressão dos filósofos? E por que cedeu-se tão facilmente diante das filosofias? Foram os pobres que cederam? Ou os professores, os mestres de universidades e os privilegiados?

Nunca chegamos a saber se este nosso documento foi ou não levado em consideração por Roma para a futura história da Teologia da Libertação. Afinal, entregamos tudo à inspiração do Espírito Santo.

Apêndice II

Sermão da posse

Ao deixar a missão da Igreja nas mãos do meu digníssimo sucessor dom Claudio Hummes, o povo católico de São Paulo e eu mesmo nos perguntamos se os sonhos e ideais do dia da posse, expressos neste sermão, foram cumpridos.

Somente o Deus misericordioso e o Povo de Deus poderão proferir o julgamento definitivo. De minha parte, devo confessar: apesar de minhas deficiências e das surpresas incontáveis, nunca me faltaram a assistência do Deus sempre fiel e a generosidade do povo paulistano nas horas decisivas dos vinte e oito anos de meu serviço a esta metrópole. Amei São Paulo como à própria família mais querida nesta terra. Que ela cumpra o plano do Pai celeste pelos méritos de Jesus e a ação vigorosa do Espírito Santo, por intercessão da Mãe Maria e do Apóstolo Paulo.

Por ordem de Sua Santidade o Papa Paulo VI, e em comunhão plena e perfeita com ele; na continuidade da sucessão dos Apóstolos de Cristo; a serviço contínuo da Igreja de Deus que vive em São Paulo; em solidariedade total com os que querem viver o Evangelho do Senhor Jesus e acolhem pela fé e pela consciência a justiça de Deus na verdade e na caridade; na promessa de rezar pelas autoridades constituídas e no dever de colaborar corajosamente e na fé com todos os que promovem o Bem Comum, a Paz, a Solidariedade, a Justiça e a Caridade; confiado na misericórdia do Pai, na presença constante do Cristo e na inspiração do Espírito de Amor, tomo posse desta Arquidiocese de São Paulo, confirmando, até ordem contrária, todas as disposições de meu predecessor.

Meu irmão Agnelo, enviado de nosso queridíssimo Irmão e Pai Paulo, Bispo de Roma e da Igreja Católica,

Meus irmãos responsáveis pelas Igrejas particulares que são as Dioceses de São Paulo e do Brasil,

Augustas autoridades civis, militares e religiosas, constituídas por Deus para levarem seu Povo à Paz e Fraternidade, dentro de um progresso total,

Meus irmãos e filhos, que comungais na mesma fé em Cristo,

Meus amigos, que seguis a voz da consciência, procurando o bem e a verdade,

A todos, meu afeto em Cristo Jesus, pela ternura de Sua e nossa Mãe:

QUEM ÉS?

Estais lembrados da cena do Evangelho em que os príncipes dos sacerdotes e os escribas com os anciãos perguntaram a Jesus: "Dize-nos: com que direito fazes essas coisas, e quem é que te deu essa autoridade? (Lc 20, 1b-2; Mt 11, 27). Talvez muitos quisessem no dia de hoje repetir a pergunta àquele que ontem lhes era desconhecido, e agora aqui está, ocupando a cátedra da Igreja de Deus em São Paulo.

Se vos dissesse que venho da região norte, que aí me fiz paulistano e que lá residem "minha mãe e meus irmãos, que ouvem a palavra de Deus e a observam" (Mc 3, 31-35), talvez fôsseis tentados a repetir: "Pode vir alguma coisa boa de Nazaré?" (Jo 1,46).

Por isso mesmo desejo logo ir ao essencial.

Venho do passado, que se torna presente e futuro pela Palavra sempre viva de Jesus. É o Senhor que me envia. Não apelo para a imaginação, e sim para a fé e para a História. Na hora em que Cristo Jesus ia subir ao céu e resumiu numa palavra e num gesto a história toda de sua Igreja e da humanidade (Mt 28, 16-20) divisou, com a nitidez que só o amor eterno sabe fixar, os contornos da terra de Anchieta e dos Bandeirantes. Diante dele foi crescendo e se agigantando a metrópole feita de trabalho e de heroísmo e foi por isso que enviou a esta cidade por ele amada os Anchietas missionários e pastores. Não fora esse gesto e essa palavra, de Cristo, não teríamos conhecido a figura hierática de dom Duarte; o homem que encarnava o arrojo e que se chamava dom José Gaspar; o cardeal-bispo da inteligência penetrante e da vontade indômita que é dom Motta, e o Pai e Irmão a quem chamamos com simplicidade o nosso cardeal Rossi. Com eles sou também um enviado de Jesus, que, por sua vez, é o Enviado do Pai.

Venho do passado. De longa convivência com o cristianismo nascente, com homens e mulheres fracas, que enfrentavam perseguições do maior e mais organizado gigante da História, o Império Romano. Convivi por quase trinta anos – estudioso da história primeva da Igreja – com homens de grande coração e inteligência como Santo Agostinho, Santo Ambrósio, São Gregório Nazianzeno e São João Crisóstomo, que explicitaram com vigor e arte não ser o cristianismo uma ideologia, mas a crítica fraterna e firme a todas as ideologias.

Venho do passado. Estive em companhia de Francisco de Assis e dele trago a missão eterna da "Paz e do Bem". Vi o lobo reconciliar-se com os habitantes amedrontados da cidade; presenciei a cena em que o bispo dava a mão ao soberano da terra, para gáudio e felicidade dos cristãos todos.

Permitam-me acrescentar com simplicidade: venho de cátedras de universidades e dos morros da pobreza em torno à minha cidade de Petrópolis, morros que rivalizavam com as mesmas cátedras em seus ensinamentos e na demonstração da pequenez do homem diante das tarefas que o esperam.

É com alegria que o digo: venho do meio do povo desta arquidiocese a que já pertencia, do clero a quem amo e de quem sou irmão, dos religiosos, que comigo se esforçam para serem sinal e esperança dos bens que estão para chegar, dos leigos que entendem o serviço aos irmãos como tarefa essencial de sua existência.

Aqui estou: pequeno de estatura, limitado e consciente das limitações, ao lado da família que me criou e dos companheiros que comigo lutaram, pedindo uma coisa apenas: permiti que o Espírito de Deus realize em nós seu desígnio e nos encaminhe a todos para a companhia dos santos, pequenos e grandes, que hoje festejamos.

QUE QUERES?

Qual é pois a nossa missão?

Está ela traçada no início da mensagem do próprio Jesus: "Completou-se o tempo e o Reino de Deus está próximo. Convertei-vos e crede no Evangelho" (Mc 1, 15).

A Igreja é orientada não apenas por uma coluna de nuvem que ilumina e indica o caminho. Mas é o espírito de dentro dessa nuvem, ou melhor, o Espírito de Jesus quem a conduz e ilumina. Condição: acolhermos este Espírito pela fé; conservarmo-nos unidos, como unido está Jesus com o Pai, "para que o mundo creia que Ele nos enviou" (Jo 17,21); confortarmo-nos mutuamente – leigos, religiosos e clero – na hora em que Satanás tentar "peneirar-nos, como se peneira o trigo" (Lc 22, 31); crermos na força vinda de Deus, pois a justiça se obtém pela fé e conduz à fé, como está escrito: "O justo vive da fé" (cf. Rm 1, 16). Programa: todo o Evangelho, no espírito das bem-aventuranças (Mt 5, 1) que acabam de ser proclamadas para nós nesta missa; na convicção íntima de sermos "filhos de Deus" (Jo 3, 1-3); de pertencermos aos "assinalados" que receberam a salvação pelo sangue do Cordeiro (Ap 7, 1). É só isso. É tudo isso.

A HORA É DE AÇÃO DE GRAÇAS, EM MEIO ÀS LÁGRIMAS

Meu irmão Agnelo Cardeal Rossi: nesta hora já não falo apenas em nome de sua e nossa arquidiocese, nem mesmo de nosso estado e do Brasil, mas em nome da América Latina, que se vê distinguida na sua augusta pessoa.

Nosso Pai e Irmão o Papa Paulo de Roma, chefe da Igreja Católica, assumiu-o dentre os seus 1.300 padres de São Paulo para colocá-lo à frente de 31.000, assoberbados pela tarefa missionária. A semente boa, em terra escolhida, chega a produzir trinta, sessenta e cem por um. Em lugar de suas 5.000 religiosas – é este o número aproximado delas em nossa arquidiocese – lhe dará ele 82.000 colaboradoras abnegadas. Em vez de levá-lo a cuidar de uma diocese, a maior em número de católicos, lhe confiará 800 a 900 circunscrições eclesiásticas, onde, pela natureza mesma dos territórios, os católicos estão em minoria, mas contam, apesar disso, com 15.500 monges e 13.200 sacerdotes nativos.

São Paulo entende hoje melhor o que o Concílio definiu para o universo: "Toda Igreja é missionária, e a obra da Evangelização é dever fundamental do Povo de Deus." Depois desta afirmação basilar, o Santo Sínodo convidou a todos à mais profunda renovação, "para tomarem o devido lugar na obra missionária entre os povos" (Ad Gentes, 35).

Uma coisa apenas queremos prometer-lhe: a sua Arquidiocese de São Paulo renova hoje o compromisso de ser uma diocese essencialmente missionária, no sentido de formar apóstolos para as suas próprias necessidades imensas, e de contribuir – com a graça de Deus e o trabalho paciente dos educadores religiosos – para a formação de apóstolos em favor de outras terras. Sei que as nossas 350 paróquias estão dispostas a renunciar a tudo o que é instalação para andarem como comunidades vivas, anunciando a paz. Andaremos com os missionários, no espírito de Jesus.

Que o Santo Sacrifício da Missa que iniciamos juntos nos una a todos os pobres, aflitos e famintos que lutam e esperam, e, morrendo, ressuscitarão.

(Pronunciado na Catedral Metropolitana de São Paulo, em 1º de novembro de 1970.)

Anexo I / Títulos

Os anexos no final deste meu testemunho como arcebispo de São Paulo aí figuram, a pedido de meus amigos, para exprimir a gratidão a tantos que me encorajaram ao longo dos dias difíceis que passei em São Paulo.

Fui apenas um instrumento de Deus, como arcebispo, e um defensor convicto da dignidade de cada um dos seus filhos. Muitos deles não puderam figurar neste livro, por falta de espaço.

Peço que não atribuam à minha pessoa os méritos dessas honrarias. Deus, que me acompanhou com sua providência desde o seio de minha mãe até o dia de hoje, aceite esta apresentação como louvor a Ele e gratidão à generosa disponibilidade de um povo a quem eu tanto amo e por quem quero dar toda a minha vida. Que Ele a todos abençoe e guarde em seu amor.

CIDADANIAS

Cidadão Petropolitano, deliberação nº 1.744 de 22.10.63, título recebido em 14.12.64.

Cidadão de Passa-Quatro, resolução 158, de 15.06.76.

Cidadão Paulistano, decreto legislativo nº 9/77, 24.11.77.

Cidadão Mojimiriano, decreto legislativo nº 31, 12.04.78.

Cidadão São-joseense, decreto legislativo nº 6, de 30.05.78, recebido em 24.08.83.

Cidadão São-joanense, decreto legislativo nº 10/78, de 28.11.78, recebido em 10.08.79.

Cidadão Jacareiense, decreto legislativo nº 10/78, de 03.07.78, recebido em 08.08.80.

Cidadão Honorário de Piquete, decreto legislativo nº 2/79, recebido em 24.08.83.

Cidadão Cândido-motense, decreto legislativo nº 9/78, de 07.11.78.

Cidadão de Guarujá, decreto legislativo nº 119/79, de 08.08.79.

Cidadão Prudentino, decreto legislativo nº 65, de 28.06.79, comunicado em 19.09.79.

Cidadão Mineiro, honraria informal outorgada em desagravo por mineiros de São Paulo, em sessão solene na Assembléia Legislativa de São Paulo, 25.01.80.

Cidadão Franco-rochense, decreto legislativo nº 2/80, de 25.08.80.

Cidadão Benemérito Aparecidense, decreto legislativo nº 4/80, de 20.10.80.

Cidadão Aguaiense, decreto legislativo nº 16/80, de 09.01.80.

Cidadão Honorário do Estado do Paraná, lei estadual nº 7477, de 08.07.81, recebido em 03.12.81.

Cidadão Ibiunense, decreto legislativo nº 1/83, de 07.04.83, recebido em 28.05.83.

Cidadão Livre de Galway, Irlanda, 16.06.83.

Cidadão Lindoiense, decreto legislativo nº 5, de 28.08.79, recebido em 02.07.84.

Cidadão Osasquense, decreto legislativo nº 1/84m de 02.02.84.

Cidadão Cruziliense, resolução de 10.02.84, recebido em 05.07.86.

Cidadão Paracambiense, RJ, recebido em 12 07.86.

Cidadão Ribeirão-pretano, decreto legislativo nº 29/81, recebido em 11.11.91.

Cidadão Honorário e Benemérito de Cataguases, decreto legislativo nº 3/93, recebido em 06.09.93.

Cidadão Emérito de Santos, decreto legislativo nº 15/94, recebido em 26.01.95.

Cidadão Benemérito de Forquilhinha, decreto legislativo nº 13/95, de 02.11.95, recebido em 11.12.95.

Cidadão Honorário de Maceió, decreto legislativo nº 7/83, recebido em 18.12.95.

Cidadão Honorário de Belo Horizonte, resolução nº 1.967 de maio de 1994, da Câmara Municipal de Belo Horizonte-MG, entregue em 17.11.99.

Cidadão Honorário de Juiz de Fora, Lei nº 9.629 de 26.10.99 da Câmara Municipal de Juiz de Fora-MG, 25.11.99.

Cidadão Sorocabano, Decreto Legislativo nº 526 de 21.06.01 da Câmara Municipal de Sorocaba, 10.08.01.

Anexo 1

Títulos

DOUTORADOS HONORIS CAUSA

Doutor Honoris Causa em Direito, Universidade de Notre Dame, Indiana, EUA, 22.05.77, juntamente com o Presidente Jimmy Carter.

Doutor Honoris Causa em Sagrada Teologia, Siena College, Loudonville, EUA, 17.05.81.

Doutor Honoris Causa em Direito, Fordham University, Bronx, Nova York, EUA, 17.05.81.

Doutor Honoris Causa em Direito, Seton Hall University, Newark, EUA, 06.06.82.

Doutor Honoris Causa em Teologia, Universidade de Münster, Alemanha, 19.01.83.

Doutor Honoris Causa em Direito, Saint Francis Xavier University, Antigonish, Canadá, 04.05.86.

Doutor Honoris Causa em Ciências Humanas, Universidade de Dubuque, Iowa, EUA, 07.09.88.

Doutor Honoris Causa, Universidade São Francisco, Bragança Paulista, SP, 08.03.89.

Doutor Honoris Causa, Universidade Metodista de Piracicaba, SP, 08.08.90.

Doutor Honoris Causa em Ciências Humanas, Manhattanville College, Purchase, Nova York, EUA, 25.05.91.

Doutor Honoris Causa, Universidade do Sagrado Coração de Jesus, Bauru, SP, 06.06.92.

Doutor Honoris Causa, Universidade Católica de Nimega, Holanda, 29.10.93.

Doutor Honoris Causa, Universidade Católica de Goiânia, GO, 05.05.98.

Doutor Honoris Causa, Universidade do Extremo Sul Catarinense, Criciúma, SC, 08.12.98.

Doutor Honoris Causa, Universidade Federal do Acre, Rio Branco, AC, 21.12.98.

Doutor Honoris Causa, Universidade Federal do Paraná, Curitiba, PR, 31.05.99.

Doutor Honoris Causa em Teologia, Pontifícia Faculdade de Teologia Nossa Senhora da Assunção, São Paulo, SP, 12.08.99.

Doutor Honoris Causa, Universidade Federal de Viçosa, Minas Gerais, 02.09.99.

Doutor Honoris Causa, Universidade Estadual de Campinas, UNICAMP, de acordo com deliberação do Conselho Universitário, sessão de 28.03.00, entregue em 20.10.00.

Doutor Honoris Causa, Universidade de Sorocaba, de acordo com deliberação do Conselho Universitário, sessão de 19.02.01, entregue em 10.08.01.

PRÊMIOS

Prêmio (informal) Mahatma Gandhi da Paz, em eleição coordenada pelo publicitário Carlito Maia e apuração referendada pela presidência da Associação Brasileira de Imprensa, 31.12.81.

Prêmio Internacional Letelier-Moffitt de Direitos Humanos, do Instituto de Estudos Políticos de Washington, EUA, fundado pelo Presidente Kennedy, 21.09.82.

Prêmio Governo do Estado do Rio de Janeiro, como a grande personalidade brasileira, pela amplitude com que assumiu as responsabilidades sociais da Igreja, 28.02.85.

Prêmio Internacional Medalha Nansen, do Alto Comissariado das Nações Unidas para Refugiados (ACNUR), recebido no Palácio das Nações, Genebra, Suíça, 07.10.85.

7º Prêmio Vladimir Herzog de Anistia e Direitos Humanos, do Sindicato de Jornalistas Profissionais do Estado de São Paulo e Comitê Brasileiro pela Anistia, 25.10.85.

Prêmio Internacional Arcebispo Oscar Romero de Direitos Humanos, da Fundação Ecumênica Menil-Rothko Chapel, Houston, Texas, EUA, 24.03.88.

1º Prêmio Nacional de Direitos Humanos, da Coordenação Brasileira dos Centros de Defesa dos Direitos Humanos, 08.12.88.

Prêmio Hélder Câmara de Direitos Humanos, da Ordem dos Advogados do Brasil, seção Pernambuco, 10.08.89.

Prêmio Intelectual do Ano 1990, Troféu Juca Pato, da União Brasileira de Escritores e *Folha de São Paulo*, 18.10.90.

Prêmio 10 Anos da Comissão de Direitos Humanos da OAB-SP, Ordem dos Advogados do Brasil, seção São Paulo, 12.12.90.

2º Prêmio Oscar Romero de Serviços à Não-Violência e aos Pobres, de Pax Christi, Portland, EUA, 25.05.91.

Prêmio The Right Livelihood, conquistado na Europa pelo Movimento dos Trabalhadores Sem Terra do Brasil e por este repassado a dom Paulo, em virtude do apoio emprestado, março/92.

Prêmio Graymoor e Afiliação à Ordem Primeira dos Franciscanos da Reconciliação, decreto de 08.09.93 e entrega em 21.04.94, Nova York, EUA.

11º Prêmio Niwano da Paz, Tóquio, Japão, 11.05.94.

1º Prêmio Direitos Humanos, categoria "Livre", criado pelo decreto de 08.09.95 do presidente da República, conferido pelo Presidente Fernando Henrique Cardoso, 05.12.95.

Prêmio Municipal de Direitos Humanos da Prefeitura Municipal de Maceió, AL, lei nº 4.367, de 15.12.95, entregue em 18.12.95.

Prêmio Criança e Paz 1996, do Fundo das Nações Unidas para a Infância (UNICEF), Brasília, 13.11.96.

Prêmio PNBE de Cidadania, do Pensamento Nacional das Bases Empresariais, São Paulo, SP, 03.12.96.

Prêmio Franz de Castro Holzwarth/1996, da Comissão de Direitos Humanos da Ordem dos Advogados do Brasil, seção São Paulo, 10.12.96.

1º Prêmio Santo Dias de Direitos Humanos, da Assembléia Legislativa de São Paulo, 15.12.97.

Prêmio Ordem do Mérito da Fraternidade Ecumênica, categoria "Religião", da Legião da Boa Vontade (LBV), 03.12.98.

Prêmio Brenda Lee, Categoria Direitos Humanos, do Centro de Referência e Treinamento em Doenças Sexualmente Transmissíveis da Secretaria da Saúde do Estado de São Paulo, pelo destaque alcançado no enfrentamento da epidemia de AIDS nos últimos 15 anos, São Paulo, 03.12.98.

Prêmio Top Comunitário da 29ª Festa das Personalidades do Ano, do Grupo 1 de Jornais, São Paulo, 20.09.99.

Prêmio Teotônio Vilela, do Instituto Teotônio Vilela de Brasília, por sua ação em favor da dignidade humana, na luta pelas liberdades civis e pela causa democrática no Brasil: fundador da Comissão Justiça e Paz, é referência e símbolo que nos faz cada vez mais comprometidos com os ideais de justiça, solidariedade, tolerância e fraternidade. Por ocasião dos 20 anos da anistia, Rio de Janeiro, RJ, 27.09.99.

1º Prêmio Liberdade e Democracia, da Fundação Pública e Municipal Ulysses Silveira Guimarães, pelo destaque reconhecido como sujeito ativo da história recente no processo de resgate da liberdade e da redemocratização do Brasil. Rio Claro, SP, 08.10.99.

Prêmio Severo Gomes, da Comissão Teotônio Vilela de Direitos Humanos, "por sua extraordinária contribuição para a promoção e proteção dos direitos humanos, para a defesa das vítimas do arbítrio e para a consolidação do estado de direito no Brasil e na América Latina", São Paulo, 17.05.00.

Prêmio Direitos Humanos 1999/Personalidade do Ano, da Associação das Nações Unidas-Brasil, São Paulo, 26.05.00.

MEDALHAS

Grão-Oficial da Ordem El Sol del Perú, do governo peruano, 06.03.72.

Jubileu de Prata da Fundação para o Livro do Cego no Brasil, pelos relevantes serviços prestados, 16.06.72.

Pero Vaz Caminha, do Instituto Histórico e Geográfico Pero Vaz Caminha, São Paulo, 05.09.72.

Cavaleiro da Grã-Cruz da Ordem Eqüestre do Santo Sepulcro de Jerusalém, 02.03.73.

Mérito Pessoal e Relevantes Serviços, da Sociedade Consular de São Paulo, 06.06.74.

Valor Cívico, do governo do Estado de São Paulo, 06.05.75.

Carlos Gomes, da Sociedade Brasileira de Artes, Cultura e Ensino, Campinas, SP, 04.07.75.

Cívico-Cultural do Sesquicentenário do Nascimento de D. Pedro II, do Instituto Histórico e Geográfico de São Paulo, 24.08.76.

Reconhecimento à colaboração recebida, no 15º aniversário de constituição da CESP – Centrais Elétricas de São Paulo, 05.12.81.

Bicentenário do Padre Diogo Antônio Feijó, do governo do Estado de São Paulo, 30.08.85.

Comendador da Legião de Honra, do governo da França, entregue pelo embaixador da França no Brasil, presente a primeira dama Danielle Mitterrand, São Paulo, 09.05.87.

Chico Mendes de Resistência, do Grupo Tortura Nunca Mais, Rio de Janeiro, RJ, 07.07.89.

Mérito Anita Garibaldi, categoria "Ouro", do governo do Estado de Santa Catarina, pelos relevantes serviços prestados ao Estado, 23.11.90.

Grã-Cruz da Ordem do Ipiranga, decreto nº 52.064, do governo do Estado de São Paulo, 30.11.95.

Honra, da Universidade de São Paulo, 08.12.96.

Brás Cubas, decreto legislativo nº 40/95, da Câmara Municipal de Santos, SP, 06.03.96.

Comenda Maior da Ordem de Nossa Senhora do Ó, no bicentenário da fundação da Paróquia, São Paulo, 15.09.96.

Brigadeiro Tobias, da Polícia Militar do Estado de São Paulo, resolução do Comando Geral, aprovada pela Comissão da Medalha, 04.10.96.

Sobral Pinto, da PUC-MG, pela relevante atuação em defesa dos direitos humanos, Belo Horizonte, MG, 29.04.99.

Grã-Cruz da Ordem do Pinheiro, do governo do Estado do Paraná, Curitiba, PR, 30.05.99.

Comendador da Grã-Cruz da Ordem do Mérito Cívico e Cultural, em reconhecimento público pelos méritos de honra, caráter, civismo, dignidade e benevolência sempre colocados a serviço da educação e do ensino brasileiros, da Sociedade de Heráldica, Medalhística, Cultural e Educacional, São Paulo, 28.06.99.

Gran Cruz da Ordem de Bernardo O'Higgins, do Presidente da República do Chile, outorgada em 04.10.00 e entregue em 29.07.01.

Cultural Dom Aguirre, considerando os relevantes serviços prestados. Sorocaba, 10.08.01.

SÓCIO HONORÁRIO

Instituto Paranaense de Pedagogia, Curitiba, PR, 31.01.58.

Sociedade Paulista de História da Medicina, São Paulo, 05.04.73.

Pontifícia Academia Mariana Internacional, Roma, 19.11.73.

Associação Paulista de Cirurgiões-Dentistas, regional São José dos Campos, SP, 06.05.75 e (2ª vez) 16.07.82.

Coral Eucarístico Comunicação de São Paulo, 1979.

Centro Catarinense Anita Garibaldi, São Paulo, 01.12.91.

Remido Honra ao Mérito da Associação Brasileira de Imprensa (ABI), Rio de Janeiro, RJ, setembro/94.

Benemérito da Associação Brasileira de Imprensa (ABI), Rio de Janeiro, RJ, 26.11.96.

ANCARC – Associação Nacional Católica de Rádios Comunitárias, 09.05.98.

1º Sócio Emérito do Centro de Estudos e Pesquisa em Direitos Humanos de São Paulo (CDH), pela construção dos valores de igualdade, liberdade e solidariedade na sociedade brasileira, São Paulo, 22.03.99.

Sociedade de Heráldica, Medalhística, Cultural e Educacional, São Paulo, 28.06.99.

TÍTULOS, HOMENAGENS E DIPLOMAS DIVERSOS

Diploma da Creche João XXIII de Guaianases, pelos relevantes serviços à ação comunitária paroquial, São Paulo, 1972.

Diploma-Homenagem pelos relevantes serviços prestados à comunidade na defesa dos direitos humanos, da 60ª Turma de Medicina da Universidade de São Paulo, 02.04.78.

Certificado de Gratidão, comemorando a visita ao Brasil do Papa João Paulo II e os 480 anos do descobrimento do Brasil e da 1ª Missa, do Instituto Histórico e Cultural Pero Vaz Caminha, São Paulo, 1980.

Sexta Personalidade mais influente do Brasil, eleição do Fórum Gazeta Mercantil, São Paulo, 1981.

Sétima Personalidade mais influente do Brasil, eleição do Fórum Gazeta Mercantil, São Paulo, 1982.

Diploma Honra ao Mérito da Casa de Detenção Professor Flamínio Fávero de São Paulo, pela contribuição à ressocialização dos encarcerados, 08.05.87.

Diploma Ordem dos Queixadas, do Sindicato dos Trabalhadores de Perus, pelo testemunho de firmeza permanente e de ação não-violenta na busca da justiça, São Paulo, 29.05.87.

Menção Honrosa da Comissão Nacional de Diálogo Religioso Católico-Judaico/CNBB, em reconhecimento pelo constante incentivo à aproximação entre os povos e apoio aos promotores da compreensão entre católicos e judeus no Brasil, 11.06.89.

Título Uma das 50 Personalidades que Ajudaram a Tornar Este Mundo Melhor, da entidade The Christophers, Nova York, EUA, 05.05.95.

Diploma de Honra pelos 50 anos de sacerdócio, da Câmara Municipal de Curitiba, PR, novembro/95.

Homenagem-Reconhecimento pela Educação para a Paz, Justiça e Ecologia, da Universidade São Francisco, Bragança Paulista, SP, 07.10.96.

Homenagem do Conselho Federal da OAB, Ordem dos Advogados do Brasil, Brasília, DF, 10.12.96.

Diploma Mérito Comunitário da Sociedade Amigos da Polícia Militar/4º BPMM, São Paulo, SP, 03.05.97.

Negro Honorário, título concedido por sete entidades de afro-descendentes de São Paulo, 11.11.97.

Troféu-homenagem da Congregação Israelita Paulista, São Paulo, 29.03.98.

Homenagem da Plenária dos Conselhos Gestores dos Centros de Referência em Saúde do Trabalhador do Município de São Paulo, no encerramento do Seminário Nacional sobre Política de Saúde do Trabalhador, São Paulo, 23.04.98.

Reconhecimento público do governo federal pela atuação heróica, abnegada e corajosa na defesa dos direitos humanos no país, publicado no *Diário Oficial da União* (Ministério da Justiça) nº 129, Brasília, DF, 09.07.98.

Tributo de Gratidão da Câmara Municipal de São Paulo, 15.09.98.

Homenagem da OAB, Ordem dos Advogados do Brasil – Seção Osasco-SP e do CONDEPH, Conselho Estadual de Defesa dos Direitos da Pessoa Humana/Núcleo Osasco, no 1º Tribunal de Direitos Humanos Dom Paulo Evaristo Arns de Osasco, SP, 16.10.98.

Cardeal da Cidadania, título outorgado pelo Sindicato dos Jornalistas Profissionais do Estado de São Paulo pelos relevantes serviços prestados à causa dos direitos humanos no Brasil, inclusive por sua atuação no esclarecimento do assassinato de Vladimir Herzog, São Paulo, 27.10.98.

Voto de Louvor, homenagem do Senado Federal, por sua relevante luta pelo respeito aos direitos humanos e pela afirmação dos valores cristãos no Brasil, Brasília, DF, 10.12.98.

Homenagem pela Ação Pastoral do Idoso, do Comitê do Ano Internacional do Idoso, Ministério da Previdência Social, Brasília, DF, 27.09.99.

Homenagem ao Grande Porta-Voz dos Direitos Humanos no Brasil, da Comissão Nacional de Direitos Humanos do Conselho Federal de Psicologia, Brasília, DF, 25.03.00.

Homenagem da X Conferência Municipal de Saúde de São Paulo, Secretaria Municipal da Saúde e Conselho Municipal de Saúde, pela luta em favor dos Direitos Humanos e Justiça Social, São Paulo, 13.11.00.

OUTRAS

Presidente Honorário do Conselho Editorial do Instituto Gutenberg, Centro de Estudos da Imprensa, São Paulo, 17.08.96.

Um dos 50 brasileiros que ajudaram a desenhar a imagem pela qual o ano de 1998 será lembrado, destaque da revista *Veja*, em sua edição de fim de ano, 1998.

Um dos vinte eleitos – 2º lugar pela Comissão de Notáveis e 4º lugar pelos leitores – da revista *Isto É*, como O Religioso do Século, categoria "Religião", maio-junho/1999.

Um dos Vinte Brasileiros Vencedores do Século XX do Projeto Personalidades Patrióticas Empreendedoras da revista *Inside Brasil*, de Fortaleza, CE, 27.06.00.

Um dos Vinte Catarinenses que marcaram o século vinte, segundo campanha do Grupo RBS e a Telesc Brasil Telecom, através de votação popular recebida pelo *Jornal de Santa Catarina* e o *Diário Catarinense*, 12.06.01.

Anexo II / Livros Publicados

La technique du livre d'après Saint Jérôme (tese doutoral da Sorbonne), Ed. de Boccard, Paris, 1953 (traduzido e lançado em português com o título *A técnica do livro segundo São Jerônimo*, Imago Editora, Rio de Janeiro, 1993).

Liberdade de ensino, Vozes, Petrópolis, 1960.

Por que escolas católicas?, Vozes, Petrópolis, 1963.

Rumo ao casamento, Vozes, Petrópolis, 1963.

A quem iremos, Senhor?, Paulinas, São Paulo, 1968.

A humanidade caminha para a fraternidade, Paulinas, São Paulo, 1968.

Paulo VI: Você é a favor ou contra?, Paulinas, São Paulo, 1970.

Cartas de Santo Inácio de Antioquia – Introdução, tradução e notas, Vozes, Petrópolis, 1970.

A guerra acabará, se você quiser, Paulinas, São Paulo, 1970.

Carta de São Clemente Romano – Introdução, tradução e notas, Vozes, Petrópolis, 1971.

De esperança em esperança na sociedade, hoje, Paulinas, São Paulo, 1971.

Santo Ambrósio: Os sacramentos e os mistérios – Introdução e tradução do original latino, Vozes, Petrópolis, 1972.

Comunidade: união e ação, Paulinas, São Paulo, 1972.

Viver é participar, Paulinas, São Paulo, 1973 (traduzido para o italiano com o título *Pastorale per uma unità di Chiesa e di Popolo*, Ed. Jaca Book, Milão, 1975).

Cristãos em plena vida, Loyola, São Paulo, 1974.

Você é chamado a evangelizar, Loyola, São Paulo, 1974.

Nova forma de consagração da mulher, Paulinas, São Paulo, 1974 (traduzido para o espanhol com o título *Nueva forma de consagración de la mujer – Reflexiones*, em Separata-Revista Seminários vol. XXXIII, Salamanca, abril-junho 1987).

O Evangelho: Incomoda? Inquieta? Interessa? – Sínodo da Evangelização, Loyola, São Paulo, 1975.

A família constrói o mundo? Loyola, São Paulo, 1975 (traduzido para o espanhol com o título *La familia construye el mundo?*, Latinoamérica Libros SRL, Buenos Aires, 1980).

Cidade, abre as tuas portas!, Loyola, São Paulo, 1976.

Qual é a sua vocação?, Paulinas, São Paulo, 1976.

Sê fiel!, Loyola, São Paulo, 1977.

Em defesa dos Direitos Humanos – Encontro com o repórter, Civilização Brasileira, Rio de Janeiro, 1978.

Convite para rezar, Paulinas, São Paulo, 1978.

Presença e força do cristão, Loyola, São Paulo, 1978.

Em favor do homem, Avenir, Rio de Janeiro, 1979.

Religiosas recomeçam sempre, Ed. do Autor, São Paulo, 1979.

Discutindo o papel da Igreja, Loyola, São Paulo, 1980.

Mulher consagrada: Identidade e relacionamento, Paulinas, São Paulo, 1980.

Os ministérios na Igreja, Ed.Salesiana Dom Bosco, São Paulo, 1980.

O que é Igreja, Brasiliense, São Paulo, 1981.

Meditações para o dia-a-dia, vol.1, Paulinas, São Paulo, 1982.

Meditações para o dia-a-dia, vol. 2, Paulinas, São Paulo, 1982.

Pensamentos, Paulinas, São Paulo, 1982 (traduzido para o alemão com o título *Mit den Augen der Liebe gesehen-Gedanken für jeden Tag*, Verlag Neue Stadt, Munique, Zurique e Viena, 1980. Para o maltês com o título *Hsibijiet Zghar*, 1993).

Olhando o mundo com São Francisco, Loyola, São Paulo, 1982.

Meditações para o dia-a-dia, vol. 3, Paulinas, São Paulo, 1982.

A violência em nossos dias, Ed. Salesiana Dom Bosco, São Paulo, 1983 (traduzido para o espanhol com o título *La violencia em nuestros dias*, Ed. Don Bosco Argentina, Buenos Aires, 1983).

Meditações para o dia-a-dia, vol. 4, Paulinas, São Paulo, 1983.

Para ser jovem hoje, Ed. Salesiana Dom Bosco, São Paulo, 1984.

Santos e heróis do povo, Paulinas, São Paulo, 1985 e Ed. Letras & Letras, São Paulo, 1996.

O Evangelho de Marcos na vida do povo, Paulinas, São Paulo, 1987 e Paulus, São Paulo, 1997.

I poveri i la pace prima di tutto, Ed. Borla, Roma, 1987.

Criança, prioridade absoluta, Loyola, São Paulo, 1987.

O rosário na Bíblia e na vida do povo, Vozes, Petrópolis, 1987.

Von Hoffnung zu Hoffnung, Vorträge, Gespräche, Dokumente, Patmos Verlag, Dusseldorf, 1988.

Clamor do povo pela paz, Paulinas, São Paulo, 1989 (traduzido para o italiano com o título *Per costruire la pace*, Ed. Borla, Roma, 1992).

Mulher: Quem és? Que procuras?, Ed. Santuário, Aparecida, 1990.

Evangelizar pelo coração, Loyola, São Paulo, 1991.

BIOGRAFIAS

Getúlio Bittencourt e Paulo Sérgio Markum, *O Cardeal do Povo*, Alfa-Ômega, São Paulo, 1979.

Mauro Santayana, *No meio do povo*, Ed. Salesiana Dom Bosco, São Paulo, 1983.

Michael Albus, *Ich trage keinen Purpur*, Patmos Verlag, Dusseldorf, Alemanha, 1985.

Horst Goldstein (org.) *Kardinal der Ausgebeuteten*, Walter Verlag, Olten, Suíça, 1987.

Helcion Ribeiro (org.) *Paulo Evaristo, Cardeal da Esperança e Pastor da Igreja de São Paulo*, Paulinas, São Paulo, 1989.

Evanize Sydow e Marilda Ferri, *Dom Paulo Evaristo Arns – Um homem amado e perseguido*, Vozes, Petrópolis, 1999.

Elza Ajzenberg (coord.) *Paulo Evaristo Arns, Pastor dos Pobres, Cardeal da Igreja*, Pontifícia Faculdade de Teologia Nossa Senhora da Assunção, São Paulo, 1999.

Biografia

Informações sobre os próximos lançamentos

Para receber informações sobre os próximos lançamentos da Editora Sextante, queira entrar em contato com nossa Central de Atendimento, dando seu nome, endereço e telefone para:

EDITORA SEXTANTE
Av. Nilo Peçanha, 155 – Gr. 301 – Centro
20020-100 – Rio de Janeiro – RJ
Tel.: (21) 2524-6760 – Fax: (21) 2524-6755
DDG: 0800-22-6306 (ligação gratuita)
E-mail: atendimento@esextante.com.br
www.esextante.com.br